D1309833

Mary Sue Waisman, diététiste

Cuisinez !

275 recettes
pour célébrer les aliments de la terre à la table

Traduit de l'anglais par Odette Lord

 Les diététistes du Canada
Dietitians of Canada

 LES ÉDITIONS DE L'HOMME
Une compagnie de Quebecor Media

Maquette intérieure: Daniella Zanchetta/PageWave Graphics Inc.
Infographie: Johanne Lemay
Révision et correction: Odette Lord
Collaboration à la traduction: Carl Angers et Louise Chrétien
Collaboration à l'index: Caroline Fortier

Couverture: Salade de poulet au cari à l'indienne (p. 85)
Photo de la couverture: Colin Erricson
Photographe: Colin Erricson
Photographe adjoint: Matt Johannsson

Styliste culinaire: Kathryn Robertson
Styliste accessoiriste: Charlene Erricson

DISTRIBUTEURS EXCLUSIFS:

Pour le Canada et les États-Unis:
MESSAGERIES ADP*
2315, rue de la Province
Longueuil, Québec J4G 1G4
Téléphone: 450 640-1237
Télécopieur: 450 674-6237
Internet: www.messageries-adp.com
* filiale du Groupe Sogides inc.,
  filiale du Groupe Livre Quebecor Media inc.

Pour la France et les autres pays:
INTERFORUM editis
Immeuble Paryseine, 3, Allée de la Seine
94854 Ivry CEDEX
Téléphone: 33 (0) 1 49 59 11 56/91
Télécopieur: 33 (0) 1 49 59 11 33
Service commandes France Métropolitaine
Téléphone: 33 (0) 2 38 32 71 00
Télécopieur: 33 (0) 2 38 32 71 28
Internet: www.interforum.fr
Service commandes Export – DOM-TOM
Télécopieur: 33 (0) 2 38 32 78 86
Internet: www.interforum.fr
Courriel: cdes-export@interforum.fr

Pour la Suisse:
INTERFORUM editis SUISSE
Case postale 69 – CH 1701 Fribourg – Suisse
Téléphone: 41 (0) 26 460 80 60
Télécopieur: 41 (0) 26 460 80 68
Internet: www.interforumsuisse.ch
Courriel: office@interforumsuisse.ch
Distributeur: OLF S.A.
ZI. 3, Corminboeuf
Case postale 1061 – CH 1701 Fribourg – Suisse
Commandes:
Téléphone: 41 (0) 26 467 53 33
Télécopieur: 41 (0) 26 467 54 66
Internet: www.olf.ch
Courriel: information@olf.ch

Pour la Belgique et le Luxembourg:
INTERFORUM BENELUX S.A.
Fond Jean-Pâques, 6
B-1348 Louvain-La-Neuve
Téléphone: 32 (0) 10 42 03 20
Télécopieur: 32 (0) 10 41 20 24
Internet: www.interforum.be
Courriel: info@interforum.be

Mise en garde

Les recettes de ce livre ont été testées avec soin dans nos cuisines, ainsi que par nos goûteurs. À notre connaissance, elles sont nutritives et ne présentent aucun risque quand elles sont utilisées normalement. L'éditeur décline toute responsabilité concernant les inconvénients, pertes ou blessures que pourraient subir les lecteurs à la suite de la préparation de ces recettes. Les personnes souffrant d'allergies alimentaires, ou d'autres types d'allergies, ou qui suivent une diète particulière pour des raisons de santé, doivent lire attentivement chaque recette pour déterminer si elle leur convient. L'utilisation des recettes est à leur discrétion.

En cas de doute, n'hésitez pas à contacter votre médecin ou votre diététiste.

01-11

© 2011, Robert Rose Inc.

Traduction française:
© 2011, Les Éditions de l'Homme,
division du Groupe Sogides inc.,
filiale du Groupe Livre Quebecor Media inc.
(Montréal, Québec)

Tous droits réservés

L'ouvrage original a été publié
par Robert Rose Inc.,
sous le titre *Cook!*

Dépôt légal: 2011
Bibliothèque et Archives nationales du Québec

ISBN 978-2-7619-2988-2

Gouvernement du Québec – Programme de crédit d'impôt pour l'édition de livres – Gestion SODEC – www.sodec.gouv.qc.ca

L'Éditeur bénéficie du soutien de la Société de développement des entreprises culturelles du Québec pour son programme d'édition.

Le Conseil des Arts du Canada
The Canada Council for the Arts

Nous remercions le Conseil des Arts du Canada de l'aide accordée à notre programme de publication.

Nous remercions le gouvernement du Canada de son soutien financier pour nos activités de traduction dans le cadre du Programme national de traduction pour l'édition du livre.

Nous reconnaissons l'aide financière du gouvernement du Canada par l'entremise du Fonds du livre du Canada pour nos activités d'édition.

Table des matières

Remerciements   4

Les diététistes du Canada   5

Introduction   6

Les petits-déjeuners et les brunchs   32

Les repas du midi et les lunchs   58

Les collations, les trempettes et les hors-d'œuvre   86

Les soupes   116

Les salades   138

Le poulet, la dinde et le canard   168

Le bœuf, le porc, l'agneau et le gibier   194

Les poissons et les fruits de mer   222

Les mets végétariens   254

Les plats d'accompagnement   292

Les muffins et les pains à préparation rapide   316

Les desserts   332

L'analyse des éléments nutritifs   372

Index   373

Ressources   391

Remerciements

De même que les bonnes recettes naissent d'un savant mélange d'ingrédients, de même le livre *Cuisinez!* est le résultat d'un travail d'équipe incomparable. Notre objectif était de concevoir un livre qui célébrait tous les merveilleux aliments de chez nous et d'encourager les familles d'ici à les utiliser tous les jours pour cuisiner.

Nous remercions sincèrement Mary Sue Waisman d'avoir donné à ce livre son âme et sa personnalité unique. Mary Sue est une diététiste expérimentée, un grand chef et un auteur de talent. Sa passion pour l'alimentation, son désir de mettre le goût au premier plan de la cuisine santé et sa volonté indéfectible d'enseigner aux autres comment se nourrir d'aliments délicieux sont l'essence même de ce livre. Nous la remercions d'avoir créé un contenu appétissant, d'avoir testé les recettes et d'avoir fourni tant de délicieuses recettes.

Merci également à Adam Hudson, stagiaire en diététique, d'avoir participé à l'essai des recettes.

Un merci tout particulier aux membres du Comité de révision d'avoir donné leur temps pour réviser le texte et en vérifier le contenu. Les membres des Diététistes du Canada (DC) qui siègent au Comité sont les suivants :

Shani Gillespie, Île-du-Prince-Édouard
Anna Leiper, Nouvelle-Écosse
Christina Blais, Québec
Nancy Saunders, Québec
Honey Bloomberg, Ontario
Krystal Taylor, Ontario
Marcia Cooper, Ontario
Margaret Howard, Ontario
Carolyn Chu, Saskatchewan
Desiree Nielsen, Colombie-Britannique
Heather McColl, Colombie-Britannique

Chapeau à Caroline Dubeau, Directrice, Mois de la nutrition, Les diététistes du Canada, qui a mené et géré ce projet de main de maître.

Merci à Janice Macdonald, Directrice, Communications, Les diététistes du Canada, de ses conseils et de son soutien. Merci aussi à Sharyn Joliat d'Info Access (1988) Inc. pour l'analyse des recettes et à Linda Montpetit pour sa collaboration à la révision du contenu en français.

Les diététistes du Canada tiennent à remercier les commanditaires officiels du Mois de la nutrition 2011 :
• Le Groupe Compass Canada
• Les Producteurs laitiers du Canada

Les conseils diffusés au moyen de nos produits et services DC sont basés sur des connaissances scientifiques et sur l'expertise professionnelle et l'expérience de nos membres. Les textes sont rédigés par des diététistes qui possèdent une expérience du domaine. Les diététistes du Canada (DC) conservent le plein contrôle de la rédaction des contenus.

Les diététistes du Canada tiennent à être tout à fait transparents quant à la divulgation de leurs sources de revenus. Pour ce faire, nous en faisons état sur notre site Web, sur nos outils et ressources pédagogiques et lors de nos réunions. Cependant, le fait d'émettre un remerciement n'est pas une recommandation d'utiliser les produits ou services du fournisseur, commanditaire ou publicitaire. Les diététistes du Canada n'endossent ni ne font la promotion d'aucun produit ou service commercial.

Merci enfin aux diététistes et membres du public qui ont partagé des recettes et des conseils. Sans leurs recettes originales et savoureuses, *Cuisinez!* n'aurait pu voir le jour.

Les diététistes du Canada

Les diététistes du Canada
Dietitians of Canada

Les diététistes du Canada (DC) est l'association professionnelle nationale des diététistes, qui représente près de 6000 membres à l'échelle locale, provinciale et nationale.

À titre de leader reconnu en matière de pratique de la diététique, notre association promeut la santé par les aliments et la nutrition en offrant à la population canadienne de l'information fiable et en conseillant les gouvernements fédéral, provinciaux et territoriaux sur les meilleures pratiques en nutrition.

L'organisme Les diététistes du Canada est également l'un des plus importants organismes de professionnels en diététique du monde et il contribue activement à l'avancement de la diététique sur le plan international.

Dans le cadre de notre engagement envers la recherche fondée sur des données probantes, nous avons créé la Fondation canadienne de la recherche en diététique (FCRD) en 1991. Pour appuyer la recherche en alimentation et en nutrition, vous pouvez faire un don. Vous trouverez des détails à l'adresse suivante : www.cfdr.ca/francais.html.

Pour obtenir des conseils en matière d'alimentation et de nutrition, dont des informations pour vous aider à planifier vos repas, à faire vos emplettes et à cuisiner de façon saine, visitez notre site Web à l'adresse suivante : www.dietetistes.ca. Que vous cherchiez des conseils sur un programme de bien-être au travail, que vous ayez besoin d'une consultation personnalisée en nutrition, d'un expert-conseil en gestion des services alimentaires ou d'une diététiste familiarisée avec les pratiques médiatiques aussi experte en nutrition et en santé, ce site Web vous aidera. Il vous aidera également à trouver une diététiste dans votre région.

Le Mois de la nutrition et la Journée de la diététiste

Le Mois de la nutrition fête ses 30 ans en mars 2011 et la création de ce livre de recettes est l'une des façons que les diététistes ont choisies pour marquer l'événement. Pendant le Mois de la nutrition, des diététistes de partout au Canada vont se réunir pour organiser des événements et des conférences afin de souligner l'importance d'une saine alimentation.

En 2011, nous fêterons aussi le deuxième anniversaire de la Journée de la diététiste. Une fois par année, le troisième mercredi de mars, nous rendons hommage aux diététistes en tant que professionnelles de la santé, qui mettent tous les jours leurs connaissances et leur savoir-faire en matière d'alimentation et de nutrition au service de la population canadienne pour améliorer son état de santé. La Journée de la diététiste met le travail des diététistes à l'honneur et encourage la population à envisager cette profession digne, gratifiante et respectée.

Introduction

Cuisinez! célèbre les aliments d'ici. Ce livre renferme 275 recettes, proposées par des familles canadiennes, et met en valeur la diversité des aliments nutritifs, produits et offerts dans notre merveilleux pays. Ce recueil est aussi un appel pour inciter les familles à passer à l'action. Nous sommes de plus en plus nombreux à trouver que nous manquons de temps pour cuisiner. Donc, les occasions pour transmettre les connaissances sur la préparation des aliments à nos enfants se font plus rares. Alors, familles d'ici, prenez d'assaut la cuisine et transmettez la tradition en enseignant les rudiments de la cuisine et de l'alimentation à vos enfants. De la provenance des aliments à la préparation de mets savoureux et nutritifs, il nous appartient de préserver l'art culinaire pour les générations à venir.

Les aliments canadiens, des faits marquants

Lorsqu'il est question d'aliments d'ici, il y a de quoi être fier! Notre pays est grand et diversifié et notre littoral est le plus long du monde, ce qui nous permet de bénéficier d'une abondance d'aliments. Il n'est donc pas étonnant que les aliments qui sont à notre disposition – surtout au printemps, à l'été et à l'automne – fournissent tous les éléments nutritifs dont nous avons besoin pour la croissance et le développement, pour promouvoir la santé et prévenir les maladies.

Nous importons également beaucoup d'aliments que nous ne pouvons produire nous-mêmes, ce qui

---

Le saviez-vous?

La grande variété d'aliments canadiens énumérés dans *Bien manger avec le Guide alimentaire canadien* fournit tous les éléments nutritifs dont la plupart des Canadiens ont besoin, bien qu'à certains stades de la vie, des nutriments sous forme de suppléments puissent être nécessaires.

---

nous permet de jouir d'une plus grande diversité. Les aliments importés, avec les conserves maison et les aliments en conserve, prennent une importance particulière pendant l'hiver, car le climat nous empêche de produire assez de fruits et légumes frais pour satisfaire les besoins de la population.

Bien manger avec le Guide alimentaire canadien suggère le nombre de portions à consommer chaque jour dans chacun des 4 groupes alimentaires: Légumes et fruits, Produits céréaliers, Lait et substituts et Viandes et substituts. Vous trouverez ci-dessous des informations sur des aliments cultivés ou produits au Canada, provenant de chacun de ces groupes, dont certains détails sur les éléments nutritifs qu'ils renferment et sur leurs bienfaits sur la santé. Vous trouverez aussi des renseignements sur les aliments importés à utiliser pour compléter, diversifier et enrichir votre menu.

Légumes et fruits

Les légumes et les fruits renferment toute une gamme de vitamines et de minéraux, ainsi que des fibres alimentaires et des antioxydants. Ces derniers contribuent notamment à prévenir les maladies du cœur et certains types de cancer.

Les cultures canadiennes

- Une grande variété de légumes, des asperges aux zucchinis, sont cultivés au Canada. En 2009, le maïs sucré et les petits pois étaient les cultures les plus importantes en termes de superficie.
- Nous produisons *beaucoup* de pommes de terre! En 2006, la récolte de pommes de terre représentait 35% de toutes les recettes des fermes maraîchères, atteignant près de 5 millions de tonnes métriques. Cela place le Canada au 12e rang des producteurs de pommes de terre du monde. C'est l'Île-du-Prince-Édouard, la plus petite province canadienne, qui produit le plus de pommes de terre, suivie du Manitoba, de l'Alberta et du Nouveau-Brunswick.

- Parmi les fruits cultivés au Canada, on trouve les abricots, les bleuets, les canneberges, les cerises, les fraises, les framboises, les pêches, les poires, les pommes, les prunes et les raisins, pour ne nommer que ceux-ci.

> **Le saviez-vous?**
>
> Les canneberges poussent en grappes sur des arbustes cultivés dans des tourbières naturelles ou artificielles ou dans des sols sablonneux. À la récolte, on inonde les tourbières et l'on secoue les arbustes pour faire tomber doucement les canneberges dans l'eau. Celles-ci flottent, et l'on peut facilement les recueillir à la main ou à l'aide de cueilleuses. Les plus grands producteurs de canneberges canadiens sont la Colombie-Britannique et le Québec.

- Grâce à un entreposage approprié, il est possible de trouver certains fruits et légumes d'ici (comme les pommes, les carottes, les pommes de terre et les courges) même en hiver. Mais de nombreux autres fruits et légumes sont plus difficiles à trouver. Les consommateurs doivent alors se tourner vers les denrées surgelées ou en conserve (conserves domestiques ou du commerce) ou encore vers des produits frais importés d'autres pays.

> **Le saviez-vous?**
>
> Bien des fruits et des légumes peuvent être entreposés pendant des semaines, et même des mois, dans une cave à légumes, et ce, sans additifs ni agents de conservation. C'est la façon idéale de s'approvisionner en produits locaux pendant l'hiver!

Les importations

- L'hiver, le Canada dépend en grande partie des importations pour ses besoins en fruits et légumes, même si certains sont cultivés au Canada pendant les saisons plus chaudes.
- Les fruits et légumes qui ne peuvent être cultivés au Canada, comme les agrumes, les ananas, les avocats, les bananes, les daikons, les ignames, les mangues, le manioc, les papayes, les plantains et les pousses de bambou ajoutent de la variété, de la saveur et des éléments nutritifs aux repas et aux collations toute l'année durant.
- En 2008, les États-Unis ont fourni près de 60 % de toutes les importations de fruits et légumes. Le Mexique en a fourni un peu plus de 9 % et d'autres pays, comme le Chili, la Chine et le Costa Rica ont fourni le reste, soit 31 %.

Les sources canadiennes de vitamine C

Les agrumes, comme les oranges, les pamplemousses, les citrons et les citrons verts, poussent dans des climats chauds et ils sont appréciés pour leur teneur élevée en vitamine C. Pourtant, de nombreux fruits et légumes cultivés au Canada contiennent une quantité suffisante de vitamine C pour que les Canadiens de tous âges puissent satisfaire leurs besoins quotidiens en vitamine C. Par exemple, 125 ml (½ tasse) de jus d'orange contient 50 mg de vitamine C, ce qui est plus de la moitié de l'apport nutritionnel de référence. Comparons cette source de vitamine C avec les sources canadiennes suivantes:

Aliments cultivés au Canada	Teneur en vitamine C	VQ
125 ml (½ tasse) de poivron jaune cru haché	145 mg	240 %
125 ml (½ tasse) de poivron rouge cru haché	100 mg	165 %
125 ml (½ tasse) de poivron vert cru haché	65 mg	110 %
125 ml (½ tasse) de fraises fraîches tranchées	50 mg	85 %
125 ml (½ tasse) de choux de Bruxelles cuits	50 mg	85 %
125 ml (½ tasse) de brocoli cru haché	40 mg	65 %

Produits céréaliers

Les produits céréaliers fournissent une gamme de vitamines et minéraux, en plus de précieuses fibres alimentaires qui, entre autres, facilitent la digestion.

Les cultures canadiennes

- Parmi les céréales cultivées au Canada, on trouve le blé, le seigle, l'avoine, le maïs, l'orge, le sarrasin et le riz sauvage.
- Le maïs de grande culture, qui est différent du maïs sucré comestible, est la troisième culture canadienne en importance, après le blé et l'orge. Le maïs fait partie d'une multitude de produits, du fourrage pour les animaux à toute une gamme de produits alimentaires (dont le sirop de maïs et la fécule de maïs), en passant par les plastiques industriels et l'alcool éthylique (utilisé comme combustible). Le maïs de grande culture est cultivé dans toutes les provinces canadiennes, la plus grande part provenant de l'Ontario et du Québec.
- Le sarrasin est cultivé dans les Prairies de l'Est depuis plus d'un siècle. Il est généralement moulu pour faire de la farine, pâle ou foncée, qui est utilisée dans les produits de boulangerie et de pâtisseries et dans divers autres aliments. Le gruau de sarrasin, du sarrasin broyé, débarrassé de son enveloppe extérieure, est consommé comme céréale, au petit-déjeuner.

Le saviez-vous?

Le riz sauvage n'est pas vraiment du riz, mais une herbe aquatique indigène de l'Amérique du Nord. Il pousse principalement le long des rivières, des ruisseaux et des lacs, dans des eaux peu profondes. Les grains de riz sauvage mesurent environ 1 cm (½ po) et sont minces, durs et brun foncé. Lorsqu'on les cuit, les grains s'attendrissent et les extrémités se fendent pour laisser paraître un intérieur plus pâle. Le riz sauvage prend plus de temps à cuire que le riz ordinaire. Il est délicieux dans les pilafs et les farces.

- Le Canada est un important producteur de blé dur. Ce blé est exporté dans de nombreux pays producteurs de pâtes, dont l'Italie et la Turquie.
- Le Manitoba cultive environ 25 % du riz sauvage produit par le Canada.

Les importations

- Plus de 2000 variétés de riz sont cultivées dans le monde. Cette céréale représente un aliment de base pour une bonne partie de la population. La plus grande part de la production provient de l'Asie, suivie de l'Europe, de l'Afrique du Nord et des États-Unis.

Lait et substituts

Les produits laitiers, comme le lait, le yogourt et les fromages, sont une source de protéines, de vitamines et de minéraux, dont ceux qui contribuent à la santé des os, comme le calcium et la vitamine D. Dans le cadre d'une saine alimentation, les produits laitiers pourraient aider à prévenir le cancer du côlon et l'hypertension artérielle. Buvez des boissons de soya enrichies si vous ne buvez pas de lait.

Les produits canadiens

- Il y a un peu moins d'un million de vaches laitières sur plus de 13 000 fermes, qui approvisionnent les Canadiens en lait. Le Canada produit annuellement environ 75 millions d'hectolitres de lait, qui est traité dans environ 450 usines situées un peu partout au pays.
- Il existe 667 variétés de fromage canadien : de ce nombre, 477 variétés proviennent du Québec (72 %), 125 de l'Ontario (19 %) et 65 des autres provinces (10 %). Parmi les fromages canadiens uniques au monde, on trouve le fromage Oka et le fromage en grains. Les fromages fait de lait 100 % canadien affichent le logo de la vache bleue.
- Plusieurs boissons de soya enrichies sont produites au Canada.

Le saviez-vous?

Le lait, le lait au chocolat, en particulier, est la boisson idéale après l'activité physique d'intensité élevée: l'eau et les électrolytes contribuent à renouveler les liquides perdus, les glucides à refaire le plein d'énergie et les protéines à régénérer et à développer les muscles.

Les importations

- Choisissez des produits d'ici. Nous produisons toute une gamme de produits laitiers et de substituts.

Viandes et substituts

Les viandes et substituts fournissent des protéines de haute qualité. Ces protéines contribuent au développement des muscles et à la régénération des tissus usés ou endommagés. Les viandes rouges, comme le bœuf et le porc, contiennent de nombreuses vitamines, dont les vitamines du groupe B, et des minéraux comme le fer, le magnésium, le potassium et le phosphore. Le poulet, la volaille la plus populaire au Canada, fournit également tout un éventail de vitamines et minéraux, dont la niacine, la vitamine B_6, le potassium et le phosphore.

Le saviez-vous?

Les poitrines de poulet contiennent moins de gras que la viande brune des cuisses et des hauts de cuisse. La plus grande partie du gras du poulet se trouve dans la peau. Pour réduire votre consommation de gras, enlevez la peau avant la cuisson ou faites cuire le poulet avec la peau et retirez-la avant de servir.

Un œuf fournit une quantité appréciable d'éléments nutritifs! D'ailleurs, les œufs renferment des protéines complètes, car ils fournissent tous les acides aminés essentiels pour le développement et la régénération des tissus du corps. Ils fournissent également une bonne dose de vitamines et minéraux.

Le saviez-vous?

Tout le gras et le cholestérol des œufs se trouvent dans le jaune, ce qui explique pourquoi certaines personnes préfèrent l'éviter et n'utiliser que le blanc. Sachez cependant que vous perdez ainsi la moitié des protéines contenues dans l'œuf.

Des poissons comme le saumon, le hareng, l'ombre, les sardines, la truite et le maquereau contiennent des acides gras oméga-3, qui contribuent à la santé du cœur, au développement du cerveau, des nerfs et des yeux chez les jeunes enfants.

Les légumineuses (haricots secs, pois et lentilles) sont une source de protéines peu chère et elles renferment aussi des fibres alimentaires, qui facilitent la digestion. D'autres éléments contenus dans les légumineuses contribueraient à prévenir les dommages aux cellules, associés au développement du cancer.

Les produits canadiens

- L'industrie canadienne des viandes rouges et des produits à base de viande comprend, entre autres, le bœuf, le porc, l'agneau, le gibier et le bison. Le bœuf est produit dans toutes les provinces par environ 83 000 fermiers et propriétaires de ranch. En 2007, cela représentait 25 milliards de dollars dans l'économie canadienne.
- Les fermiers canadiens ont produit 1,2 million de tonnes de viande de volaille en 2009. Le poulet, y compris les poules à bouillir, représente 86 % de toute la production de viande de volaille. En 2009, la production de dindes était de 167 000 tonnes.

Le saviez-vous?

Le canard est consommé partout au Canada. Le canard d'élevage contient beaucoup plus de gras que son cousin sauvage. Par exemple, une portion de 75 g (2 ½ oz) de canard d'élevage contient 21 g de gras. La même quantité de canard sauvage n'en contient que 3 g.

- Le Canada a produit plus de 620 millions de douzaines d'œufs en 2009. Cela représente le chiffre incroyable de 7,4 milliards d'œufs en un an! La plus grande partie de la production canadienne d'œufs provient de l'Ontario et du Québec.
- Le Canada possède le plus long littoral du monde (244 000 km), ce qui représente 25 % de tous les littoraux du monde entier. Nos lacs et nos mers nous approvisionnent en poissons et fruits de mer, dont le nombre d'espèces s'élève à plus de 160.
- Le Canada est un important producteur et exportateur de légumineuses, dont les pois secs, les haricots, les lentilles et les pois chiches.
- La production canadienne de soya s'est accrue ces dernières décennies, même si le Canada ne joue pas un rôle de premier plan dans le commerce international du soya. Cultivé en petites quantités dans plusieurs provinces, le soya est apprécié pour sa valeur nutritive (il contient des protéines complètes) et sa polyvalence. Le tofu, la sauce soya, les boissons de soya et le tempeh figurent parmi les produits courants à base de soya.

Les importations

- Bien que certaines régions du Canada produisent des arachides et autres noix, comme les noisettes, la plupart des noix, dont les amandes, les pacanes et les noix de cajou, sont cultivées dans d'autres pays.

Autres produits canadiens

L'huile de canola

Le canola, une modification du colza, a été mis au point dans les années 1960 et 1970 par des sélectionneurs de la Saskatchewan et du Manitoba. Ils lui ont donné le nom de «canola», une contraction de «Canadian oil, low acid» [huile canadienne, peu acide]. C'est une culture typiquement canadienne. L'huile de colza, l'ancêtre du canola, était jadis très appréciée comme huile à lampe et lubrifiant pour les machines à vapeur et autres machines. En fait, le colza a été cultivé pour la première fois au Canada pendant la Seconde Guerre mondiale comme mesure d'urgence quand les approvisionnements provenant d'Europe et d'Asie furent coupés. Contrairement à l'huile de colza, le goût neutre, le profil nutritionnel avantageux et le point de fumée élevé de l'huile de canola en font un bon choix pour la cuisson et les produits de boulangerie. L'huile de canola fournit des acides gras essentiels, ainsi que des gras monoinsaturés.

> **Le saviez-vous?**
>
> Le Canada exporte plus de moutarde que tout autre pays au monde, il est le deuxième producteur mondial de moutarde.

Le sirop d'érable

Le sirop d'érable pur à 100 % est une richesse d'ici! Comme son nom l'indique, c'est un produit de l'érable, fabriqué à partir de la sève des érables à sucre du Québec, de l'Ontario et de certaines provinces maritimes. Bien que des avancées technologiques aient été introduites, le procédé de base demeure sensiblement le même: on recueille la sève des arbres, puis on la réduit pour produire le sirop. Le sirop d'érable est classé selon sa couleur et son goût, selon l'évolution de la composition du sirop en sucres et autres composés au cours de la saison des sucres. De façon générale, au début de la saison, tôt au printemps, le sirop est clair et son goût légèrement sucré. À mesure que la saison avance, son goût devient plus caramélisé. En général, le sirop clair est utilisé à table sur les crêpes, par exemple, alors que le sirop plus foncé est davantage utilisé pour la cuisson.

Ne pas confondre le sirop d'érable avec le sirop de table, qui est habituellement fait de sirop de maïs parfumé avec une essence d'érable naturelle ou artificielle. Le sirop d'érable pur à 100 % est plus cher que le sirop de table.

Autres importations

Le café, le thé, le chocolat et la plupart des épices ne sont pas produits au Canada. Aucun de ces produits usuels n'est essentiel à une saine alimentation, mais ils permettent de varier et d'agrémenter les repas. Nous avons la chance de pouvoir compter sur un approvisionnement fiable en ces produits dans la plupart des régions du pays.

Le saviez-vous?

Le carvi et la coriandre poussent bien au Canada, particulièrement en Saskatchewan. La majorité des autres épices populaires sont importées.

L'heure du repas, un moment familial

Malgré l'abondance de produits frais et nutritifs, de nombreuses familles affirment n'avoir que peu de temps pour préparer les repas, alors qu'elles doivent composer avec les horaires du travail, des loisirs et de l'école. Plutôt que de cuisiner à la maison avec des ingrédients non transformés, nous avons de plus en plus recours à des aliments préparés – mets à emporter ou livrés, produits complètement ou partiellement préparés par les épiceries et les entreprises alimentaires. Par conséquent, le savoir culinaire et les techniques de cuisson risquent de ne pas être transmis d'une génération à l'autre. Des observations suggèrent que le Canada pourrait se diriger vers une «crise culinaire» où les générations futures auront des connaissances limitées des techniques culinaires de base leur permettant de choisir et de préparer des repas favorisant une saine alimentation.

Que pouvons-nous faire pour éviter cette crise? En jonglant avec nos horaires surchargés, nous établissons nos priorités de manière à trouver le temps pour certaines activités. Cuisiner à la maison et manger en famille comporte des avantages considérables pour toute la famille. Il est donc profitable d'accorder une importance toute particulière au repas familial. Tout ce qui a une certaine valeur mérite l'effort consenti.

Le saviez-vous?

La cuisine fait appel, entre autres, à la lecture, à la mesure des ingrédients et à la coordination main-œil, des habiletés qui jouent un rôle essentiel dans la croissance et le développement des enfants.

Pourquoi cuisiner à la maison?

Utiliser un éventail d'ingrédients nutritifs que l'on trouve au Canada pour préparer des collations et des repas sains et appétissants comporte de nombreux avantages. Cuisiner à la maison permet, entre autres, de contrôler la qualité et la quantité des ingrédients, de passer du temps en famille, d'apprendre l'économie alimentaire et de léguer notre savoir culinaire à nos enfants, tout en leur transmettant de précieuses techniques et le respect des ingrédients.

Cuisiner à la maison permet de planifier des repas qui comblent les besoins nutritionnels de votre famille et d'acheter des ingrédients santé et abordables. Et surtout, de réunir tous ces éléments dans des repas que toute votre famille savourera. Cela ne veut pas dire qu'il faut éviter les aliments prêts-à-servir, comme les soupes en conserve à teneur réduite en sodium ou les aliments partiellement préparés, comme la laitue prélavée ou le poulet tranché. Les versions santé de ces produits peuvent vous faire gagner beaucoup de temps, et s'ils vous permettent d'atteindre votre objectif de cuisiner à la maison en famille, utilisez-les à l'occasion. Pourvu que vous ne preniez pas l'habitude d'ouvrir des boîtes de conserve ou de manger des aliments préparés tous les jours!

Pourquoi manger ensemble?

Se mettre à table en famille, savourer un délicieux repas fait avec les meilleurs ingrédients d'ici, vous permet de reprendre contact avec vos êtres chers et de découvrir ce qui se passe dans leur vie. Chacun vous racontera sa journée, vous résoudrez des problèmes ensemble, vous ferez des plans pour des activités futures et vous créerez des souvenirs impérissables. Le repas familial vous donne aussi l'occasion d'être un modèle pour vos enfants, en leur enseignant l'importance de faire des choix alimentaires judicieux et de manger des portions raisonnables. C'est aussi le cadre idéal pour leur enseigner les traditions culinaires.

> **Le saviez-vous?**
>
> Lorsque les membres de la famille mangent régulièrement ensemble, les enfants et les ados ont moins tendance à s'adonner à des comportements à risque, comme l'abus d'alcool, l'usage du tabac et des drogues.

Une histoire personnelle illustre l'importance du repas familial. Mon grand-père Joe est venu d'Italie au début des années 1900. Son père lui avait montré comment faire pousser des tomates Beefsteak et, à son arrivée, il a appris à les faire pousser dans sa cour. Son beau-fils Chet, mon père, adorait les tomates de grand-papa, fraîchement cueillies ou cuisinées par ma grand-mère, qui faisait une délicieuse sauce tomate en conserve. Lorsque mon père a fait son service militaire pendant la Seconde Guerre mondiale, il a survécu en s'alimentant de viandes en conserve et d'autres produits, mais très peu de fruits et légumes frais. Pendant qu'il se contentait de sa ration, il rêvassait de cueillir, l'automne venu, une tomate du jardin ou de savourer la sauce tomate maison à la table familiale. En rentrant au pays après la guerre, le premier repas qu'il réclama fut des pâtes à la sauce tomate maison.

Quand j'étais enfant, j'étais fascinée lorsque mon père et mon grand-père racontaient cette histoire. Cela m'a appris l'utilité de travailler la terre et m'a fait découvrir la joie de manger une tomate cultivée chez soi et fraîchement cueillie. J'ai appris que la mise en conserve domestique est une façon économique de préserver l'exquise saveur d'un aliment pour pouvoir en profiter pendant toute l'année et que les souvenirs heureux peuvent nous réconforter dans les moments difficiles, quand on est loin de sa famille. Mais ce que j'ai le plus apprécié,

c'était de passer du temps avec mes parents, mes frères, mes sœurs et mes grands-parents à écouter cette histoire et beaucoup d'autres pendant que nous nous régalions des pâtes de grand-maman, toujours servies avec une sauce tomate maison. Mes enfants aussi ont entendu cette histoire autour de la table et j'espère que la tradition se poursuivra dans les générations futures.

> **Le saviez-vous?**
>
> Les enfants des familles qui se réunissent souvent à table ont tendance à manger davantage de légumes, de fruits et d'aliments riches en calcium et à consommer moins de boissons gazeuses.

Comment faire participer toute la famille à la préparation des repas

Lorsque toute la famille participe à la préparation d'un repas, des choses étonnantes se produisent. Plus on est nombreux, plus le travail se fait facilement, la tâche de cuisiner devient tout à coup moins lourde et plus joyeuse, et le travail avance plus rondement, surtout lorsque les enfants grandissent et aident davantage. Mais ce qui est plus important, c'est que le fait de passer ce temps ensemble à enseigner et à apprendre, à s'amuser ou simplement à travailler côte à côte dans un silence paisible resserre les liens familiaux et façonne les souvenirs.

Ayez une bonne attitude pour encourager la famille à participer à la préparation des repas en appréciant le temps passé ensemble et en rendant les tâches intéressantes pour vos enfants. Apprenez-en davantage sur les aliments et leur préparation en famille : parlez des aliments, faites un potager et visitez un marché public. Faites l'épicerie en famille et essayez de nouveaux aliments et de nouvelles recettes. Vous pourriez aussi suivre un cours de cuisine ensemble. Et lorsque vient le temps de cuisiner, attribuez une tâche, petite ou grande, à chaque membre de la famille de manière à valoriser tout le monde.

Des recettes amusantes pour inspirer vos enfants

La cuisine, c'est aussi agréable! Voici quelques exemples de recettes aussi amusantes que savoureuses.

- Crêpes en forme de petits cochons (p. 46). Même les tout-petits peuvent vous aider à mesurer, à verser et à mélanger les ingrédients de ces crêpes mignonnes, qui ressemblent à des petits cochons.
- Quatre paninis exquis au poulet (p. 72). Laissez les plus grands faire l'expérience de leurs propres garnitures à panini, puis faites-les griller tout spécialement pour eux.
- Wrap à la manière d'un sushi (p. 67) et Sushis au crabe et aux patates douces faciles à préparer (p. 111). Le sushi est un mets très en vogue actuellement et vos ados ultra-branchés vont adorer préparer des sushis avec leurs amis.

Parlez bouffe

Suscitez un enthousiasme pour les repas en ayant des discussions stimulantes autour de la nourriture et de la cuisine. Voici quelques points pour lancer la discussion :

- Quels sont vos aliments préférés? Pourquoi?
- Quels sont les aliments que vous n'aimez pas? Pourquoi?
- Quelles sont les différentes saveurs que votre langue peut distinguer? Elles sont au nombre de cinq : le sucré, l'acide, le salé, l'amer et l'umami. Choisissez des aliments qui ont ces différentes saveurs et essayez-les.

> **Le saviez-vous?**
>
> *Umami* est un mot japonais qui signifie «saveur délicieuse». C'est une façon de caractériser certains aliments savoureux, comme les fruits de mer, les viandes, les fromages et certains légumes.

- D'où viennent vos aliments préférés? Est-ce qu'on les cultive dans la terre? Est-ce qu'on les élève sur des terres ou si on les pêche dans la mer? De quelle région du Canada proviennent-ils? Proviennent-ils du voisinage ou nous arrivent-ils de plus loin?

- Quels sont les aliments qui proviennent de la région où vous habitez? Quels sont les aliments offerts à votre marché public? Avez-vous déjà discuté avec le cultivateur sur la façon de cultiver les aliments ou d'élever les bêtes? Avez-vous déjà visité une ferme en activité?

> **Le saviez-vous?**
>
> Agriculture et Agroalimentaire Canada a lancé un nouveau site Web pour renseigner la population à propos des marchés publics. Consultez le site: www.ampq.ca/pages/membres.html.

- De quels aliments notre organisme a-t-il besoin pour rester en santé? Rendez-vous sur le site www.monguidealimentaire.ca et téléchargez un exemplaire gratuit de *Bien manger avec le Guide alimentaire canadien*. Consultez-le souvent pour vous rafraîchir la mémoire sur les quantités et les variétés d'aliments dont votre organisme a besoin chaque jour pour maintenir une santé optimale. Le site de Santé Canada renferme beaucoup d'autres informations utiles sur les aliments et les fondements de la nutrition qui peuvent susciter des discussions animées.

- De combien de façons différentes pensez-vous pouvoir apprêter un aliment en particulier? Par exemple, on peut faire cuire une pomme de terre au four avec la pelure et la manger telle quelle; on peut l'éplucher, la faire bouillir et la réduire en purée; on peut la couper en tranches, en morceaux ou en lanières et les cuire au four ou les frire; on peut transformer les restes de purée de pommes de terre en crêpes et ainsi de suite. Qu'en est-il d'autres aliments comme les tomates, le maïs ou les carottes?
- Comment transforme-t-on les fruits et légumes pour en faire des aliments de tous les jours? Comment transforme-t-on les tomates en ketchup? Comment fabrique-t-on des tortillas avec du maïs? Comment la gousse de cacao devient-elle une tablette de chocolat?
- Comment s'y prenait-on pour cuisiner à l'époque de vos parents et de vos grands-parents? Quels aliments mangeaient-ils tous les jours? À quelle fréquence mangeaient-ils à l'extérieur ou achetaient-ils des aliments préparés à l'épicerie?
- Quels sont les aliments qui ont une signification importante pour votre famille? Pourquoi?
- Quelles sont les traditions culinaires importantes dans votre famille? Lesquelles allez-vous sauvegarder? Quelles traditions allez-vous instaurer vous-même?
- Où irez-vous pour les vacances cette année? Quels produits locaux allez-vous essayer lorsque vous y serez? Si vous voyagez au Canada, essayez les airelles de Terre-Neuve-et-Labrador, les têtes de violon de la Nouvelle-Écosse, les huîtres de Malpèque de l'Île-du-Prince-Édouard, le sirop d'érable pur à 100% du Nouveau-Brunswick, un fromage du Québec, des tomates patrimoniales de l'Ontario, du riz sauvage du Manitoba, des baies d'amélanchier de la Saskatchewan, du bison de l'Alberta, des crevettes tachetées de la Colombie-Britannique, de l'orignal du Yukon, du caribou des Territoires-du-Nord-Ouest ou de l'omble chevalier du Nunavut.
- Comment pouvons-nous traiter la Terre avec plus d'attention pour qu'elle puisse continuer de produire de la nourriture pour les siècles à venir?

Faites un potager

Rien ne vaut le fait de cultiver soi-même sa nourriture pour en comprendre les principes et en reconnaître la valeur. Vous pouvez faire un potager dans votre jardin si vous avez l'espace. Vous pouvez cultiver certains fruits et légumes, comme les tomates, les poivrons, les laitues et les fraises, dans des pots sur la véranda, le balcon ou la terrasse. Vous pouvez même faire pousser des fines herbes en pot sur le rebord d'une fenêtre ensoleillée. Si rien de tout cela ne fonctionne, vérifiez s'il y a un jardin communautaire près de chez vous et réservez un espace. Sinon, pensez à lancer l'idée dans votre communauté!

Peu importe la taille de votre potager, encouragez vos enfants à en prendre soin en leur attribuant des tâches précises, par exemple: planter, arroser, désherber et récolter.

Le saviez-vous?

L'agriculture soutenue par la communauté (ASC) est une façon de «posséder» une partie d'une ferme sans être cultivateur. Vous donnez au fermier un montant d'argent précis. En retour, celui-ci vous fournira des produits pendant toute l'année. Vous apportez ainsi un soutien direct à l'agriculture locale, aux fermes et aux fermiers et vous investissez dans votre communauté. Souvent, vous ne savez pas ce que contiendra votre panier hebdomadaire. Voilà une belle une occasion de découvrir de nouveaux aliments et de trouver différentes façons de les apprêter. Et le fait de payer au début peut vous aider à établir un budget familial.

Visitez un marché public

Une visite familiale au marché est bien plus qu'un moyen de faire vos emplettes. Les cultivateurs ont une connaissance approfondie des aliments qu'ils cultivent et des animaux qu'ils élèvent. Lors de votre visite au marché, prenez le temps de discuter avec eux et de leur poser les questions suivantes:

- Comment produisent-ils leurs aliments?
- Ont-ils des suggestions pour la préparation des aliments qu'ils produisent?
- Comment se passe la vie sur une ferme?
- À quelle heure doivent-ils se lever et se coucher?
- Comment nourrissent-ils et élèvent-ils leurs animaux?
- Comment cultivent-ils, irriguent-ils et récoltent-ils leurs fruits et légumes?
- Comment font-ils pour maintenir un sol sain et une culture durable?

Avant de partir, pensez à remercier les fermiers d'être aussi généreux de leur temps et de nous approvisionner en aliments sains et délicieux.

Le saviez-vous?

Lorsque vous visitez un marché public, il est préférable d'emporter vos propres sacs d'épicerie réutilisables. Même si la plupart des marchands ont des sacs en plastique, il est plus facile de transporter vos achats dans vos sacs. Du même coup, vous réduirez votre impact sur l'environnement. Si vous prévoyez acheter de la viande ou d'autres denrées périssables, emportez une glacière pour le retour. Assurez-vous de bien laver vos sacs d'épicerie et la glacière après chaque utilisation.

Faites les courses en famille

En mobilisant la famille pour faire l'épicerie, vous économiserez temps et énergie et vous vous assurerez que tous pourront manger quelques-uns de leurs aliments préférés. Faire l'épicerie est également une bonne façon d'initier les enfants aux principes de la santé et de la nutrition. Voici quelques conseils pour faire de cette visite une sortie des plus profitables :

- Lorsqu'un membre de la famille affirme : « Il n'y a plus rien à manger », encouragez-le à ajouter quelques produits santé sur la liste d'épicerie.

- Minimisez votre stress en choisissant un temps qui convient à tout le monde. Vous serez plus à l'aise si vous faites vos emplettes après avoir mangé, sans avoir à vous presser.
- Demandez à vos enfants de vous aider à trouver des aliments santé qui ont un bon rapport qualité-prix. Demandez-leur de lire les tableaux de la valeur nutritive et de comparer les emballages et les prix.
- Encouragez les enfants à choisir un aliment sain qu'ils n'ont jamais mangé, par exemple un fruit ou un légume cultivé localement.

Le saviez-vous?

Certains supermarchés proposent des visites guidées axées sur la santé, dont certaines sont conçues pour les enfants. Vérifiez si l'on propose ce genre d'activités près de chez vous et allez-y en famille.

Mangez des aliments de saison

Au début de chaque nouvelle saison, discutez avec les membres de votre famille des aliments locaux qui seront bientôt en saison. Par exemple, vous trouverez les aliments qui suivent dans la plupart des régions du Canada :

- au printemps, vous trouverez de la laitue, des asperges et des têtes de violon, fraîches et abordables ;
- en juin, les fraises rougissent dans les champs ;
- au mois d'août, les pêches, les haricots et le maïs sont prêts ;
- dès octobre et novembre, les pommes, les légumes-racines et les courges se trouvent en abondance.

Choisissez vos aliments préférés et assurez-vous d'essayer quelques nouveautés. La cuisine se fait souvent en fonction des aliments de saison. Par exemple, au printemps, l'arrivée des laitues fraîches et des épinards nous incite à préparer des salades. Avec l'arrivée de l'été, c'est le moment d'allumer le barbecue et de griller des épis de maïs et un bon filet de porc. Avec les fruits frais, vous pouvez aussi préparer des boissons fouettées, des tourtes aux fruits ou des fruits grillés. Au moment de la récolte d'automne, les légumes prennent la vedette dans les plats d'accompagnement, les salades et les conserves maison. Enfin, les froides journées d'hiver nous incitent à mijoter des casseroles et ragoûts réconfortants, remplis d'aliments que l'on a conservés de la saison passée.

Le saviez-vous?

La plupart des aliments ont meilleur goût et contiennent le maximum d'éléments nutritifs lorsqu'on les cueille juste à point.

Conservez les récoltes

L'apprentissage de la mise en conserve d'aliments frais afin de les savourer toute l'année durant peut être une activité amusante pour toute la famille. Si vous disposez d'une grande marmite, de quelques bocaux à conserve, d'une abondance de produits et d'un après-midi libre, vous pouvez travailler ensemble à la préparation de conserves maison, comme les marinades, les salsas, les chutneys, les confitures, les gelées et les marmelades. Il est essentiel que la mise en conserve soit sécuritaire et que les recettes proviennent d'une source crédible. Vous trouverez des informations fiables sur la mise en conserve à l'adresse : www.homecanning.com/fra/.

Si l'idée de faire vos conserves ne vous plaît pas, congelez les fruits et légumes pour une utilisation ultérieure. Certains fruits, comme les raisins et les

---

Le saviez-vous?

Certains fruits et légumes ne conviennent pas à la congélation. Parmi ceux-ci, on trouve, les agrumes, les poires, le céleri, les concombres, les aubergines, l'ail, les légumes feuillus, les champignons et les oignons.

---

petits fruits, peuvent être congelés dans des contenants hermétiques sans aucune préparation. Dans le cas des fruits qui brunissent une fois coupés, ajoutez un peu de jus de citron avant de les congeler. Les légumes doivent être blanchis avant d'être congelés.

Prenez des cours de cuisine

De nombreux supermarchés, organismes communautaires, écoles secondaires et collèges offrent des cours de cuisine que vous pouvez suivre en famille. Si vos enfants démontrent un intérêt pour la cuisine, vous pouvez même trouver un camp pour jeunes cuistots pendant l'été ou la saison des Fêtes.

Vous n'avez pas envie de suivre des cours? Pourquoi ne pas demander à un parent ou à un grand-parent de vous montrer comment préparer l'une de ses recettes préférées? Vous aurez beaucoup de plaisir à perpétuer une tradition familiale et à apprendre quelques trucs de cuisine, tout en écoutant les récits du «bon vieux temps».

Essayez de nouvelles recettes

Quand il est question de cuisine, nous avons souvent l'habitude de préparer les mêmes repas parce que tout le monde les réclame. Mais la variété est le sel de la vie! Alors, pour sortir des sentiers battus, demandez à toute la famille de vous aider à trouver de nouvelles recettes. Voici quelques façons simples d'élargir votre répertoire culinaire :

- Demandez aux membres de la famille de parcourir ce livre et d'autres livres de recettes pour signaler celles qui les attirent. Assurez-vous de donner une chance égale à tout le monde. Faites les emplettes ensemble pour acheter les ingrédients, puis travaillez en équipe pour préparer le repas.
- Lorsque vous découvrez un nouvel aliment que vous voulez essayer, mais que vous ignorez comment apprêter, lancez un défi à tous les membres de la famille: demandez-leur de trouver une recette en consultant des livres de recettes et Internet. Passez aux votes et préparez la recette ensemble.

- Choisissez une région du Canada et préparez un plat régional. Par exemple, trouvez une recette de soupe aux pois du Québec, de râpure des rives acadiennes de la Nouvelle-Écosse ou de laquaiche aux yeux d'or du Manitoba.
- Faites une soirée thématique, mettant en vedette la cuisine internationale. Préparez un ou deux plats typiques, puis mettez chaque membre de la famille au défi de partager une information intéressante sur la région ou la culture en question pendant le repas.

Le saviez-vous?

Suivre à la lettre une recette éprouvée est la meilleure façon d'assurer la qualité du résultat. Par contre, vous pouvez toujours rectifier la quantité d'assaisonnements, comme l'ail et la sauce aux piments forts ou les épices douces, comme la cannelle et la muscade, selon vos préférences.

Partagez les tâches dans la cuisine

Toute la famille peut participer à chacune des étapes de la préparation d'un repas: du dressage de la table au nettoyage, en passant par la cuisson proprement dite. Les plus grands peuvent tout faire ou presque, pourvu qu'on leur enseigne la manipulation sécuritaire des ustensiles et des couteaux. Les plus jeunes peuvent accomplir des tâches simples en utilisant des ingrédients que vous avez déjà préparés. Voici quelques conseils pour répartir les tâches dans la cuisine:

- Affichez un menu de la semaine sur le frigo et laissez la recette du soir sur le comptoir. La personne qui rentrera la première pourra commencer la préparation dès son arrivée.
- Les enfants de tous âges peuvent mettre la table. Les tout-petits s'amuseront à transporter napperons, ustensiles et tasses incassables à la table.
- Demandez aux enfants de lire les recettes à haute voix pour qu'ils puissent aider à rassembler les ingrédients et les ustensiles nécessaires à la préparation.

- Les enfants de 2 ou 3 ans peuvent aider à brosser les pommes de terre ou à déchirer les feuilles de laitue pour une salade. Lorsqu'ils sont un peu plus vieux, ils peuvent verser, mesurer, mélanger et remuer les ingrédients qui ne sont pas sur la cuisinière. Rappelez-leur de se laver les mains avant et après la manipulation des aliments.
- Si vous n'êtes pas importuné par un enfant qui est debout sur une chaise à côté de vous lorsque vous utilisez la cuisinière, vous pouvez lui demander d'ajouter des ingrédients à la casserole, de brasser des soupes et des ragoûts ou simplement de regarder ce que vous faites.
- Demandez à vos enfants de goûter le plat pour avoir leur avis. Aiment-ils le goût, la couleur, la texture? Si la réponse est non, demandez-leur ce qui ne va pas. Encouragez les plus grands à proposer des améliorations, puis suivez leurs conseils, même s'ils se trompent. Ensemble vous apprendrez de ces erreurs!
- Laissez les enfants préparer leurs propres sandwichs et wraps: ils peuvent tartiner les ingrédients, ajouter des garnitures, choisir leurs condiments et rouler le pain.
- Les plus grands peuvent assumer la responsabilité d'une partie du repas: le plateau à légumes et la trempette, la salade ou même le dessert, par exemple.
- Après l'école, demandez aux plus grands de préparer un dessert au four facile d'exécution. Par exemple, demandez-leur de préparer des Biscuits aux canneberges et à la citrouille (p. 342) ou des Muffins au son de blé, à l'avoine et aux abricots (p. 321).
- Tout le monde peut aider à débarrasser la table, à laver et à essuyer la vaisselle ou à remplir le lave-vaisselle.

Le saviez-vous?

Vous pouvez apprendre des techniques culinaires générales ou plus spécialisées en regardant des vidéos sur Internet.

À vos casseroles!

Maintenant que vous avez rallié les troupes, il est temps de passer à la cuisine. Mais avant de sortir les casseroles, il y a quelques étapes importantes à respecter pour rendre l'expérience culinaire plus efficace et plus agréable. Mettez d'abord de l'ordre dans la cuisine pour en faciliter l'utilisation. Dès qu'elle est bien rangée, vous pouvez vous rendre au supermarché, votre liste d'épicerie en main, pour vous procurer tout ce qu'il vous faut pour préparer des repas santé nutritifs à base des meilleurs ingrédients d'ici. Une cuisine en ordre et des achats astucieux facilitent la préparation des repas, tout en permettant d'éviter le gaspillage. Ensuite, assurez-vous de savoir lire et suivre une recette : celle-ci a son propre langage que nous avons décodé pour vous (p. 22). Enfin, vous êtes prêt à cuisiner avec confiance grâce à nos conseils pratiques sur la préparation de repas santé.

Transformez votre cuisine en unité fonctionnelle

Pour réussir à préparer de délicieux repas et des collations santé en peu de temps, il vous faut une cuisine qui vous permet de passer à l'action. Si la cuisine est en désordre, vous serez peut-être tenté de commander votre repas ou d'aller manger à l'extérieur. Cette solution coûte plus cher et elle est moins bonne pour la santé, sans compter qu'elle demande parfois plus de temps que la préparation de repas maison. De plus, vous passez à côté de tous les avantages de la préparation de repas maison : les délicieux arômes qui flottent dans l'air, la satisfaction de savoir que votre famille a mangé un repas nutritif, sans oublier les restes qui simplifient grandement la préparation d'un prochain repas.

Toute la famille peut contribuer à mettre de l'ordre dans la cuisine. Voici quelques étapes à suivre pour la rendre impeccable :

Mettez de l'ordre dans le frigo
- Jetez les articles périmés, les vieux condiments qu'on n'utilisera pas et les restes qui sont là depuis plus de 3 jours.

- Placez les denrées de même nature dans la même partie du réfrigérateur pour trouver facilement ce que vous cherchez.

> ## Le saviez-vous?
> La porte est la partie la plus chaude du réfrigérateur, il ne faut donc pas mettre de produits laitiers ni d'œufs sur ces tablettes. Vous pouvez toutefois y mettre les condiments et les jus.

- L'arrière du réfrigérateur est la partie la plus froide, placez les denrées périssables, comme la viande et le poisson vers l'arrière.
- Entreposez vos fruits et légumes dans les bacs à légumes conçus à cet effet : ceux-ci maintiennent un taux d'humidité plus élevé pour empêcher les aliments de se flétrir.
- Placez les articles santé prêts à manger vers l'avant pour un accès facile.
- Mettez les restes vers l'avant pour ne pas les oublier.

Mettez de l'ordre dans les armoires et les tiroirs
- Si vous avez des conserves ou autres articles que vous n'utiliserez pas, donnez-les à une banque alimentaire.
- Regroupez les articles semblables : les produits de boulangerie (bicarbonate de soude, farine, poudre à pâte, etc.), les épices, les conserves, les pâtes et le riz. Réservez une section aux collations santé et aux céréales.
- Placez les conserves et emballages plus anciens devant les plus récents pour les utiliser en premier.
- Conservez les collations santé vers l'avant et à portée de la main. Mettez les sucreries hors de vue et hors de portée.
- Reléguez les marmites, casseroles et ustensiles de cuisine peu utilisés au fond des armoires ou dans une armoire que vous trouvez difficile d'accès, de manière à libérer de l'espace pour les ustensiles d'usage quotidien, que vous pourrez ainsi sortir plus facilement.

- Choisissez une tablette ou un tiroir pour ranger les contenants. Gardez les couvercles dans un contenant et empilez les autres contenants à côté.
- Demandez conseil aux enfants pour trouver une solution d'entreposage qui faciliterait la préparation de leurs propres lunchs.

Le saviez-vous?

Autrefois, il y avait des meubles pour conserver les tartes (garde-tourtes) et les confitures, gelées et épices (placards à confitures). On croit qu'ils ont été introduits en Amérique du Nord par les Hollandais de la Pennsylvanie.

Devenez un acheteur avisé

Nous nous sommes tous déjà rendus à l'épicerie sans idée précise des achats à faire. Puis nous avons parcouru les allées en ajoutant des articles que nous aimons bien sans vraiment réfléchir à ce que nous allions en faire. Cette stratégie (ou absence de stratégie...) nous fait perdre temps et argent et mène souvent au gaspillage.

Prenez un peu de temps pour planifier et faites une liste d'épicerie avant de partir. De cette façon, vous choisirez des aliments qui conviennent à la préparation de repas santé, abordables et faciles à préparer. Au supermarché, lisez les étiquettes pour vous aider à faire les meilleurs choix.

Faites une liste d'épicerie

Identifier vos besoins avant de faire les courses vous fait épargner du temps. De plus, vous éviterez de faire des achats impulsifs, moins nutritifs, plus chers ou que vous n'utiliserez peut-être pas. Et avec la liste, vous n'oublierez rien.

- Laissez un calepin dans la cuisine et notez les articles qu'il faut acheter.
- Relisez les recettes que vous prévoyez faire et ajoutez les ingrédients qui manquent à votre liste en notant les quantités.

- Triez les articles de la liste par rayon: fruits et légumes, viandes, boulangerie, produits laitiers, etc. Vous éviterez ainsi les allers-retours.

Le saviez-vous?

Faites vos emplettes dans les rayons qui sont situés autour du supermarché. Vous y trouverez les viandes, les produits laitiers, le pain et les fruits et légumes. N'oubliez pas les allées remplies de haricots secs, de jus de fruits 100% pur, de céréales de grains entiers et autres choix santé. Quant à l'allée des croustilles et autres produits peu nutritifs, vous n'avez qu'à l'éviter.

Des repas santé abordables

On n'a pas à dépenser énormément pour bien manger. Plusieurs aliments nutritifs sont abordables: les haricots et les céréales en vrac, les gros formats de flocons d'avoine et de riz brun, les produits de saison, les œufs, les légumineuses, le lait en poudre et les fruits, ainsi que les légumes et les poissons surgelés ou en conserve. Voici quelques conseils pour réduire le coût de votre commande d'épicerie:

- Tenez-vous-en à votre liste de manière à limiter les achats impulsifs ou à les éviter.
- Lisez les circulaires et recherchez les produits en solde. Planifiez vos menus en fonction de ceux-ci ou congelez-les.
- Utilisez les coupons rabais, mais assurez-vous qu'ils s'appliquent à des produits que vous utilisez vraiment. Si vous n'en avez pas besoin, un article en solde est une dépense supplémentaire, et non une économie.
- Si votre congélateur le permet, achetez les viandes et le pain en solde et congelez-les pour un usage ultérieur. Prenez le temps de séparer les gros formats de viande pour en faire des portions-repas en y indiquant la date avant de les mettre au congélateur.
- Si vous avez assez d'espace de rangement, faites le plein d'aliments de base, comme les haricots et le poisson en conserve lorsqu'ils sont en solde.

- Achetez beaucoup de fruits et de légumes en saison lorsqu'ils sont très abordables et mettez-les en conserve ou congelez-les pour un usage ultérieur (p. 16).

Le saviez-vous?

À certaines périodes de l'année, les produits surgelés ou en conserve peuvent être moins chers que les produits frais. Choisissez des produits sans sel, sucre ou sauces grasses ajoutés.

- Vérifiez les dates de péremption pour vous assurer que le produit sera encore bon lorsque vous voudrez l'utiliser.
- Achetez de plus gros emballages de produits que vous utilisez couramment. Vous pouvez les réemballer en plus petites portions et les congeler. Mais n'achetez pas ces formats pour la simple raison qu'ils sont moins chers. Si vous n'avez pas l'espace pour les entreposer, ou si le surplus vous incite à en manger davantage, l'économie n'est pas une aubaine.
- Pour acheter le format le plus économique, comparez le coût par portion, il est indiqué sur les rayons, au supermarché.

Profitez des avantages des aliments prêts-à-servir

Au supermarché, recherchez les produits nutritifs qui vous feront économiser du temps. Voici quelques-uns de nos préférés :

- Les fruits et légumes lavés et prêts à manger peuvent accélérer le temps de préparation. La plupart des supermarchés offrent un bon choix de salades, de plateaux de légumes avec trempette et de légumes hachés pour les sautés. Gardez à l'esprit que toute préparation préalable à l'emballage augmente le prix et que bien des emballages ne sont pas recyclables.

- À l'occasion, pour un repas prêt en un éclair, servez un poulet rôti ou du bœuf cuit au four, du commerce. Ajoutez une Salade de chou fraîche (p. 152) préparée la veille et conservée au frigo, des restes de Farce pour volaille (p. 315) et un verre de lait et vous obtiendrez un repas délicieux.
- Les viandes précoupées pour les ragoûts ou les sautés vous économiseront du temps de préparation. Faites connaissance avec le personnel de la boucherie. Il est souvent en mesure de couper la viande et les poissons exactement comme vous le voulez!

Le saviez-vous?

Même si les aliments préparés sont parfois pratiques, on leur ajoute souvent du sel et du sucre. Assurez-vous de vérifier les ingrédients qu'ils contiennent et le tableau de la valeur nutritive.

- Les légumes déjà coupés et surgelés sont nutritifs et vous permettent d'économiser du temps de préparation. Vous n'avez qu'à les ajouter à vos soupes, ragoûts et sautés. De la même façon, les fruits surgelés, une fois décongelés, peuvent servir à préparer des boissons fouettées, des tartes ou un dessert que vous préparerez en un clin d'œil. Ces articles sont sans doute plus chers que les produits frais, alors, à vous de déterminer si le côté pratique justifie la dépense supplémentaire.
- Les fruits en conserve dans leur jus sont un bon départ pour faire une salade de fruits.
- Un ananas pelé et évidé peut faire un dessert santé ou une collation rafraîchissante. Vous pouvez également le cuire sur le gril pour accompagner les viandes grillées.
- Vous pouvez préparer un pain chaud en mettant un pain surgelé partiellement cuit au four.
- La pâte à pizza surgelée facilite la préparation des pizzas maison.
- La sauce tomate à teneur réduite en sodium ou sans sel ajouté peut être rehaussée par des légumes et des morceaux de viande cuite.

- La soupe à teneur réduite en sodium ou sans sel ajouté peut servir de point de départ à un bon repas. Rehaussez-en la saveur et la valeur nutritive en y ajoutant des légumes, des pâtes ou du riz.

Lisez les étiquettes

L'étiquetage nutritionnel est obligatoire sur la plupart des emballages alimentaires. Ces étiquettes vous permettent de déterminer la valeur nutritive des aliments, de comparer le contenu nutritionnel des produits, de suivre certains régimes plus facilement et d'augmenter ou de diminuer votre consommation de certains nutriments.

Tous les tableaux de la valeur nutritive qui se trouvent sur les étiquettes contiennent les mêmes renseignements : la quantité d'aliments, les calories, les lipides totaux, les lipides saturés et trans, le cholestérol, le sodium, les glucides, les fibres alimentaires, les sucres, les protéines, les vitamines A et C, le calcium et le fer. Voici quelques conseils pour utiliser le tableau de la valeur nutritive de façon judicieuse :

- Comparez des aliments qui ont des quantités similaires.
- Choisissez des aliments qui contiennent le moins de lipides saturés possible et aucun gras trans.
- Vérifiez la teneur en sodium. Vous serez peut-être surpris du contenu élevé en sodium de certains aliments qui n'ont pas un goût de sel, comme le pain et les céréales.
- Vérifiez la quantité d'aliments utilisée pour calculer la valeur nutritive. La quantité d'aliments n'est pas la portion recommandée, mais plutôt un repère pour déterminer la valeur nutritive.
- N'oubliez pas que de nombreux aliments nutritifs frais, comme les fruits, les légumes et les viandes, ne sont pas visés par l'étiquetage obligatoire. Pour en savoir plus sur les nutriments contenus dans les aliments sans étiquette, consultez le site : www.profilan.ca.

Le saviez-vous?

Le % de la valeur quotidienne (% VQ) sur le tableau de la valeur nutritive vous permet de comparer plus facilement les aliments et de vérifier si un aliment contient peu ou beaucoup d'un nutriment. Par exemple, une portion – 15 ml (1 c. à soupe) – de fromage à la crème léger fournit 2% de la valeur quotidienne de calcium (peu de calcium), alors qu'une portion – 250 ml (1 tasse) – de lait contient 30% de la valeur quotidienne de calcium (beaucoup de calcium). Rappelez-vous, 5% VQ ou moins, c'est peu et 15% VQ ou plus, c'est beaucoup. Cela s'applique à tous les nutriments.

Pour plus d'informations, visitez le site suivant : www.hc-sc.gc.ca/valeur quotidienne

Comment utiliser les analyses nutritionnelles de ce livre

Pour chaque recette, il y a une analyse nutritionnelle par portion qui donne la quantité de calories, de macronutriments (protéines, lipides et glucides) et de certains micronutriments. Lorsque vous planifiez vos repas, gardez à l'esprit la taille des portions et privilégiez les plats très nutritifs, mais qui renferment peu de calories. En prenant l'habitude de vérifier l'analyse nutritionnelle, vous choisirez plus facilement les recettes qui renferment toute une gamme de nutriments santé.

Évitez le gaspillage

Pour minimiser les pertes, n'achetez que la nourriture qu'il vous faut. Il suffit d'être prévoyant.

- Planifiez votre menu hebdomadaire.
- Prévoyez vos achats à l'épicerie en fonction du menu hebdomadaire.
  - N'achetez que les fruits et légumes frais dont vous aurez besoin. Il se peut que vous ayez à vous procurer des produits frais deux fois par semaine pour éviter les pertes.
  - N'achetez que ce qu'il vous faut pour regarnir vos tablettes.
  - Méfiez-vous des rabais – ce n'est une aubaine que si vous utilisez le produit.
  - Tenez-vous-en à votre liste! Il est tentant d'acheter des aliments bon marché, qui sont attrayants ou qui dégagent un arôme divin, mais si vous ne les utilisez pas, ils se perdront.
- Ne cuisinez que la quantité que vous mangerez sur-le-champ ou que vous conserverez pour un usage ultérieur. La cuisson de grandes quantités vous fait économiser du temps, mais assurez-vous de conserver les restes en toute sécurité. Si vous en avez plus que vous pouvez utiliser ou congeler, faites plaisir à un voisin.
- Surveillez l'état de vos aliments.
  - Chaque semaine, par exemple trois ou quatre jours après avoir fait un gros marché, faites l'inventaire des aliments qui sont au frigo. Vérifiez les aliments qui seront bientôt périmés et cuisinez-les pour ne pas les perdre. Vous pouvez ajouter les laitues un peu défraîchies aux soupes. Vous pouvez utiliser les carottes et les courgettes plus vieilles pour préparer des muffins ou des pains à préparation rapide. Vous pouvez réduire en purée les petits fruits et les fruits tendres, puis les ajouter aux boissons fouettées. En tout temps, préoccupez-vous de la salubrité. Si un aliment commence à moisir, ne l'utilisez pas. En cas de doute, jetez-le.
  - Vérifiez souvent les aliments que vous conservez sur le comptoir ou dans des récipients. Si les bananes sont trop mûres, congelez-les. Vous pourrez les utiliser pour en faire des pains ou des muffins. Le pain rassis (mais pas moisi) peut être coupé en dés, grillé et utilisé pour faire des croûtons ou congelé pour faire une farce.
  - Vérifiez le congélateur souvent. Encore mieux, gardez une liste de ce qui s'y trouve pour ne pas être surpris par la découverte d'un aliment mystère brûlé par le froid, au fond de l'appareil. Lorsque vous conservez des restes, assurez-vous de bien les étiqueter en identifiant le contenu et la date de congélation et essayez de les utiliser dans les 3 mois.

> ### Le saviez-vous?
> Au Canada, le gaspillage de nourriture est un problème énorme. Certains chercheurs estiment que jusqu'à 40% de toute la nourriture qui y est produite est gaspillée.

- Compostez vos matières organiques. On peut composter bien des choses: pelures de légumes et de fruits, grains de café, sachets de thé, coquilles d'œuf et carapaces de homard. Si vous habitez dans une ville qui offre un service de compostage, utilisez-le! Sinon, vous pouvez installer votre propre système de compostage: consultez un site d'écologie domestique de bonne réputation pour apprendre comment faire.

Apprenez comment lire et suivre une recette

Les recettes bien rédigées vous guideront, mais elles utilisent un langage particulier que vous devez décoder pour les réussir. Voici quelques conseils, suivis d'une recette type (p. 276) avec une interprétation de la liste des ingrédients et la préparation.

- Première étape: Lire la recette jusqu'au bout. Vous saurez alors si vous avez les ingrédients et le matériel qu'il vous faut et vous serez renseigné sur le temps nécessaire pour exécuter les diverses opérations et sur l'ordre d'exécution.

- La recette indique habituellement le nombre de portions que vous obtiendrez, selon la taille d'une portion santé moyenne. Avant de commencer, vérifiez le nombre de portions. Si la recette donne plus de portions que vous avez besoin, vous aurez des restes. S'il vous manque des portions, vous pouvez doubler la recette. Par exemple, la recette type donne 8 portions. Si votre famille compte 4 personnes, vous aurez des restes pour un autre repas complet.
- Dans ce livre, tout le matériel dont vous avez besoin est indiqué en haut de la recette.
- Dans une recette bien rédigée, les ingrédients sont énumérés dans l'ordre de leur utilisation.
- Les recettes ne sont que des indications. Mais si vous faites une recette pour la première fois, respectez les mesures à la lettre et mesurez les ingrédients avec précision. Avec l'expérience ou après avoir préparé une recette plusieurs fois, vous pourrez faire des rectifications selon vos préférences.

Le saviez-vous?

Lorsqu'une recette indique une cuillère à thé ou à soupe comme mesure, vous devez utiliser les vraies mesures et non des ustensiles de table.

- Dans une recette où figurent les mesures impériales et métriques, utilisez seulement l'un des deux systèmes de mesure. Le fait de mélanger les deux systèmes pourrait compromettre le succès de la recette.

- Même l'ordre des mots est important dans une liste d'ingrédients, il vous renseigne sur la façon de préparer les aliments. Par exemple, si la recette indique « 250 ml (1 tasse) de noix, hachées », ce n'est pas la même chose que « 250 ml (1 tasse) de noix hachées ». Dans le premier cas, vous mesurez 250 ml (1 tasse) de noix écalées, puis vous les hachez. Dans le deuxième cas, les noix doivent d'abord être hachées, puis mesurées.
- La liste d'ingrédients, dans de nombreuses recettes, dont celles que vous trouvez dans ce livre, a été conçue selon certaines hypothèses. Quand il est question d'œufs, ce sont de gros œufs, à moins d'avis contraire ; quand il est question de beurre, c'est du beurre salé, à moins d'avis contraire ; quand il est question de fruits et de légumes, ils sont de taille moyenne, lavés avant l'utilisation et les portions non comestibles sont jetées.
- Recherchez les conseils qui accompagnent la recette, ils peuvent être très utiles. Ils peuvent vous indiquer où trouver les ingrédients ou comment les préparer. Ils peuvent aussi clarifier une consigne ou expliquer comment conserver le plat pour une autre utilisation. Le conseil dans notre recette type explique comment peler une courge facilement.

Le saviez-vous?

Le site Web des Diététistes du Canada contient de nombreuses idées pour vous aider à planifier, à faire les courses et à préparer vos repas. Rendez-vous au : www.dietetistes.ca

---

Couscous à la courge à la mijoteuse

10 PORTIONS

CONSEIL

La courge musquée peut être difficile à peler. Pour vous faciliter la tâche, coupez d'abord la courge en 2 dans le sens de la largeur pour obtenir 2 surfaces planes. Déposez chaque demi-courge sur le côté coupé, puis utilisez un couteau tout usage bien aiguisé pour retirer la peau dure.

- *Une mijoteuse d'au moins 5 litres (20 tasses)*

1 courge musquée d'environ 750 g (1 ½ lb)
750 ml (3 tasses) de pois chiches cuits ou en conserve, rincés et égouttés
500 ml (2 tasses) de courge d'été jaune ou de courgette hachée
125 ml (½ tasse) d'oignon finement tranché
125 ml (½ tasse) de raisins secs
30 ml (2 c. à soupe) de sucre granulé
10 ml (2 c. à thé) de gingembre moulu
2 ml (½ c. à thé) de curcuma moulu
2 ml (½ c. à thé) de poivre noir fraîchement moulu
1 litre (4 tasses) de bouillon de légumes à teneur réduite en sodium
30 ml (2 c. à soupe) de margarine non hydrogénée
375 ml (1 ½ tasse) de couscous
60 ml (¼ tasse) de persil frais grossièrement haché

1. Peler la courge musquée et couper la chair en cubes de 2,5 cm (1 po). Cela devrait donner de 1 à 1,25 litre (4 à 5 tasses) de cubes.
2. Dans la cocotte de la mijoteuse, mélanger la courge, les pois chiches, la courge d'été, l'oignon, les raisins secs, le sucre, le gingembre, le curcuma, le poivre, le bouillon et la margarine. Couvrir et cuire à basse température de 4 à 5 heures ou jusqu'à ce que les légumes soient tendres.
3. Retirer le couvercle, augmenter la température et cuire à température élevée pendant 15 minutes ou jusqu'à ce que le liquide ait légèrement réduit. À l'aide d'une cuillère à égoutter, mettre le mélange de légumes dans un grand bol. Couvrir et garder au chaud.
4. Mettre le couscous dans un grand bol, puis y verser 375 ml (1 ½ tasse) du bouillon chaud de la mijoteuse. Couvrir de pellicule plastique et laisser reposer de 5 à 10 minutes ou jusqu'à ce que le couscous ait gonflé. Détacher les grains à l'aide d'une fourchette.
5. Verser le mélange de légumes sur le couscous, puis verser le reste du bouillon par-dessus. Parsemer de persil.

Ce que donne la liste des ingrédients	Ce que ça signifie
1 courge musquée d'environ 750 g (1 ½ lb)	Achetez une courge musquée qui pèse 750 g (1 ½ lb). Ça va, si elle est un peu moins ou un peu plus lourde.
750 ml (3 tasses) de pois chiches cuits ou en conserve, rincés et égouttés	Vous pouvez aussi faire tremper des pois chiches secs et les faire cuire (p. 257) ou utiliser des pois chiches en conserve, que vous égoutterez et que vous rincerez avant de les mesurer. De toute façon, il vous faudra obtenir 750 ml (3 tasses).
500 ml (2 tasses) de courge d'été jaune ou de courgette hachée	Vous pouvez utiliser une courge d'été jaune (aussi connue sous le nom de courgette jaune) ou une courgette verte. Hachez d'abord la courgette, puis mesurez 500 ml (2 tasses). Comme la grosseur des morceaux n'est pas mentionnée, supposez que vous devez les couper en petits morceaux égaux.
125 ml (½ tasse) d'oignon finement tranché	Comme la recette ne mentionne pas quel type d'oignon utiliser, vous pouvez supposer qu'un oignon jaune pour la cuisson fera l'affaire. Tranchez finement l'oignon, puis mesurez 125 ml (½ tasse).
125 ml (½ tasse) de raisins secs	Le type de raisins n'est pas mentionné, vous pouvez donc utiliser des raisins secs foncés ou des raisins secs dorés, au goût.
30 ml (2 c. à soupe) de sucre granulé	Utilisez du sucre granulé et non de la cassonade ou tout autre type de sucre.
10 ml (2 c. à thé) de gingembre moulu	Vous devez utiliser du gingembre en poudre. Si vous deviez utiliser du gingembre frais, la liste des ingrédients mentionnerait : gingembre frais émincé ou racine de gingembre émincée.
2 ml (½ c. à thé) de curcuma moulu	Utilisez du curcuma en poudre.
2 ml (½ c. à thé) de poivre noir fraîchement moulu	Pour obtenir la meilleure saveur possible, vous pouvez moudre les grains de poivre vous-même. Si vous n'avez pas de moulin à poivre, vous pouvez utiliser du poivre noir, moulu.
1 litre (4 tasses) de bouillon de légumes à teneur réduite en sodium	Quand vous êtes à l'épicerie, lisez les étiquettes de différentes marques de bouillon de légumes et choisissez celle qui contient le moins de sodium.
30 ml (2 c. à soupe) de margarine non hydrogénée	Lisez les étiquettes de différentes marques de margarines et choisissez une margarine non hydrogénée.
375 ml (1 ½ tasse) de couscous	Vous devez utiliser du couscous cru, sinon la recette aurait mentionné : couscous cuit.
60 ml (¼ tasse) de persil frais grossièrement haché	Achetez du persil frais et non du persil séché. Retirez les feuilles des tiges, puis jetez les tiges. Hachez grossièrement les feuilles, puis mesurez-les.

Ce qu'indique la marche à suivre	Ce que ça signifie
1. Peler la courge musquée et couper la chair en cubes de 2,5 cm (1 po). Cela devrait donner de 1 à 1,25 litre (4 à 5 tasses) de cubes.	Après avoir pelé la courge, faites de votre mieux pour la couper en cubes égaux de 2,5 cm (1 po). Le temps de cuisson a été calculé pour des morceaux de cette grosseur. Comme vous avez acheté une courge de 750 g (1 ½ lb), vous devriez obtenir de 1 à 1,25 litre (4 à 5 tasses) de cubes. Si vous n'avez pas tout à fait 1 litre (4 tasses) de cubes ou si vous en avez un peu plus de 1,25 litre (5 tasses), vous réussirez quand même la recette.
2. Dans la cocotte de la mijoteuse, mélanger la courge, les pois chiches, la courge d'été, l'oignon, les raisins secs, le sucre, le gingembre, le curcuma, le poivre, le bouillon et la margarine. Couvrir et cuire à basse température de 4 à 5 heures ou jusqu'à ce que les légumes soient tendres.	Après avoir mis les ingrédients dans la cocotte de la mijoteuse, mettez le couvercle et réglez le thermostat à basse température. Comme les mijoteuses n'ont pas toutes la même puissance, les légumes cuiront en 4 à 5 heures. Après 4 heures, vérifiez s'ils sont assez tendres. S'ils sont tendres, passez à l'étape suivante. Sinon, laissez-les cuire encore jusqu'à 1 heure de plus, en vérifiant une fois ou deux, jusqu'à ce qu'ils soient prêts.
3. Retirer le couvercle, augmenter la température et cuire à température élevée pendant 15 minutes ou jusqu'à ce que le liquide ait légèrement réduit. À l'aide d'une cuillère à égoutter, mettre le mélange de légumes dans un grand bol. Couvrir et garder au chaud.	Retirez le couvercle et augmentez la température pour qu'une partie du liquide s'évapore en bouillant, ce qui fera épaissir la sauce. Retirez les légumes, mais laissez le liquide dans la mijoteuse. Le fait de couvrir les légumes contribuera à les garder au chaud, ils seront donc excellents avec le couscous.
4. Mettre le couscous dans un grand bol, puis y verser 375 ml (1 ½ tasse) du bouillon chaud de la mijoteuse. Couvrir de pellicule plastique et laisser reposer de 5 à 10 minutes ou jusqu'à ce que le couscous ait gonflé. Défaire les grains à l'aide d'une fourchette.	Pour réhydrater le couscous, versez du bouillon chaud de la mijoteuse dans une tasse à mesurer et mesurez 375 ml (1 ½ tasse), puis versez ce liquide sur le couscous. Utilisez un grand bol, car le couscous gonflera quand il absorbera le bouillon. Pour que le couscous gonfle bien, vous devez couvrir le bol et le laisser reposer. Quand le couscous aura gonflé, détachez les grains à l'aide d'une fourchette.
5. Verser le mélange de légumes sur le couscous, puis verser le reste du bouillon par-dessus. Parsemer de persil.	Utilisez une grosse cuillère pour dresser les légumes réservés sur le couscous. Servez-vous ensuite d'une louche pour recueillir le reste du bouillon dans la mijoteuse et pour le verser sur le couscous et sur les légumes. Le fait de parsemer le plat de persil le rend encore plus attrayant.

Cuisinez avec confiance

Avec le temps et l'expérience, la lecture des recettes sera plus facile et vos habiletés culinaires se perfectionneront. Vous découvrirez assez rapidement que l'organisation dans une cuisine est d'un grand secours. Préparez-vous et évaluez le temps requis avant de commencer une recette. En peu de temps, vous serez en mesure de rectifier vous-même les recettes et de les ajuster à vos goûts ou à vos exigences nutritionnelles.

Organisez votre temps

Combien de fois avez-vous commencé une recette pour vous rendre compte ensuite qu'il est impossible de la terminer à temps pour le repas? L'organisation du temps est l'une des raisons pour lesquelles il est préférable de lire une recette jusqu'à la fin avant d'en commencer la préparation. En lisant la recette, vous serez en mesure d'estimer le temps nécessaire pour exécuter chaque étape. Vous pourrez déterminer si certaines étapes peuvent être faites en même temps et vous aurez une bonne idée du temps de préparation total. Au début, prenez des notes sur le temps de préparation, après un certain temps, des notes mentales devraient sans doute suffire.

Parmi les étapes dont il faut tenir compte, il y a le temps de préparation des ingrédients (y a-t-il beaucoup d'ingrédients à hacher ou s'agit-il plutôt de mesurer?) et le temps de cuisson (il peut y avoir plusieurs étapes de cuisson, comme faire revenir, faire sauter et cuire au four). Vous devez aussi vérifier si vous devez prévoir du temps pour faire mariner, pour faire lever la pâte (pour les pains) ou pour laisser reposer (les rôtis), pour faire refroidir (les gâteaux) ou pour laisser refroidir des plats au réfrigérateur (les trempettes).

Par exemple, jetez un coup d'œil sur la recette type (p. 24). En lisant la liste des ingrédients, vous remarquez qu'il vous faut des pois chiches cuits ou en conserve. Si vous optez pour les conserves, l'affaire est vite réglée : quelques minutes suffiront pour ouvrir la boîte, égoutter et rincer les pois chiches. Mais si vous voulez utiliser des pois chiches cuits, c'est un tout autre scénario. Le trempage et la cuisson de légumineuses sèches peuvent prendre de 90 minutes à toute une nuit, selon la méthode utilisée, il faut donc en tenir compte dans votre évaluation.

Ensuite, vous remarquez qu'il faut hacher deux types de courge et trancher finement un oignon. Selon vos habiletés avec le couteau, cela peut prendre de 15 à 20 minutes. Ajoutez environ 5 minutes pour mesurer les ingrédients qui restent. Le temps de cuisson sera de 4 à 5 heures plus 15 minutes. Ensuite, il faut réhydrater le couscous, ce qui prend de 5 à 10 minutes. Vous pouvez hacher le persil pendant que le couscous gonfle. Pour vous donner un peu de jeu, ajoutez de 5 à 10 minutes pour les autres petites tâches que vous accomplirez.

Si vous utilisez des pois chiches en conserve, toute la préparation vous prendra de 4 ¾ à 6 heures. Vous serez plus en mesure de connaître le temps précis en apprenant à utiliser votre mijoteuse et en additionnant le temps nécessaire pour accomplir chaque tâche. Si vous désirez servir le repas autour de 18 h, vous devrez commencer la cuisson à 13 h 45 au plus tard, et même à midi. (Évidemment, le fait d'utiliser la mijoteuse vous dispense de veiller à la cuisson une bonne partie du temps ; vous n'avez qu'à être présent au début et à la fin.)

Le saviez-vous?

Au début des années 1900, les femmes passaient jusqu'à 44 heures par semaine à préparer les repas! De nos jours, il n'est pas rare qu'on accorde moins de 15 minutes pour préparer et servir un repas.

Préparez la cuisine

Nous voilà arrivés à la mise en place. En vous préparant avant de commencer la recette, vous pouvez vous organiser, simplifier la préparation et accroître vos chances de réussir. Commencez par une cuisine propre – rien n'est plus frustrant qu'une cuisine aux comptoirs encombrés et aux ustensiles sales. Ensuite, mettez tout en place pour préparer la recette, c'est-à-dire :

- sortez les bols, les casseroles et les plats (trouvez les récipients de la bonne grandeur, graissez les moules, etc.);
- sortez tous les ustensiles et le matériel qu'il vous faut (n'attendez pas d'être au milieu d'une recette pour vous apercevoir que le robot culinaire est au fond d'un placard);
- sortez des linges propres pour nettoyer les dégâts;
- préparez les ingrédients (hachez les fruits, les légumes et les fines herbes, parez les viandes, etc.);
- mesurez les ingrédients dans des tasses ou des bols;
- gardez un bac à portée de la main pour le compost et autres déchets;
- mettez de l'eau chaude dans l'évier et gardez du savon à proximité pour vous laver les mains et laver le matériel.

Le saviez-vous?

Si vous regardez une émission culinaire à la télévision, vous remarquerez que le chef dispose de tous les ingrédients hachés, mesurés et répartis dans des bols individuels: voilà une mise en place réussie!

Ajoutez du goût, non du gras ou du sel

Vous pouvez ajouter du goût à vos repas et assaisonner vos plats à l'aide de fines herbes et d'épices, sans avoir recours au gras et au sel. Par exemple, saupoudrez un filet de poisson grillé d'aneth frais, haché finement, ou ajoutez une cuillerée de raifort sur une tranche de bœuf pour en rehausser le goût. Vous pouvez également créer votre propre mélange d'épices sans sel.

Préparez des repas santé

Les recettes de *Cuisinez!* sont nutritives et approuvées par des diététistes. Si vous utilisez une recette provenant d'une autre source, vous pouvez la modifier pour en rehausser la valeur nutritive. Même de petites rectifications peuvent réduire considérablement la quantité de gras, de sucre et de calories. Il y a également des moyens tout simples d'ajouter des fibres à vos recettes préférées.

Réduisez les matières grasses
- Utilisez le yogourt nature faible en gras au lieu de la crème sure pour les trempettes, les vinaigrettes et les produits de boulangerie.
- Remplacez le lait entier par du lait 1 % ou 2 % pour les produits cuits au four, comme les muffins et les pains à préparation rapide.
- Remplacez jusqu'au tiers de la quantité d'huile dans les recettes au four par une quantité égale de compote de pommes non sucrée, de purée de citrouille (et non de garniture pour tarte), de bananes écrasées ou de purée de prunes (nourriture pour bébés).
- Faites rôtir ou griller les viandes et les légumes au lieu de les faire revenir.
- Humectez un papier essuie-tout avec une petite quantité d'huile pour enduire le fond du poêlon avant de faire sauter les aliments.
- Utilisez une plus petite quantité de fromage fort pour remplacer un fromage doux. Par exemple, remplacez la mozzarella ou le brick par du parmesan, du cheddar fort ou de l'asiago.
- Égouttez le gras après avoir fait revenir les viandes hachées.
- Remplacez la viande hachée par du sans-viande hachée dans les chilis, les plats en casserole et les ragoûts.
- Remplacez une partie de la viande par des légumes. Si un ragoût contient 1 kg (2 lb) de viande, utilisez-en 750 g (1 1/2 lb) et comblez la différence par des légumes ou des légumineuses cuites.
- Faites cuire la farce à volaille dans un plat séparé et non à l'intérieur de la volaille pour l'empêcher d'absorber le gras pendant la cuisson.
- Écumez le gras de la sauce à l'aide d'une tasse à dégraisser. Mieux, faites refroidir la sauce. Le gras montera à la surface et durcira, ce qui facilitera le dégraissage. Vous pouvez ensuite réchauffer la sauce avant de la servir.
- Assaisonnez les légumes de jus de citron, de fines herbes et de vinaigre, plutôt qu'avec du beurre ou de la margarine.
- Ajoutez du yogourt nature à une pomme de terre cuite au four, plutôt que du beurre et de la crème sure.

croyez que vous n'aurez pas le temps de prendre cet important repas de la journée, essayez de planifier un peu la veille :

- Sortez vos céréales, le bol et la cuillère.
- Coupez les fruits frais et conservez-les au réfrigérateur, ils seront prêts à manger.
- Préparez des œufs cuits dur et conservez-les au réfrigérateur.
- Faites des crêpes, du pain doré ou des gaufres supplémentaires et congelez-les. Le matin, mettez-les dans le four grille-pain, puis savourez-les avec un verre de jus et un œuf cuit dur.
- Préparez une portion de l'un de vos restes préférés. Le matin, réchauffez-la au micro-ondes.

Vous pouvez aussi emporter un petit-déjeuner sur le pouce. Voici des suggestions de petits-déjeuners qui se transportent facilement :

- Un sandwich au beurre d'arachide (ou à un autre beurre de noix) et à la confiture sur un pain de grains entiers, une poignée de raisins et du jus 100 % pur sans sucre ajouté dans un contenant isotherme.
- Un reste de pizza maison (une pointe), pâte de grains entiers, une banane et du lait dans un contenant isotherme.
- Un reste de soupe aux légumes maison dans un contenant isotherme, un petit pain de grains entiers et quelques cubes de fromage.
- Du yogourt et des céréales aux fruits et aux noix dans un contenant réutilisable et une pomme.
- Une boisson fouettée aux fruits dans un contenant isotherme et un muffin maison.

Bref, vous comprenez le principe !

Tout sur l'avoine

Un gruau parfait dépend du type de flocons d'avoine que vous utilisez, la meilleure chose est donc de suivre les instructions qui figurent sur l'emballage. Si vous utilisez du lait ou de la boisson de soya plutôt que de l'eau, vous aurez plus d'éléments nutritifs. Vous pouvez aussi garnir le gruau de différents fruits frais ou séchés, de noix et de graines. Et souvenez-vous, les flocons d'avoine qui ont été le moins transformés contiennent davantage d'éléments nutritifs.

- **Les grains d'avoine** appelés gruaux sont ceux qui ont été le moins transformés : le grain est lavé et seule l'enveloppe extérieure est enlevée. Ils sont généralement grillés.
- **L'avoine découpée (ou épointée)** est constituée de grains qui ont été coupés en 2 ou 3 morceaux. On ne les écrase pas.
- **Les flocons d'avoine** sont des grains qui sont cuits à la vapeur et qui sont ensuite écrasés par d'énormes rouleaux. On les appelle aussi flocons d'avoine traditionnels.
- **Les flocons d'avoine à cuisson rapide** sont produits en coupant les grains en plusieurs morceaux, puis on les cuit à la vapeur et on les écrase. Les petits morceaux cuisent beaucoup plus rapidement que les flocons d'avoine ordinaires. Les flocons d'avoine traditionnels et les flocons d'avoine à cuisson rapide sont souvent interchangeables dans les recettes, mais il est préférable de suivre les recettes.
- **Le gruau instantané** a été précuit et séché avant d'être coupé. Alors, quand on lui ajoute un liquide chaud, il se transforme instantanément en céréale chaude. Dans une recette, ne remplacez pas les flocons d'avoine ou les flocons d'avoine à cuisson rapide par du gruau instantané.

Fortifiez vos os au petit-déjeuner

Les aliments du groupe Lait et substituts, comme le lait, le fromage, le yogourt et les boissons de soya enrichies, font souvent partie du petit-déjeuner type. C'est une façon délicieuse d'obtenir du calcium, de la vitamine D et plusieurs autres vitamines et minéraux dont notre organisme a besoin tous les jours. Le calcium et la vitamine D jouent des rôles essentiels pour maintenir nos os forts et en bonne santé, et vous aurez besoin de ces importants éléments nutritifs tout au long de votre vie. Quand vous choisissez des aliments du groupe Lait et substituts :

- Voici quelle quantité vous devez consommer chaque jour. *Bien manger avec le Guide alimentaire canadien* recommande aux Canadiens de 2 ans et plus de boire 500 ml (2 tasses) de lait tous les jours. Mais selon l'âge et le sexe, on peut avoir besoin de portions supplémentaires. Buvez de la boisson de soya enrichie si vous ne buvez pas de lait.
- Voici à quoi correspond une portion et quelques exemples :
  - 250 ml (1 tasse) de lait ou de lait en poudre reconstitué
  - 125 ml (½ tasse) de lait évaporé en conserve
  - 250 ml (1 tasse) de boisson de soya enrichie – vérifiez l'étiquette pour vous assurer que la boisson choisie est enrichie
  - 175 ml (¾ tasse) de yogourt – les yogourts qui contiennent du lait enrichi de vitamine D peuvent contenir une bonne quantité de vitamine D. Recherchez les marques dont l'étiquette mentionne qu'elles contiennent plus de 15% de la valeur quotidienne (% VQ) de vitamine D
  - 45 g (1 ½ oz) de fromage (environ la grosseur de 3 dominos)

Petit cours de cuisine familiale

Les œufs cuits dur

Les œufs fournissent des protéines et ils sont très polyvalents. Des œufs cuits dur peuvent servir de base à un petit-déjeuner sur le pouce, à une collation ou à un repas du midi : utilisez-les pour préparer une salade aux œufs ou une excellente garniture pour une salade d'épinards.

Il vous faudra :

Un bol de 1,5 litre (6 tasses)	**6 œufs**
Eau	**Une petite casserole**
250 ml (1 tasse) de glace	**Une cuillère à égoutter**

Comment préparer des œufs durs

1. Remplir le bol d'eau et de glace et réserver. (Ce sera le bain de glace dans lequel vous déposerez les œufs cuits.)
2. Placer délicatement les œufs au fond de la casserole. Ajouter suffisamment d'eau pour les couvrir. Porter à ébullition, les retirer du feu, les couvrir et les laisser reposer de 18 à 23 minutes.
3. Déposer les œufs dans le bain de glace (cela les empêchera de continuer à cuire). Quand les œufs seront assez froids pour être manipulés, les écaler et les utiliser selon ses préférences, ou les mettre dans un petit bol, les couvrir et les mettre au réfrigérateur, ils se conserveront jusqu'à 5 jours.

Note: Quand les œufs sont trop cuits, un cercle verdâtre se forme autour du jaune. Il n'y a aucun danger à les manger, mais plusieurs personnes trouvent la couleur peu appétissante.

4. Cuire au four pendant 30 minutes. Toutes les 10 minutes, retirer le mélange du four pour le remuer, en ramenant les céréales des côtés vers le centre. Laisser refroidir complètement sur la plaque à pâtisserie, sur une grille métallique.
5. Remettre le mélange dans le bol, arroser légèrement de vanille et brasser pour bien mélanger le tout. Incorporer les noix hachées, les abricots, les raisins secs et les dattes.

Selon *Bien manger avec le Guide alimentaire canadien,* les noix font partie du groupe des Viandes et substituts. Une portion de noix équivaut à 60 ml (¼ tasse). Mais comme les noix contiennent passablement de gras, il faut porter attention aux portions. Par exemple, une poignée d'arachides rôties écalées, soit environ 125 ml (½ tasse) fournit un peu plus de 400 calories, et les trois quarts des calories proviennent du gras.

Variante

Vous pouvez remplacer les noix et les fruits séchés par d'autres, selon vos préférences et ce que vous trouverez sur le marché. Dans cette recette, les bleuets, les canneberges et les cerises, séchés, donnent aussi d'excellents résultats.

Suggestion de service

Faites des parfaits au yogourt : Déposez 60 ml (¼ tasse) de céréales dans des coupes à parfait ou à coupe glacée. Recouvrez de 125 ml (½ tasse) de fruits frais hachés et de 175 ml (¾ tasse) de yogourt. Parsemez de 10 ml (2 c. à thé) de céréales.

Conseils

Si vous ne parvenez pas à trouver des flocons d'orge, utilisez 1,5 litre (6 tasses) de flocons d'avoine traditionnels.

Pour mélanger facilement le mélange avoine-miel, utilisez vos mains que vous aurez légèrement enduites d'huile.

Pendant la cuisson, assurez-vous de brasser le mélange toutes les 10 minutes pour empêcher les bords de brûler. Si vous préférez avoir de plus gros morceaux de céréales, ne remuez pas le mélange après sa sortie du four, à l'étape 4.

Conservation : mettez le mélange de céréales dans des contenants hermétiques et conservez-le à la température de la pièce. Il se conservera jusqu'à 1 mois.

Œufs épicés pour le brunch

Desiree Nielsen, diététiste, Colombie-Britannique

Ces œufs constituent une merveilleuse solution de rechange à vos brunchs du week-end, et vous pouvez même les servir au souper. Si vous servez seulement 2 personnes, préparez toute la recette de haricots et conservez-en la moitié pour faire des burritos le lendemain.

- *Préchauffer le gril du four*
- *Une plaque à pâtisserie*

Le mélange de haricots

250 ml (1 tasse) de haricots noirs en conserve ou cuits, égouttés et rincés (voir Conseils)
500 ml (2 tasses) de maïs en grains surgelé
500 ml (2 tasses) de tomates cerises coupées en 2
10 ml (2 c. à thé) de piment jalapeño finement haché
5 ml (1 c. à thé) de poudre de cari
5 ml (1 c. à thé) de chili en poudre

Les craquelins de tortilla

10 ml (2 c. à thé) de beurre mou
2 grandes tortillas de blé entier

Les œufs

5 ml (1 c. à thé) d'huile de canola
4 œufs
125 ml (½ tasse) de mozzarella ou de cheddar, partiellement écrémé, râpé

1. *Le mélange de haricots :* Dans une grande casserole, mettre les haricots, le maïs, les tomates, le piment jalapeño, la poudre de cari, le chili en poudre et 60 ml (¼ tasse) d'eau. Porter à ébullition, à feu moyen-vif. Baisser le feu et laisser mijoter pendant 20 minutes, en brassant de temps en temps.
2. *Les craquelins de tortilla :* Entre-temps, étendre le beurre sur les tortillas. Les mettre sur la plaque à pâtisserie et les placer sous le gril du four pendant environ 45 secondes ou jusqu'à ce qu'elles soient dorées et croustillantes. Réserver.
3. *Les œufs :* Dans un grand poêlon antiadhésif, chauffer l'huile à feu moyen-vif. Frire les œufs jusqu'à la consistance désirée (on peut faire des œufs au miroir ou les retourner).

Valeur nutritive par portion	
Calories	349
Lipides	13,6 g
saturés	5,0 g
Sodium	539 mg (22 % VQ)
Glucides	41 g
Fibres	8 g (32 % VQ)
Protéines	18 g
Calcium	156 mg (14 % VQ)
Fer	2,6 mg (19 % VQ)

Teneur très élevée en magnésium, acide folique, vitamine B_{12} et niacine
Teneur élevée en zinc, vitamine A, thiamine et riboflavine

Équivalents par portion pour les personnes diabétiques :
2 Glucides
2 Viandes et substituts
1 Matières grasses

4. Répartir le mélange de haricots également entre 4 grands bols à soupe. Garnir chacun d'eux d'un œuf et de 30 ml (2 c. soupe) de fromage râpé. Ajouter à chaque portion la moitié d'un craquelin de tortilla.

Les tortillas sont des pains plats mexicains faits de maïs moulu ou de farine de blé. Vous trouverez des tortillas à base de farine dans la plupart des épiceries. Parfois, elles sont aromatisées d'ingrédients comme les tomates séchées ou le pesto.

VARIANTES

Si vous voulez obtenir un plat plus ou moins relevé, utilisez plus ou moins de piment jalapeño dans le mélange de haricots.

Pour une saveur un peu plus piquante, remplacez la mozzarella par du Monterey Jack additionné de piments jalapeños.

CONSEILS

Une boîte de conserve de haricots de 540 ml (19 oz) donne environ 500 ml (2 tasses) de haricots égouttés et rincés. Si vous avez des boîtes de formats différents, utilisez la quantité requise. Pour éliminer une partie du sodium, égouttez les haricots dans une passoire et rincez-les bien sous l'eau froide avant de les ajouter à la recette.

Si vous avez des restes, le mélange de haricots se congèle bien. Mettez les haricots refroidis dans un contenant hermétique, ils se conserveront jusqu'à 3 mois.

Assurez-vous de surveiller les craquelins pendant la cuisson, car ils peuvent brûler rapidement.

Œufs brouillés aux légumes à ma façon

Mary Sue Waisman, diététiste, Nouvelle-Écosse

6 PORTIONS

✓ **LE CHOIX DES ENFANTS**

Ces œufs colorés sont faits avec des ingrédients faciles à trouver.

CONSEILS

Dans cette recette, vous pouvez utiliser de l'huile de canola ou du beurre. Le beurre ajoute de la saveur, mais c'est un gras d'origine animale, il contient donc des gras saturés. L'huile de canola contient des gras insaturés.

Si vous manquez de temps, vous pouvez utiliser du tzatziki du commerce, plutôt que de le préparer.

Valeur nutritive par portion	
Calories	204
Lipides	11,7 g
saturés	4,5 g
Sodium	261 mg (11 % VQ)
Glucides	10 g
Fibres	1 g (4 % VQ)
Protéines	12 g
Calcium	240 mg (22 % VQ)
Fer	1,5 mg (11 % VQ)

Teneur très élevée en acide folique, vitamine B$_{12}$ et riboflavine
Teneur élevée en zinc, vitamine A, vitamine C et niacine

Équivalents par portion pour les personnes diabétiques :
1   Glucides
1   Viandes et substituts
½   Matières grasses

8 œufs
60 ml (¼ tasse) de Tzatziki maison (voir l'encadré)
125 ml (½ tasse) de fromage feta émietté
5 ml (1 c. à thé) d'origan séché
2 ml (½ c. à thé) de poivre noir fraîchement moulu
10 ml (2 c. à thé) d'huile de canola ou de beurre
125 ml (½ tasse) d'oignons verts finement hachés
125 ml (½ tasse) de pomme de terre cuite hachée
125 ml (½ tasse) de poivrons rouges grillés hachés
125 ml (½ tasse) d'asperges cuites à la vapeur hachées

1. Dans un bol moyen, fouetter les œufs, le tzatziki, la feta, l'origan et le poivre. Réserver.
2. Dans un grand poêlon antiadhésif, chauffer l'huile à feu moyen. Y faire sauter les oignons verts et la pomme de terre de 4 à 5 minutes ou jusqu'à ce qu'ils soient dorés. Ajouter les poivrons grillés et les asperges. Les faire sauter jusqu'à ce qu'ils soient bien chauds.
3. Incorporer le mélange d'œufs et cuire, en brassant avec une cuillère en bois, de 2 à 3 minutes ou jusqu'à ce que les œufs soient légèrement pris.

Tzatziki maison

Tapissez un tamis d'étamine et placez-le au-dessus d'un bol. Versez-y 500 ml (2 tasses) de yogourt nature. Couvrez et placez au réfrigérateur. Laissez le yogourt s'égoutter de 1 à 3 heures ou jusqu'à ce qu'il soit épais. Jetez le liquide. Dans un petit bol, mettez le yogourt égoutté, 125 ml (½ tasse) de concombre râpé, égoutté, et 2 gousses d'ail pressées. Couvrez hermétiquement de pellicule plastique et mettez au réfrigérateur pendant au moins 30 minutes ou jusqu'à une journée.

SUGGESTION DE SERVICE

Servez ce plat à un brunch avec la Salade du jardin au goût des enfants (p. 155) et des rôties de grains entiers.

Quiche sans croûte aux épinards et au pesto

Daphna Gale, Ontario

8 PORTIONS

✓ **LE CHOIX DES ENFANTS**

Les jeunes comme les adultes se régalent de cette quiche, et les parents demandent souvent à Daphna de partager sa recette.

CONSEIL

Si vous avez des restes de quiche, elle se réchauffe bien au micro-ondes.

- *Préchauffer le four à 180 °C (350 °F)*
- *Une assiette à tarte de 23 cm (9 po) légèrement graissée*

5 œufs
125 ml (½ tasse) de lait évaporé 2 %
75 ml (⅓ tasse) de pesto au basilic
1 paquet de 300 g (10 oz) d'épinards surgelés, décongelés, égouttés et épongés
250 ml (1 tasse) de mozzarella partiellement écrémée râpée
125 ml (½ tasse) de fromage feta émietté

1. Dans un bol moyen, fouetter les œufs, le lait évaporé et le pesto. Incorporer les épinards, la mozzarella et la feta. Verser ensuite ce mélange dans l'assiette à tarte préparée.
2. Cuire au four préchauffé de 25 à 30 minutes ou jusqu'à ce que le centre de la quiche soit ferme. Laisser reposer pendant 5 minutes avant de servir.

SUGGESTIONS DE SERVICE

Au petit-déjeuner, servez un fruit frais et des rôties de grains entiers avec la quiche.

Au souper, ajoutez simplement une salade verte croquante, un petit pain de grains entiers et un verre de lait faible en gras pour compléter le repas.

Valeur nutritive par portion	
Calories	165
Lipides	11,4 g
saturés	4,6 g
Sodium	367 mg (15 % VQ)
Glucides	5 g
Fibres	1 g (4 % VQ)
Protéines	11 g
Calcium	252 mg (23 % VQ)
Fer	1,1 mg (8 % VQ)

Teneur très élevée en vitamine A et vitamine B_{12}
Teneur élevée en magnésium, acide folique et riboflavine

Équivalents par portion pour les personnes diabétiques :
1   Viandes et substituts
1   Matières grasses

Mini-quiches personnalisées sans croûte

Connie Mallette, Ontario

DONNE 12 MINI-QUICHES
PORTION DE 1 MINI-QUICHE

✓ **LE CHOIX DES ENFANTS**

Les enfants peuvent choisir et combiner leurs propres garnitures pour faire ces mini-quiches, qui sont idéales pour les brunchs et les repas du midi. C'est une bonne façon de plaire aux enfants comme aux adultes, qui ont parfois des goûts différents.

- *Préchauffer le four à 180 °C (350 °F)*
- *Un moule à muffins pour 12 muffins, légèrement graissé*

10 œufs
60 ml (¼ tasse) de lait 1 %
2 ml (½ c. à thé) de moutarde sèche
2 ml (½ c. à thé) d'assaisonnements supplémentaires, comme le basilic ou l'origan, séché, ou le chili en poudre (facultatif)
1 ml (¼ c. à thé) de sel (facultatif)
1 ml (¼ c. à thé) de poivre noir fraîchement moulu

La garniture

Grecque: oignons finement hachés, tomates, olives noires et fromage feta léger, émietté (facultatif)

Végétarienne: poivrons finement hachés, oignons, champignons et cheddar ordinaire ou léger, râpé (facultatif)

Verte: épinards ou brocoli surgelés, hachés, décongelés et bien égouttés, oignon finement haché et cheddar léger, râpé (facultatif)

MINI-QUICHES GRECQUES SANS CROÛTE **Valeur nutritive par portion**	
Calories	82
Lipides	5,4 g
saturés	1,9 g
Sodium	137 mg (6 % VQ)
Glucides	2 g
Fibres	0 g (0 % VQ)
Protéines	7 g
Calcium	46 mg (4 % VQ)
Fer	0,5 mg (4 % VQ)

Teneur élevée en vitamine B_{12}

Équivalents par portion pour les personnes diabétiques:
1   Viandes et substituts

MINI-QUICHES VÉGÉTARIENNES SANS CROÛTE **Valeur nutritive par portion**	
Calories	81
Lipides	5,4 g
saturés	2,1 g
Sodium	75 mg (3 % VQ)
Glucides	1 g
Fibres	0 g (0 % VQ)
Protéines	6 g
Calcium	54 mg (5 % VQ)
Fer	0,5 mg (4 % VQ)

Teneur élevée en vitamine B_{12}

Équivalents par portion pour les personnes diabétiques:
1   Viandes et substituts

MINI-QUICHES VERTES SANS CROÛTE **Valeur nutritive par portion**	
Calories	75
Lipides	4,6 g
saturés	1,5 g
Sodium	86 mg (4 % VQ)
Glucides	2 g
Fibres	0 g (0 % VQ)
Protéines	7 g
Calcium	55 mg (5 % VQ)
Fer	0,5 mg (4 % VQ)

Teneur élevée en vitamine B_{12}

Équivalents par portion pour les personnes diabétiques:
1   Viandes et substituts

1. Dans un grand bol, fouetter les œufs, le lait, la moutarde et les assaisonnements, si désiré, le sel, si désiré, et le poivre.
2. Mettre 30 ml (2 c. à soupe) de garniture, sauf le fromage, dans chaque moule à muffin. Répartir également le mélange d'œufs entre les moules à muffin. Garnir de fromage, si désiré.
3. Cuire au four préchauffé pendant 20 minutes ou jusqu'à ce qu'un couteau inséré au centre en ressorte propre.

SUGGESTION DE SERVICE

Pour servir ces quiches à un brunch, préparez-en de différentes saveurs. Mettez-leur des étiquettes, puis déposez-les sur la table du buffet, les invités pourront alors choisir leurs préférées. Ajoutez le Plateau de fruits de saison, trempette au yogourt et au miel (p. 56) et les Muffins à la citrouille, aux noix et au son (p. 319) pour compléter le menu du brunch.

La quiche est une tarte qui est traditionnellement faite d'une abaisse de pâte et d'une préparation à base d'œufs. Du fromage et d'autres ingrédients salés y sont souvent ajoutés pour lui donner diverses saveurs. La quiche lorraine, originaire de la région de Lorraine, en France, est à base d'œufs, de crème et de bacon ou de lardons. Un peu après la Seconde Guerre mondiale, la quiche est devenue populaire, en Amérique du Nord. Pour réduire les calories et les matières grasses, supprimez la pâte, servez une quiche sans croûte.

CONSEILS

Si vous avez des personnes difficiles à table, ne mettez pas de garniture, garnissez simplement le mélange d'œufs de cheddar ordinaire ou léger, râpé.

Si tout le monde aime le fromage, mélangez-le aux œufs, plutôt que de l'ajouter à chaque petit moule à muffin.

Vous pouvez laisser refroidir les mini-quiches cuites, puis les mettre dans un contenant hermétique et les congeler. Elles se conserveront jusqu'à 1 mois. Pour les réchauffer, déposez-les sur une plaque à pâtisserie et mettez-les au four, à 180 °C (350 °F) pendant 15 minutes ou jusqu'à ce qu'elles soient bien chaudes. Si vous êtes pressé, décongelez-les au micro-ondes et réchauffez-les à puissance moyenne jusqu'à ce qu'elles soient chaudes.

Gaufres de blé du week-end

Kim Knott, diététiste, Manitoba

✓ **LE CHOIX DES ENFANTS**

Le petit goût de noisette de la farine de blé entier donne un goût agréablement nouveau aux gaufres.

CONSEILS

Les jeunes enfants peuvent casser les œufs pour faire la pâte. Et avec un peu de supervision, les enfants plus vieux peuvent vous aider à verser la pâte dans le gaufrier.

Pour faciliter le nettoyage, assurez-vous d'essuyer ce qui a débordé du gaufrier après y avoir cuit chacune des gaufres.

Le nombre de gaufres que vous obtiendrez peut varier selon la grandeur et la forme de votre gaufrier.

- *Préchauffer le four à 100 °C (200 °F)*
- *Un gaufrier belge préchauffé à température moyenne-élevée*

500 ml (2 tasses) de farine tout usage
250 ml (1 tasse) de farine de blé entier
30 ml (2 c. à soupe) de poudre à pâte
30 ml (2 c. à soupe) de sucre granulé
3 œufs
750 ml (3 tasses) de lait 1 %
125 ml (½ tasse) d'huile de canola
Huile végétale de cuisson en atomiseur

1. Dans un grand bol, mélanger la farine tout usage, la farine de blé entier, la poudre à pâte et le sucre.
2. Dans un autre grand bol, fouetter les œufs, le lait et l'huile. Ajouter ce mélange aux ingrédients secs et brasser jusqu'à ce que ce soit bien mélangé.
3. Vaporiser légèrement le gaufrier préchauffé d'huile. Verser 175 ml (¾ tasse) de pâte sur le gaufrier (ou la quantité appropriée à son gaufrier) et cuire pendant 3 minutes ou jusqu'à ce que la gaufre soit bien dorée. La mettre ensuite sur une assiette et la garder au chaud au four préchauffé. Répéter l'opération pour le reste de la pâte, en vaporisant le gaufrier avant de cuire chacune des gaufres, au besoin.

SUGGESTION DE SERVICE

Servez les gaufres garnies de petits fruits frais et de Sauce aux fraises et au sirop d'érable (p. 55).

Valeur nutritive par portion	
Calories	211
Lipides	9,8 g
saturés	1,3 g
Sodium	166 mg (7 % VQ)
Glucides	25 g
Fibres	2 g (8 % VQ)
Protéines	6 g
Calcium	130 mg (12 % VQ)
Fer	1,4 mg (10 % VQ)

Teneur élevée en acide folique

Équivalents par portion pour les personnes diabétiques :
1 ½ Glucides
2 Matières grasses

Crêpes moelleuses

Janice Macdonald, diététiste, Colombie-Britannique

✓ **LE CHOIX DES ENFANTS**

Janice prépare ces crêpes depuis plus de 30 ans! Ce sont les plus moelleuses qu'elle ait jamais faites, et ses enfants, aujourd'hui grands, en font encore plus souvent qu'elle.

CONSEIL

Pour préparer ces crêpes rapidement le matin, mélangez les ingrédients secs et les ingrédients humides dans des bols séparés, la veille. Assurez-vous de mettre les ingrédients humides au réfrigérateur.

- *Préchauffer le four à 100 °C (200 °F)*

300 ml (1 ¼ tasse) de farine tout usage
75 ml (¾ tasse) de farine de blé entier
30 ml (2 c. à soupe) de sucre granulé
15 ml (1 c. à soupe) de poudre à pâte
1 ml (¼ c. à thé) de sel
1 œuf
425 ml (1 ¾ tasse) de lait 1 %
15 ml (1 c. à soupe) d'huile de canola
Huile végétale de cuisson en atomiseur

1. Dans un grand bol, mélanger la farine tout usage, la farine de blé entier, le sucre, la poudre à pâte et le sel.
2. Dans un bol moyen, fouetter l'œuf, le lait et l'huile. Ajouter ce mélange aux ingrédients secs et brasser pour bien mélanger.
3. Chauffer une plaque ou un grand poêlon antiadhésif, à feu moyen. Vaporiser légèrement d'huile. Pour faire chaque crêpe, verser 60 ml (¼ tasse) de pâte sur la plaque et cuire pendant environ 2 minutes ou jusqu'à ce que des bulles se forment près du bord. Retourner la crêpe et cuire pendant 2 minutes ou jusqu'à ce qu'elle soit bien dorée. Mettre ensuite la crêpe dans une assiette et la garder au chaud au four préchauffé. Répéter l'opération pour le reste de la pâte, en vaporisant la plaque de cuisson et en rectifiant la température entre les cuissons, au besoin.

SUGGESTION DE SERVICE

Vous pouvez servir ces crêpes avec un morceau de cheddar et une Salade de fruits d'été, sauce yogourt vanille et érable (p. 142).

Valeur nutritive par portion	
Calories	184
Lipides	3,7 g
saturés	0,8 g
Sodium	231 mg (10 % VQ)
Glucides	31 g
Fibres	2 g (8 % VQ)
Protéines	7 g
Calcium	132 mg (12 % VQ)
Fer	1,5 mg (11 % VQ)

Teneur élevée en acide folique, thiamine et riboflavine

Équivalents par portion pour les personnes diabétiques :
2 Glucides
½ Matières grasses

Crêpes en forme de petits cochons

Sue Mah, diététiste, et sa fille Abbey Chan, Ontario

✓ LE CHOIX DES ENFANTS

Les enfants adoreront faire ces crêpes savoureuses, et même les ados auront un grand sourire quand ils les verront!

- *Préchauffer le four à 100 °C (200 °F)*
- *Un flacon souple*

250 ml (1 tasse) de farine tout usage
250 ml (1 tasse) de farine de blé entier
30 ml (2 c. à soupe) de graines de lin moulues
15 ml (1 c. à soupe) de poudre à pâte
2 ml (½ c. à thé) de bicarbonate de soude
Une pincée de sel
2 œufs
425 ml (1 ¾ tasse) de lait 1 %
60 ml (¼ tasse) d'huile de canola
Huile végétale de cuisson en atomiseur
Environ 60 ml (¼ tasse) de bleuets
Environ 60 ml (¼ tasse) de grains de chocolat

1. Dans un grand bol, mélanger la farine tout usage, la farine de blé entier, les graines de lin, la poudre à pâte, le bicarbonate de soude et le sel.
2. Dans un bol moyen, fouetter les œufs, le lait et l'huile. Ajouter ce mélange aux ingrédients secs et brasser pour bien mélanger. Verser la pâte dans un flacon souple (un entonnoir peut faciliter le travail).
3. Chauffer une plaque de cuisson ou un grand poêlon antiadhésif à feu moyen. Vaporiser légèrement d'huile. Pour faire chacun des petits cochons, presser le flacon pour obtenir suffisamment de pâte pour former un grand cercle d'environ 12,5 cm (5 po) de diamètre et 2 petits cercles de 4 à 5 cm (1 ½ à 2 po) de diamètre chacun. Cuire pendant environ 2 minutes ou jusqu'à ce que des bulles se forment sur le bord. Retourner les crêpes et cuire pendant 2 minutes ou jusqu'à ce qu'elles soient bien dorées. Les mettre ensuite sur une assiette et les garder au chaud au four préchauffé. Répéter l'opération pour le reste de la pâte, en vaporisant la plaque de cuisson et en rectifiant la température entre les cuissons, au besoin.

Valeur nutritive par portion	
Calories	250
Lipides	11,5 g
saturés	2,3 g
Sodium	268 mg (11 % VQ)
Glucides	31 g
Fibres	3 g (12 % VQ)
Protéines	8 g
Calcium	135 mg (12 % VQ)
Fer	1,8 mg (13 % VQ)

Teneur élevée en magnésium, acide folique, riboflavine et niacine

Équivalents par portion pour les personnes diabétiques:
2   Glucides
2   Matières grasses

4. Pour faire un petit cochon, déposer la grande crêpe au centre d'une assiette. Couper l'un des petits cercles en 2 et utiliser les demi-cercles pour faire les oreilles, en mettant le côté coupé vers l'extérieur. Mettre l'autre petit cercle au milieu du grand cercle pour former le museau. Utiliser 2 bleuets pour faire les narines et 2 grains de chocolat pour les yeux.

CONSEIL
Faites congeler les restes de crêpes et réchauffez-les au four grille-pain les matins où vous êtes pressé.

Les graines de lin contiennent un acide gras oméga-3 essentiel, que l'on appelle ALA. L'organisme ne peut pas en produire, mais nous en avons besoin pour fonctionner normalement, c'est pourquoi il est important de manger des aliments riches en ALA, comme les graines de lin, l'huile de canola et le soya. (Le saumon et d'autres poissons gras contiennent d'autres oméga-3, l'EPA et le DHA. Ces acides gras favorisent la santé du cœur, ainsi que le développement du cerveau, des nerfs et des yeux chez les jeunes enfants.

VARIANTES
Pour faire les yeux, vous pouvez utiliser des fruits, comme les framboises ou les mûres.

Pour faire sourire vos petits cochons, ajoutez une lamelle d'abricot séché à chacun d'entre eux.

SUGGESTION DE SERVICE
Servez les crêpes avec une variété de petits fruits frais, un soupçon de sirop d'érable et un peu de sucre à glacer.

Donne 18 crêpes de
7,5 à 10 cm (3 à 4 po)
Portion de 2 crêpes

Crêpes à la citrouille

Karen Omichinski, diététiste, Manitoba

✓ **Le choix des enfants**

Les enfants comme les adultes aiment le goût épicé de la citrouille dans ces crêpes – c'est comme manger une tarte à la citrouille au petit-déjeuner! Ces crêpes sont délicieuses les matins d'automne, garnies de compote de pommes chaude.

Conseils

Vous pouvez utiliser une citrouille pour faire la purée ou de la purée de citrouille en conserve. Il faut simplement vous assurer de ne pas utiliser de garniture pour tarte à la citrouille, qui est sucrée.

La réaction chimique entre le bicarbonate de soude et le vinaigre rend cette pâte à crêpes particulièrement légère. Travaillez rapidement.

Valeur nutritive par portion	
Calories	179
Lipides	4,7 g
saturés	0,8 g
Sodium	300 mg (13 % VQ)
Glucides	30 g
Fibres	3 g (12 % VQ)
Protéines	6 g
Calcium	103 mg (9 % VQ)
Fer	1,9 mg (14 % VQ)

Teneur très élevée en vitamine A
Teneur élevée en acide folique

Équivalents par portion pour les personnes diabétiques :
2 Glucides
1 Matières grasses

• *Préchauffer le four à 100 °C (200 °F)*

250 ml (1 tasse) de farine tout usage
250 ml (1 tasse) de farine de blé entier
45 ml (3 c. à soupe) de cassonade légèrement tassée
10 ml (2 c. à thé) de poudre à pâte
5 ml (1 c. à thé) de bicarbonate de soude
5 ml (1 c. à thé) de piment de la Jamaïque moulu
5 ml (1 c. à thé) de cannelle moulue
2 ml (½ c. à thé) de gingembre moulu
1 ml (¼ c. à thé) de sel
1 œuf
375 ml (1 ½ tasse) de lait 1 %
250 ml (1 tasse) de purée de citrouille (voir Conseils)
30 ml (2 c. à soupe) d'huile de canola
15 ml (1 c. à soupe) de vinaigre blanc
Huile végétale de cuisson en atomiseur

1. Dans un grand bol, mélanger la farine tout usage, la farine de blé entier, la cassonade, la poudre à pâte, le bicarbonate de soude, le piment de la Jamaïque, la cannelle, le gingembre et le sel.
2. Dans un autre grand bol, fouetter l'œuf, le lait, la purée de citrouille, l'huile et le vinaigre. Incorporer ce mélange aux ingrédients secs et brasser pour bien mélanger.
3. Chauffer une plaque à cuisson ou un grand poêlon antiadhésif à feu moyen. Vaporiser légèrement d'huile. Pour faire chaque crêpe, verser 60 ml (¼ tasse) de pâte sur la plaque et cuire pendant environ 2 minutes ou jusqu'à ce que des bulles se forment autour du bord. Retourner la crêpe et cuire pendant 2 minutes ou jusqu'à ce qu'elle soit bien dorée. Mettre ensuite la crêpe dans une assiette et la garder au chaud au four préchauffé. Répéter l'opération pour le reste de la pâte, en vaporisant la plaque de cuisson et en rectifiant la température entre les cuissons, au besoin.

> Les citrouilles utilisées pour faire de la purée sont plus petites et plus sucrées que les grosses citrouilles que l'on utilise pour décorer, à l'automne.

Œufs épicés pour le brunch, p. 38

Crêpes à la citrouille, p. 48

Sandwich ouvert au thon et au pesto, p. 79

Salade de poulet au cari à l'indienne, p. 85

Salade d'endive en hors-d'œuvre, p. 102

Wraps arc-en-ciel à la laitue, p. 103

Tomates cerises farcies au crabe, p. 112

Soupe au chou-fleur et au poivron rouge, grillés, p. 124

Crêpes au maïs et aux courgettes

Leslie Gareau, diététiste, Alberta

✓ LE CHOIX DES ENFANTS

Leslie et sa famille adorent le maïs de l'Alberta, et même si son fils ne raffole pas des courgettes, il aime bien ces crêpes exceptionnelles.

CONSEILS

Assurez-vous de bien éponger les courgettes pour leur enlever le plus d'eau possible.

La façon la plus simple de retirer les grains de maïs de l'épi est de casser l'épi en 2 pour obtenir un côté plat. Déposez le demi-épi sur le côté plat, puis coupez les grains de maïs.

Si quelques grains de maïs tombent de la crêpe pendant la cuisson, assurez-vous de les retirer du poêlon et de les jeter avant de cuire une autre crêpe.

Valeur nutritive par portion	
Calories	181
Lipides	5,3 g
saturés	0,9 g
Sodium	85 mg (4 % VQ)
Glucides	31 g
Fibres	4 g (16 % VQ)
Protéines	6 g
Calcium	20 mg (2 % VQ)
Fer	1,2 mg (9 % VQ)

Teneur très élevée en acide folique
Teneur élevée en magnésium et thiamine

Équivalents par portion pour les personnes diabétiques :
2   Glucides
1   Matières grasses

• *Préchauffer le four à 100 °C (200 °F)*

750 ml (3 tasses) de maïs en grains cuit, soit 3 ou 4 épis
250 ml (1 tasse) de courgettes râpées, bien épongées pour enlever le surplus d'eau
125 ml (½ tasse) de semoule de maïs
2 œufs, battus
15 ml (1 c. à soupe) de lait 1 %
5 ml (1 c. à thé) de cumin moulu
Une pincée de sel
2 ml (½ c. à thé) de poivre noir fraîchement moulu
15 ml (1 c. à soupe) d'huile de canola, au total
Huile végétale de cuisson en atomiseur

1. Dans un bol moyen, mélanger le maïs, les courgettes, la semoule de maïs, les œufs, le lait, le cumin, le sel et le poivre.
2. Dans un grand poêlon, chauffer 5 ml (1 c. à thé) d'huile à feu moyen. Pour faire chaque crêpe, verser 60 ml (¼ tasse) de pâte sur la plaque et cuire pendant environ 2 minutes ou jusqu'à ce que des bulles se forment près du bord. Retourner la crêpe et cuire de 2 à 3 minutes ou jusqu'à ce qu'elle soit bien dorée. Mettre ensuite la crêpe dans une assiette et la garder au chaud au four préchauffé. Répéter l'opération pour le reste de la pâte, en ajoutant de l'huile et en rectifiant la température entre les cuissons, au besoin.

Le maïs a joué un rôle important dans l'histoire de l'alimentation et dans la culture de l'Amérique du Sud et du Mexique, où il est cultivé depuis 2700 av. J.-C.

Crêpes à la semoule de maïs, garniture à l'avocat

Laura Glenn, étudiante en nutrition, Québec

DONNE DE **4 À 6** CRÊPES
PORTION DE **1** CRÊPE

Ces crêpes au maïs offrent une saveur et une texture uniques, elles ressemblent à des tacos tendres.

CONSEILS

Choisissez un avocat ferme au toucher, mais qui cède sous une légère pression des doigts.

Si la pâte est trop épaisse pour s'étendre, ajoutez 15 ml (1 c. à soupe) de lait supplémentaire.

Si vous trouvez que vous ne pouvez faire tourner la pâte assez vite pour qu'elle se rende jusqu'au bord de la crêpière, utilisez simplement une plus grande quantité de pâte.

Valeur nutritive par portion	
Calories	235
Lipides	12,7 g
saturés	2,3 g
Sodium	355 mg (15 % VQ)
Glucides	24 g
Fibres	4 g (16 % VQ)
Protéines	8 g
Calcium	131 mg (12 % VQ)
Fer	1,2 mg (9 % VQ)

Teneur très élevée en acide folique
Teneur élevée en vitamine D, vitamine B_{12} et riboflavine

Équivalents par portion pour les personnes diabétiques :
1   Glucides
2 ½ Matières grasses

• *Une crêpière de 15 cm (6 po) ou un poêlon antiadhésif*

Les crêpes à la semoule de maïs
125 ml (½ tasse) de farine tout usage
75 ml (⅓ tasse) de semoule de maïs
5 ml (1 c. à thé) de poudre à pâte
5 ml (1 c. à thé) de sucre granulé
1 ml (¼ c. à thé) de sel
2 œufs
250 ml (1 tasse) de yogourt faible en gras
45 ml (3 c. à soupe) de lait 2 %
30 ml (2 c. à soupe) de margarine non hydrogénée, fondue
Huile végétale de cuisson en atomiseur

La garniture à l'avocat
1 gros avocat mûr
10 ml (2 c. à thé) de jus de citron ou de jus de citron vert fraîchement pressé
2 tomates mûres, épépinées et finement hachées
125 ml (½ tasse) d'oignons verts, hachés
5 ml (1 c. à thé) de sauce au piment et à l'ail
1 ml (¼ c. à thé) de sel
1 ml (¼ c. à thé) de poivre noir fraîchement moulu
60 ml (¼ tasse) de crème sure légère (facultatif)

1. *Les crêpes à la semoule de maïs :* Dans un grand bol, mélanger la farine, la semoule de maïs, la poudre à pâte, le sucre et le sel.
2. Dans un autre grand bol, fouetter les œufs, le yogourt, le lait et la margarine. Faire un puits dans le mélange de farine et y verser graduellement le mélange d'œufs, en fouettant jusqu'à ce que la pâte soit homogène. Couvrir et laisser reposer à la température de la pièce pendant 10 minutes.

3. Chauffer la crêpière à feu moyen. Vaporiser légèrement d'huile. Soulever la crêpière et y verser environ 75 ml (⅓ tasse) de pâte. Faire tourner la crêpière pour que la pâte atteigne tous les côtés. Remettre sur le feu et cuire pendant environ 1 minute ou jusqu'à ce que le dessus de la crêpe soit mat et que le dessous soit légèrement doré. Retourner la crêpe et cuire de 30 à 60 secondes ou jusqu'à ce qu'elle commence à dorer. Mettre ensuite la crêpe dans une assiette, la couvrir de papier d'aluminium et la garder au chaud. Répéter l'opération pour le reste de la pâte, en vaporisant la crêpière et en rectifiant la température entre les cuissons, au besoin.

4. *La garniture à l'avocat:* Dans un petit bol, mettre l'avocat en purée. L'asperger de jus de citron. Incorporer délicatement les tomates, les oignons verts, la sauce au piment et à l'ail, le sel et le poivre.

5. Répartir la garniture entre les crêpes. Replier les 2 extrémités de la crêpe, puis la rouler. Mettre ensuite les crêpes dans une assiette de service, le côté fermé vers le bas. Servir avec une bonne cuillerée de crème sure, si désiré.

L'avocat est l'un des quelques fruits qui contiennent une bonne quantité de gras. Mais à la différence de la noix de coco (le fruit du palmier), qui contient en grande partie des gras saturés, l'avocat contient surtout des gras monoinsaturés.

VARIANTE
Vous pouvez remplacer la garniture à l'avocat par des haricots noirs, de la salsa et du fromage.

Crêpes de sarrasin

Dianna Bihun, diététiste, Colombie-Britannique

Le sarrasin ajoute une saveur de noisette qui se marie bien avec les garnitures salées.

CONSEILS

Certains ingrédients de la pâte ont tendance à se déposer au fond. Alors, brassez souvent.

Vous pouvez préparer la pâte une journée à l'avance. Couvrez-la et mettez-la au réfrigérateur. Laissez-la revenir à la température de la pièce avant de l'utiliser.

SUGGESTION DE SERVICE

Garnissez chacune des crêpes d'une mince tranche de bacon de dos chaude, de quelques minces tranches d'oignon, de 30 ml (2 c. à soupe) de roquette hachée et de 30 ml (2 c. à soupe) de figues hachées. Servez-la avec un filet de vinaigrette à l'oignon doux, si désiré.

Valeur nutritive par portion	
Calories	109
Lipides	4,6 g
saturés	1,3 g
Sodium	68 mg (3 % VQ)
Glucides	13 g
Fibres	1 g (4 % VQ)
Protéines	4 g
Calcium	57 mg (5 % VQ)
Fer	0,8 mg (6 % VQ)

Teneur élevée en vitamine D

Équivalents par portion pour les personnes diabétiques :
1   Glucides
½   Matières grasses

- Une crêpière de 15 cm (6 po) ou un poêlon antiadhésif

500 ml (2 tasses) de lait 2 %
22 ml (1 ½ c. à soupe) de vinaigre blanc
175 ml (¾ tasse) de farine tout usage
175 ml (¾ tasse) de farine de sarrasin
Une pincée de sel
3 œufs
3 jaunes d'œufs
30 ml (2 c. à soupe) de mélasse de fantaisie
30 ml (2 c. à soupe) de margarine non hydrogénée, fondue
Huile végétale de cuisson en atomiseur

1. Dans un grand bol, mélanger le lait et le vinaigre. Laisser reposer pendant 10 minutes.
2. Dans un autre grand bol, mélanger la farine tout usage, la farine de sarrasin et le sel.
3. Ajouter les œufs, les jaunes d'œufs et la mélasse au mélange de lait. Mélanger avec un batteur électrique pendant 1 minute. Ajouter la margarine et battre pendant 20 secondes. Faire un puits dans le mélange de farine et y verser graduellement le mélange d'œufs, en fouettant jusqu'à ce que la pâte soit homogène. Couvrir et laisser reposer à la température de la pièce pendant 30 minutes.
4. Chauffer la crêpière à feu moyen. Vaporiser légèrement d'huile. Soulever la crêpière et y verser environ 75 ml (⅓ tasse) de pâte. Faire tourner la crêpière pour que la pâte atteigne tous les côtés. Remettre sur le feu et cuire pendant environ 1 minute ou jusqu'à ce que le dessus de la crêpe soit mat et que le dessous soit légèrement doré. Retourner la crêpe et cuire de 30 à 60 secondes ou jusqu'à ce qu'elle commence à dorer. Mettre ensuite la crêpe dans une assiette, la couvrir de papier d'aluminium et la garder au chaud. Répéter l'opération pour le reste de la pâte, en vaporisant la crêpière et en rectifiant la température entre les cuissons, au besoin.

> Le sarrasin est une plante à larges feuilles qui pousse bien dans les Prairies de l'Est. Les graines servent à faire du gruau de sarrasin (les grains mondés et broyés) qui peut être grillé pour faire de la kacha, qui est souvent utilisée pour faire des céréales chaudes ou des pilafs. Quand le sarrasin est moulu en farine, on peut en faire des galettes, des crêpes ou les célèbres blinis russes (minces crêpes traditionnellement servies avec du caviar et de la crème sure).

Cette recette de crêpe est simple et, chaque fois, c'est une réussite.

CONSEILS

Pour éviter de trop cuire les crêpes, faites-les cuire seulement jusqu'au moment où la pâte semble devenir sèche.

Vous pouvez faire ces crêpes à l'avance et les congeler. Mettez du papier ciré entre les crêpes avant de les congeler, il sera plus facile d'en décongeler seulement une à la fois. Pour les décongeler, mettez-les au réfrigérateur de 1 à 2 heures avant de les utiliser.

VARIANTE

Ajoutez un brin d'aneth frais et un peu de jus de citron sur le saumon avant de refermer la crêpe.

Valeur nutritive par portion	
Calories	131
Lipides	4,9 g
saturés	2,2 g
Sodium	301 mg (13 % VQ)
Glucides	12 g
Fibres	1 g (4 % VQ)
Protéines	9 g
Calcium	69 mg (6 % VQ)
Fer	1,2 mg (9 % VQ)

Teneur très élevée en vitamine D, acide folique et vitamine B_{12}
Teneur élevée en vitamine A et niacine

Équivalents par portion pour les personnes diabétiques :
1   Glucides
1   Viandes et substituts

Crêpes au saumon fumé

Martine Laroche, Alberta

• *Une crêpière de 15 cm (6 po) ou un poêlon antiadhésif*

Les crêpes
2 œufs
300 ml (1 ¼ tasse) de lait 1 %
Une pincée de sel
250 ml (1 tasse) de farine tout usage
Huile végétale de cuisson en atomiseur

La garniture
45 ml (3 c. à soupe) de fromage à la crème aux herbes et à l'ail, au total
250 ml (1 tasse) de feuilles d'épinard tassées
8 à 10 minces tranches de saumon fumé

1. *Les crêpes :* Dans un petit bol, fouetter les œufs, le lait et le sel. Ajouter la farine et battre jusqu'à ce que la pâte soit homogène. Couvrir et laisser reposer à la température de la pièce pendant 30 minutes.

2. Chauffer la crêpière à feu moyen. Vaporiser légèrement d'huile. Soulever la crêpière et y verser environ 60 ml (¼ tasse) de pâte. Faire tourner la crêpière pour que la pâte atteigne tous les côtés. Remettre sur le feu et cuire pendant environ 30 secondes ou jusqu'à ce que le dessus de la crêpe soit mat et que le dessous soit légèrement doré. Retourner la crêpe et cuire de 20 à 30 secondes ou jusqu'à ce qu'elle commence à dorer. Mettre ensuite la crêpe dans une assiette, la couvrir de papier d'aluminium et la garder au chaud. Répéter l'opération pour le reste de la pâte, en vaporisant la crêpière et en rectifiant la température entre les cuissons, au besoin.

3. *La garniture :* Étendre 5 ml (1 c. à thé) de fromage à la crème sur chacune des crêpes. Mettre quelques feuilles d'épinard au centre, puis une tranche de saumon fumé. Replier le bord inférieur des crêpes sur le saumon, puis replier le bord supérieur sur le bord inférieur. Mettre ensuite les crêpes dans une assiette de service, le côté fermé vers le bas.

Le saumon fumé peut être fumé à chaud (température de fumage élevée pendant une courte période) ou fumé à froid (température de fumage moins élevée pendant une période plus longue, souvent une journée ou même des semaines). Quand le saumon est fumé à chaud, il peut s'imprégner d'une partie de l'arôme du bois utilisé pour le fumer, comme le bois de l'érable ou du pommier. Dans les deux cas, le poisson est d'abord salé. On lui ajoute du sel, cela contribue à enlever l'humidité et à tuer les bactéries. La chaleur de la fumée « cuit » le poisson.

Fricadelles de porc aux pommes et à la sauge

Mary Sue Waisman, diététiste, Nouvelle-Écosse

DONNE 12 FRICADELLES

PORTION DE 1 FRICADELLE

✓ **LE CHOIX DES ENFANTS**

Préparez une bonne quantité de ces fricadelles et conservez-les congelées pour pouvoir les utiliser rapidement dans les sandwichs, au petit-déjeuner.

CONSEILS

Pour que les fricadelles soient dorées des 2 côtés, retournez-les pendant la cuisson.

Ces fricadelles se congèlent bien. Laissez-les refroidir, enveloppez-les de pellicule plastique, puis congelez-les dans un contenant hermétique ou dans des sacs de congélation. Elles se conserveront jusqu'à 3 mois. Laissez-les décongeler au frigo toute la nuit et réchauffez-les avant de les servir.

SUGGESTION DE SERVICE

Servez ce plat avec des crêpes, des gaufres ou des œufs brouillés.

Valeur nutritive par portion	
Calories	97
Lipides	5,3 g
saturés	1,9 g
Sodium	82 mg (3 % VQ)
Glucides	6 g
Fibres	1 g (4 % VQ)
Protéines	6 g
Calcium	14 mg (1 % VQ)
Fer	0,5 mg (4 % VQ)

Équivalents par portion pour les personnes diabétiques:
1   Viandes et substituts

- *Préchauffer le four à 190 °C (375 °F)*
- *Une plaque à pâtisserie munie d'un bord*

5 ml (1 c. à thé) d'huile de canola
375 g (12 oz) de porc haché maigre
175 ml (¾ tasse) d'oignons finement hachés
125 ml (½ tasse) de pomme pelée finement hachée
1 tranche de pain aux raisins ou de pain de blé entier, déchiquetée en petits morceaux
1 œuf légèrement battu
60 ml (¼ tasse) d'abricots séchés, en petits dés
15 ml (1 c. à soupe) de sirop d'érable pur à 100 %
2 ml (½ c. à thé) de sarriette séchée
2 ml (½ c. à thé) de marjolaine séchée
5 ml (1 c. à thé) de sauge moulue
1 ml (¼ c. à thé) de sel

1. Dans un grand poêlon antiadhésif, chauffer l'huile à feu moyen. Y faire sauter le porc, en brisant la viande avec une cuillère, pendant environ 8 minutes ou jusqu'à ce que le porc ait perdu sa couleur rosée. Ajouter les oignons et la pomme et les faire sauter pendant environ 5 minutes ou jusqu'à ce qu'ils soient tendres.

2. Mettre le mélange de porc dans un grand bol, puis y incorporer le pain, l'œuf, les abricots, le sirop d'érable, la sarriette, la marjolaine, la sauge et le sel. En utilisant environ 60 ml (¼ tasse) du mélange, former des fricadelles de 1 cm (½ po) d'épaisseur et les mettre sur la plaque à pâtisserie préparée en laissant environ 5 cm (2 po) entre chacune.

3. Cuire au four préchauffé, en les retournant une fois, de 15 à 20 minutes ou jusqu'à ce qu'un thermomètre à mesure instantanée inséré au centre d'une fricadelle indique 71 °C (160 °F).

> Le porc haché maigre contient environ 11 g de matières grasses par portion de 75 g (2 ½ oz), tandis que la même portion de porc haché mi-maigre en contient presque 16 g. Dans la mesure du possible, achetez du porc haché maigre.

VARIANTE

Vous pouvez remplacer les abricots par des raisins secs, par des cerises ou des bleuets, séchés.

Sauce aux fraises et au sirop d'érable

Kim Knott, diététiste, Manitoba

✓ LE CHOIX DES ENFANTS

Kim a conçu cette sauce pour ses clients atteints du diabète, car elle contient moins de glucides que le sirop d'érable seul. Servez-la chaude sur des crêpes ou sur des gaufres. Cette sauce a connu un immense succès auprès de nos dégustateurs.

CONSEILS

Les enfants peuvent vous aider à couper les fraises et à mélanger la fécule de maïs avec l'eau – ils aiment bien voir la fécule disparaître dans l'eau froide.

Congelez le surplus de sauce dans des bacs à glaçons. Quand les cubes de sauce sont congelés, mettez-les dans un sac de congélation. Décongelez-les au micro-ondes, au besoin.

Valeur nutritive par portion	
Calories	25
Lipides	0,1 g
saturés	0,0 g
Sodium	1 mg (0 % VQ)
Glucides	6 g
Fibres	1 g (4 % VQ)
Protéines	0 g
Calcium	8 mg (1 % VQ)
Fer	0,1 mg (1 % VQ)

Teneur très élevée en riboflavine

Équivalents par portion pour les personnes diabétiques :
½   Glucides

• *Un robot culinaire ou un mélangeur*

1 pomme pelée, évidée et tranchée
1 litre (4 tasses) de fraises hachées
125 ml (½ tasse) d'eau froide
22 ml (1 ½ c. à soupe) de fécule de maïs
175 ml (¾ tasse) de sirop d'érable pur à 100 %
1 ml (¼ c. à thé) d'extrait de vanille

1. Dans une casserole moyenne, à feu vif, porter 375 ml (1 ½ tasse) d'eau à ébullition. Ajouter la pomme, baisser le feu et laisser mijoter de 2 à 3 minutes ou jusqu'à ce qu'elle soit tendre. Ajouter les fraises, augmenter à feu vif, puis porter de nouveau à ébullition. Baisser le feu et laisser mijoter pendant 2 minutes. Retirer du feu et laisser tiédir.
2. Mettre délicatement le mélange de fruits chaud au robot culinaire, puis en faire une purée onctueuse. Remettre ensuite la purée dans la casserole à feu moyen et porter à faible ébullition.
3. Dans un petit bol, mélanger l'eau froide et la fécule de maïs jusqu'à ce que le mélange soit homogène. Ajouter ce mélange au mélange de fruits et cuire, en brassant, de 2 à 3 minutes ou jusqu'à ce que le mélange soit plus épais. Incorporer le sirop d'érable et la vanille. Retirer du feu et laisser refroidir légèrement la sauce pour la servir chaude ou la laisser refroidir complètement. Mettre la sauce refroidie dans un contenant hermétique, puis la mettre au réfrigérateur. Elle se conservera jusqu'à 4 jours.

VARIANTE

Pour rehausser la saveur des fraises, ajoutez un peu de jus de citron avec la vanille.

Plateau de fruits de saison, trempette au yogourt et au miel

Caroline Dubeau, diététiste, Ontario

Caroline Dubeau, diététiste, Ontario

6 PORTIONS

✓ LE CHOIX DES ENFANTS

Un plateau de fruits frais ajoutera de la couleur à la table de votre brunch du dimanche.

CONSEILS

Pour éviter que le couteau ne glisse sur la planche à découper, assurez-vous qu'elle soit bien sèche.

Pendant la belle saison, conservez un plateau de fruits à portée de la main, au réfrigérateur. Vous aurez ainsi une gâterie délicieuse et nutritive à servir l'après-midi.

2 pêches fraîches, coupées en 2 et dénoyautées
½ melon miel pelé, dont on a retiré les graines
250 ml (1 tasse) de bleuets
18 fraises équeutées

La trempette au yogourt et au miel
175 ml (¾ tasse) de yogourt nature faible en gras
30 ml (2 c. à soupe) de miel liquide
5 ml (1 c. à thé) d'extrait de vanille

1. Déposer les demi-pêches sur une planche à découper, côté coupé vers le bas, puis couper chaque moitié en 3 ou 4 tranches. Couper le melon en tranches, puis en cubes.
2. En commençant à une extrémité d'un plat de service, disposer les fruits comme suit : les pêches, les bleuets, le melon et les fraises.
3. *La trempette au yogourt et au miel :* Dans un petit bol, mélanger le yogourt, le miel et la vanille. Servir comme trempette avec les fruits.

VARIANTES

Vous pouvez remplacer les fruits par vos fruits favoris et utiliser, bien sûr, les fruits de saison.

Pour obtenir des kébabs aux fruits, vous pouvez enfiler les morceaux de fruit sur des brochettes.

Valeur nutritive par portion	
Calories	116
Lipides	0,7 g
saturés	0,3 g
Sodium	42 mg (2 % VQ)
Glucides	27 g
Fibres	3 g (12 % VQ)
Protéines	3 g
Calcium	70 mg (6 % VQ)
Fer	0,5 mg (4 % VQ)

Teneur très élevée en vitamine C
Teneur élevée en acide folique

Équivalents par portion pour les personnes diabétiques :
1 ½ Glucides

✓ LE CHOIX DES ENFANTS

Les fruits surgelés ajoutent beaucoup de saveur aux boissons fouettées et la gardent froide plus longtemps.

CONSEIL

Pour avoir des gâteries glacées sous la main, congelez les boissons fouettées qui restent dans des contenants à sucettes glacées.

Valeur nutritive par portion	
Calories	153
Lipides	1,0 g
saturés	0,4 g
Sodium	45 mg (2 % VQ)
Glucides	33 g
Fibres	3 g (12 % VQ)
Protéines	4 g
Calcium	119 mg (11 % VQ)
Fer	0,5 mg (4 % VQ)

Teneur très élevée en vitamine C

Équivalents par portion pour les personnes diabétiques :
2   Glucides

Boisson fouettée aux petits fruits

Joëlle Zorzetto, diététiste, Ontario

• *Un mélangeur*

1 banane coupée en morceaux
500 ml (2 tasses) d'un mélange de petits fruits surgelés (fraises, bleuets, mûres et framboises)
250 ml (1 tasse) de yogourt aux fraises faible en gras
250 ml (1 tasse) de jus orange, fraise banane sans sucre ajouté

1. Au mélangeur, à vitesse élevée, mélanger la banane, les petits fruits, le yogourt et le jus pendant 30 secondes ou jusqu'à ce que le mélange soit homogène.

> Quand vous choisissez du yogourt, il est utile de connaître le % M.G. – soit le pourcentage de matière grasse du lait qu'il contient. Si le yogourt contient, par exemple, 3,5 % M.G., cela signifie que 100 g de ce yogourt contiennent 3,5 g de matière grasse de lait. Notez que le % M.G. n'indique pas le pourcentage de calories provenant du gras dans ce produit. Les yogourts dont l'étiquette indique 2 % M.G. ou moins sont considérés comme des choix faibles en gras.

VARIANTE

Utilisez d'autres fruits surgelés, d'autres saveurs de yogourt et d'autres jus, au goût. Par exemple, essayez un mélange de mangues surgelées, de pêches surgelées, de yogourt aromatisé aux pêches et de jus d'orange.

SUGGESTION DE SERVICE

Versez cette boisson dans de jolis verres à vin et garnissez chacun d'entre eux d'une fraise fraîche, vous pourrez les servir au brunch du week-end.

Les repas du midi et les lunchs

Le repas du midi est un moment essentiel de la journée, alors prenez le temps de le planifier et préparez un repas savoureux et nutritif en vous basant sur *Bien manger avec le Guide alimentaire canadien.* Idéalement, ce repas devrait comprendre au moins un aliment de chacun des 4 groupes alimentaires. Afin de vous sentir rassasié plus longtemps et pour éviter les pannes d'énergie en après-midi, misez sur une source de protéines (fromage, viande, volaille, poisson, haricots, œufs, beurre de noix ou substituts de beurre de noix) et sur des aliments riches en fibres (grains entiers, noix et graines, légumes et fruits).

Petits pains aux poivrons et aux œufs 62

Boulettes de viande du jeune Eben 63

Brioches façon pizzas. 64

Pizza aux œufs brouillés et aux légumes 66

Wrap à la manière d'un sushi 67

Muffins anglais au saumon crémeux 68

Guedille de mon enfance 69

Sandwich roulé à la salade aux œufs. 70

Petit pain au poulet 71

Quatre paninis exquis au poulet 72

Sandwich au fromage fondu à ma façon 78

Sandwich ouvert au thon et au pesto. 79

Sandwich ouvert à la salade de saumon,
aux pommes et au gingembre. 80

Deux canapés sur portobellos. 81

Salade fraîcheur aux lentilles. 82

Salade de tomate, de fromage et
de pois chiches. 83

Salade de thon et de pâtes de blé entier 84

Salade de poulet au cari à l'indienne. 85

Les lunchs favoris des enfants

«C'était un dîner super, maman – merci!» Ce serait merveilleux à entendre, n'est-ce pas? Pour faciliter la préparation des lunchs, travaillez en équipe! Encouragez vos enfants à participer à la planification du menu et des courses, à la préparation du repas et à la corvée du nettoyage. En règle générale, plus les enfants participent à la préparation, plus ils sont enclins à manger et plus ils apprécient le repas.

Évitez les viandes transformées

Utilisez des restes de poulet cuit, de bœuf ou d'autres viandes cuites pour faire des sandwichs ou des salades. Pour réduire les risques de développer un cancer colorectal, mangez peu ou pas de viandes transformées (viandes fumées ou salées ou auxquelles on a ajouté des agents de conservation comme le jambon et le saucisson de Bologne). Les viandes transformées contiennent généralement aussi beaucoup de sodium.

Conseils pour les lunchs à emporter

- Préparez les lunchs la veille et conservez-les au réfrigérateur.
- Utilisez les restes du souper pour les lunchs du lendemain. De cette façon, vous n'aurez pas à nettoyer la cuisine deux fois.
- Équipez-vous d'une boîte à lunch. Si vous le désirez, vous pouvez demander aux enfants de choisir la leur.
- Assurez-vous de la salubrité des aliments. Utilisez des contenants isothermes pour conserver les aliments chauds et des sachets réfrigérants pour que les aliments se conservent froids. Nettoyez les boîtes à lunch tous les jours.

- Évitez les aliments salissants qui s'écrasent ou qui sentent fort.
- Réservez un tiroir de cuisine pour y ranger tout le matériel : contenants isothermes, récipients réutilisables, pellicule plastique, sacs en plastique, étiquettes, serviettes de table, ustensiles en plastique, etc. Réservez une tablette ou un coin du réfrigérateur pour les provisions destinées aux repas à emporter. Si tout est au même endroit, la préparation des lunchs se fait plus facilement !
- Si vos enfants se plaignent de lunchs spongieux et mous, essayez d'utiliser des contenants à compartiments pour conserver les ingrédients séparément.
- Renseignez-vous sur les consignes scolaires concernant les arachides et autres aliments potentiellement allergènes.

Petit cours de cuisine familiale

Comment mesurer les ingrédients

Il y a trois façons courantes de mesurer les ingrédients : au poids, au volume ou à l'unité.

- Les viandes, le poisson et la volaille sont généralement mesurés **au poids,** en grammes et en kilogrammes (dans le système de mesures métriques) ou en onces et en livres (dans le système de mesures impériales). Si vous n'avez pas de balance de cuisine, utilisez le poids indiqué sur l'étiquette des emballages.
- **Le volume** correspond à l'espace occupé par un ingrédient. Dans le système métrique, le volume est mesuré en millilitres ou en litres et dans le système impérial, il est mesuré en cuillères à thé, en cuillères à soupe, en tasses, en chopines et en pintes.
- **La mesure à l'unité** consiste à compter les ingrédients à utiliser : 3 œufs, 4 gousses d'ail, etc.

Il est préférable de mesurer les ingrédients selon les indications de la recette, en les pesant, en mesurant leur volume ou en les comptant. Dans le cas des volumes, utilisez des tasses à mesurer pour les ingrédients liquides (elles sont généralement munies d'un bec verseur pour que la tâche soit plus facile) et des mesures pour les ingrédients secs. Utilisez des cuillères à mesurer, car les cuillères de table ne sont pas assez précises.

Petit cours de cuisine familiale

Les ustensiles et les appareils de cuisine

Connaissez-vous et utilisez-vous les bons outils lorsque vous cuisinez? Voici une liste partielle d'ustensiles de cuisine et leur description.

Les couteaux

Le couteau de chef: Ce couteau à usages multiples possède une poignée robuste et une lame à pointe effilée. Il sert à couper et à hacher.

Le couteau tout usage: C'est un couteau universel dont la lame est plus étroite que celle du couteau de chef. Il est surtout utilisé pour couper les fruits et les légumes et pour découper les volailles.

Le couteau à désosser: Couteau muni d'une lame mince et courbée, généralement d'une longueur de 15 à 20 cm (6 à 8 po), utilisé pour détacher les os des morceaux de viande.

Le couteau d'office: Ce petit couteau pratique est utilisé pour de petits travaux. La lame fait généralement de 5 à 10 cm (2 à 4 po).

Autres ustensiles à main

La louche: Ustensile à long manche dont l'extrémité est en forme de cuillère. Elle sert, entre autres, à verser les liquides comme les soupes. Les louches sont de tailles variées.

Cuillère-portionneuse: Cet ustensile muni d'un levier sert à mesurer la pâte ou à uniformiser les portions servies. On en trouve de différentes tailles.

Les mesures pour les ingrédients secs: Il y en a de plusieurs formats – 60 ml (¼ tasse), 75 ml (⅓ tasse), 125 ml (½ tasse) et 250 ml (1 tasse). Utilisez-les pour les ingrédients comme la farine, le sucre, le beurre d'arachide et la margarine. Remplissez-les à ras bord, puis égalisez-les avec un côté droit.

Les tasses à mesurer pour les ingrédients liquides: Les 3 formats usuels sont 250 ml (1 tasse), 500 ml (2 tasses) et 1 litre (4 tasses). Le haut de la tasse est muni d'un bec verseur.

Les cuillères à mesurer: Elles sont vendues en jeu, en mesures impériales comme en mesures métriques. Elles sont conçues pour mesurer de petits volumes.

Le fouet: Ustensile à long manche conçu pour incorporer de l'air dans un mélange.

La plupart des pains n'ont pas un goût salé, mais...

Peut-être seriez-vous étonné d'apprendre que les pains, les petits pains et les pitas du commerce contiennent beaucoup de sodium. La plupart n'ont pas un goût salé, mais si vous lisez la liste des ingrédients, vous y trouverez parfois du sel ainsi que des additifs et des agents de conservation. Puisqu'il est souvent recommandé de réduire la consommation quotidienne de sodium, plusieurs fabricants de produits alimentaires s'efforcent de réduire le sodium dans les aliments préparés. Consultez le tableau de la valeur nutritive et la liste des ingrédients et choisissez le pain dont le % de la valeur quotidienne (% VQ) en sodium est le moins élevé.

Les cuillères en bois: De différentes longueurs, elles sont parfaites pour remuer ou pour mélanger.

Les spatules: On trouve des spatules en caoutchouc, en silicone ou en métal de différentes longueurs. Certaines servent à incorporer les ingrédients, par exemple lorsqu'on incorpore en pliant. D'autres, à soulever ou à retourner les aliments.

La batterie de cuisine

Les marmites: Grands récipients de cuisson circulaires munis d'anses arrondies pour faciliter le transport.

Les casseroles: Récipients de cuisson ronds aux parois verticales ou inclinées munis d'un long manche.

Les poêlons: Plats ronds, peu profonds, à long manche. On les appelle aussi poêles à frire.

Le wok: Grand récipient de cuisson au fond arrondi et aux parois courbées, idéal pour faire des sautés.

La passoire: Récipient à maille métallique ou contenant en métal ou en plastique percé utilisé pour égoutter les aliments, les fruits et légumes lavés, etc.

Le tamis: Petit récipient à maille fine, qui sert à tamiser les ingrédients secs ou les mélanges et à filtrer le liquide ou les particules fines.

Les petits appareils électriques

Le mélangeur: Il est conçu pour liquéfier ou réduire les aliments en purée. Idéal pour la préparation de boissons fouettées et de laits frappés et pour réduire les soupes, les fruits et les légumes en purée.

Le robot culinaire: On l'utilise comme un mélangeur, mais il est conçu pour réduire de plus grandes quantités de nourriture en purée. Certains robots sont munis d'accessoires pour trancher ou râper.

Le mélangeur à immersion: Ustensile manuel muni d'une lame rotative à son extrémité. On peut l'immerger dans un récipient pour réduire les aliments comme les soupes et les légumes en purée. On l'appelle aussi «mélangeur à main».

Le batteur sur socle: Il est conçu pour mélanger les pâtes à gâteaux, à biscuits et autres préparations qui nécessitent d'être remuées de façon soutenue. Certains batteurs sont munis d'accessoires pour hacher les viandes, pétrir les pâtes à pain et abaisser et couper les pâtes fraîches.

Le batteur à main: On l'utilise comme un batteur sur socle, mais il est conçu pour un usage manuel et pour de plus petits travaux, comme fouetter la crème et les œufs ou préparer des mélanges mous, par exemple les pains à préparation rapide.

Petits pains aux poivrons et aux œufs

Francy Pillo-Blocka, diététiste, Ontario

2 PORTIONS

Profitez de ce repas vite fait et savoureux à l'automne, quand les marchés regorgent de beaux poivrons. C'est un repas du midi consistant qui ne vous décevra jamais!

2 PORTIONS

10 ml (2 c. à thé) d'huile d'olive
2 poivrons rouges, en lanières
4 œufs
Une pincée de sel
Poivre noir fraîchement moulu
2 petits pains multigrains, coupés en 2 et grillés

1. Dans un grand poêlon, chauffer l'huile à feu moyen-doux. Étendre les poivrons uniformément dans le poêlon, couvrir et laisser mijoter, en remuant de temps en temps, de 15 à 20 minutes ou jusqu'à ce que les poivrons soient très tendres, mais qu'ils ne soient pas encore bruns. Si les poivrons commencent à brunir, ajouter de 15 à 30 ml (1 à 2 c. à soupe) d'eau, puis les couvrir de nouveau.
2. Dans un petit bol, fouetter les œufs avec le sel et du poivre, au goût. Les verser dans le poêlon, couvrir et cuire, en remuant de temps en temps, de 2 à 3 minutes ou jusqu'à ce que les œufs coagulent et ne soient plus baveux.
3. Déposer les demi-pains grillés dans des assiettes de service, puis y répartir le mélange d'œufs.

CONSEIL

Le fait de cuire les poivrons à couvert, à feu doux, les fait suer davantage et rehausse leur saveur. Assurez-vous qu'ils ne brunissent pas. Au besoin, ajoutez du liquide pour les empêcher de brunir. Vous pouvez ajouter du vin plutôt que de l'eau, si désiré.

SUGGESTION DE SERVICE

Vous pouvez servir ce plat avec la Salade verte, vinaigrette aux pommes et au vinaigre balsamique (p. 146).

Valeur nutritive par portion	
Calories	288
Lipides	15,4 g
saturés	3,8 g
Sodium	384 mg (16 % VQ)
Glucides	22 g
Fibres	3 g (12 % VQ)
Protéines	16 g
Calcium	102 mg (9 % VQ)
Fer	2,2 mg (16 % VQ)

Teneur très élevée en vitamine A, vitamine C, acide folique, vitamine B_{12} et riboflavine
Teneur élevée en magnésium, zinc, vitamine D, vitamine B_6, thiamine et niacine

Équivalents par portion pour les personnes diabétiques :

1 Glucides
2 Viandes et substituts
1 Matières grasses

Donne 21 boulettes
Portion de 3 boulettes

✓ **Le choix des enfants**

Cette recette a été créée par Eben, 7 ans, notre plus jeune collaborateur! Eben et sa grand-mère adorent cuisiner, car c'est amusant et ça leur permet de passer du temps ensemble. Lorsqu'ils cuisinent, Eben est le chef et sa grand-mère est le sous-chef: elle hache et coupe les ingrédients, et elle s'occupe du four. Ils portent tous les deux des tabliers et nettoient tout ensemble.

Conseil
Préparez ces boulettes le week-end et réchauffez-les pour le dîner du lundi.

Valeur nutritive par portion	
Calories	182
Lipides	10,5 g
saturés	5,4 g
Sodium	330 mg (14 % VQ)
Glucides	3 g
Fibres	0 g (0 % VQ)
Protéines	18 g
Calcium	131 mg (12 % VQ)
Fer	1,5 mg (11 % VQ)

Teneur très élevée en zinc, vitamine B$_{12}$ et niacine

Équivalents par portion pour les personnes diabétiques:
2 ½ Viandes et substituts

Boulettes de viande du jeune Eben

Eben Thorpe-Keith, Colombie-Britannique

- *Préchauffer le four à 180 °C (350 °F)*
- *Une plaque à pâtisserie munie d'un bord, tapissée de papier sulfurisé*

500 g (1 lb) de bœuf haché extra-maigre
1 œuf, battu
250 ml (1 tasse) d'oignon finement haché
250 ml (1 tasse) de cheddar fort râpé
15 ml (1 c. à soupe) de sauce Worcestershire
2 ml (½ c. à thé) de sel
2 ml (½ c. à thé) de poivre noir fraîchement moulu

La trempette
125 ml (½ tasse) de ketchup
60 ml (¼ tasse) de moutarde jaune préparée

1. Dans un grand bol, mélanger le bœuf, l'œuf, l'oignon, le fromage, la sauce Worcestershire, le sel et le poivre. Façonner le mélange en boulettes rondes de 4 cm (1 ½ po), puis les déposer sur la plaque à pâtisserie en laissant au moins 2,5 cm (1 po) entre chaque boulette. Cuire au four préchauffé de 25 à 30 minutes ou jusqu'à ce que la viande ait perdu sa couleur rosée.
2. *La trempette:* Dans un petit bol, mettre le ketchup et la moutarde. Répartir ce mélange entre des bols de service individuels, les invités pourront y tremper les boulettes.

Suggestion de service
Servez les boulettes avec un petit pain de grains entiers, des tranches de concombre et des bâtonnets de carotte.

Brioches façon pizzas

Lindsay McGregor, diététiste, Saskatchewan

✓ **LE CHOIX DES ENFANTS**

Une fête d'anniversaire est une belle occasion pour enseigner aux enfants à faire de la pâte. Préparez la pâte au début de la fête et demandez à l'enfant dont c'est l'anniversaire de frapper la pâte avec la paume de sa main pour en expulser l'air après l'avoir laissée gonfler (il devra le faire 2 fois). Les enfants peuvent ensuite ajouter la garniture à leurs brioches.

• *Des plaques à pâtisserie légèrement graissées*

La pâte
125 ml (½ tasse) de sucre granulé
30 ml (2 c. à soupe) de levure à action rapide
5 ml (1 c. à thé) de sel
2 œufs, battus
750 ml (3 tasses) d'eau tiède
60 ml (¼ tasse) d'huile de canola
1,25 litre (5 tasses) de farine de blé entier
1 litre (4 tasses) de farine tout usage

La garniture
1 kg (2 lb) de bœuf haché maigre
500 ml (2 tasses) de champignons finement hachés
375 ml (1 ½ tasse) d'oignons finement hachés
250 ml (1 tasse) de poivron vert finement haché
1 boîte de 398 ml (14 oz) de sauce tomate
750 ml (3 tasses) de cheddar léger râpé
15 ml (1 c. à soupe) d'origan séché
Poivre noir fraîchement moulu

1. *La pâte :* Dans un grand bol, mélanger le sucre, la levure, le sel, les œufs, l'eau et l'huile. Incorporer graduellement la farine de blé entier et la farine tout usage jusqu'à ce qu'elles soient bien mélangées.
2. Mettre la pâte sur un plan de travail fariné et la pétrir pendant environ 5 minutes ou jusqu'à ce qu'elle soit homogène. La déposer ensuite dans un grand bol légèrement graissé, la couvrir de pellicule plastique et la laisser gonfler dans un endroit chaud à l'abri des courants d'air, pendant environ 45 minutes ou jusqu'à ce qu'elle ait doublé de volume. Frapper la pâte avec la paume de la main pour en expulser l'air, la couvrir et la laisser gonfler encore pendant environ 45 minutes ou jusqu'à ce qu'elle ait doublé de volume. Entre-temps, préchauffer le four à 180 °C (350 °F).

Valeur nutritive par portion	
Calories	311
Lipides	8,5 g
saturés	2,6 g
Sodium	308 mg (13 % VQ)
Glucides	42 g
Fibres	5 g (20 % VQ)
Protéines	18 g
Calcium	86 mg (8 % VQ)
Fer	3,3 mg (24 % VQ)

Teneur très élevée en zinc, acide folique, vitamine B_{12} et niacine
Teneur élevée en magnésium, thiamine et riboflavine

Équivalents par portion pour les personnes diabétiques :
2 ½ Glucides
1 ½ Viandes et substituts

3. *La garniture:* Entre-temps, dans un grand poêlon, à feu moyen-vif, cuire le bœuf, en brisant la viande avec une cuillère, pendant environ 8 minutes ou jusqu'à ce que la viande ait perdu sa couleur rosée. À l'aide d'une cuillère à égoutter, mettre le bœuf dans un bol. Égoutter tout le gras du poêlon, sauf 10 ml (2 c. à thé).

4. Réduire à feu moyen. Ajouter les champignons, les oignons et le poivron au poêlon, puis les faire sauter de 4 à 5 minutes ou jusqu'à ce qu'ils soient ramollis. Retirer du feu et y incorporer le bœuf réservé, la sauce tomate, le fromage, l'origan et du poivre, au goût.

5. Frapper la pâte avec la paume de la main. Pincer la pâte et en retirer un morceau d'environ la grosseur d'une balle de golf, puis l'abaisser sur un plan de travail fariné en un cercle de 7,5 à 9 cm (3 à 3 ½ po). Déposer environ 22 ml (1 ½ c. à soupe) de garniture au milieu de la pâte, enrouler la pâte autour de la garniture et pincer les bords ensemble pour bien sceller la pâte. Sur une plaque à pâtisserie préparée, mettre les brioches le côté fermé vers le bas (ne pas laisser gonfler la pâte). Répéter l'opération pour le reste de la pâte et la garniture en laissant environ 5 cm (2 po) entre chacune des brioches.

6. Au four préchauffé, cuire le contenu d'une seule plaque à pâtisserie à la fois de 20 à 25 minutes ou jusqu'à ce que les brioches soient bien dorées.

Pour une même quantité, la farine de blé entier renferme plus de trois fois plus de fibres que la farine tout usage.

Suggestion de service

Pour une fête d'enfants, servez ces brioches avec des crudités et le Guacamole aux petits pois (p. 95). Terminez le repas par le Plateau de fruits de saison, trempette au yogourt et au miel (p. 56) et la Tour de cupcakes au chocolat (p. 350).

Conseils

Assurez-vous de retirer les légumes du feu avant d'ajouter le fromage, pour ne pas que le fromage fonde.

Si vous avez moins d'invités, préparez la moitié de la recette.

Pour les garnitures, utilisez votre imagination. Vous pouvez remplacer le mélange de bœuf haché par du brocoli cuit et du fromage râpé, ou par du pesto et du poulet cuit.

Pizza aux œufs brouillés et aux légumes

Justyne Tirrel-Kanji, Alberta

4 PORTIONS

✓ **LE CHOIX DES ENFANTS**

Voici un repas simple et délicieux pour les personnes qui travaillent à la maison ou pour les enfants qui viennent dîner à la maison. Servez-le avec un verre de lait faible en gras.

CONSEILS

Si vous n'avez pas de salsa, vous pouvez utiliser de la sauce tomate à teneur réduite en sodium.

Pour les légumes, utilisez des champignons, des poivrons, des oignons, des tomates, des asperges et des courgettes en faisant le mélange de votre choix. L'information nutritionnelle a été calculée en utilisant des quantités égales de tous ces légumes.

Valeur nutritive par portion	
Calories	151
Lipides	8,4 g
saturés	3,0 g
Sodium	344 mg (14 % VQ)
Glucides	10 g
Fibres	2 g (8 % VQ)
Protéines	9 g
Calcium	87 mg (8 % VQ)
Fer	1,0 mg (7 % VQ)

Teneur élevée en acide folique et vitamine B_{12}

Équivalents par portion pour les personnes diabétiques :
½   Glucides
1   Viandes et substituts
1   Matières grasses

- *Préchauffer le gril du four*
- *Une plaque à pâtisserie légèrement graissée*

1 tortilla de blé entier de 25 cm (10 po)
30 ml (2 c. à soupe) de haricots rouges en conserve égouttés et rincés, écrasés à la fourchette
30 ml (2 c. à soupe) de salsa
5 ml (1 c. à thé) d'huile de canola
125 ml (½ tasse) de légumes hachés (voir Conseils)
3 œufs
15 ml (1 c. à soupe) de lait 1 %
Une pincée de sel
1 ml (¼ c. à thé) de poivre noir fraîchement moulu
60 ml (¼ tasse) de cheddar râpé

1. Mettre la tortilla sur la plaque à pâtisserie préparée. Dans un petit bol, mélanger les haricots écrasés avec la salsa. Étendre ce mélange sur la tortilla et réserver.
2. Dans un poêlon moyen antiadhésif, chauffer l'huile à feu moyen. Y faire sauter les légumes de 3 à 5 minutes ou jusqu'à ce qu'ils soient ramollis.
3. Dans un petit bol, fouetter les œufs et le lait. Saler et poivrer. Verser sur le mélange de légumes et cuire, en remuant de temps en temps, pendant environ 1 minute ou jusqu'à ce que les œufs forment des grains tendres et qu'il n'y ait plus de liquide visible.
4. Étendre les œufs uniformément sur la tortilla, puis les parsemer de fromage. Passer sous le gril du four pendant 1 minute ou jusqu'à ce que le fromage fonde. Couper la tortilla en 4 et servir.

VARIANTE
Si vous préférez, vous pouvez utiliser 3 blancs d'œufs, plutôt que 3 œufs entiers. Fouettez les blancs jusqu'à ce qu'ils soient mousseux et n'ajoutez pas de lait.

Wrap à la manière d'un sushi

Natascha Park, Ontario

✓ LE CHOIX DES ENFANTS

Ces appétissants sandwichs roulés peuvent être faits la veille. Servez-les le midi ou au retour de l'école, pour la collation.

CONSEILS

Utilisez un couteau très coupant pour obtenir une coupe nette et des morceaux égaux.

Les enfants adorent participer à la préparation des sushis, mais quand ils utilisent un couteau, vous devez les superviser.

Préparez un assortiment de ces sandwichs roulés et conservez-les au réfrigérateur pour les collations.

4 tortillas aromatisées aux épinards de 25 cm (10 po)
30 ml (2 c. à soupe) de fromage à la crème léger herbes et ail, ramolli
4 grandes feuilles de romaine
1 avocat, coupé en fines lanières
1 grosse carotte, coupée en lanières de 15 cm (6 po)
½ concombre anglais, coupé en lanières de 15 cm (6 po)
125 ml (½ tasse) de simili-crabe (morceaux de goberge à saveur de crabe) (facultatif)

1. Déposer les tortillas sur un plan de travail et étendre sur chacune le quart du fromage à la crème en s'assurant d'en étendre partout, jusqu'au bord, pour se faciliter la tâche quand viendra le temps de les sceller.
2. Sur le tiers inférieur de chacune des tortillas, déposer 1 feuille de laitue et le quart des lanières d'avocat, des lanières de carotte, des lanières de concombre et du simili-crabe. En commençant par le bas, rouler comme pour faire un gâteau roulé, en appuyant fermement pour fixer les ingrédients à l'intérieur et en laissant les côtés ouverts. Presser le bord supérieur pour le sceller avec le fromage à la crème.
3. Envelopper chaque rouleau dans de la pellicule plastique et mettre les rouleaux au réfrigérateur pendant au moins 1 heure ou même pendant toute la nuit. Retirer la pellicule plastique, couper les extrémités des rouleaux et les jeter. Couper les rouleaux en 4 morceaux égaux de 5 cm (2 po), puis les déposer à la verticale dans une assiette.

Valeur nutritive par portion	
Calories	144
Lipides	6,2 g
saturés	1,1 g
Sodium	241 mg (10 % VQ)
Glucides	20 g
Fibres	3 g (12 % VQ)
Protéines	4 g
Calcium	31 mg (3 % VQ)
Fer	1,4 mg (10 % VQ)

Teneur élevée en vitamine A
Teneur élevée en acide folique

Équivalents par portion pour les personnes diabétiques :
1   Glucides
1   Matières grasses

Les sushis sont traditionnellement faits de poisson cuit ou cru, roulés ou formés à la main, avec du riz à grain court assaisonné de vinaigre de riz. Ils sont nés au Japon, où ils ont d'abord été créés pour conserver le poisson. Il y a plusieurs types de sushi : le temaki (de forme conique, il est roulé à la main), le maki (de forme cylindrique, il est roulé, puis coupé en petits morceaux) et le nigiri (boule de riz pressée à la main avec du poisson cuit ou cru). Cela prend des années de formation pour devenir un chef sushi expérimenté.

VARIANTES

Certaines personnes n'aiment pas le poisson, dans ce cas, n'en mettez pas. Pour une occasion spéciale, utilisez 4 fines tranches de saumon fumé.

Muffins anglais au saumon crémeux

Debra Palfreyman, Alberta

4 PORTIONS

C'est la grand-mère de Debra qui lui a donné cette recette. Elle lui a raconté que sa mère détestait l'odeur du saumon en conserve, mais qu'elle aimait ce plat, dans la mesure où elle n'était pas obligée de le préparer!

CONSEIL

Une grande partie du sodium provient des muffins anglais et du saumon en conserve. Pour réduire la teneur en sodium, servez le mélange de saumon sur du riz brun cuit à la vapeur. Si vous remplacez le saumon en conserve par un reste de 300 ml (1 ¼ tasse) de saumon cuit émietté, cela contribuera aussi à réduire le sodium.

Valeur nutritive par portion	
Calories	221
Lipides	6,5 g
saturés	1,4 g
Sodium	534 mg (22 % VQ)
Glucides	23 g
Fibres	3 g (12 % VQ)
Protéines	19 g
Calcium	392 mg (36 % VQ)
Fer	1,7 mg (12 % VQ)

Teneur très élevée en vitamine D, vitamine B$_{12}$ et niacine
Teneur élevée en magnésium, zinc, vitamine C, thiamine et riboflavine

Équivalents par portion pour les personnes diabétiques:
1 ½ Glucides
1 ½ Viandes et substituts

1 boîte de 213 g (7 ½ oz) de saumon
10 ml (2 c. à thé) d'huile de canola
15 ml (1 c. à soupe) d'échalotes finement hachées
15 ml (1 c. à soupe) d'oignons verts finement hachés
10 ml (2 c. à thé) de farine tout usage
1 ml (¼ c. à thé) de poivre noir fraîchement moulu
Une pincée de sel
250 ml (1 tasse) de lait évaporé 2 %
60 ml (¼ tasse) de petits pois surgelés, décongelés
5 ml (1 c. à thé) d'aneth frais, haché
2 muffins anglais de blé entier, ouverts et grillés

1. Égoutter le liquide du saumon et réserver ce liquide. Mettre le saumon dans un bol, puis l'émietter avec une fourchette. Réserver le saumon et le liquide.

2. Dans un grand poêlon antiadhésif, chauffer l'huile à feu moyen-vif. Faire sauter les échalotes et les oignons verts pendant environ 1 minute ou jusqu'à ce qu'ils soient ramollis. Baisser à feu doux, puis ajouter la farine, le poivre et le sel. Les faire sauter pendant 1 minute, en s'assurant que la farine ne brûle pas.

3. Incorporer graduellement le lait et le liquide du saumon réservé, en remuant jusqu'à l'obtention d'une texture homogène. Baisser à feu doux, puis incorporer le saumon et les pois. Laisser mijoter jusqu'à ce que ce soit bien chaud. Incorporer l'aneth.

4. Mettre les demi-muffins anglais grillés dans des assiettes de service, puis les garnir du mélange de saumon.

VARIANTE

Vous pouvez remplacer le saumon par du thon en conserve.

SUGGESTION DE SERVICE

Ajoutez une salade verte bien croquante et servez ce plat léger, au dîner, le week-end.

Guedille de mon enfance

Caroline Dubeau, diététiste, Ontario

4 PORTIONS

✓ **LE CHOIX DES ENFANTS**

Une guedille est un mélange de salade servi dans un pain à hot-dog. L'été, c'est l'un des repas favoris de Caroline, le midi, et elle le trouve encore meilleur quand c'est sa mère qui le prépare!

CONSEILS

Il est préférable d'utiliser de la laitue croquante, les cœurs de romaine sont donc le choix parfait. Mais si vous préférez, utilisez de la laitue iceberg.

Pour griller les pains, vous pouvez aussi utiliser un four à panini.

250 ml (1 tasse) de concombre anglais non pelé coupé en fins dés
250 ml (1 tasse) de tomates italiennes grossièrement hachées
125 ml (½ tasse) de cœurs de romaine finement hachés
125 ml (½ tasse) de radis rouges finement tranchés
60 ml (¼ tasse) d'oignon rouge finement haché
60 ml (¼ tasse) de mayonnaise légère
15 ml (1 c. à soupe) de lait 1 %
5 ml (1 c. à thé) de moutarde sèche
5 ml (1 c. à thé) de miel liquide ou de sucre granulé
Sel et poivre noir fraîchement moulu
4 pains à hot-dog de blé entier

1. Dans un bol moyen, mélanger le concombre, les tomates, la laitue, les radis et l'oignon.
2. Dans un petit bol, mélanger la mayonnaise et le lait. Incorporer la moutarde et le miel. Saler et poivrer, au goût, puis bien mélanger. Ajouter la vinaigrette aux légumes et mélanger délicatement jusqu'à ce que les légumes soient bien couverts de vinaigrette.
3. Dans un poêlon antiadhésif, à feu moyen, faire griller légèrement le côté coupé des pains, en utilisant une spatule pour les aplatir. Répartir le mélange de légumes entre les pains et servir chaud.

VARIANTE

Ajoutez au mélange de salade des dés d'un reste de poulet ou de dinde, cuit.

SUGGESTION DE SERVICE

Vous pouvez servir ce sandwich avec du fromage en grains ou avec un morceau de cheddar.

Valeur nutritive par portion	
Calories	210
Lipides	7,7 g
saturés	1,3 g
Sodium	423 mg (18 % VQ)
Glucides	33 g
Fibres	5 g (20 % VQ)
Protéines	6 g
Calcium	77 mg (7 % VQ)
Fer	1,5 mg (11 % VQ)

Teneur élevée en magnésium, acide folique et niacine

Équivalents par portion pour les personnes diabétiques :
1 ½ Glucides
1 Matières grasses

Sandwich roulé à la salade aux œufs

Caroline Dubeau, diététiste, Ontario

Caroline Dubeau, diététiste, Ontario

4 PORTIONS

C'est toujours une bonne idée de conserver au réfrigérateur quelques œufs durs. Voici une bonne façon de les utiliser.

CONSEILS

Vous trouverez la méthode pour cuire les œufs durs à la p. 34.

Les cornichons sont de tout petits concombres cueillis avant maturité, conservés dans le vinaigre.

Valeur nutritive par portion	
Calories	226
Lipides	12,5 g
saturés	2,9 g
Sodium	545 mg (23 % VQ)
Glucides	18 g
Fibres	2 g (8 % VQ)
Protéines	10 g
Calcium	47 mg (4 % VQ)
Fer	1,5 mg (11 % VQ)

Teneur très élevée en acide folique et vitamine B_{12}
Teneur élevée en magnésium, vitamine A, thiamine et riboflavine

Équivalents par portion pour les personnes diabétiques :
1   Glucides
1   Viandes et substituts
1 ½ Matières grasses

4 œufs cuits dur, écalés
30 ml (2 c. à soupe) de cornichons égouttés finement hachés
15 ml (1 c. à soupe) de câpres égouttées et hachées
15 ml (1 c. à soupe) de persil frais finement haché
15 ml (1 c. à soupe) de ciboulette finement hachée
60 ml (¼ tasse) de mayonnaise légère
4 tortillas de blé entier de 15 cm (6 po)
4 feuilles de romaine ou de Boston

1. Dans un bol moyen, écraser les œufs à l'aide d'une fourchette. Incorporer les cornichons, les câpres, le persil, la ciboulette et la mayonnaise. Mélanger délicatement. Étendre la préparation uniformément sur les tortillas. Garnir de laitue, puis rouler les tortillas.

La ciboulette est l'une des fines herbes les plus faciles à cultiver. Elle fait partie de la famille des liliacées et possède un parfum subtil, mais clairement identifiable à l'oignon. Les fleurs de ciboulette, qui sont rose pâle ou mauves, sont aussi comestibles. Dans les salades ou d'autres recettes qui contiennent de la ciboulette, elles font une ravissante garniture.

VARIANTE

Vous pouvez remplacer les cornichons et les câpres par 45 ml (3 c. à soupe) de relish sucrée.

SUGGESTION DE SERVICE

Pour obtenir un hors-d'œuvre intéressant, coupez les sandwichs en tranches de 2,5 cm (1 po). Enfilez ensuite ½ cornichon, puis une tranche de Sandwich roulé à la salade aux œufs sur une brochette à cocktail.

Petit pain au poulet

Caroline Dubeau, diététiste, Ontario

4 PORTIONS

✓ LE CHOIX DES ENFANTS

Voici une merveilleuse façon d'utiliser des restes de poulet cuit. La pomme et les canneberges séchées ajoutent un agréable goût sucré au mélange de poulet.

CONSEILS

Pour griller les pains, vous pouvez aussi utiliser un four à panini.

La garniture de poulet peut être préparée jusqu'à une journée à l'avance. Couvrez-la et mettez-la au réfrigérateur.

250 ml (1 tasse) de poulet cuit en cubes ou déchiqueté
½ pomme en fins dés
30 ml (2 c. à soupe) de canneberges séchées finement hachées
30 ml (2 c. à soupe) d'oignon vert finement haché
60 ml (¼ tasse) de mayonnaise légère
5 ml (1 c. à thé) de vinaigre de cidre
Sel et poivre noir fraîchement moulu
4 pains à hot-dogs de blé entier

1. Dans un bol, mélanger le poulet, la pomme, les canneberges et l'oignon vert. Incorporer la mayonnaise et le vinaigre. Saler et poivrer, au goût.
2. Dans un poêlon antiadhésif, à feu moyen, faire griller légèrement le côté coupé des pains, en utilisant une spatule pour les aplatir. Répartir le mélange de poulet entre les pains et servir chaud.

Ne faites pas griller le pain et mettez ce sandwich dans une boîte à lunch avec des bâtonnets de carotte, du jus de pomme 100 % pur et du yogourt. Pour conserver le sandwich froid de façon sécuritaire, ajoutez-y un sachet réfrigérant.

VARIANTE

Vous pouvez remplacer le poulet par de la dinde cuite. Ajoutez alors 1 ml (¼ c. à thé) de sauge séchée au mélange.

Valeur nutritive par portion	
Calories	270
Lipides	10,0 g
saturés	1,9 g
Sodium	443 mg (18 % VQ)
Glucides	33 g
Fibres	4 g (16 % VQ)
Protéines	15 g
Calcium	63 mg (6 % VQ)
Fer	1,8 mg (13 % VQ)

Teneur très élevée en niacine
Teneur élevée en magnésium, zinc et vitamine B$_6$

Équivalents par portion pour les personnes diabétiques :
2 Glucides
1 ½ Viandes et substituts
1 Matières grasses

Quatre paninis exquis au poulet

Les paninis sont des sandwichs grillés au goût du jour. Leur préparation est simple. Il suffit de garnir 2 tranches de pain ou un pain à panini, coupé en 2, et de les faire griller dans un four à panini. Si vous n'avez pas de four à panini, vous pouvez simplement griller le sandwich dans un poêlon, à feu moyen, et utiliser une spatule pour l'aplatir et le retourner pour griller les 2 côtés.

Préparer le poulet

Plusieurs paninis sont garnis de poulet. Voici la méthode pour préparer un filet de poitrine afin qu'il soit prêt à griller.

1. Retirer et jeter le cartilage ou le tissu conjonctif (les lisières blanches qui semblent retenir les muscles de la poitrine ensemble) d'une grosse poitrine de poulet désossée, sans la peau, de 250 g (8 oz). Cette partie devient dure à la cuisson.
2. Retirer le muscle du filet, s'il y a lieu. (Cela ressemble à un « doigt de poulet » qu'on utilise pour faire des bâtonnets de poulet.) Faites congeler ces filets pour faire des lanières de poulet à une autre occasion.
3. En commençant par l'extrémité la plus charnue de la poitrine, couper la poitrine de poulet en 2 dans le sens horizontal pour que chaque moitié ait environ 1 cm (½ po) d'épaisseur.

Mariner le poulet

Il y a 2 types de marinade : liquide et sèche. La marinade liquide est composée d'un ingrédient acide (vin, vinaigre ou jus de citron), de fines herbes, d'épices et d'huile (qui aide à libérer les saveurs des herbes et des épices et à les faire pénétrer). La marinade sèche est un mélange de fines herbes séchées et d'épices avec lequel on frotte l'aliment avant de le cuire. Voici 2 marinades. Avec chacune, on peut mariner 2 grosses poitrines de poulet (4 filets).

Marinade méditerranéenne

1 gousse d'ail, finement hachée
10 ml (2 c. à thé) de basilic séché
10 ml (2 c. à thé) d'origan séché
5 ml (1 c. à thé) de piment rouge en flocons
2 ml (½ c. à thé) de poivre noir fraîchement moulu
30 ml (2 c. à soupe) d'huile de canola ou d'huile d'olive
30 ml (2 c. à soupe) d'eau
10 ml (2 c. à thé) de jus de citron fraîchement pressé

1. Dans un petit bol, fouetter l'ail avec le basilic, l'origan, le piment en flocons, le poivre, l'huile, l'eau et le jus de citron.
2. Mettre 4 filets de poulet (provenant de 2 grosses poitrines) dans une assiette en verre ou en céramique ou dans un sac en plastique refermable. Verser la marinade sur le poulet, puis en couvrir les filets. Couvrir et mettre au réfrigérateur pendant au moins 30 minutes ou jusqu'à 2 heures. Au moment de cuire le poulet, égoutter le surplus de marinade et le jeter.

Marinade cajun

1 gousse d'ail, finement hachée
10 ml (2 c. à thé) de chili en poudre
10 ml (2 c. à thé) de cumin moulu
10 ml (2 c. à thé) de coriandre moulue
2 ml (½ c. à thé) de poivre noir fraîchement moulu
30 ml (2 c. à soupe) d'huile de canola
30 ml (2 c. à soupe) d'eau
20 ml (4 c. à thé) de jus de citron vert fraîchement pressé

1. Dans un petit bol, fouetter l'ail avec le chili en poudre, le cumin, la coriandre, le poivre, l'huile, l'eau et le jus de citron vert.
2. Mettre 4 filets de poulet (provenant de 2 grosses poitrines) dans une assiette en verre ou en céramique ou dans un sac en plastique refermable. Verser la marinade sur le poulet, puis en couvrir les filets. Couvrir et mettre au réfrigérateur pendant au moins 30 minutes ou jusqu'à 2 heures. Au moment de cuire le poulet, égoutter le surplus de marinade et le jeter.

Griller le poulet

Pour griller les poitrines de poulet, préchauffer le barbecue à température moyenne-élevée. Griller le poulet, en le retournant une fois, de 3 à 4 minutes de chaque côté ou jusqu'à ce que la viande ait perdu sa couleur rosée et qu'un thermomètre à mesure instantanée inséré dans la partie la plus charnue du filet indique 74 °C (165 °F).

Si l'on utilise un four à panini, préchauffer le four à température moyenne-élevée. Griller le poulet de 5 à 6 minutes ou jusqu'à ce que la viande ait perdu sa couleur rosée et qu'un thermomètre à mesure instantanée inséré dans la partie la plus charnue du filet indique 74 °C (165 °F). Attention à la température du four. Si le poulet commence à brunir trop rapidement, diminuer la température.

Préparer les autres ingrédients

Tartinade à panini polyvalente

Utilisez cette savoureuse tartinade dans les paninis et dans d'autres types de sandwichs.

Donne environ 60 ml (¼ tasse)
Portion de 5 ml (1 c. à thé)

60 ml (¼ tasse) de fromage à la crème léger, ramolli
2 ml (½ c. à thé) d'ail haché
15 ml (1 c. à soupe) de basilic frais finement haché
15 ml (1 c. à soupe) de tomates séchées dans l'huile finement hachées,
  égouttées et épongées
2 ml (½ c. à thé) de poivre noir fraîchement moulu

1. Dans un petit bol, mélanger le fromage à la crème, l'ail, le basilic, les tomates séchées et le poivre.
2. Utiliser immédiatement ou couvrir et mettre au réfrigérateur. La tartinade se conserve jusqu'à 3 jours.

Oignons caramélisés

Ces oignons ajoutent beaucoup de saveur aux paninis et aux autres sandwichs. Ils sont généralement préparés avec une bonne quantité d'huile, mais vous pouvez en utiliser beaucoup moins si vous les cuisez lentement, à feu doux.

Donne 250 ml (1 tasse)
Portion de 15 ml (1 c. à soupe)

22 ml (1 ½ c. à soupe) d'huile de canola ou d'huile d'olive
2 oignons, en tranches très minces
15 ml (1 c. à soupe) de vinaigre balsamique
1 ml (¼ c. à thé) de poivre noir fraîchement moulu

1. Dans un grand poêlon antiadhésif, chauffer l'huile à feu moyen-vif, en faisant tourner le poêlon pour le couvrir d'huile. Ajouter les oignons et remuer pour les couvrir d'huile. Faire sauter les oignons jusqu'à ce qu'ils soient dorés. Réduire à feu moyen-doux et cuire, en remuant toutes les 3 ou 4 minutes, pendant 15 minutes ou jusqu'à ce qu'ils soient bien dorés (ne pas les laisser brûler).

2. Incorporer le vinaigre et le poivre. Cuire, en remuant toutes les 3 ou 4 minutes, de 8 à 10 minutes ou jusqu'à ce que les oignons soient très tendres et bien dorés.

3. Utiliser les oignons immédiatement ou les laisser refroidir, les mettre dans un contenant hermétique et mettre au réfrigérateur. Les oignons se conservent jusqu'à 5 jours.

Assembler les paninis et les griller

Pour faire griller chacun de ces paninis, vous devrez d'abord préchauffer le four à panini à température moyenne-élevée. Chacun de ces sandwichs équivaut à 1 portion.

Panini au poulet à la méditerranéenne

1 ml (¼ c. à thé) d'huile de canola ou de margarine non hydrogénée
2 tranches de pain de blé entier (ou 1 pain à panini ouvert)
10 ml (2 c. à thé) de Tartinade à panini polyvalente (p. 74)
60 g (2 oz) de poitrine de poulet marinée dans la Marinade
    méditerranéenne, grillée (½ filet, p. 72)
3 feuilles de roquette

1. Badigeonner légèrement d'huile un côté des tranches de pain (ou l'extérieur du pain). Retourner le pain, puis étendre sur chaque tranche la moitié de la tartinade à panini. Déposer le poulet et la roquette sur une tranche. Couvrir de l'autre tranche, le côté huilé vers le haut. Presser délicatement.

2. Mettre le sandwich dans le four à panini préchauffé, fermer le couvercle et cuire de 2 à 3 minutes ou jusqu'à ce qu'il soit bien doré. Servir immédiatement.

Valeur nutritive par portion

Calories 325 / **Lipides** 9,4 g / **Saturés** 2,1 g / **Sodium** 464 mg (19 % VQ) / **Glucides** 41 g / **Fibres** 6 g (24 % VQ) / **Protéines** 21 g / **Calcium** 108 mg (10 % VQ) / **Fer** 3,6 mg (26 % VQ)

Teneur très élevée en magnésium, vitamine B$_6$, acide folique et niacine
Teneur élevée en zinc, thiamine et riboflavine

Équivalents par portion pour les personnes diabétiques : 2 ½ Glucides / 2 Viandes et substituts

Panini au poulet au pesto et au Monterey Jack

1 ml (¼ c. à thé) d'huile de canola ou de margarine non hydrogénée
2 tranches de pain de blé entier (ou 1 pain à panini ouvert)
5 ml (1 c. à thé) de pesto au basilic
60 g (2 oz) de poitrine de poulet marinée dans la Marinade
  méditerranéenne, grillée (½ filet, p. 72)
15 g (½ oz) de fromage Monterey Jack, en tranches

1. Badigeonner légèrement d'huile un côté des tranches de pain (ou l'extérieur du pain). Retourner le pain, puis étendre sur chaque tranche la moitié du pesto. Déposer le poulet et le fromage sur une tranche. Couvrir de l'autre tranche, le côté huilé vers le haut. Presser délicatement.
2. Mettre le sandwich dans le four à panini préchauffé, fermer le couvercle et cuire de 2 à 3 minutes ou jusqu'à ce qu'il soit bien doré et que le fromage soit fondu. Servir immédiatement.

Valeur nutritive par portion

Calories 374 / **Lipides** 13,9 g / **Saturés** 4,2 g / **Sodium** 571 mg (24 % VQ) / **Glucides** 40 g / **Fibres** 6 g (24 % VQ) / **Protéines** 24 g / **Calcium** 203 mg (18 % VQ) / **Fer** 3,5 mg (25 % VQ)

Teneur très élevée en magnésium, vitamine B_6, acide folique et niacine
Teneur élevée en zinc, vitamine B_{12}, thiamine et riboflavine

Équivalents par portion pour les personnes diabétiques : 2 Glucides / 2 Viandes et substituts / 1 Matières grasses

Panini au poulet et au poivron grillé à la cajun

1 ml (¼ c. à thé) d'huile de canola ou de margarine non hydrogénée
2 tranches de pain de blé entier (ou 1 pain à panini ouvert)
10 ml (2 c. à thé) de Tartinade à panini polyvalente (p. 74)
60 g (2 oz) de poitrine de poulet marinée dans
  la Marinade cajun, grillée (½ filet, p. 73)
½ poivron rouge grillé (voir l'encadré, p. 124)

1. Badigeonner légèrement d'huile un côté des tranches de pain (ou l'extérieur du pain). Retourner le pain, puis étendre sur chaque tranche la moitié de la Tartinade à panini. Déposer le poulet et le poivron grillé sur une tranche. Couvrir de l'autre tranche, le côté huilé vers le haut. Presser délicatement.
2. Mettre le sandwich dans le four à panini préchauffé, fermer le couvercle et cuire de 2 à 3 minutes ou jusqu'à ce qu'il soit bien doré. Servir immédiatement.

Valeur nutritive par portion

Calories 337 / **Lipides** 9,7 g / **Saturés** 2,1 g / **Sodium** 469 mg (20 % VQ) /
Glucides 43 g / **Fibres** 6 g (24 % VQ) / **Protéines** 21 g / **Calcium** 102 mg (9 % VQ) /
Fer 4,0 mg (29 % VQ)

Teneur très élevée en magnésium, vitamine C, vitamine B$_6$, acide folique, thiamine
et niacine
Teneur élevée en zinc, vitamine A et riboflavine

Équivalents par portion pour les personnes diabétiques : 2 ½ Glucides / 2 Viandes et substituts

Panini au poulet et au hoummos à la cajun

1 ml (¼ c. à thé) d'huile de canola ou de margarine non hydrogénée
2 tranches de pain de blé entier (ou 1 pain à panini ouvert)
10 ml (2 c. à thé) de hoummos
60 g (2 oz) de poitrine de poulet marinée dans
   la Marinade cajun, grillée (½ filet, p. 73)
1 feuille de romaine

1. Badigeonner légèrement d'huile un côté des tranches de pain (ou
   l'extérieur du pain). Retourner le pain, puis étendre sur chaque tranche
   la moitié du hoummos. Déposer le poulet et la feuille de laitue sur une
   tranche. Couvrir de l'autre tranche, le côté huilé vers le haut. Presser
   délicatement.
2. Mettre le sandwich dans le four à panini préchauffé, fermer le couvercle
   et cuire de 2 à 3 minutes ou jusqu'à ce qu'il soit bien doré. Servir
   immédiatement.

Valeur nutritive par portion

Calories 321 / **Lipides** 8,9 g / **Saturés** 1,3 g / **Sodium** 473 mg (20 % VQ) /
Glucides 42 g / **Fibres** 6 g (24 % VQ) / **Protéines** 21 g / **Calcium** 94 mg (9 % VQ) /
Fer 3,9 mg (28 % VQ)

Teneur très élevée en magnésium, vitamine B$_6$, acide folique, thiamine et niacine
Teneur élevée en zinc et riboflavine

Équivalents par portion pour les personnes diabétiques : 2 ½ Glucides / 2 Viandes et substituts

Sandwich au fromage fondu à ma façon

Corinne Eisenbraun, diététiste, Manitoba

6 PORTIONS

✓ **LE CHOIX DES ENFANTS**

Corinne prépare ces sandwichs depuis longtemps. Et c'est une bonne façon d'utiliser les restes d'épis de maïs. Ses filles, qui sont maintenant de grandes adolescentes, les préparent lorsqu'elles veulent se rappeler certains repas de leur enfance.

• *Préchauffer le gril du four*

1 pomme, pelée et râpée
60 ml (¼ tasse) d'oignon rouge finement haché
175 ml (¾ tasse) de maïs en grains cuit ou surgelé
  (décongelé et égoutté, si surgelé)
375 ml (1 ½ tasse) de cheddar râpé
5 à 10 ml (1 à 2 c. à thé) de sauce Worcestershire
6 tranches de pain de seigle foncé ou pumpernickel

1. Dans un grand bol, mélanger la pomme, l'oignon, le maïs, le fromage et de la sauce Worcestershire, au goût.
2. Mettre le pain sur une plaque à pâtisserie. Mettre la plaque à pâtisserie sous le gril du four et faire griller le pain d'un côté.
3. Répartir le mélange de maïs uniformément sur le côté non grillé des tranches de pain. Cuire le sandwich sous le gril du four de 3 à 4 minutes ou jusqu'à ce que le fromage soit fondu et bouillonne.

> Le pain pumpernickel, fait à la fois de farine de seigle et de farine de blé, doit sa couleur brun foncé à la mélasse que l'on ajoute à la pâte.

CONSEILS

Utilisez des pommes Jonagold ou Cortland, car elles auront moins tendance à brunir quand vous les râperez.

Vous pouvez diminuer la quantité de fromage ou en utiliser un autre, au goût.

C'est une merveilleuse gâterie au retour de l'école, au moment où l'on a besoin d'une collation nourrissante.

Valeur nutritive par portion	
Calories	212
Lipides	10,4 g
saturés	6,2 g
Sodium	348 mg (14 % VQ)
Glucides	21 g
Fibres	2 g (8 % VQ)
Protéines	10 g
Calcium	225 mg (20 % VQ)
Fer	1,1 mg (8 % VQ)

Teneur élevée en acide folique

Équivalents par portion pour les personnes diabétiques :
1   Glucides
1   Viandes et substituts
1   Matières grasses

Sandwich ouvert au thon et au pesto

Sandra Smith, diététiste, Manitoba

4 PORTIONS

Cela peut sembler un mélange étrange, mais essayez-le, c'est tout à fait savoureux!

30 ml (2 c. à soupe) de pesto au basilic
4 tranches de pain de blé entier ou de pain multigrains, grillées
1 boîte de 213 g (7 ½ oz) de thon pâle dans l'eau, égoutté et émietté
1 grosse tomate coupée en 4 tranches
4 tranches minces d'oignon rouge (facultatif)
125 ml (½ tasse) de mozzarella partiellement écrémée, râpée

1. Étendre 7 ml (1 ½ c. à thé) de pesto sur chaque tranche de pain. Répartir le thon uniformément sur le pesto. Garnir chaque tranche de pain d'une tranche de tomate, d'une tranche d'oignon, si désiré, et du quart du fromage.
2. Chauffer le sandwich sous le gril du four jusqu'à ce que le thon soit bien chaud et que le fromage soit fondu.

> Le poisson utilisé dans les boîtes de conserve de thon pâle est généralement plus jeune et plus petit que le thon frais ou surgelé, et sa concentration en mercure est plutôt faible. Quant au thon blanc en conserve, qui provient de plus gros poissons, celui-ci contient des concentrations de mercure plus élevées et devrait être consommé à l'occasion seulement.

CONSEILS

Vérifiez le poids des tranches de pain. *Bien manger avec le Guide alimentaire canadien* donne 35 g pour 1 portion de pain, mais plusieurs tranches de pain pèsent 45 g ou plus.

Vérifiez aussi le contenu en sodium du pain tranché sur le tableau de la valeur nutritive. Même si le pain n'a pas un goût salé, plusieurs pains tranchés contiennent beaucoup de sodium. Recherchez ceux qui ont les plus faibles % VQ (% valeur quotidienne) par portion.

Dans cette recette, vous pouvez utiliser du pesto maison ou du pesto du commerce.

VARIANTE

Vous pouvez utiliser d'autres types de fromage, au goût. Par exemple, essayez le havarti au jalapeño ou le fromage Oka.

Valeur nutritive par portion	
Calories	216
Lipides	6,9 g
saturés	2,3 g
Sodium	476 mg (20 % VQ)
Glucides	22 g
Fibres	3 g (12 % VQ)
Protéines	17 g
Calcium	151 mg (14 % VQ)
Fer	2,2 mg (16 % VQ)

Teneur très élevée en vitamine B_{12} et niacine
Teneur élevée en magnésium, vitamine B_6 et acide folique

Équivalents par portion pour les personnes diabétiques:
1 Glucides
2 Viandes et substituts

Sandwich ouvert à la salade de saumon, aux pommes et au gingembre

Mary Sue Waisman, diététiste, Nouvelle-Écosse

4 PORTIONS

La marmelade au gingembre est l'ingrédient clé de ce savoureux sandwich. Servez-le le midi avec une salade verte bien croquante.

CONSEILS

Si vous aimez que votre salade ait une texture moins homogène, remuez délicatement le mélange de saumon. Pour obtenir une texture plus onctueuse, remuez-le vigoureusement.

Ici, plus de la moitié du sodium provient du pain. Choisissez le pain dont le % de la valeur quotidienne (% VQ) en sodium par portion est le moins élevé.

Valeur nutritive par portion	
Calories	343
Lipides	8,9 g
saturés	1,5 g
Sodium	588 mg (25 % VQ)
Glucides	49 g
Fibres	4 g (16 % VQ)
Protéines	17 g
Calcium	182 mg (17 % VQ)
Fer	2,9 mg (21 % VQ)

Teneur très élevée en vitamine D et vitamine B$_{12}$
Teneur élevée en niacine

Équivalents par portion pour les personnes diabétiques :
3 Glucides
2 Viandes et substituts

• *Préchauffer le gril du four*

1 boîte de 213 g (7 ½ oz) de saumon, égoutté
60 ml (¼ tasse) de mayonnaise légère
30 ml (2 c. à soupe) d'oignon vert finement haché
60 ml (¼ tasse) de pomme finement hachée
15 ml (1 c. à soupe) de jus de citron fraîchement pressé
5 ml (1 c. à thé) de gingembre frais finement râpé
10 ml (2 c. à thé) de poudre de cari
2 ml (½ c. à thé) de cayenne
4 pains à hamburger de blé entier coupés en 2
45 ml (3 c. à soupe) de marmelade au gingembre
1 pomme, pelée et coupée en 8 tranches (facultatif)
15 ml (1 c. à soupe) de miel liquide (facultatif)

1. Dans un petit bol, mélanger le saumon, la mayonnaise, l'oignon vert, la pomme, le jus de citron, le gingembre, la poudre de cari et le cayenne.
2. Déposer les pains à hamburger, le côté coupé vers le haut, sur une plaque à pâtisserie. Étendre environ 5 ml (1 c. à thé) de marmelade au gingembre de chaque côté. Répartir ensuite le mélange de saumon sur le dessus. Si désiré, mettre 1 tranche de pomme sur la garniture de saumon, puis badigeonner de miel.
3. Chauffer le sandwich sous le gril du four de 4 à 5 minutes ou jusqu'à ce que le mélange de saumon soit chaud.

La racine de gingembre occupe une place importante dans l'histoire de l'alimentation. En Asie du Sud-Est, son utilisation remonte à 500 ou 600 ans avant J.-C. En cuisine, c'est la racine de la plante qui est utilisée. Tranché, émincé ou râpé, le gingembre est souvent employé pour rehausser la saveur des plats indiens et asiatiques. Il sert aussi à faire le soda au gingembre, la bière de gingembre et le gingembre moulu. En boulangerie, il aromatise le pain d'épice, les biscuits au gingembre et les biscuits à la mélasse.

VARIANTE

Vous pouvez remplacer le saumon par du thon en conserve.

Deux canapés sur portobellos

Les chapeaux des champignons portobellos sont parfaits pour préparer des canapés et remplacent bien le pain. Pour préparer les chapeaux, coupez les pieds à hauteur des chapeaux. Jetez les pieds ou conservez-les pour un autre usage. Essuyez le dessus des chapeaux avec du papier essuie-tout pour enlever la saleté. À l'aide d'une cuillère, enlevez délicatement les lamelles sous les chapeaux en les grattant, puis jetez-les. Badigeonnez délicatement les 2 côtés des chapeaux de champignons de 2 ml (½ c. à thé) d'huile de canola. Grillez-les dans un four à panini préchauffé de 2 à 3 minutes ou sur la grille d'un barbecue à température moyenne, de 2 à 3 minutes de chaque côté.

Canapé au brie et aux noix sur portobello

Étendre 15 ml (1 c. à soupe) de confiture de cerises sur un chapeau de champignon portobello grillé de 10 cm (4 po). Garnir de 30 g (1 oz) de brie finement tranché et de 10 ml (2 c. à thé) de noix finement hachées.

Valeur nutritive par portion

Calories 219 / **Lipides** 13,7 g / **Saturés** 5,4 g / **Sodium** 190 mg (8 % VQ) /
Glucides 17 g / **Fibres** 2 g (8 % VQ) / **Protéines** 9 g / **Calcium** 63 mg (6 % VQ) /
Fer 0,7 mg (5 % VQ)

Teneur très élevée en riboflavine
Teneur élevée en acide folique, vitamine B_{12} et niacine

Équivalents par portion pour les personnes diabétiques : 1 Glucides, 1 Viandes et substituts,
2 Matières grasses

Canapé de rôti de bœuf et d'oignons caramélisés sur portobello

Étendre 15 ml (1 c. à soupe) d'Oignons caramélisés (p. 74) sur un chapeau de champignon portobello grillé de 10 cm (4 po). Garnir de 2 oz (60 g) de rôti de bœuf maigre, tranché mince, et de 10 ml (2 c. à thé) de fromage feta aux fines herbes émietté.

Valeur nutritive par portion

Calories 183 / **Lipides** 8,4 g / **Saturés** 2,7 g / **Sodium** 109 mg (5 % VQ) /
Glucides 4 g / **Fibres** 1 g (4 % VQ) / **Protéines** 22 g / **Calcium** 39 mg (4 % VQ) /
Fer 2 mg (17 % VQ)

Teneur très élevée en zinc, vitamine B_{12}, riboflavine et niacine

Équivalents par portion pour les personnes diabétiques : 2 Viandes et substituts

Salade fraîcheur aux lentilles

Julie Aubé, diététiste, Québec

Julie Aubé, diététiste, Québec

6 PORTIONS

Les lentilles sont polyvalentes et elles sont délicieuses dans une variété de salades, les salées comme les sucrées. Les quartiers d'orange et les canneberges séchées donnent à cette salade fraîcheur une saveur légèrement sucrée.

2 tomates italiennes épépinées et coupées en dés
2 oranges pelées à vif et coupées en quartiers
1 boîte de 540 ml (19 oz) de lentilles, égouttées et rincées
125 ml (½ tasse) d'oignons verts tranchés
60 ml (¼ tasse) de coriandre fraîche grossièrement hachée
45 ml (3 c. à soupe) de canneberges séchées, grossièrement hachées
75 ml (⅓ tasse) de jus de citron fraîchement pressé
30 ml (2 c. à soupe) d'huile de canola
2 ml (½ c. à thé) de poivre noir fraîchement moulu
1 ml (¼ c. à thé) de sel
60 ml (¼ tasse) d'amandes effilées, grillées (p. 139)

1. Dans un grand bol, mélanger les tomates, les oranges, les lentilles, les oignons verts, la coriandre et les canneberges. Y verser un filet de jus de citron et d'huile. Remuer délicatement les ingrédients pour les couvrir de jus de citron et d'huile. Ajouter le poivre et le sel. Garnir d'amandes grillées.

CONSEIL

Vous pouvez cuire des lentilles sèches, plutôt que d'utiliser des lentilles en conserve. Mettez 125 ml (½ tasse) de lentilles vertes ou jaunes, séchées, dans une casserole avec 375 ml (1 ½ tasse) d'eau. Portez à ébullition, puis réduisez le feu et laissez mijoter de 30 à 45 minutes ou jusqu'à ce qu'elles soient tendres. Vers la fin de la cuisson, ajoutez de l'eau si les lentilles commencent à sécher. Égouttez-les bien. Donne environ 300 ml (1 ¼ tasse) de lentilles cuites.

SUGGESTION DE SERVICE

Pour obtenir un repas du midi rafraîchissant, servez cette salade sur un mélange de verdures. Ajoutez un verre de lait et des morceaux de fruits frais.

Valeur nutritive par portion	
Calories	186
Lipides	7,3 g
saturés	0,6 g
Sodium	258 mg (11 % VQ)
Glucides	25 g
Fibres	5 g (20 % VQ)
Protéines	8 g
Calcium	50 mg (5 % VQ)
Fer	2,6 mg (19 % VQ)

Teneur très élevée en vitamine C et acide folique
Teneur élevée en magnésium

Équivalents par portion pour les personnes diabétiques :
1 Glucides
1 Viandes et substituts
1 Matières grasses

Salade de tomate, de fromage et de pois chiches

Recette adaptée des Producteurs laitiers du Canada (www.plaisirslaitiers.ca)

6 PORTIONS

Cette savoureuse et attrayante salade-repas contient des légumes, du fromage et des haricots. Servez-la à des amis, le week-end, comme repas du midi. Conservez les restes pour la semaine ou pour les lunchs des enfants.

2 échalotes finement hachées
1 boîte de 540 ml (19 oz) de pois chiches, égouttés et rincés
500 ml (2 tasses) de tomates cerises coupées en 2
250 ml (1 tasse) de poivrons jaunes hachés
250 ml (1 tasse) de poivrons rouges hachés
175 ml (¾ tasse) de mozzarella partiellement écrémée en dés
150 ml (⅔ tasse) de feta émiettée
60 ml (¼ tasse) de basilic frais haché
60 ml (¼ tasse) de jus de citron fraîchement pressé
30 ml (2 c. à soupe) d'huile d'olive extra-vierge
2 ml (½ c. à thé) de poivre noir fraîchement moulu
1 ml (¼ c. à thé) de sel

1. Dans un grand bol, mélanger les échalotes, les pois chiches, les tomates, les poivrons jaunes, les poivrons rouges, la mozzarella, la feta et le basilic.
2. Dans un petit bol, fouetter le jus de citron avec l'huile, le poivre et le sel. Verser la vinaigrette sur la salade et remuer délicatement.

CONSEILS

Si ce plat est servi comme salade d'accompagnement à un souper-partage, il peut servir 10 personnes.

Vous pourrez préparer ce plat en un clin d'œil si les membres de la famille vous aident à hacher, égoutter et émietter les ingrédients.

VARIANTE

Pour obtenir une saveur différente, remplacez la mozzarella ou la feta par du fromage Oka, du bleu ou du havarti.

Valeur nutritive par portion	
Calories	243
Lipides	12,0 g
saturés	5,1 g
Sodium	559 mg (23 % VQ)
Glucides	25 g
Fibres	5 g (20 % VQ)
Protéines	11 g
Calcium	225 mg (20 % VQ)
Fer	1,5 mg (11 % VQ)

Teneur très élevée en vitamine C, vitamine B_6 et acide folique
Teneur élevée en magnésium, zinc, vitamine A, vitamine B_{12} et riboflavine

Équivalents par portion pour les personnes diabétiques :
1 Glucides
1 Viandes et substituts
1 ½ Matières grasses

Salade de thon et de pâtes de blé entier

Melissa Kazan, Québec

DE 8 À 10 PORTIONS

✓ LE CHOIX DES ENFANTS

Cette salade aux couleurs éclatantes est un succès avec les enfants de tout âge.

CONSEIL

Pour empêcher les pâtes cuites de coller ensemble, ajoutez tous les autres ingrédients de la salade aux pâtes dès qu'elles sont égouttées.

Valeur nutritive par portion	
Calories	160
Lipides	3,0 g
saturés	0,6 g
Sodium	304 mg (13 % VQ)
Glucides	22 g
Fibres	3 g (12 % VQ)
Protéines	11 g
Calcium	72 mg (7 % VQ)
Fer	1,4 mg (10 % VQ)

Teneur très élevée en vitamine B_{12} et niacine
Teneur élevée en magnésium et vitamine C

Équivalents par portion pour les personnes diabétiques:
1   Glucides
1   Viandes et substituts

250 g (8 oz) de fusillis de blé entier
2 boîtes de 170 g (6 oz) chacune de thon pâle dans l'eau, émietté et égoutté
175 ml (¾ tasse) de poivron rouge, vert ou jaune finement haché (ou un mélange)
175 ml (¾ tasse) d'oignon rouge finement haché
175 ml (¾ tasse) de roquette grossièrement hachée
125 ml (½ tasse) de petits pois cuits
250 ml (1 tasse) de yogourt nature faible en gras
60 ml (¼ tasse) de mayonnaise légère
7 ml (1 ½ c. à thé) de moutarde de Dijon
5 ml (1 c. à thé) de vinaigre à l'estragon
2 ml (½ c. à thé) de poivre noir fraîchement moulu
1 ml (¼ c. à thé) de sel

1. Dans une grande marmite d'eau bouillante salée, cuire les pâtes selon les instructions qui figurent sur l'emballage. Les égoutter, puis les mettre dans un grand bol.
2. Ajouter le thon, le poivron, l'oignon, la roquette et les pois aux pâtes, puis bien mélanger. Laisser refroidir légèrement.
3. Dans un petit bol, fouetter le yogourt avec la mayonnaise, la moutarde, le vinaigre, le poivre et le sel. Ajouter ce mélange aux pâtes et remuer pour en couvrir les pâtes. Couvrir et mettre au réfrigérateur pendant au moins 4 heures ou même jusqu'à 8 heures avant de servir.

VARIANTES

N'ajoutez pas de roquette et servez plutôt la salade sur un lit de laitue.

Remplacez le thon par du saumon en conserve et ajoutez 10 ml (2 c. à thé) d'aneth frais, haché.

SUGGESTION DE SERVICE

Pour dessert, vous pouvez servir des fruits frais, coupés, avec du yogourt faible en gras.

Salade de poulet au cari à l'indienne

Abbey Fitzpatrick, Ontario

6 PORTIONS

Le yogourt donne une touche acidulée à ce plat, le chutney à la mangue apporte le côté piquant et les fruits séchés ajoutent une note sucrée. Ce plat plaira tant aux adultes qu'aux enfants.

CONSEILS

Quand vous préparez un plat de poulet, faites cuire 2 poitrines supplémentaires. Vous pourrez les utiliser le lendemain pour faire cette salade.

Pour réduire la teneur en sucre, omettez les abricots ou les dattes.

125 ml (½ tasse) de mayonnaise légère
60 ml (¼ tasse) de yogourt grec faible en gras
75 ml (⅓ tasse) de chutney à la mangue épicé
5 ml (1 c. à thé) de poudre de cari
2 ml (½ c. à thé) de poivre noir fraîchement moulu
Une pincée de sel
500 ml (2 tasses) de poulet cuit en dés
250 ml (1 tasse) de céleri haché
250 ml (1 tasse) de raisins sans pépins, coupés en 2
125 ml (½ tasse) d'abricots séchés hachés
60 ml (¼ tasse) de dattes hachées
60 ml (¼ tasse) d'oignons verts en tranches
60 ml (¼ tasse) d'amandes effilées, grillées (p. 139)

1. Dans un grand bol, fouetter la mayonnaise avec le yogourt, le chutney, la poudre de cari, le poivre et le sel. Incorporer délicatement le poulet, le céleri, les raisins, les abricots, les dattes, les oignons verts et les amandes.

> En Amérique du Nord, le yogourt grec est un yogourt nature de consistance épaisse, qui sert à faire des trempettes, des vinaigrettes et des sauces. Il est possible de trouver une version faible en gras.

SUGGESTION DE SERVICE

Servez ce plat comme salade sur un lit d'épinards ou utilisez-le comme garniture dans un pita de blé entier, comme lunch, ou pour un repas sur le pouce.

Valeur nutritive par portion	
Calories	279
Lipides	12,9 g
saturés	2,4 g
Sodium	432 mg (18 % VQ)
Glucides	27 g
Fibres	3 g (12 % VQ)
Protéines	16 g
Calcium	57 mg (5 % VQ)
Fer	1,5 mg (11 % VQ)

Teneur très élevée en niacine
Teneur élevée en magnésium et vitamine B_6

Équivalents par portion
pour les personnes diabétiques :
1 ½ Glucides
2 Viandes et substituts
1 Matières grasses

Les collations, les trempettes et les hors-d'œuvre

Lors d'un grand repas, les hors-d'œuvre aiguisent l'appétit et préparent le palais pour le plat de résistance. Ils peuvent être servis lors de réceptions ou même en collation. Une saine alimentation, qui comporte des collations au cours de la journée, peut avoir des bienfaits. En effet, les collations permettent d'éviter les pannes d'énergie et aident à calmer la faim jusqu'au prochain repas. Il est toutefois important de bien choisir ses collations. Ce chapitre présente un éventail de collations et de hors-d'œuvre tout aussi délicieux que nutritifs.

Amandes épicées 90

Pois chiches grillés 91

Croustilles de pita assaisonnées 92

Puri cuits au garam massala 93

Puri aux pois chiches à l'indienne 94

Guacamole aux petits pois 95

Trempette au yogourt et à l'aneth 96

Trempette chaude aux épinards et aux artichauts . . 97

Trempette piquante aux haricots blancs et
    au persil 98

Hommos aux poivrons rouges grillés et
    au fromage feta 99

Tartinade à la sardine et au pesto 100

Gelée de betteraves 101

Salade d'endive en hors-d'œuvre 102

Wraps arc-en-ciel à la laitue 103

Wraps à la laitue, au boulgour et aux légumes 104

Tomates farcies au pesto 105

Piments jalapeños grillés, farcis 106

Pirojkis aux fruits 107

Pirojkis aux pommes de terre et au fromage 108

Strata au tofu à la méditerranéenne 110

Sushis au crabe et aux patates douces
    faciles à préparer 111

Tomates cerises farcies au crabe 112

Pétoncles aux agrumes 113

Cinq hors-d'œuvre fantastiques vite faits 114

Cinq hors-d'œuvre de pâte phyllo sans beurre 115

Allégez vos plats

De nombreux hors-d'œuvre traditionnels sont faits avec des ingrédients riches en gras, comme la mayonnaise, la crème sure, le fromage à la crème et le fromage. Plusieurs de ces produits sont offerts en version allégée ou sans gras et vous pouvez les utiliser dans vos recettes. Dans certains cas, vous pouvez aussi remplacer ces ingrédients par d'autres moins gras, comme le yogourt nature, par exemple. Voici quelques conseils d'utilisation de ces substituts.

La mayonnaise

La mayonnaise ordinaire du commerce est préparée avec de l'huile, des jaunes d'œufs et du jus de citron ou du vinaigre et elle contient environ 100 calories par 15 ml (1 c. à soupe) et 11 g de gras. Les versions à teneur réduite en gras contiennent environ 50 calories par 15 ml (1 c. à soupe) et environ 5 g de gras. Vous pouvez remplacer le produit original par la version allégée pour préparer des trempettes, des œufs farcis ou des salades.

La crème sure

La crème sure est obtenue en ajoutant une culture bactérienne à de la crème légère pasteurisée et homogénéisée pour la rendre «sure». (Anciennement, on laissait surir la crème en la plaçant sur un poêle chaud.) Vous trouverez dans le tableau ci-dessous le contenu en calories et en lipides de différentes crèmes sures et du yogourt nature faible en gras.

La crème sure légère contient moins de gras, mais un peu plus de glucides que la crème sure ordinaire. Si vous l'utilisez dans les trempettes et les sauces à salade, elles seront délicieuses.

La crème sure sans gras ne contient aucun gras et environ la moitié des calories de la crème sure ordinaire, et la majorité des calories provient des glucides. On peut généralement remplacer la crème sure ordinaire par de la crème sure sans gras dans les trempettes et les sauces à salade, mais elles auront un goût un peu plus sucré et elles seront un peu plus claires.

Le yogourt nature faible en gras peut être un substitut acceptable de la crème sure ordinaire dans les trempettes et sauces à salade, ainsi que dans les pains à préparation rapide et les gâteaux. Son goût acidulé ressemble à celui de la crème sure ordinaire et il n'est pas aussi sucré que les crèmes sures faibles en gras auxquelles on a ajouté des sucres. De plus, il contient plus de calcium.

L'utilisation de crème sure faible en gras ou allégée dans une recette peut parfois donner une texture ou une saveur différente de ce que vous auriez en utilisant le produit ordinaire.

Par 250 ml (1 tasse)	Calories (kcal)	Protéines (g)	Lipides (g)	Glucides (g)
Crème sure ordinaire (14 %)	440	17	34	17
Crème sure légère	360	9	28	19
Crème sure sans gras	200	8	0	42
Yogourt nature 1 % à 2 %	160	14	4	18

Le fromage à la crème

Le fromage à la crème, qui est fait avec du lait de vache, est un fromage frais contenant au moins 30 % de matières grasses du lait. Le tableau ci-dessous fait la comparaison entre diverses variétés de fromage à la crème.

Comme pour la crème sure, les versions faibles en gras du fromage à la crème sont généralement de bons substituts dans les trempettes, les sauces à salade et les tartinades.

Par 15 ml (1 c. à soupe)	Calories (kcal)	Protéines (g)	Lipides (g)	Glucides (g)
Fromage à la crème ordinaire	50	1	5	1
Fromage à la crème allégé ou faible en gras	30	1	2	1
Fromage à la crème sans gras	20	2	0	1

Le fromage

Bien que la plupart des fromages soient une bonne source de protéines et de calcium, chaque portion contient aussi beaucoup de calories et de gras. Il est possible de trouver certains fromages en versions réduites en gras ou allégées. Le tableau ci-dessous fait la comparaison entre trois fromages cheddar :

Par 50 g (1 ½ oz)	Calories (kcal)	Protéines (g)	Lipides (g)	Glucides (g)
Cheddar ordinaire (32 %)	200	12	17	1
Cheddar à teneur réduite en gras (18 %)	140	14	9	1
Cheddar allégé (7 %)	85	12	4	1

Les fromages à teneur réduite en gras et les fromages allégés peuvent remplacer le fromage ordinaire dans les collations et les sandwichs. Par contre, sous l'effet de la cuisson, dans des plats en casserole ou comme garnitures à pizza, par exemple, ils deviennent coriaces et filandreux. La solution : ne remplacez pas tout le fromage par une version allégée, essayez plutôt de réduire la quantité de fromage ordinaire ou d'utiliser des quantités égales de fromage ordinaire et de fromage allégé. Ou bien utilisez une plus petite quantité de fromage plus fort, comme l'asiago ou le parmesan, vous obtiendrez alors un maximum de saveur, même si vous n'en mettez qu'une quantité modérée.

Petit cours de cuisine familiale

Les termes culinaires courants

Si vous hachez, alors qu'on vous demande d'émincer ou l'inverse, le résultat peut être décevant. Voici la définition de certains termes culinaires courants :

- **Hacher :** Couper en morceaux inégaux. En général, les morceaux hachés grossièrement ont une taille de 2 à 2,5 cm (¾ à 1 po), les morceaux hachés de 1 à 2 cm (½ à ¾ po) et les morceaux hachés finement de 0,5 à 1 cm (¼ à ½ po).
- **Couper en cubes :** Couper en cubes uniformes d'environ 1 cm (½ po).
- **Couper en dés :** Couper en petits cubes uniformes d'environ 0,5 cm (¼ po).
- **Émincer :** Couper en très petits morceaux inégaux de 3 mm (⅛ po) ou moins, en général.
- **Mélanger ou combiner :** Répartir les ingrédients avec une cuillère pour les répartir uniformément. Mélanger peut aussi vouloir dire utiliser un mélangeur pour obtenir une préparation homogène.
- **Battre :** Mélanger vigoureusement les ingrédients, soit avec une cuillère, soit avec un batteur électrique. Cela permet généralement d'incorporer de l'air au mélange ou de produire du gluten.
- **Battre en crème :** Combiner le sucre et le gras (comme le beurre) pour produire un mélange uniforme dans lequel le sucre est réparti uniformément dans le gras. Utilisé généralement pour les gâteaux et les biscuits.
- **Fouetter :** Utiliser un fouet métallique pour mélanger les ingrédients ou incorporer de l'air.
- **Monter :** Utiliser un fouet métallique ou un batteur électrique pour battre les ingrédients vigoureusement, en général pour incorporer de l'air et en augmenter le volume, comme pour les blancs d'œufs.
- **Plier :** Mélanger délicatement deux ou plusieurs ingrédients, habituellement avec une spatule en caoutchouc, pour obtenir un mélange uniforme.
- **Pétrir :** Presser, plier et étirer une pâte, soit avec les mains, soit avec le crochet pétrisseur d'un batteur électrique, pour répartir le gluten de la farine.
- **Faire sauter :** Cuire, en remuant sans cesse ou fréquemment.
- **Chauffer jusqu'à ce que de la vapeur s'échappe :** Chauffer un liquide ou un aliment jusqu'à ce que de la vapeur se forme à la surface et que de petits bouillons apparaissent, mais qu'ils ne viennent pas briser la surface.
- **Faire mijoter :** Cuire un liquide ou un aliment de manière que de petits bouillons viennent lentement briser la surface, à un rythme constant.
- **Bouillir à petits bouillons :** Cuire un liquide ou un aliment de manière que de plus gros bouillons viennent briser la surface à un rythme modéré. Quand on brasse, les bouillons diminuent légèrement, puis reprennent leur activité quand on cesse de remuer.
- **Faire bouillir :** Cuire un liquide ou un aliment de manière que de gros bouillons viennent briser la surface à un rythme rapide. Quand on brasse, les bouillons continuent de briser la surface, mais un peu plus lentement.

Amandes épicées

Jennifer House, diététiste, Alberta

Jennifer offre ces amandes, à Noël, plutôt que du chocolat. C'est une recette de sa mère qui lui vaut toujours des commentaires très élogieux.

Conseil

Les amandes contiennent une grande quantité d'huile et elles peuvent brûler facilement. Surveillez bien la température et rectifiez-la si les amandes deviennent trop foncées avant que le sucre caramélise.

* *Une plaque à pâtisserie couverte de papier sulfurisé*

10 ml (2 c. à thé) de cumin moulu
10 ml (2 c. à thé) de piment rouge en flocons
2 ml (½ c. à thé) de sel
30 ml (2 c. à soupe) d'huile de canola
500 ml (2 tasses) d'amandes mondées entières
125 ml (½ tasse) de sucre granulé

1. Dans un grand bol, mélanger le cumin, le piment en flocons et le sel. Réserver.
2. Dans un grand poêlon, chauffer l'huile à feu moyen-vif. Y faire sauter les amandes pendant 1 minute pour bien les couvrir d'huile. Parsemer les amandes de sucre et les faire sauter jusqu'à ce qu'elles soient dorées et que le sucre commence à caraméliser.
3. Ajouter aussitôt les amandes aux épices et bien mélanger le tout. Étendre les amandes sur la plaque à pâtisserie préparée et les laisser refroidir.

Variante

Vous pouvez remplacer les amandes par des noix ou par des pacanes.

Suggestion de service

Servez ces amandes avec un plateau de fromages, à la fin du repas.

Valeur nutritive par portion	
Calories	292
Lipides	21,9 g
saturés	1,7 g
Sodium	154 mg (6 % VQ)
Glucides	20 g
Fibres	4 g (16 % VQ)
Protéines	8 g
Calcium	84 mg (8 % VQ)
Fer	1,7 mg (12 % VQ)

Teneur très élevée en magnésium

Équivalents par portion pour
les personnes diabétiques :
1   Glucides
1   Viandes et substituts
3 ½ Matières grasses

Donne environ 375 ml (1 ½ tasse)
Portion de 30 ml (2 c. à soupe)

Pois chiches grillés

Jaclyn Pritchard, diététiste, Ontario

✓ **Le choix des enfants**

Les pois chiches grillés sont une savoureuse solution de rechange aux croustilles. Les enfants adorent leur côté croquant. Pour réduire les risques d'étouffement, évitez de servir ces pois chiches aux enfants de moins de 5 ans.

Conseils

Rincez et égouttez les pois chiches pour enlever le surplus de sodium, puis épongez-les pour que le mélange huile-chili en poudre y adhère bien.

Vous pouvez les conserver dans un contenant hermétique, à la température de la pièce. Ils se conserveront pendant 1 semaine. Mais il ne devrait pas vous en rester aussi longtemps!

- *Préchauffer le four à 180 °C (350 °F)*
- *Une plaque à pâtisserie couverte de papier d'aluminium*

1 boîte de 540 ml (19 oz) de pois chiches rincés, égouttés et épongés
15 ml (1 c. à soupe) d'huile de canola
2 ml (½ c. à thé) de chili en poudre
1 ml (¼ c. à thé) d'ail en poudre
1 ml (¼ c. à thé) de cumin moulu

1. Dans un bol, mélanger les pois chiches, l'huile, le chili en poudre, l'ail en poudre et le cumin. Bien couvrir les pois chiches des autres ingrédients et les étendre uniformément sur la plaque à pâtisserie préparée.
2. Cuire les pois chiches au four préchauffé, en les remuant de temps en temps, de 60 à 75 minutes ou jusqu'à ce qu'ils soient croquants. Les laisser refroidir sur la plaque à pâtisserie, sur une grille métallique.

Variante

Vous pouvez essayer divers assaisonnements, selon vos préférences. Si vous ajoutez du cayenne, cela leur donnera du piquant.

Valeur nutritive par portion	
Calories	55
Lipides	1,6 g
saturés	0,2 g
Sodium	98 mg (4 % VQ)
Glucides	9 g
Fibres	2 g (8 % VQ)
Protéines	2 g
Calcium	11 mg (1 % VQ)
Fer	0,5 mg (4 % VQ)

Équivalents par portion pour les personnes diabétiques :
½ Glucides
½ Matières grasses

Plutôt que de servir le guacamole avec des nachos, servez-le avec ces croustilles, c'est l'accompagnement parfait.

CONSEILS

Pour que les pitas soient faciles à couper, empilez-en 2 ou 3 avant de les couper en morceaux.

Ces croustilles se conserveront jusqu'à 7 jours dans un sac en plastique refermable ou dans un contenant hermétique.

Valeur nutritive par portion	
Calories	98
Lipides	2,1 g
saturés	0,2 g
Sodium	220 mg (9 % VQ)
Glucides	18 g
Fibres	3 g (12 % VQ)
Protéines	3 g
Calcium	10 mg (1 % VQ)
Fer	1,2 mg (9 % VQ)

Équivalents par portion pour les personnes diabétiques:

1   Glucides
½   Matières grasses

Croustilles de pita assaisonnées

Mary Sue Waisman, diététiste, Nouvelle-Écosse

- *Préchauffer le four à 375 °F (190 °C)*
- *2 plaques à pâtisserie*

2 gousses d'ail, finement hachées
10 ml (2 c. à thé) de cumin moulu
2 ml (½ c. à thé) de chili en poudre
2 ml (½ c. à thé) de paprika
2 ml (½ c. à thé) de poudre de cari
2 ml (½ c. à thé) de poivre noir fraîchement moulu
1 ml (¼ c. à thé) de sel
15 à 30 ml (1 à 2 c. à soupe) d'huile de canola
2 à 3 gouttes de sauce aux piments forts
6 pitas de blé entier de 15 cm (6 po)

1. Dans un petit bol, mélanger l'ail, le cumin, le chili en poudre, le paprika, la poudre de cari, le poivre noir, le sel, l'huile et de la sauce aux piments forts, au goût.
2. À l'aide d'un pinceau à pâtisserie, couvrir les 2 côtés de chaque pita du mélange d'épices, puis couper chacun en 8 morceaux. Étendre les morceaux en une seule couche sur les 2 plaques à pâtisserie.
3. Cuire au four préchauffé, en retournant les pitas une fois, de 8 à 10 minutes ou jusqu'à ce qu'ils soient bien dorés et croustillants. Les laisser refroidir complètement sur les plaques à pâtisserie, sur une grille métallique.

SUGGESTION DE SERVICE

Servez ces pitas avec le Guacamole aux petits pois (p. 95) ou la Trempette chaude aux épinards et aux artichauts (p. 97).

Puri cuits au garam massala

Shefali Raja, diététiste, Colombie-Britannique

DONNE 25 PURI
PORTION DE 5 PURI

✓ LE CHOIX DES ENFANTS

Les graines de sésame donnent une merveilleuse saveur de noisette à ces petits pains. Ils remplacent bien les biscuits salés. Les enfants peuvent vous aider à abaisser la pâte.

CONSEIL

Pour que les puri aient une couleur uniforme, mettez la plaque à pâtisserie sur la grille placée au milieu du four et faites cuire une seule plaque à la fois.

VARIANTE

Si vous désirez obtenir un goût de sésame plus prononcé, utilisez 7 ml (1 ½ c. à thé) d'huile de sésame et 7 ml (1 ½ c. à thé) d'huile de canola.

Valeur nutritive par portion	
Calories	15
Lipides	0,7 g
saturés	0,1 g
Sodium	23 mg (1 % VQ)
Glucides	2 g
Fibres	0 g (0 % VQ)
Protéines	0 g
Calcium	2 mg (0 % VQ)
Fer	0,1 mg (1 % VQ)

Équivalents par portion pour les personnes diabétiques :

1 Extra

- *Préchauffer le four à 160 °C (325 °F)*
- *Des plaques à pâtisserie*

125 ml (½ tasse) de farine de blé entier
15 ml (1 c. à soupe) d'huile de canola
10 ml (2 c. à thé) de graines de sésame
2 ml (½ c. à thé) de cumin moulu
2 ml (½ c. à thé) de poivre noir fraîchement moulu
1 ml (¼ c. à thé) de curcuma moulu
1 ml (¼ c. à thé) de sel
60 ml (¼ tasse) de coriandre fraîche hachée (facultatif)
Environ 30 ml (2 c. à soupe) d'eau

1. Dans un bol moyen, mettre la farine de blé entier, l'huile, les graines de sésame, le cumin, le poivre, le curcuma, le sel et la coriandre, si désiré. Ajouter un peu d'eau et mélanger avec les mains pour obtenir une pâte ferme.

2. Retourner la pâte sur un plan de travail fariné et la pétrir de 2 à 3 minutes ou jusqu'à ce qu'elle soit tendre et homogène. Laisser la pâte sur le plan de travail fariné et la couvrir d'un grand bol. La laisser reposer pendant 10 minutes.

3. Diviser la pâte en 25 portions égales. Sur un plan de travail légèrement fariné, abaisser chaque portion en un cercle mince d'environ 5 cm (2 po) de diamètre. Piquer chaque cercle avec une fourchette et les mettre sur des plaques à pâtisserie en laissant au moins 5 cm (2 po) entre chacun.

4. Cuire au four préchauffé pendant 15 minutes. Retourner les puri et les cuire encore pendant 10 minutes ou jusqu'à ce qu'ils soient bien dorés. Les retirer du four et les laisser refroidir.

> Les puri sont des pains azymes d'origine indienne. Traditionnellement, ce sont de gros pains qui sont frits, puis fourrés de différents currys. Ici, Shefali a fait des bouchées de type croustilles, et les a cuites au four pour diminuer leur contenu en gras.

SUGGESTION DE SERVICE

Ces petits pains sont délicieux servis seuls, en collation, mais ils feront aussi fureur dans les réceptions. Servez-les alors avec une trempette ou une tartinade.

Puri aux pois chiches à l'indienne

Shefali Raja, diététiste, Colombie-Britannique

Shefali Raja, diététiste, Colombie-Britannique

6 PORTIONS

Ce plat, à la fois doux et épicé, offre une bonne combinaison de saveurs.

CONSEILS

Dans la recette originale, Shefali utilisait du chutney au tamarin, mais comme on n'en trouve pas facilement, nous l'avons remplacé par du chutney à la mangue épicé, qui donne une saveur très agréable.

Utilisez une pomme acidulée, comme la Granny Smith ou la Cortland.

6 pommes de terre grelots de 5 cm (2 po) chacune
2 ml (½ c. à thé) de piment rouge en flocons
60 ml (¼ tasse) de yogourt nature ou de crème sure légère
5 ml (1 c. à thé) de cumin moulu
1 pomme, pelée et finement hachée
125 ml (½ tasse) de pois chiches cuits ou en conserve, rincés et égouttés
125 ml (½ tasse) de coriandre fraîche grossièrement hachée
60 ml (¼ tasse) d'oignon finement haché
30 ml (2 c. à soupe) de chutney à la mangue épicé
25 Puri cuits au garam massala (p. 93)

1. Mettre les pommes de terre dans une casserole et ajouter suffisamment d'eau froide pour les couvrir. Porter à ébullition à feu vif. Réduire le feu et les laisser mijoter pendant environ 15 minutes ou jusqu'à ce qu'elles se défassent à la fourchette. Les égoutter, puis les laisser refroidir. Les couper en petits cubes. Dans un petit bol, les mélanger avec le piment en flocons.
2. Dans un autre petit bol, mélanger le yogourt et le cumin. Mettre la pomme, les pois chiches, la coriandre, l'oignon et le chutney dans des petits bols séparés. Déposer les puri au milieu de la table, entourés des petits bols, et laisser chacun garnir le sien avec les ingrédients de son choix.

La coriandre fraîche, aussi appelée persil chinois, et les graines de coriandre sont deux ingrédients différents, même si plusieurs les confondent. Le persil chinois est l'herbe qui provient de la plante du nom latin *Coriandrum sativum.* Les graines de coriandre, qui proviennent de la même plante, font partie des épices et on les utilise entières ou broyées. Les deux formes de coriandre possèdent des saveurs distinctes et on les emploie différemment dans les recettes. Alors, lisez attentivement la liste des ingrédients.

VARIANTE

Vous pouvez utiliser les ingrédients de cette recette pour préparer une savoureuse salade de pommes de terre, le compagnon parfait des barbecues! Mélangez les pommes de terre aux autres ingrédients. Servez la salade seule ou garnissez-la de puri.

Valeur nutritive par portion	
Calories	91
Lipides	0,7 g
saturés	0,1 g
Sodium	81 mg (3 % VQ)
Glucides	20 g
Fibres	2 g (8 % VQ)
Protéines	2 g
Calcium	36 mg (3 % VQ)
Fer	1,1 mg (8 % VQ)

Équivalents par portion pour les personnes diabétiques :

1 Glucides

Donne environ 375 ml (1 ½ tasse)

Portion de 30 ml (2 c. à soupe)

La couleur de la purée de pois ressemble à celle de la purée d'avocat et les pois contribuent à réduire la teneur en matière grasse totale de cette populaire trempette.

Conseil

Vous obtiendrez une purée plus ou moins relevée en dosant les quantités de jus de citron, de piment jalapeño et de sauce aux piments forts.

Variante

Si vous n'aimez pas la coriandre, remplacez-la par du persil frais.

Valeur nutritive par portion	
Calories	50
Lipides	3,4 g
saturés	0,5 g
Sodium	76 mg (3 % VQ)
Glucides	5 g
Fibres	2 g (8 % VQ)
Protéines	1 g
Calcium	11 mg (1 % VQ)
Fer	0,5 mg (4 % VQ)

Équivalents par portion pour
les personnes diabétiques :
1   Matières grasses

Guacamole aux petits pois

Mary Sue Waisman, diététiste, Nouvelle-Écosse

- *Un robot culinaire ou un mélangeur*

250 ml (1 tasse) de petits pois surgelés
1 avocat mûr
3 gousses d'ail, hachées
1 piment jalapeño, épépiné et grossièrement haché
60 ml (¼ tasse) de coriandre fraîche grossièrement hachée
30 ml (2 c. à soupe) d'oignon rouge haché
45 ml (3 c. à soupe) de jus de citron ou de jus de citron vert
    fraîchement pressé
30 ml (2 c. à soupe) de mayonnaise légère
5 ml (1 c. à thé) de cumin moulu
2 ml (½ c. à thé) de chili en poudre
2 ml (½ c. à thé) de poivre blanc fraîchement moulu
1 ml (¼ c. à thé) de sel
250 ml (1 tasse) de tomates italiennes grossièrement hachées
2 à 5 ml (½ à 1 c. à thé) de sauce aux piments forts (facultatif)

1. Dans une petite casserole, porter 60 ml (¼ tasse) d'eau à ébullition, à feu vif. Ajouter les pois et porter de nouveau à ébullition. Réduire à feu doux, couvrir et laisser mijoter pendant 4 minutes. Retirer du feu, conserver l'eau de cuisson et laisser refroidir.
2. Peler l'avocat, en retirer la chair et la mettre dans un robot culinaire. Ajouter les pois refroidis et leur eau de cuisson, l'ail, le piment jalapeño, la coriandre, l'oignon rouge, le jus de citron, la mayonnaise, le cumin, le chili en poudre, le poivre et le sel. Mélanger jusqu'à ce que les ingrédients soient hachés. Réduire en purée pendant environ 1 minute ou jusqu'à ce que le mélange soit presque complètement en purée, mais qu'il reste encore quelques petits morceaux.
3. Mettre le mélange dans un bol et y incorporer délicatement les tomates. Ajouter de la sauce aux piments forts, si désiré.

> Les avocats contiennent de bons gras, mais ils en contiennent beaucoup, ce qui augmente le nombre de calories d'une recette. En remplaçant une partie des avocats par une légumineuse de la même couleur, cela contribue à réduire les matières grasses de la recette, tout en créant une trempette onctueuse et succulente.

Suggestion de service

Utilisez le guacamole comme tartinade sur des sandwichs aux légumes grillés.

Trempette au yogourt et à l'aneth

Honey Bloomberg, diététiste, Ontario

Pour obtenir une succulente trempette au goût riche, utilisez du yogourt nature pour faire le fromage de yogourt. Honey trouve que les feuilles d'endive ressemblent à des cuillères. Elle a donc décidé de les utiliser comme cuillères pour la trempette.

CONSEILS

Dans cette recette, si vous voulez obtenir la meilleure texture possible, lisez bien la liste des ingrédients quand vous choisirez le yogourt et assurez-vous qu'il ne contient pas de gélatine ni d'amidon.

Vous pouvez laisser le yogourt s'égoutter jusqu'à une journée complète. Plus il s'égouttera longtemps, plus il sera épais.

- *Une passoire*
- *Une étamine*

750 ml (3 tasses) de yogourt nature faible en gras (voir Conseils)
1 gousse d'ail, finement hachée
30 ml (2 c. à soupe) d'aneth frais haché
1 ml (¼ c. à thé) de sel
1 ml (¼ c. à thé) de poivre blanc fraîchement moulu
5 ml (1 c. à thé) d'huile d'olive extra-vierge ou d'huile de canola
Le zeste râpé et le jus d'un citron
2 endives dont on a séparé les feuilles

1. Couvrir le fond de la passoire de 2 épaisseurs d'étamine et la déposer sur un grand bol. Verser le yogourt dans la passoire, couvrir et mettre au réfrigérateur. Laisser le yogourt s'égoutter au réfrigérateur de 3 à 5 heures ou jusqu'à ce qu'il soit plus épais et ressemble à du fromage à la crème ramolli. Jeter le liquide qui se trouve dans le bol.
2. Mettre le fromage de yogourt dans un bol moyen. Incorporer l'ail, l'aneth, le sel, le poivre, l'huile, le zeste et le jus de citron. Servir avec les feuilles d'endive que l'on utilisera comme cuillères pour la trempette.

SUGGESTION DE SERVICE
Cette trempette peut faire une savoureuse garniture pour le poulet grillé.

Valeur nutritive par portion	
Calories	25
Lipides	0,7 g
saturés	0,3 g
Sodium	56 mg (2 % VQ)
Glucides	3 g
Fibres	0 g (0 % VQ)
Protéines	0 g
Calcium	73 mg (7 % VQ)
Fer	0,1 mg (1 % VQ)

Équivalents par portion pour
les personnes diabétiques:
1   Extra

Trempette chaude aux épinards et aux artichauts

Mary Sue Waisman, diététiste, Nouvelle-Écosse

DONNE ENVIRON **500** ML (**2 TASSES**)
PORTION DE **30** ML (**2** C. À SOUPE)

✓ **LE CHOIX DES ENFANTS**

Cette savoureuse trempette chaude épatera vos invités!

CONSEIL

Pour décongeler les épinards, retirez-les du paquet, mettez-les dans un bol et décongelez-les au micro-ondes, en les remuant de temps en temps. Une fois décongelés, égouttez-les et épongez-les pour enlever le surplus d'eau.

VARIANTE

Pour obtenir une trempette très onctueuse, utilisez un mélangeur ou un robot culinaire, plutôt que de mélanger à la main.

SUGGESTION DE SERVICE

Servez cette trempette avec des Croustilles de pita assaisonnées (p. 92) ou des crudités.

Valeur nutritive par portion	
Calories	71
Lipides	4,0 g
saturés	1,7 g
Sodium	201 mg (8 % VQ)
Glucides	6 g
Fibres	2 g (8 % VQ)
Protéines	4 g
Calcium	98 mg (9 % VQ)
Fer	0,5 mg (4 % VQ)

Teneur élevée en vitamine A

Équivalents par portion pour les personnes diabétiques :
1   Matières grasses

- *Préchauffer le four à 190 °C (375 °F)*
- *Un plat carré en verre allant au four de 20 cm (8 po), graissé*

15 ml (1 c. à soupe) d'huile de canola
250 ml (1 tasse) d'oignon finement haché
125 ml (½ tasse) d'oignon vert finement haché
60 ml (¼ tasse) de poivron rouge finement haché
3 gousses d'ail, finement hachées
1 boîte de 398 ml (14 oz) de cœurs d'artichaut, égouttés, épongés et grossièrement hachés
1 paquet de 300 g (10 oz) d'épinards surgelés, hachés, décongelés, épongés et grossièrement hachés
60 ml (¼ tasse) de persil frais finement haché, au total
125 ml (½ tasse) de crème sure légère
125 ml (½ tasse) de fromage à la crème léger herbes et ail
30 ml (2 c. à soupe) de mayonnaise légère
1 ml (¼ c. à thé) de sel
1 ml (¼ c. à thé) de poivre noir fraîchement moulu
125 ml (½ tasse) de mozzarella partiellement écrémée râpée
60 ml (¼ tasse) de parmesan fraîchement râpé

1. Dans un poêlon moyen, chauffer l'huile à feu moyen-vif. Y faire sauter l'oignon, l'oignon vert et le poivron de 3 à 5 minutes ou jusqu'à ce qu'ils soient ramollis. Ajouter l'ail et le faire sauter pendant 30 secondes. Retirer du feu et laisser refroidir.
2. Dans un grand bol, mélanger les cœurs d'artichaut, les épinards, 30 ml (2 c. à soupe) du persil, la crème sure, le fromage à la crème, la mayonnaise, le sel et le poivre. Incorporer le mélange d'oignon refroidi. Mettre ensuite le tout dans le plat allant au four préparé.
3. Cuire au four préchauffé pendant environ 20 minutes ou jusqu'à ce que ce soit bien chaud. Retirer du four, puis parsemer du reste du persil, de la mozzarella et du parmesan. Cuire pendant environ 5 minutes ou jusqu'à ce que le fromage soit légèrement fondu.

> Même si le fromage à la crème est fabriqué avec du lait de vache, il ne fait pas partie du groupe Lait et substituts, selon *Bien manger avec le Guide alimentaire canadien,* car les éléments nutritifs qu'il contient ne répondent pas aux normes de ce groupe alimentaire.

Trempette piquante aux haricots blancs et au persil

Mary Sue Waisman, diététiste, Nouvelle-Écosse

Donne 375 ml (1 ½ tasse)
Portion de 30 ml (2 c. à soupe)

Vous cherchez un hors-d'œuvre plutôt relevé ? Le voici ! Cette trempette bien épicée peut remplacer la mayonnaise et servir de délicieuse tartinade pour les sandwichs.

Conseil

Il est préférable de commencer par mettre un seul piment jalapeño dans la trempette, puis vous pourrez en ajouter davantage, au goût.

- *Un robot culinaire ou un mélangeur*

2 oignons verts, grossièrement hachés
2 gousses d'ail, hachées
1 à 2 piments jalapeños, épépinés et grossièrement hachés
1 boîte de 540 ml (19 oz) de haricots blancs, égouttés et rincés
125 ml (½ tasse) de persil frais haché non tassé
60 ml (¼ tasse) de jus de citron fraîchement pressé
15 ml (1 c. à soupe) d'huile de canola
5 ml (1 c. à thé) de cumin moulu

1. Au robot culinaire, mettre les oignons verts, l'ail, des piments jalapeños, au goût, les haricots blancs, le persil, le jus de citron, l'huile et le cumin. Mélanger jusqu'à l'obtention d'une consistance onctueuse.
2. Verser la trempette dans un bol, couvrir et mettre au réfrigérateur pendant au moins 1 heure, jusqu'à ce qu'elle soit froide ou jusqu'à une journée.

> Il y a deux types de persil qui poussent au Canada et les cuisiniers les utilisent beaucoup : le persil plat (persil italien) et le persil frisé.

Variante

Pour donner une touche asiatique à cette trempette, ajoutez quelques gouttes d'huile de sésame et garnissez-la de graines de sésame.

Suggestion de service

Vous pouvez tartiner un pita de blé entier d'un peu de cette trempette piquante, puis garnissez-le d'aubergine, de courgette, d'oignon et de poivrons, grillés.

Valeur nutritive par portion	
Calories	48
Lipides	1,4 g
saturés	0,1 g
Sodium	104 mg (4 % VQ)
Glucides	7 g
Fibres	3 g (12 % VQ)
Protéines	2 g
Calcium	20 mg (2 % VQ)
Fer	0,7 mg (5 % VQ)

Équivalents par portion pour les personnes diabétiques :
½ Glucides

Hoummos aux poivrons rouges grillés et au fromage feta

Trisha Wood, diététiste, Ontario

DONNE ENVIRON **500** ML **(2 TASSES)**
PORTION DE **30** ML **(2 C. À SOUPE)**

✓ LE CHOIX DES ENFANTS

Les jumeaux de Trisha, âgés de 18 mois, adorent cette savoureuse variante du hoummos traditionnel! Ils la savourent en trempette avec des concombres et des craquelins.

CONSEIL

Trisha utilise aussi un mélangeur à immersion plutôt qu'un robot culinaire, pour mélanger les ingrédients.

- Un robot culinaire ou un mélangeur

2 poivrons rouges, grillés et pelés (voir l'encadré, p. 124)
2 gousses d'ail, hachées
1 boîte 540 ml (19 oz) de pois chiches, égouttés et rincés
125 ml (½ tasse) de fromage feta émietté
30 ml (2 c. à soupe) de persil frais, haché
30 ml (2 c. à soupe) de tahini
30 ml (2 c. à soupe) de jus de citron fraîchement pressé
15 ml (1 c. à soupe) d'huile de canola
1 ml (¼ c. à thé) de cayenne
½ citron

1. Dans un robot culinaire, mettre les poivrons, l'ail, les pois chiches, la feta, le persil, le tahini, 30 ml (2 c. à soupe) de jus de citron, 30 ml (2 c. à soupe) d'eau, l'huile et le cayenne. Mélanger jusqu'à l'obtention d'une consistance onctueuse.
2. Verser la trempette dans un bol, couvrir et mettre au réfrigérateur pendant au moins 1 heure, jusqu'à ce qu'elle soit froide ou jusqu'à une journée. Avant de servir, presser le citron sur la trempette.

> Le tahini est une pâte ou un beurre fait de graines de sésame broyées. Il possède une saveur de noisette bien caractéristique et une texture grossière. On l'utilise souvent dans la cuisine du Moyen-Orient.

VARIANTE
Vous pouvez remplacer le tahini par du beurre d'arachide naturel non sucré.

SUGGESTION DE SERVICE
Servez cette trempette avec des Croustilles de pita assaisonnées (p. 92) ou avec des crudités.

Valeur nutritive par portion	
Calories	69
Lipides	3,2 g
saturés	1,0 g
Sodium	127 mg (5 % VQ)
Glucides	8 g
Fibres	2 g (8 % VQ)
Protéines	3 g
Calcium	41 mg (4 % VQ)
Fer	0,5 mg (4 % VQ)

Teneur élevée en vitamine C

Équivalents par portion pour les personnes diabétiques:
½ Glucides
½ Matières grasses

Tartinade à la sardine et au pesto

Claude Gamache, diététiste, Québec

Donne 125 ml (½ tasse)
Portion de 15 ml (1 c. à soupe)

Cette tartinade, qui a une texture grossière, est très savoureuse et elle contient seulement 3 ingrédients.

Conseils

N'écrasez pas trop les sardines, sinon vous pourriez obtenir quelque chose qui ressemble plus à une pâte qu'à une tartinade.

Faites l'essai des sardines à la méditerranéenne ou des sardines au citron.

1 boîte de 106 g (3 ½ oz) de sardines, égouttées
30 ml (2 c. à soupe) de pesto au basilic
15 ml (1 c. à soupe) de jus de citron vert fraîchement pressé

1. Dans un petit bol, écraser les sardines à l'aide d'une fourchette. Incorporer le pesto et le jus de citron vert. Bien mélanger le tout.

La sardine est un aliment négligé. Mais ce poisson constitue un bon choix pour les personnes qui désirent augmenter leur consommation de vitamine B_{12}. Par ailleurs, *Bien manger avec le Guide alimentaire canadien* recommande de consommer souvent des poissons comme les sardines parce qu'ils contiennent des acides gras oméga-3.

Suggestion de service

Vous pouvez servir cette tartinade avec des crudités, des craquelins de blé entier ou des tranches de baguette grillées.

Valeur nutritive par portion	
Calories	37
Lipides	2,5 g
saturés	0,4 g
Sodium	98 mg (4 % VQ)
Glucides	1 g
Fibres	0 g (0 % VQ)
Protéines	3 g
Calcium	48 mg (4 % VQ)
Fer	0,4 mg (3 % VQ)

Teneur très élevée en vitamine B_{12}

Équivalents par portion pour les personnes diabétiques :
½ Viandes et substituts

Gelée de betteraves

Michèle LaFramboise, Ontario

✓ LE CHOIX DES ENFANTS

Michèle fait cette recette tous
les ans avec l'aide de son mari
qui râpe les betteraves. Quand
ses enfants étaient jeunes, ils
ont mangé des betteraves, grâce
à cette recette! Aujourd'hui
mariés, ils en demandent chaque
année. De plus, elle échange
souvent des bocaux de gelée
contre des cornichons faits par
ses nièces. Un vrai succès!

CONSEIL

Les betteraves peuvent tacher les
comptoirs et les mains, alors,
portez des gants en caoutchouc,
travaillez délicatement et essuyez
les taches rapidement.

2,5 kg (5 lb) de betteraves moyennes entières
500 ml (2 tasses) de sucre granulé
125 ml (½ tasse) de farine tout usage
5 ml (1 c. à thé) de moutarde sèche
Une pincée de sel
500 ml (2 tasses) de vinaigre blanc

1. Mettre les betteraves dans une grande marmite, puis ajouter
   suffisamment d'eau froide pour les couvrir. Porter à ébullition à feu
   vif. Réduire le feu et laisser mijoter de 45 à 60 minutes ou jusqu'à
   ce que les betteraves se défassent à la fourchette. Les égoutter et
   les rincer sous l'eau froide. Quand elles sont assez froides pour être
   manipulées, les peler et jeter la peau. Râper les betteraves dans un
   grand bol. Réserver.

2. Dans une grande marmite propre, mélanger le sucre, la farine, la
   moutarde et le sel. Incorporer le vinaigre en fouettant. Chauffer à feu
   moyen, en remuant souvent, jusqu'à ce que le liquide bouillonne et
   épaississe. Retirer du feu. Verser sur les betteraves et bien mélanger
   le tout.

3. Couvrir et mettre au réfrigérateur pendant 24 heures. Utiliser aussitôt
   ou verser des quantités de 250 ml (1 tasse) de gelée de betteraves
   dans des sacs de congélation, puis congeler à plat. La gelée se
   conservera jusqu'à 1 an. Laisser décongeler avant de servir.

SUGGESTION DE SERVICE

Vous pouvez servir la gelée avec du fromage à la crème léger sur des biscuits
salés ou avec des crudités ou encore pour accompagner des viandes ou de
la volaille, grillées.

Valeur nutritive par portion	
Calories	23
Lipides	0,0 g
saturés	0,0 g
Sodium	14 mg (1 % VQ)
Glucides	6 g
Fibres	0 g (0 % VQ)
Protéines	0 g
Calcium	3 mg (0 % VQ)
Fer	0,1 mg (1 % VQ)

Équivalents par portion pour
les personnes diabétiques:
½   Glucides

Salade d'endive en hors-d'œuvre

Heather McColl, diététiste, Colombie-Britannique

Des ingrédients simples donnent un air de fête à ces jolis hors-d'œuvre.

2 poires, non pelées en dés
5 ml (1 c. à thé) de zeste d'orange râpé
15 ml (1 c. à soupe) de jus d'orange fraîchement pressé
60 à 90 g (2 à 3 oz) de fromage bleu, émietté
125 ml (½ tasse) de noix grillées, hachées (voir p. 139)
Les pépins de 1 grenade
4 endives dont on a séparé les feuilles, soit environ 30 feuilles

1. Dans un bol moyen, mélanger les poires avec le zeste et le jus d'orange. Ajouter le bleu, les noix et les pépins de grenade. Mélanger le tout délicatement.
2. Répartir la garniture également entre les feuilles d'endive.

Variante

Vous pouvez transformer ce plat en salade. Brisez les feuilles d'endive en petits morceaux et mélangez-les avec les autres ingrédients. Si désiré, versez-y un filet de 15 à 30 ml (1 à 2 c. à soupe) d'huile d'olive et de 15 ml (1 c. à soupe) de vinaigre de vin blanc.

Valeur nutritive par portion	
Calories	62
Lipides	3,7 g
saturés	1,0 g
Sodium	54 mg (2 % VQ)
Glucides	7 g
Fibres	1 g (4 % VQ)
Protéines	2 g
Calcium	29 mg (3 % VQ)
Fer	0,1 mg (1 % VQ)

Équivalents par portion pour les personnes diabétiques :
½ Glucides
½ Matières grasses

Wraps arc-en-ciel à la laitue

Heather McColl, diététiste, Colombie-Britannique

✓ LE CHOIX DES ENFANTS

Les wraps faits avec des feuilles de laitue sont une idée originale pour remplacer les wraps à base de pain. Il est préférable de les préparer à table. Trois de nos goûteurs de 18 ans ont mangé tous ces sandwichs en un rien de temps!

CONSEILS

Vous pouvez aussi utiliser des feuilles de chou cuites et refroidies pour envelopper les sandwichs.

Les enfants adorent garnir leurs wraps et enrouler les feuilles de laitue.

500 g (1 lb) de dinde ou de poulet haché maigre
15 ml (1 c. à soupe) de gingembre râpé
10 ml (2 c. à thé) d'huile de canola
175 ml (¾ tasse) de poivron rouge finement haché
175 ml (¾ tasse) de poivron jaune finement haché
125 ml (½ tasse) d'oignon finement haché
2 gousses d'ail, hachées
1 boîte de 227 ml (8 oz) de châtaignes d'eau en tranches, égouttées et hachées
60 ml (¼ tasse) de sauce Hoisin
3 ml (¾ c. à thé) de poudre de cinq épices
1 à 2 ml (¼ à ½ c. à thé) de piment rouge en flocons
125 ml (½ tasse) de carottes râpées
1 laitue beurre dont on a séparé les feuilles

1. Dans un grand poêlon antiadhésif, à feu moyen, faire dorer la dinde et le gingembre, en brisant la dinde avec une cuillère, de 5 à 6 minutes ou jusqu'à ce qu'elle ait perdu sa couleur rosée. La mettre ensuite dans un bol et réserver.

2. Dans le même poêlon, chauffer l'huile à feu moyen. Y faire sauter le poivron rouge, le poivron jaune et l'oignon de 4 à 5 minutes ou jusqu'à ce qu'ils soient ramollis. Ajouter l'ail et le faire sauter pendant 30 secondes. Remettre la dinde dans le poêlon, puis incorporer les châtaignes d'eau, la sauce Hoisin, 60 ml (¼ tasse) d'eau, la poudre de cinq épices et du piment en flocons, au goût. Cuire, en remuant souvent, de 3 à 4 minutes ou jusqu'à ce que ce soit bien chaud. Mettre dans un bol de service.

3. Disposer les carottes et les feuilles de laitue dans un grand plat de service, puis y déposer le mélange de dinde. Garnir chaque feuille de laitue de 30 ml (2 c. à soupe) du mélange de dinde, puis des carottes. Enrouler les feuilles de laitue pour emprisonner la garniture.

Valeur nutritive par portion	
Calories	69
Lipides	3,1 g
saturés	0,7 g
Sodium	95 mg (4 % VQ)
Glucides	5 g
Fibres	1 g (4 % VQ)
Protéines	6 g
Calcium	13 mg (1 % VQ)
Fer	0,7 mg (5 % VQ)

Teneur élevée en vitamine C

Équivalents par portion pour
les personnes diabétiques:
1   Viandes et substituts

La laitue beurre est une variété de laitue pommée qui possède, comme son nom l'indique, une texture onctueuse. Parmi les variétés de laitues beurre, on trouve la Boston et la laitue Bibb.

VARIANTE

Vous pouvez remplacer la dinde hachée par du bœuf ou du porc, haché, ou encore par du sans-viande hachée (substitut de viande végétarien).

SUGGESTION DE SERVICE

Ce plat fera des malheurs à la fête d'anniversaire d'un ado.

Wraps à la laitue, au boulgour et aux légumes

Leila Smaily, diététiste, Ontario

Donne environ 500 ml (2 tasses) de garniture

Portion de 2 wraps

✓ **Le choix des enfants**

Ces succulents hors-d'œuvre végétariens, tout pleins de couleurs et de saveurs, peuvent aussi être servis en collation, au retour de l'école.

Conseil

Si vous voulez être assuré de réussir votre jardin d'herbes aromatiques, faites-y d'abord pousser de la menthe. Elle pousse bien dans la plupart des climats et l'on en trouve à l'état sauvage dans plusieurs parties du Canada.

Valeur nutritive par portion	
Calories	50
Lipides	2,0 g
saturés	0,2 g
Sodium	39 mg (2 % VQ)
Glucides	7 g
Fibres	1 g (4 % VQ)
Protéines	2 g
Calcium	12 mg (1 % VQ)
Fer	0,5 mg (4 % VQ)

Équivalents par portion pour les personnes diabétiques :
½ Glucides
½ Matières grasses

175 ml (¾ tasse) de boulgour
175 ml (¾ tasse) d'eau chaude
250 ml (1 tasse) de tomates en dés
125 ml (½ tasse) de pois chiches cuits ou en conserve, égouttés et rincés
60 ml (¼ tasse) de persil frais, haché
30 ml (2 c. à soupe) d'oignon vert haché
30 ml (2 c. à soupe) d'oignon rouge haché
15 ml (1 c. à soupe) de menthe fraîche hachée
30 ml (2 c. à soupe) d'huile de canola
15 ml (1 c. à soupe) de jus de citron fraîchement pressé
1 ml (¼ c. à thé) de sel
2 ml (½ c. à thé) de poivre noir fraîchement moulu
1 laitue grasse dont on a séparé les feuilles

1. Dans un grand bol, mettre le boulgour et l'eau chaude. Laisser reposer pendant 30 minutes, jusqu'à ce que le boulgour soit ramolli et que le liquide soit absorbé.
2. Ajouter les tomates, les pois chiches, le persil, l'oignon vert, l'oignon rouge, la menthe, l'huile, le jus de citron, le sel et le poivre. Bien mélanger le tout.
3. Garnir chaque feuille de laitue de 30 ml (2 c. à soupe) du mélange de boulgour. Enrouler les feuilles de laitue pour emprisonner la garniture.

Sauriez-vous différencier le blé concassé du boulgour? Le blé concassé est simplement composé de grains de blé entier qui sont broyés ou brisés en petits morceaux, tandis que le boulgour est formé de grains de blé décortiqués qui ont été desséchés, précuits à la vapeur, puis séchés. Le boulgour est souvent utilisé dans la cuisine du Moyen-Orient, dans des plats comme le taboulé.

Variantes

Vous pouvez remplacer les pois chiches par des haricots noirs ou par des haricots rouges.

Pour ajouter du piquant à ce mélange, mettez-y du piment jalapeño haché ou quelques gouttes de sauce aux piments forts.

Suggestion de service

Ajoutez un quartier de fromage et un morceau de fruit frais et vous transformerez ce hors-d'œuvre en un dîner santé.

Tomates farcies au pesto

Heather McColl, diététiste, Colombie-Britannique

DONNE 24 HORS-D'ŒUVRE

✓ **LE CHOIX DES ENFANTS**

Pour remplacer les pignons, qui sont habituellement utilisés dans le pesto, les graines de citrouille vertes constituent une bonne solution de rechange.

CONSEIL

Si vous êtes à la dernière minute, achetez du pesto du commerce, et ces hors-d'œuvre seront hyper faciles à préparer.

- Un robot culinaire ou un mélangeur
- Une poche à pâtisserie munie d'une douille moyenne

2 gousses d'ail, hachées
250 ml (1 tasse) de feuilles de basilic frais bien tassées
75 ml (⅓ tasse) de graines de citrouille vertes (pepitas), grillées et refroidies (voir p. 139)
1 ml (¼ c. à thé) de sel
1 ml (¼ c. à thé) de poivre noir fraîchement moulu
45 ml (3 c. à soupe) d'huile d'olive extra-vierge
24 tomates cerises évidées

1. Dans un robot culinaire, mettre l'ail, le basilic, les graines de citrouille, le sel, le poivre et l'huile. Mélanger jusqu'à consistance onctueuse.

2. Mettre le pesto dans la poche à pâtisserie et en décorer les tomates cerises. Ne pas trop les remplir. Couvrir les tomates, puis les mettre au réfrigérateur jusqu'à 4 heures, jusqu'à ce qu'elles soient froides.

> Les graines de citrouille vertes sont également connues sous le nom de pepitas. Elles sont souvent grillées, ce qui fait ressortir leur goût de noisette. Dans cette recette, assurez-vous d'utiliser des graines de citrouille écalées.

VARIANTE

Pour donner à ces hors-d'œuvre un petit goût de fromage, mélangez la moitié du pesto avec 60 ml (¼ tasse) de fromage de chèvre ramolli. À l'aide de la poche à pâtisserie, farcissez les tomates de ce mélange. Couvrez le reste du pesto et mettez-le au réfrigérateur pour un usage ultérieur. Il se conservera jusqu'à 2 jours.

Valeur nutritive par portion	
Calories	30
Lipides	2,7 g
saturés	0,3 g
Sodium	25 mg (1 % VQ)
Glucides	1 g
Fibres	1 g (4 % VQ)
Protéines	1 g
Calcium	7 mg (1 % VQ)
Fer	0,3 mg (2 % VQ)

Équivalents par portion pour les personnes diabétiques :

½ Matières grasses

Piments jalapeños grillés, farcis

Adam Hudson, diététiste, Ontario

4 PORTIONS

PORTION DE **2** DEMI-PIMENTS

Les piments jalapeños grillés sur le barbecue ont une agréable saveur fumée.

CONSEIL

Quand vous manipulez des piments jalapeños, portez des gants jetables pour que les huiles piquantes qu'ils dégagent ne soient pas en contact avec votre peau.

- *Préchauffer le barbecue à température moyenne*

4 piments jalapeños, coupés en 2 dans le sens de la longueur et épépinés
60 ml (¼ tasse) de hoummos aromatisé au piment ou d'un autre type de hoummos

1. Farcir chaque demi-piment de 7 ml (1 ½ c. à thé) de hoummos. Les mettre sur le barbecue préchauffé, côté farce vers le haut, et les griller de 4 à 5 minutes ou jusqu'à ce que les marques du gril apparaissent sous les piments.

Les piments jalapeños sont l'une des 100 variétés de piments. Malgré leur réputation, ils sont considérés comme moyennement forts, car plusieurs autres variétés sont plus fortes. Les piments chipotle sont des piments jalapeños séchés et fumés.

VARIANTE

Pour farcir les piments, vous pouvez remplacer le hoummos par un mélange de 60 ml (¼ tasse) de fromage à la crème léger, de 10 ml (2 c. à thé) d'échalotes finement émincées, de 10 ml (2 c. à thé) de jus de citron vert fraîchement pressé, de 5 ml (1 c. à thé) d'ail finement haché et de 1 ml (¼ c. à thé) de poivre noir fraîchement moulu.

Valeur nutritive par portion	
Calories	24
Lipides	1,2 g
saturés	0,2 g
Sodium	46 mg (2 % VQ)
Glucides	2 g
Fibres	1 g (4 % VQ)
Protéines	1 g
Calcium	6 mg (1 % VQ)
Fer	0,4 mg (3 % VQ)

Équivalents par portion pour les personnes diabétiques:
1   Extra

Pirojkis aux fruits

Dianna Bihun, diététiste, Colombie-Britannique

✓ Le choix des enfants

Par un beau samedi frais, invitez les enfants et les petits-enfants à venir vous aider à préparer ce plat, puis savourez-le ensemble.

Conseils

Vous pouvez utiliser un mélange de petits fruits, des prunes ou des cerises.

Si vous utilisez des fruits surgelés, ne les décongelez pas. Sucrez-les légèrement, si désiré, et brassez-les en ajoutant jusqu'à 125 ml (½ tasse) de farine tout usage pour empêcher le jus de couler quand les fruits dégèleront.

Vous pouvez laisser reposer la pâte à pirojkis, couverte, pendant quelques heures. Elle devient plus tendre après un temps de repos.

Valeur nutritive par portion	
Calories	141
Lipides	1,5 g
saturés	0,1 g
Sodium	23 mg (1 % VQ)
Glucides	29 g
Fibres	2 g (8 % VQ)
Protéines	3 g
Calcium	13 mg (1 % VQ)
Fer	1,5 mg (11 % VQ)

Teneur très élevée en acide folique
Teneur élevée en thiamine

Équivalents par portion pour les personnes diabétiques :
2   Glucides
½   Matières grasses

La pâte
Environ 750 ml (3 tasses) de farine tout usage
Une pincée de sel
15 ml (1 c. à soupe) d'huile de canola
375 ml (1 ½ tasse) d'eau chaude

La farce aux fruits
1 litre (4 tasses) de fruits frais de saison finement hachés (voir Conseils)
Sucre granulé (facultatif)

La garniture
30 ml (2 c. à soupe) de sucre granulé
5 ml (1 c. à thé) de cannelle moulue

1. *La pâte:* Dans un bol, mettre la farine et le sel. Ajouter graduellement l'huile, puis l'eau chaude, en incorporant la farine avec une cuillère en bois à mesure que l'on verse le liquide. Brasser jusqu'à ce que le mélange se tienne. Mettre la pâte sur un plan de travail fariné. La pétrir 10 minutes, jusqu'à ce qu'elle soit tendre et malléable, en ajoutant de la farine, au besoin, pour éviter que la pâte ne colle. Retourner le bol sur la pâte. Laisser reposer au moins 10 minutes.

2. *La farce:* Dans un bol, mettre les fruits et du sucre, au goût, si désiré.

3. Prélever une boule de pâte du diamètre de celui d'un deux dollars. Sur un plan de travail fariné, abaisser la pâte jusqu'à ce qu'elle n'ait pas plus que 3 mm (⅛ po) d'épaisseur et de 5 à 6 cm (2 à 2 ½ po) de diamètre. Déposer un cercle dans la paume de la main et mettre 5 ml (1 c. à thé) de farce au centre. Plier le cercle en 2 et presser les bords ensemble avec les doigts pour que la farce ne s'échappe pas. Déposer le pirojki sur un plan de travail fariné, puis le couvrir d'un linge à vaisselle. Ne pas laisser les pirojkis coller ensemble. Répéter l'opération pour le reste de pâte et de farce.

4. Dans une marmite d'eau bouillante, faire bouillir de 10 à 15 pirojkis à la fois, en les remuant délicatement avec une cuillère en bois pour les empêcher de coller, de 3 à 5 minutes ou jusqu'à ce qu'ils soient gonflés. Avec une cuillère à égoutter, les mettre dans un plat de service.

5. *La garniture:* Dans un petit bol, mettre le sucre et la cannelle. En saupoudrer les pirojkis.

Variante

Remplacez la farce aux fruits par une garniture aux graines de pavot du commerce.

Pirojkis aux pommes de terre et au fromage

Dianna Bihun, diététiste, Colombie-Britannique

Donne 35 à 40 pirojkis
Portion de 3 pirojkis

✓ **Le choix des enfants**

Nous étions très heureux de recevoir cette recette d'Europe de l'Est. C'est merveilleux de voir que la culture culinaire se transmet à travers les générations. Ne vous laissez pas impressionner par cette recette, car les ingrédients sont simples et, quand vous en aurez fait quelques fois, vous arriverez à abaisser la pâte très mince.

Valeur nutritive par portion	
Calories	213
Lipides	5,0 g
saturés	0,7 g
Sodium	36 mg (2 % VQ)
Glucides	34 g
Fibres	2 g (8 % VQ)
Protéines	8 g
Calcium	34 mg (3 % VQ)
Fer	1,5 mg (11 % VQ)

Teneur très élevée en acide folique
Teneur élevée en thiamine et niacine

**Équivalents par portion pour
les personnes diabétiques :**
2   Glucides
1   Matières grasses

La pâte
Environ 750 ml (3 tasses) de farine tout usage
Une pincée de sel
15 ml (1 c. à soupe) d'huile de canola
375 ml (1 ½ tasse) d'eau chaude

La farce aux pommes de terre et au fromage
4 pommes de terre moyennes, pelées et hachées
250 ml (1 tasse) de cheddar ou de fromage blanc pressé
30 ml (2 c. à soupe) d'huile de canola
30 ml (2 c. à soupe) d'oignon finement haché
Sel et poivre noir fraîchement moulu (facultatif)

La garniture
15 ml (1 c. à soupe) d'huile de canola
125 ml (½ tasse) d'oignon finement haché
125 ml (½ tasse) de crème sure légère

1. *La pâte:* Dans un grand bol, mettre la farine et le sel. Ajouter graduellement l'huile, puis l'eau chaude, en incorporant la farine à l'aide d'une cuillère en bois à mesure que l'on verse le liquide. Brasser jusqu'à ce que le mélange se tienne. Mettre la pâte sur un plan de travail légèrement fariné et la pétrir pendant environ 10 minutes, jusqu'à la formation d'une pâte tendre et malléable, en ajoutant de la farine, au besoin, pour éviter que la pâte ne colle. Retourner le bol sur la pâte et la laisser reposer pendant au moins 10 minutes.

2. *La farce aux pommes de terre et au fromage:* Entre-temps, remplir une grande marmite d'eau et porter à ébullition, à feu vif. Ajouter les pommes de terre, réduire le feu et laisser mijoter pendant 15 minutes ou jusqu'à ce que les pommes de terre se défassent à la fourchette. Les égoutter, puis les mettre dans un grand bol. En faire une purée plutôt homogène. Si l'on utilise du cheddar, l'incorporer maintenant pour qu'il fonde, puis laisser refroidir le mélange.

3. Dans un petit poêlon, chauffer l'huile à feu moyen-vif. Y faire sauter l'oignon pendant environ 3 minutes ou jusqu'à ce qu'il soit ramolli. Incorporer la purée de pommes de terre. Si l'on utilise du fromage cottage, l'incorporer maintenant. Saler et poivrer, si désiré. Laisser refroidir complètement.

4. Prélever une boule de pâte dont le diamètre est environ celui d'un deux dollars. Sur un plan de travail propre, légèrement fariné, abaisser la pâte jusqu'à ce qu'elle soit très mince – pas plus qu'environ 3 mm (⅛ po) d'épaisseur et de 5 à 6 cm (2 à 2 ½ po) de diamètre. Déposer un cercle dans la paume de la main et mettre environ 5 ml (1 c. à thé) de farce au centre. Plier le cercle en 2 et presser les bords ensemble avec les doigts en s'assurant que la farce ne s'est pas échappée par les bords. Déposer le pirojki sur une planche à pâtisserie ou sur un plan de travail légèrement fariné, puis le couvrir d'un linge à vaisselle propre. Ne pas laisser les pirojkis coller ensemble. Répéter l'opération pour le reste de pâte et de farce.

5. Dans une grande marmite d'eau bouillante, faire bouillir de 10 à 15 pirojkis à la fois, en remuant délicatement à l'aide d'une cuillère en bois pour les séparer et les empêcher de coller ensemble, de 3 à 5 minutes ou jusqu'à ce qu'ils soient gonflés. À l'aide d'une cuillère à égoutter, mettre les pirojkis dans un plat de service.

6. *La garniture :* Entre-temps, dans un petit poêlon, chauffer l'huile à feu moyen. Y faire sauter l'oignon pendant environ 8 minutes ou jusqu'à ce qu'il soit bien doré. Ajouter ce mélange aux pirojkis, en les remuant délicatement pour les couvrir du mélange d'oignon. Servir avec de la crème sure pour accompagner.

> Les pirojkis, que l'on nomme aussi piroguis et pierogis, sont de petits pâtés farcis provenant d'Europe de l'Est. Plusieurs cultures préparent des plats du même genre : les dumplings asiatiques, les *gyoza* ou raviolis japonais, les raviolis italiens et les *palt* ou dumplings de pommes de terre suédois, par exemple.

Variantes

Remplacez la farce de pommes de terre par 5 ml (1 c. à thé) de champignons sautés finement hachés avec lesquels vous farcirez chaque pirojki.

Vous pouvez farcir chaque pirojki avec 5 ml (1 c. à thé) de choucroute et d'oignons sautés, plutôt qu'avec la farce de pommes de terre.

Suggestion de service

Servez les pirojkis avec un autre plat traditionnel d'Europe de l'Est, comme les cigares au chou.

Conseils

Vous pouvez laisser reposer la pâte à pirojkis, couverte, pendant plusieurs heures. Elle devient plus tendre après un temps de repos.

Le temps de cuisson des pirojkis peut varier selon leur grosseur et l'épaisseur de la pâte.

Strata au tofu à la méditerranéenne

Desiree Nielsen, diététiste, Colombie-Britannique

Dans ce hors-d'œuvre exceptionnel, les protéines de la polenta (faite de semoule de maïs) complètent celles du tofu (fait de soya). Le mari de Desiree n'est pas un amateur de tofu, alors, pour réussir à lui en faire manger, elle a déployé des trésors d'imagination pour la présentation. Cette entrée végétarienne élégante, qui comporte plusieurs étages, présente une variété de couleurs et de textures.

CONSEILS

Quand vous faites dorer le tofu, faites preuve de patience, car si vous le retournez trop rapidement, il peut se briser. Un tofu doré uniformément donnera au plat une merveilleuse texture.

Vous pouvez aussi servir ce plat comme plat principal, vous mettez alors 2 tours par assiette.

Valeur nutritive par portion	
Calories	196
Lipides	9,8 g
saturés	2,1 g
Sodium	265 mg (11 % VQ)
Glucides	16 g
Fibres	2 g (8 % VQ)
Protéines	12 g
Calcium	150 mg (14 % VQ)
Fer	2,6 mg (19 % VQ)

Équivalents par portion pour les personnes diabétiques :

1 Glucides
1 Viandes et substituts
1 Matières grasses

- *Préchauffer le four à 100 °C (200 °F)*
- *Un plat allant au four*

30 ml (2 c. à soupe) d'huile de canola, au total
1 rouleau de polenta précuite de 500 g (16 oz) coupé en 16 tranches
500 ml (2 tasses) de champignons grossièrement hachés
250 ml (1 tasse) de courgettes grossièrement hachées, soit environ 1 moyenne
0,5 ml (⅛ c. à thé) de piment rouge en flocons
3 gousses d'ail hachées
500 ml (2 tasses) de tomates en dés à teneur réduite en sodium, en conserve
5 ml (1 c. à thé) de thym frais, haché
Un brin de romarin frais
500 g (1 lb) de tofu ferme pressé, coupé en 16 tranches
125 ml (½ tasse) de fromage de chèvre émietté

1. Dans un grand poêlon antiadhésif, chauffer 10 ml (2 c. à thé) de l'huile, à feu moyen-vif. En plusieurs fois, au besoin, faire dorer la polenta de 2 à 3 minutes de chaque côté ou jusqu'à ce qu'elle soit croustillante. La mettre ensuite dans un plat allant au four et la réserver au four préchauffé.

2. Dans le même poêlon, à feu moyen, chauffer 10 ml (2 c. à thé) de l'huile. Y faire sauter les champignons, les courgettes et le piment en flocons de 4 à 5 minutes ou jusqu'à ce que ce soit tendre. Ajouter l'ail et le faire sauter 30 secondes. Incorporer les tomates, le thym et le romarin, puis porter à ébullition. Réduire le feu et laisser mijoter, en mélangeant de temps en temps, pendant 20 minutes. Jeter le romarin.

3. Entre-temps, dans un autre poêlon antiadhésif, chauffer le reste de l'huile à feu moyen-vif. Faire frire 8 des tranches de tofu de 3 à 4 minutes de chaque côté ou jusqu'à ce qu'elles soient bien dorées. Ajouter ces tranches de tofu au plat allant au four et les garder au chaud pendant que l'on fait dorer le reste du tofu.

4. Utiliser 8 assiettes, sur chacune d'entre elles, déposer en alternance 2 tranches de polenta et 2 tranches de tofu pour former une tour. Répartir le mélange de légumes également entre chacune des tours. Émietter le fromage de chèvre au-dessus de chaque assiette.

VARIANTE

Vous pouvez remplacer le fromage de chèvre par de la feta.

Sushis au crabe et aux patates douces faciles à préparer

Patricia Chuey, diététiste, Colombie-Britannique

8 PORTIONS

✓ LE CHOIX DES ENFANTS

Voici une façon de découvrir les sushis, car les garnitures varient à l'infini. Comme on peut les manger avec les doigts, ils constituent des amuse-gueule parfaits lors des réceptions.

CONSEIL

Gardez de l'eau chaude tout près, c'est très pratique pour laver le couteau et vous laver les mains, car le riz est très collant.

VARIANTE

Remplacez le crabe par du thon ou du saumon en conserve, égoutté, mélangé avec 15 ml (1 c. à soupe) de mayonnaise légère supplémentaire.

Valeur nutritive par portion	
Calories	267
Lipides	5,5 g
saturés	0,8 g
Sodium	113 mg (5 % VQ)
Glucides	45 g
Fibres	4 g (16 % VQ)
Protéines	9 g
Calcium	33 mg (3 % VQ)
Fer	0,8 mg (6 % VQ)

Teneur très élevée en vitamine A et vitamine B$_{12}$
Teneur élevée en zinc, acide folique et niacine

Équivalents par portion pour les personnes diabétiques :
3 Glucides
1 Matières grasses

500 ml (2 tasses) de riz à sushi
30 ml (2 c. à soupe) de vinaigre de riz
1 patate douce, pelée
8 feuilles de nori (algues séchées)
30 ml (2 c. à soupe) de mayonnaise légère
1 avocat coupé en 16 tranches
250 ml (1 tasse) de chair de crabe ou de simili-chair de crabe hachée
Sauce soya légère (faible en sodium), wasabi et gingembre (facultatif)

1. Préparer le riz selon les instructions qui figurent sur l'emballage. Le laisser refroidir. Incorporer le vinaigre de riz.
2. Trancher la patate douce en 16 longs bâtonnets d'environ 1 cm (½ po) de largeur chacun. Les mettre dans un plat et ajouter quelques gouttes d'eau. Couvrir de pellicule plastique, en laissant un coin ouvert pour que l'air circule, puis les cuire au micro-ondes, à puissance élevée, de 2 à 3 minutes ou jusqu'à ce qu'ils soient tout juste tendres. Les laisser refroidir.
3. Déposer une feuille de nori sur un plan de travail. Étendre ⅛ du riz en une couche mince sur le tiers inférieur de la feuille. Étendre par-dessus environ 3 ml (¾ c. à thé) de mayonnaise. Déposer 2 bâtonnets de patate douce, 2 tranches d'avocat et ⅛ du crabe le long du riz sur toute la largeur de la feuille de nori.
4. Soulever délicatement le bas de la feuille de nori et la rouler sur le riz et la garniture, comme on roulerait un burrito. La rouler lentement et rouler serré. À environ 2,5 cm (1 po) de l'extrémité de la feuille, mouiller légèrement le reste de la feuille de quelques gouttes d'eau et continuer à rouler pour souder le rouleau. Réserver, puis répéter l'opération pour le reste des feuilles de nori, le riz, la mayonnaise, la patate douce, l'avocat et le crabe. Couper en petits rouleaux de 5 cm (2 po) et, si désiré, servir les sushis avec de petits bols de sauce soya, de wasabi et de gingembre.

> Les patates douces et les ignames n'ont aucun lien du point de vue botanique. Les ignames sont les tubercules d'une plante grimpante des Caraïbes, elles sont moins sucrées que les patates douces et pèsent jusqu'à 18 kg (40 lb). Les patates douces sont cultivées comme des légumes-racines et sont plus petites et plus sucrées.

Tomates cerises farcies au crabe

Mary Sue Waisman, diététiste, Nouvelle-Écosse

6 PORTIONS

Servez ces savoureuses petites bouchées sur un plat de service couvert de chou frisé ou d'autres verdures vert foncé. Si vous manquez de temps, préparez seulement la garniture et servez-la comme trempette avec des crudités.

CONSEILS

Si vous préférez, remplacez le crabe par du simili-crabe (morceaux de goberge à saveur de crabe).

Utilisez un couteau très coupant pour obtenir une coupe nette dans les tomates.

12 tomates cocktail ou grosses tomates cerises
1 boîte de 156 g (5 ½ oz) de chair de crabe égouttée
30 ml (2 c. à soupe) de fromage à la crème léger (nature ou aromatisé)
30 ml (2 c. à soupe) de mayonnaise légère
15 ml (1 c. à soupe) d'oignon rouge en dés fins
15 ml (1 c. à soupe) de jus de citron fraîchement pressé
2 ml (½ c. à thé) de raifort préparé
15 ml (1 c. à soupe) de ciboulette ciselée

1. Couper une tranche très mince à la base des tomates pour qu'elles puissent tenir droit. Couper de 3 à 5 mm (⅛ à ¼ po) dans la partie supérieure des tomates et retirer la chair. La conserver pour une utilisation ultérieure ou la jeter. Retourner les tomates sur une assiette couverte de papier essuie-tout et les laisser égoutter.
2. Gratter la chair de crabe pour enlever toute trace de carapace ou de cartilage. Dans un petit bol, mélanger le crabe, le fromage à la crème, la mayonnaise, l'oignon rouge, le jus de citron et le raifort. Farcir chaque tomate d'environ 10 ml (2 c. à thé) de garniture de crabe. Garnir de ciboulette, puis servir.

VARIANTE

Ajoutez quelques gouttes de sauce aux piments forts ou 2 ml (½ c. à thé) de poudre de cari au mélange de crabe.

Valeur nutritive par portion	
Calories	53
Lipides	2,8 g
saturés	0,9 g
Sodium	194 mg (8 % VQ)
Glucides	3 g
Fibres	1 g (4 % VQ)
Protéines	4 g
Calcium	21 mg (2 % VQ)
Fer	0,7 mg (5 % VQ)

Équivalents par portion pour les personnes diabétiques :
½ Viandes et substituts

Pétoncles aux agrumes

Mary Sue Waisman, diététiste, Nouvelle-Écosse

4 PORTIONS

Les pétoncles géants, bien dodus, font une entrée élégante. La petite touche de beurre est indispensable pour en rehausser la saveur.

CONSEIL

Pour éviter d'avoir des pétoncles pâteux, assurez-vous qu'ils soient secs avant de les passer dans la chapelure.

8 pétoncles géants, soit environ 500 g (1 lb)
Une pincée de sel
Une pincée de poivre noir fraîchement moulu
60 ml (¼ tasse) de chapelure fine
15 ml (1 c. à soupe) de beurre
30 ml (2 c. à soupe) de jus de citron fraîchement pressé
30 ml (2 c. à soupe) de jus de pamplemousse fraîchement pressé
15 ml (1 c. à soupe) de ciboulette ciselée

1. Mettre les pétoncles dans un plat dont le fond est couvert de papier essuie-tout. Couvrir d'un autre papier essuie-tout, puis éponger les pétoncles. Saler et poivrer légèrement les pétoncles.
2. Mettre la chapelure dans un petit plat. Plonger les pétoncles dans la chapelure, en les retournant pour bien les couvrir de tous les côtés, puis les secouer pour enlever le surplus. Jeter le surplus de chapelure.
3. Dans un grand poêlon antiadhésif, faire fondre le beurre à feu moyen-vif, en faisant tourner le poêlon pour le couvrir de beurre. Quand le beurre ne mousse plus, mettre les pétoncles dans le poêlon, en s'assurant de ne pas les tasser. Réduire à feu moyen et cuire pendant environ 2 minutes ou jusqu'à ce que le dessous soit doré. Retourner les pétoncles et cuire pendant 2 minutes. Ajouter le jus de citron et le jus de pamplemousse. Cuire jusqu'à ce que le liquide ait réduit de moitié et que les pétoncles soient encore tout juste fermes et opaques. Garnir de ciboulette, puis servir.

VARIANTES

Assaisonnez la chapelure avec des fines herbes hachées, comme l'aneth, la coriandre ou le persil, frais, ou avec des épices, comme la poudre de cari.

Vous pouvez remplacer le jus de citron ou le jus de pamplemousse par du jus d'orange.

SUGGESTION DE SERVICE

Déposez 2 pétoncles et un peu du jus de cuisson des pétoncles dans une coquille Saint-Jacques propre et servez-la avec une tranche de baguette de blé entier bien croustillante.

Valeur nutritive par portion	
Calories	157
Lipides	4,1 g
saturés	2,0 g
Sodium	324 mg (14 % VQ)
Glucides	9 g
Fibres	0 g (0 % VQ)
Protéines	20 g
Calcium	42 mg (4 % VQ)
Fer	0,7 mg (5 % VQ)

Teneur très élevée en magnésium et vitamine B_{12}
Teneur élevée en niacine

Équivalents par portion pour les personnes diabétiques :
½ Glucides
2 Viandes et substituts

Cinq hors-d'œuvre fantastiques vite faits

Brochettes de fromage de chèvre et de raisins

Couper en 2 de gros raisins rouges et verts, sans pépins. Pour chaque hors-d'œuvre, faire une boule de 1 cm (½ po) de fromage de chèvre nature ou de fromage de chèvre aux canneberges, puis la rouler dans des noix ou des pistaches, grillées, finement hachées. Sur chaque brochette à cocktail, enfiler un demi-raisin rouge, une boule de fromage et un demi-raisin vert.

Bouchées d'abricots

Pour faire chaque hors-d'œuvre, former un disque de fromage de chèvre de 2,5 x 0,5 cm (1 x ¼ po) et le rouler dans un mélange de canneberges séchées, finement hachées et de pistaches grillées. Déposer chaque disque de fromage sur un demi-abricot. Fixer le tout avec une brochette à cocktail, si désiré.

Brochettes de tortellinis

Sur chaque brochette à cocktail, enfiler les aliments suivants : une feuille de basilic frais, une olive noire dénoyautée, un tortellini cuit, une tomate raisin et une autre feuille de basilic frais. (Si désiré, on peut d'abord mariner les tomates et les tortellinis dans sa vinaigrette italienne préférée.) Pour une présentation attrayante, déposer les brochettes dans un plat de service en verre ou dans un verre.

Poire caramélisée au brie

Peler une poire et la couper en 8 tranches. Dans un poêlon antiadhésif, faire fondre 5 ml (1 c. à thé) de beurre, à feu moyen-vif. Ajouter 5 ml (1 c. à thé) de sirop d'érable pur à 100 % et faire tourner le poêlon pour le couvrir de sirop. Ajouter les tranches de poire et cuire, en les retournant 1 ou 2 fois, pendant environ 5 minutes ou jusqu'à ce qu'elles soient caramélisées. Mettre une petite tranche de brie ou de camembert sur une tranche de baguette, puis garnir d'une tranche de poire caramélisée.

Tranches de pomme relevées

Couper une pomme Jonagold, Gala ou Cortland en tranches fines. Garnir chaque tranche de 1 à 2 feuilles de roquette et d'une mince tranche de cheddar fort.

Cinq hors-d'œuvre de pâte phyllo sans beurre

Pour préparer des hors-d'œuvre ou des desserts avec de la pâte phyllo, comme les baklavas, on badigeonne de beurre plusieurs couches de pâte extrêmement fine. Nous avons trouvé une façon d'utiliser cette populaire pâte dans une variété de hors-d'œuvre sans y ajouter de beurre.

Étendre 2 feuilles de pâte phyllo sur un plan de travail propre. Couvrir le reste de pâte d'un essuie-tout humide pour éviter qu'elle ne sèche pendant le travail. Vaporiser légèrement la pâte d'huile. Couper la pâte en 2 dans le sens de la longueur, puis en diagonale en lisières de 5 cm (2 po) de largeur. Cela devrait donner 14 morceaux de pâte. Déposer la garniture désirée (voir les suggestions de garnitures, plus bas) au bas de chaque lisière. Replier le coin inférieur en diagonale sur la garniture et rouler, un peu comme un drapeau, pour obtenir de petites poches triangulaires. Vaporiser légèrement le dessus d'huile. Les mettre ensuite sur une plaque à pâtisserie légèrement graissée. Cuire au four à 200 °C (400 °F) de 10 à 12 minutes ou jusqu'à ce que la pâte soit dorée et que la garniture soit chaude.

Les garnitures
1. Une boule de fromage de chèvre de 1 cm (½ po) roulée dans des canneberges séchées, finement hachées, et des noix.
2. Une mince tranche de rôti de bœuf saignant et 7 ml (1 ½ c. à thé) d'oignons caramélisés.
3. ½ fraise fraîche, ½ feuille de menthe fraîche et une boule de fromage de chèvre de 1 cm (½ po).
4. 2 à 5 ml (½ à 1 c. à thé) de Tartinade à panini polyvalente (p. 74).
5. Un cube de brie de 1 cm (½ po) roulé dans des abricots séchés, finement hachés, et des pistaches.

Les soupes

La soupe maison est l'aliment réconfort par excellence. Elle peut être très simple et contenir peu d'ingrédients ou être plus élaborée et contenir tout plein de légumes, de légumineuses et de viandes. La plupart des soupes se servent chaudes, mais par une journée de canicule, une soupe froide, comme la Soupe froide aux quatre petits fruits, peut être très rafraîchissante. Lors d'un repas plus élaboré, servez la Crème aux poires et aux panais grillés, au début du repas, par exemple. Si vous voulez une soupe plus nourrissante, essayez la Soupe au poulet et aux tortellinis. Préparez une bonne quantité de soupe la fin de semaine et utilisez-la pour les lunchs pendant la semaine.

Soupe froide aux quatre petits fruits   120

Soupe aux épinards   121

Velouté aux petits pois et à l'estragon   122

Potage au brocoli et au fromage   123

Soupe au chou-fleur et au poivron rouge,
   grillés   124

Soupe aux oignons caramélisés et
   aux champignons grillés.   125

Crème aux poires et aux panais grillés.   126

Soupe d'hiver aux légumes-racines   127

Soupe aux patates douces, à l'orange
   et au gingembre   128

Potage à la courge musquée et
   aux haricots blancs au cari.   129

Soupe aux haricots Pinto garnie de lanières
   de tortilla   130

Chaudrée de poulet et de maïs.   132

Soupe au poulet et aux tortellinis.   133

Soupe au poulet à l'asiatique.   134

Soupe à la dinde et au riz sauvage   135

Soupe aux mini-boulettes de viande   136

Pourquoi faire tant d'histoires autour du sel ?

Nous consommons trop de sel – ou plus précisément trop de sodium, que l'on trouve dans le sel. D'après l'Enquête sur la santé dans les collectivités canadiennes cycle 2.2, volet nutrition, les Canadiens consomment environ 3400 mg de sodium par jour, une quantité supérieure à l'apport recommandé. Or, une surconsommation de sodium sur une base régulière, peut augmenter le risque d'hypertension artérielle ainsi que les risques de maladies du cœur, comme les crises cardiaques et les accidents vasculaires cérébraux.

La plus grande partie du sodium que nous consommons ne provient pas du sel de table que nous ajoutons nous-mêmes à nos aliments, mais des aliments préparés, comme les soupes en conserve, les charcuteries, la pizza, les hot-dogs et les produits de boulangerie du commerce, comme les pains. Le Groupe de travail sur le sodium (un groupe de travail multi-intervenants, constitué par le ministre de la Santé afin d'élaborer une stratégie sur la santé de la population visant à réduire l'apport en sodium des Canadiens) recommande que la population réduise son apport en sodium. L'objectif est de réduire l'apport quotidien moyen de la population à 2300 mg d'ici à 2016.

10 façons de réduire votre consommation de sodium

1. Misez sur les aliments frais. Cuisinez davantage. Recherchez des recettes vite faites, simples et réduites en sel. Planifiez votre menu de la semaine.
2. Relevez la saveur des aliments avec du jus de citron jaune ou du jus de citron vert, du vinaigre, du vin, de l'ail frais, des fines herbes et des épices. Évitez les assaisonnements qui contiennent du sodium, comme le sel d'ail.
3. Évitez d'ajouter du sel à table et utilisez-en le moins possible pour la préparation des aliments.
4. Lisez les étiquettes pour vérifier la teneur en sodium, qui peut varier grandement pour un même aliment. Pour la plupart des aliments, peu de sodium équivaut à 140 mg ou 5 % VQ ou moins par portion (portion de référence). Achetez des produits dont le pourcentage de la valeur quotidienne (% VQ) de sodium est le plus bas.
5. Optez pour des aliments qui portent la mention «faible teneur en sodium», «teneur réduite en sodium» ou «sans sel». Continuez à lire les étiquettes. De nombreux produits réduits en sodium, même s'ils contiennent moins de sodium que le produit original, contiennent tout de même beaucoup de sodium. Rappelez-vous: 5 % VQ ou moins, c'est peu et 15 % VQ ou plus, c'est beaucoup.
6. Réduisez les portions d'aliments préparés ou transformés et la fréquence à laquelle vous les consommez. Parmi ces aliments, on trouve, entre autres: les soupes en conserve; les pâtes ou le riz avec sauce; les aliments «instantanés», comme les soupes et les nouilles; le fromage fondu en tranches et le fromage à tartiner; les viandes traitées, salées ou fumées, comme les saucisses, les saucisses fumées, le jambon, le bacon, le pepperoni et les poissons et fruits de mer fumés; les légumes, les viandes et le poisson en conserve (bien qu'on puisse réduire la quantité de sodium de ces derniers en les rinçant à l'eau) et les jus de tomate et de légumes.
7. Réduisez votre consommation de collations salées, comme les croustilles, les craquelins, le maïs soufflé et les noix.
8. Réduisez votre consommation de marinades, de relishs, de salsas, de trempettes, de chutneys, de choucroutes et d'olives.
9. Utilisez de plus petites quantités de condiments riches en sel, comme le ketchup, la moutarde, la sauce soya, la sauce à salade, la sauce barbecue et autres sauces.
10. Mangez moins souvent au restaurant. Même si plusieurs restaurants-minute offrent des choix réduits en glucides et réduits en lipides, leurs produits contiennent une bonne dose de sodium. Demandez l'information nutritionnelle des aliments du menu et choisissez ceux qui contiennent le moins de sodium. N'hésitez pas à demander si l'on peut préparer votre plat sans ajouter de sel et demandez que les sauces soient servies en accompagnement.

Les divers types de sel

- **Le sel de table** est un sel fin qui est extrait des mines de sel. Habituellement, on lui ajoute un agent antiagglomérant, comme le silicate de calcium, pour qu'il s'écoule librement. Depuis les années 1920, le sel de table est enrichi d'iode afin de prévenir le goitre, qui était répandu dans de nombreuses régions de l'Amérique du Nord où l'apport en iode alimentaire était très faible. De nos jours, les déficiences en iode sont plutôt rares. Le sel de table est fait de chlorure de sodium à 99 %.

- **Le sel de mer** provient de l'évaporation de l'eau de mer. Il prend parfois le nom de la mer d'où il est extrait. Les grands cuisiniers peuvent souvent identifier les différentes variétés de sel de mer par leur goût subtilement nuancé et leur apparence. Le sel de mer non raffiné contient de 95 à 98 % de chlorure de sodium et de 2 à 5 % d'oligoéléments.

- **Le sel casher** est très semblable au sel de table, mais il ne contient pas d'additifs et ses cristaux sont plus gros. On l'utilise pour préparer les viandes selon les règles diététiques juives.

- **Le sel pour marinades** est utilisé dans les saumures pour mariner les aliments. Ses cristaux sont habituellement plus gros que ceux du sel de table, mais il ne contient pas d'iode ni d'antiagglomérant pour ne pas troubler la marinade.

Tous les sels renferment environ 2300 mg de sodium par 5 ml (1 c. à thé).

Petit cours de cuisine familiale

Ajoutez du goût, pas du sel

Nous assaisonnons trop souvent les aliments, comme les viandes et les légumes, en leur ajoutant du sel. Voici quelques suggestions pour rehausser la saveur de vos aliments sans ajouter de sel.

Viandes et substituts	Assaisonnements suggérés
Agneau	Basilic, feuille de laurier, cardamome, cannelle, coriandre, cumin, poudre de cari, fenouil, ail, gingembre, citron, menthe, orange, origan, persil, poivre noir, romarin, sauge, estragon et thym
Bœuf	Ail, oignons, thym, feuille de laurier, poivre noir, persil et champignons
Haricots, pois et lentilles	Persil, sarriette, ail, thym, poivre noir, champignons, cumin, poudre de cari, romarin, sauge et jus ou zeste de citron
Œufs	Poivre noir ou blanc, épinards, un mélange d'herbes et d'épices, oignons et muscade
Poisson	Aneth, persil, jus de citron, fenouil, gingembre et citronnelle
Porc	Pommes, gingembre, sauge, pêches, romarin, feuille de laurier et thym
Poulet	Basilic, feuille de laurier, cannelle, ail, gingembre, citron, persil, romarin, estragon et thym

Les substituts du sel

- Il est possible de remplacer le sel par des mélanges d'assaisonnement sans sel. Ces mélanges, une combinaison de fines herbes séchées et d'épices, ne contiennent pas de chlorure de sodium.

- Dans les succédanés du sel, on remplace une partie ou la totalité du sodium dans le sel par un autre minéral, comme le potassium ou le magnésium. Le chlorure de potassium est un succédané de sel couramment utilisé.

- Assaisonnez vos aliments avec des herbes et des épices, plutôt qu'avec du sel. Parcourez les suggestions ci-dessous pour vous inspirer.

Légumes	Assaisonnements suggérés
Betterave	Ciboulette, aneth, citron, jus ou zeste d'orange, échalotes, estragon et vinaigres
Brocoli	Piments, ail, citron, estragon, graines de sésame et huile de sésame
Carotte	Cerfeuil, piments, gingembre, citron, sirop d'érable, jus d'orange et persil
Champignons	Ail, persil, romarin et sauge
Chou blanc	Graines de carvi, ail, baies de genièvre, poivre noir et thym
Chou rouge	Pommes, feuille de laurier, citron, poivre noir et vinaigre balsamique
Chou-fleur	Cari, aneth, citron, menthe et poivre noir
Choux de Bruxelles	Ail, citron, persil, poivre noir, thym, muscade et vinaigre de cidre
Courge	Piment de la Jamaïque, cannelle, clous de girofle, muscade, sauge et thym
Courgette	Basilic, ail, citron, marjolaine, persil, thym et poivre noir
Épinards	Aneth, ail, muscade, poivre noir et graines de sésame
Haricots verts	Basilic, oignons, persil, sarriette, tomates, jus ou zeste de citron et jus ou zeste d'orange
Pois	Cerfeuil, menthe, sauge et estragon
Poivron	Basilic, ail et thym

Soupe froide aux quatre petits fruits

Mary Sue Waisman, diététiste, Nouvelle-Écosse

6 PORTIONS

Par une chaude journée d'été, cette soupe est tout à fait rafraîchissante.

CONSEIL

Vous pouvez aussi servir la soupe sans la filtrer, mais elle contiendra alors quelques graines.

- *Un robot culinaire, un mélangeur ou un mélangeur à immersion*
- *Un tamis fin*

1 litre (4 tasses) d'un mélange surgelé de 4 petits fruits, décongelé
125 ml (½ tasse) de sucre granulé
125 ml (½ tasse) de vin blanc frais et léger, comme un sauvignon blanc
125 ml (½ tasse) de jus d'orange, de fraise et de banane
1 bâton de cannelle de 10 cm (4 po)
175 ml (¾ tasse) de yogourt aux fraises faible en gras

1. Dans une grande casserole, mettre les petits fruits, le sucre, 250 ml (1 tasse) d'eau, le vin, le jus et la cannelle. Porter à ébullition à feu vif. Réduire le feu et laisser mijoter pendant 10 minutes. Jeter le bâton de cannelle et laisser la soupe refroidir légèrement.
2. Mettre une partie de la soupe dans un robot culinaire (ou utiliser un mélangeur à immersion dans la casserole) et la réduire en une purée lisse. Répéter l'opération pour le reste de la soupe. Déposer le tamis sur un bol et filtrer la soupe, en pressant légèrement les fruits, au besoin. Jeter les graines.
3. Incorporer le yogourt à la soupe. Couvrir et mettre la soupe au réfrigérateur pendant au moins 4 heures, jusqu'à ce qu'elle soit froide, ou jusqu'à une journée.

> Le sauvignon blanc est un type de cépage originaire de France. Ces raisins blancs sont désormais cultivés dans plusieurs parties du monde. Ils entrent dans la fabrication du vin blanc du même nom, qui est bien apprécié.

VARIANTE

N'importe quel mélange de petits fruits frais ou surgelés donnera aussi de bons résultats.

SUGGESTION DE SERVICE

Pour un barbecue estival ou une réception, servez cette soupe en entrée. Un délice!

Valeur nutritive par portion	
Calories	167
Lipides	0,7 g
saturés	0,2 g
Sodium	23 mg (1 % VQ)
Glucides	37 g
Fibres	3 g (12 % VQ)
Protéines	2 g
Calcium	73 mg (7 % VQ)
Fer	0,8 mg (6 % VQ)

Équivalents par portion pour les personnes diabétiques :
2   Glucides

Soupe aux épinards

Carmelina Salomone, Ontario

De 4 à 6 portions

✓ Le choix des enfants

Cette soupe constitue une façon rapide et savoureuse d'ajouter des épinards au menu. La fille de Carmelina est responsable de laver et de rincer les épinards. Pour le lunch de vos enfants, mettez la soupe chaude dans des contenants isothermes.

Conseil

La soupe est plus facile à manger lorsqu'on utilise des épinards qu'on aura d'abord hachés avant de les ajouter au bouillon. De plus, la couleur verte des épinards est mieux répartie dans la soupe.

15 ml (1 c. à soupe) d'huile de canola
250 ml (1 tasse) d'oignon haché
2 gousses d'ail, hachées
1 paquet de 300 g (10 oz) de jeunes épinards, grossièrement hachés
1 litre (4 tasses) de bouillon de poulet à teneur réduite en sodium
125 ml (½ tasse) d'orzo, de peperini ou d'autres toutes petites pâtes
Poivre noir fraîchement moulu
60 ml (¼ tasse) de parmesan fraîchement râpé

1. Dans une grande casserole, chauffer l'huile, à feu moyen. Y faire sauter l'oignon de 3 à 4 minutes ou jusqu'à ce qu'il soit ramolli. Ajouter l'ail et le faire sauter pendant 30 secondes. Ajouter les épinards et cuire, en brassant, de 2 à 3 minutes ou jusqu'à ce que les épinards soient tendres et que leur volume ait diminué de moitié.
2. Ajouter le bouillon et porter à ébullition à feu vif. Incorporer les pâtes, réduire le feu et laisser mijoter de 5 à 7 minutes ou jusqu'à ce que les pâtes soient tendres. Verser la soupe dans les bols, poivrer, au goût, et garnir de fromage.

Si vous êtes le moindrement habile, vous pouvez faire cette jolie présentation qui apportera une touche veloutée au bouillon. Pendant que la soupe cuit, mélangez, dans un petit bol, un œuf battu et 15 ml (1 c. à soupe) du parmesan. Fouettez jusqu'à ce que le fromage soit incorporé. Incorporez ensuite graduellement 30 ml (2 c. à soupe) de bouillon chaud de la soupe, en fouettant. Retirez la soupe du feu et très, très graduellement, ajoutez le mélange d'œuf dans la casserole, en brassant. Versez la soupe dans des bols et parsemez du reste du fromage.

Note : Il est important d'ajouter un peu de bouillon au mélange d'œuf afin qu'il soit presque à la même température que la soupe. Sinon, quand vous ajouterez les œufs, la chaleur les transformera en œufs brouillés.

Variante

Pour obtenir un repas plus complet, ajoutez un reste de poulet cuit, haché, ou d'autres légumes hachés.

Valeur nutritive par portion	
Calories	122
Lipides	3,9 g
saturés	0,9 g
Sodium	491 mg (20 % VQ)
Glucides	16 g
Fibres	2 g (8 % VQ)
Protéines	7 g
Calcium	126 mg (11 % VQ)
Fer	2,2 mg (16 % VQ)

Teneur très élevée en vitamine A et acide folique
Teneur élevée en magnésium

Équivalents par portion pour les personnes diabétiques :
½ Glucides
1 Matières grasses

Velouté aux petits pois et à l'estragon

Mary Sue Waisman, diététiste, Nouvelle-Écosse

6 PORTIONS

Les saveurs de ce velouté forment une combinaison gagnante, particulièrement si vous arrivez à trouver des pois frais. L'estragon est l'ingrédient clé qui rehausse la saveur de ce velouté.

CONSEILS

Assurez-vous de ne pas laisser brunir les échalotes, pour éviter d'avoir de désagréables petits morceaux bruns.

Vous pouvez filtrer la purée. Une grande partie de la matière fibreuse des pois sera alors retirée et la texture sera différente.

Valeur nutritive par portion	
Calories	101
Lipides	1,0 g
saturés	0,1 g
Sodium	398 mg (17 % VQ)
Glucides	16 g
Fibres	6 g (24 % VQ)
Protéines	7 g
Calcium	39 mg (4 % VQ)
Fer	1,5 mg (11 % VQ)

Teneur très élevée en acide folique
Teneur élevée en magnésium et thiamine

Équivalents par portion pour les personnes diabétiques :
½   Glucides

• *Un robot culinaire, un mélangeur ou un mélangeur à immersion*

5 ml (1 c. à thé) d'huile de canola
60 ml (¼ tasse) d'échalotes finement hachées
60 ml (¼ tasse) d'estragon frais haché non tassé
1 anis étoilé
1 litre (4 tasses) de petits pois frais ou surgelés (décongelés, si surgelés)
1 litre (4 tasses) de bouillon de poulet à teneur réduite en sodium
2 ml (½ c. à thé) de poivre blanc fraîchement moulu
2 ml (½ c. à thé) de sel (facultatif)

1. Dans une grande casserole, chauffer l'huile à feu moyen. Y faire sauter les échalotes pendant environ 3 minutes ou jusqu'à ce qu'elles soient ramollies, en s'assurant de ne pas les laisser brunir. Ajouter l'estragon et le faire sauter pendant 30 secondes. Ajouter l'anis étoilé, les pois et le bouillon, puis porter à ébullition. Réduire le feu et laisser mijoter pendant environ 20 minutes ou jusqu'à ce que les pois soient très tendres. Jeter l'anis.
2. Mettre une partie du mélange dans le robot culinaire (ou utiliser un mélangeur à immersion dans la casserole) et le réduire en une purée lisse. Répéter l'opération pour le reste du mélange. Remettre le velouté dans la casserole, au besoin, puis incorporer le poivre et du sel, si désiré.

L'anis étoilé possède une agréable saveur de réglisse, semblable à celle de l'anis. C'est le fruit d'un petit arbre originaire de Chine et l'un des ingrédients de la poudre de cinq épices.

SUGGESTION DE SERVICE
Vous pouvez servir cette soupe en entrée avant un plat principal de bœuf ou de porc.

Potage au brocoli et au fromage

Laura Robinson, Ontario

✓ LE CHOIX DES ENFANTS

Voici un potage nourrissant, un repas parfait par une journée froide! Le fromage à la crème ajoute une texture onctueuse et une merveilleuse saveur.

CONSEILS

Quand vous ajoutez le fromage, remuez constamment le potage pour le répartir uniformément et réduire les chances qu'il colle au fond de la casserole.

Pour obtenir un potage plus épais, utilisez jusqu'à 250 ml (1 tasse) de flocons de pommes de terre.

Une portion de ce potage fournit presque la même quantité de calcium qu'une portion de 250 ml (1 tasse) de lait.

Valeur nutritive par portion	
Calories	227
Lipides	9,8 g
saturés	4,8 g
Sodium	481 mg (20 % VQ)
Glucides	24 g
Fibres	4 g (16 % VQ)
Protéines	13 g
Calcium	336 mg (31 % VQ)
Fer	1,1 mg (8 % VQ)

Teneur très élevée en vitamine A, vitamine C et vitamine D
Teneur élevée en magnésium, vitamine B$_6$, acide folique et riboflavine

Équivalents par portion pour les personnes diabétiques :
1   Glucides
½   Viandes et substituts
1   Matières grasses

• *Un robot culinaire, un mélangeur ou un mélangeur à immersion*

15 ml (1 c. à soupe) d'huile de canola
1,25 litre (5 tasses) de bouquets de brocoli grossièrement hachés
500 ml (2 tasses) de carottes grossièrement hachées
250 ml (1 tasse) d'oignon finement haché
3 gousses d'ail, hachées
500 ml (2 tasses) de bouillon de poulet ou de bouillon de légumes à teneur réduite en sodium
1 boîte de 370 ml (13 oz) de lait évaporé 2 %
175 ml (¾ tasse) de flocons de pommes de terre instantanés
2 ml (½ c. à thé) de poivre noir fraîchement moulu
125 ml (½ tasse) de fromage à la crème léger herbes et ail
125 ml (½ tasse) de cheddar fort râpé

1. Dans une grande casserole, chauffer l'huile à feu moyen. Y faire sauter le brocoli, les carottes et l'oignon de 3 à 4 minutes ou jusqu'à ce que l'oignon soit ramolli. Ajouter l'ail, puis le faire sauter pendant 30 secondes.
2. Ajouter le bouillon et 500 ml (2 tasses) d'eau. Porter à ébullition à feu vif. Réduire le feu et laisser mijoter de 20 à 25 minutes ou jusqu'à ce que le brocoli et les carottes soient très tendres. Retirer du feu.
3. Mettre une partie du mélange dans un robot culinaire (ou utiliser un mélangeur à immersion dans la casserole) et actionner la touche Pulse 3 ou 4 fois, jusqu'à ce que les légumes aient une texture homogène, mais qu'ils ne soient pas en purée. Répéter l'opération pour le reste du mélange.
4. Remettre le potage dans la casserole, au besoin, et chauffer à feu moyen. Incorporer le lait évaporé, les flocons de pommes de terre et le poivre. Chauffer jusqu'à ce que les flocons soient ramollis. Incorporer le fromage à la crème et le cheddar. Chauffer, en brassant sans arrêt, jusqu'à ce que les fromages soient fondus et onctueux. (Ne pas laisser bouillir, sinon le potage pourrait cailler.)

On trouve du lait évaporé entier (7,8 %), partiellement écrémé (2 %) ou écrémé (0,2 %). Le lait évaporé partiellement écrémé ou écrémé permet d'obtenir la texture onctueuse d'un potage crème sans tout le gras de la crème 35 %.

Soupe au chou-fleur et au poivron rouge, grillés

Mary Sue Waisman, diététiste, Nouvelle-Écosse

De 6 à 8 portions

Cette soupe est non seulement savoureuse, mais elle est aussi très colorée et offre une texture sans pareille. Griller les légumes en intensifie les saveurs.

Conseil

Coupez le chou-fleur en petits bouquets pour que la soupe soit plus facile à manger.

Variantes

Vous pouvez utiliser un mélange de chou-fleur et de brocoli, mais la quantité totale doit être de 1,25 litre (5 tasses).

Pour faire une soupe végétalienne, remplacez le bouillon de poulet par du bouillon de légumes.

Valeur nutritive par portion	
Calories	61
Lipides	2,6 g
saturés	0,2 g
Sodium	314 mg (13 % VQ)
Glucides	8 g
Fibres	3 g (12 % VQ)
Protéines	3 g
Calcium	28 mg (3 % VQ)
Fer	0,4 mg (3 % VQ)

Teneur très élevée en vitamine A et vitamine C
Teneur élevée en acide folique

Équivalents par portion pour les personnes diabétiques :
½ Matières grasses

- *Préchauffer le four à 220 °C (425 °F)*
- *Une plaque à pâtisserie munie d'un bord, couverte de papier d'aluminium*

1,25 litre (5 tasses) de petits bouquets de chou-fleur
20 ml (4 c. à thé) d'huile de canola, au total
250 ml (1 tasse) d'oignon finement haché
250 ml (1 tasse) de carottes finement hachées
2 gousses d'ail hachées
1 litre (4 tasses) de bouillon de poulet à teneur réduite en sodium
2 poivrons rouges grillés (voir l'encadré ci-dessous), finement hachés
2 brins de thym frais
Poivre noir fraîchement moulu

1. Mettre le chou-fleur sur la plaque à pâtisserie préparée et y verser 10 ml (2 c. à thé) d'huile. Le faire griller au four préchauffé, en le retournant une fois, de 20 à 25 minutes ou jusqu'à ce qu'il commence à caraméliser et soit doré.
2. Entre-temps, dans une grande casserole, chauffer le reste de l'huile à feu moyen. Y faire sauter l'oignon et les carottes de 3 à 4 minutes ou jusqu'à ce qu'ils soient ramollis. Ajouter l'ail et le faire sauter pendant 30 secondes. Incorporer le chou-fleur caramélisé, le bouillon, les poivrons grillés et le thym. Porter à ébullition à feu vif. Réduire le feu et laisser mijoter pendant 10 minutes pour que les saveurs se marient. Jeter les brins de thym. Poivrer, au goût.

Pour faire griller des poivrons rouges, coupez-les en 4, puis retirez les graines. Mettez-les au four sur une plaque à pâtisserie munie d'un bord, côté peau vers le haut, à 230 °C (450 °F) et faites-les griller pendant 10 minutes. Retournez les poivrons et faites-les griller de 10 à 15 minutes supplémentaires ou jusqu'à ce que la peau soit noircie. Mettez les poivrons dans un petit bol, couvrez-les bien et laissez-les reposer pendant environ 15 minutes. Quand ils sont assez froids pour être manipulés, retirez la peau noircie et jetez-la.

Suggestion de service

Pour un dîner léger, servez la soupe avec un demi-sandwich au cheddar et des fruits en conserve non sucrés.

Soupe aux oignons caramélisés et aux champignons grillés

Mary Sue Waisman, diététiste, Nouvelle-Écosse

Les oignons caramélisés et les champignons grillés ajoutent une saveur étonnante à la soupe.

CONSEILS

Le marsala est un vin fortifié (c'est-à-dire qu'on lui a ajouté du brandy ou un autre alcool) fait de raisins provenant de Sicile.

Retirez les brins de romarin et de thym avant de servir la soupe.

- *Préchauffer le four à 220 °C (425 °F)*
- *Une plaque à pâtisserie munie d'un bord*

500 g (1 lb) de champignons, en quartiers
30 ml (2 c. à soupe) d'huile de canola, au total
4 brins de romarin frais, au total
4 brins de thym frais, au total
5 ml (1 c. à thé) de poivre noir fraîchement moulu, au total
500 ml (2 tasses) d'oignons grossièrement hachés
60 ml (¼ tasse) d'échalotes grossièrement hachées
60 ml (¼ tasse) de marsala
1 litre (4 tasses) de bouillon de poulet à teneur réduite en sodium
Une feuille de laurier

1. Mettre les champignons sur la plaque à pâtisserie, puis y verser 15 ml (1 c. à soupe) de l'huile. Ajouter 2 brins de romarin et 2 brins de thym. Parsemer de 2 ml (½ c. à thé) de poivre. Faire griller au four préchauffé, en brassant de temps en temps, de 20 à 25 minutes ou jusqu'à ce que les champignons soient dorés. Jeter les brins de romarin et de thym. Réserver les champignons.
2. Entre-temps, dans une grande casserole, chauffer le reste de l'huile à feu moyen. Y faire sauter les oignons et les échalotes pendant 2 minutes. Cuire à feu doux, en brassant souvent, pendant environ 15 minutes ou jusqu'à ce que les oignons soient caramélisés (bien dorés).
3. Ajouter le marsala et déglacer la casserole, en raclant le fond pour enlever tous les petits morceaux qui y ont adhéré. Ajouter les champignons grillés, le bouillon, la feuille de laurier et le reste du romarin, du thym et du poivre. Porter à ébullition à feu vif. Réduire le feu et laisser mijoter pendant 15 minutes pour que les saveurs se marient. Jeter les brins de romarin et de thym, ainsi que la feuille de laurier.

SUGGESTION DE SERVICE

Lors de votre prochaine réception, ajoutez une touche d'élégance à votre entrée! Versez la soupe dans des bols, puis garnissez-les d'une tranche de pain croûté, grillée, et de 5 ml (1 c. à thé) de parmesan.

Valeur nutritive par portion	
Calories	102
Lipides	4,8 g
saturés	0,4 g
Sodium	399 mg (17 % VQ)
Glucides	11 g
Fibres	2 g (8 % VQ)
Protéines	4 g
Calcium	27 mg (2 % VQ)
Fer	1,2 mg (9 % VQ)

Teneur élevée en vitamine D

Équivalents par portion pour les personnes diabétiques :
1   Matières grasses

Crème aux poires et aux panais grillés

Mary Sue Waisman, diététiste, Nouvelle-Écosse

DE **6** À **8** PORTIONS

Cette crème, une combinaison gagnante, est encore meilleure lorsque les panais et les poires sont grillés d'avance.

CONSEILS

Cette soupe est très épaisse, il est donc préférable de la servir en petites portions.

Les panais caramélisés et les poires font aussi un savoureux plat d'accompagnement.

SUGGESTION DE SERVICE

Vous pouvez servir cette soupe en entrée, pour un repas de l'Action de grâce. Vos convives la trouveront tout à fait délectable.

Valeur nutritive par portion	
Calories	104
Lipides	2,7 g
saturés	0,3 g
Sodium	305 mg (13 % VQ)
Glucides	19 g
Fibres	3 g (12 % VQ)
Protéines	3 g
Calcium	39 mg (4 % VQ)
Fer	0,5 mg (4 % VQ)

Teneur élevée en acide folique

Équivalents par portion pour les personnes diabétiques :
½ Glucides
½ Matières grasses

- *Préchauffer le four à 220 °C (425 °F)*
- *Une plaque à pâtisserie munie d'un bord, couverte de papier d'aluminium*
- *Un robot culinaire, un mélangeur ou un mélangeur à immersion*

500 g (1 lb) de panais, coupés en quartiers dans le sens de la longueur
2 poires Bosc pelées et tranchées
20 ml (4 c. à thé) d'huile de canola, au total
10 ml (2 c. à thé) de sirop d'érable pur à 100 %
125 ml (½ tasse) d'oignon finement haché
1 gousse d'ail, hachée
1 litre (4 tasses) de bouillon de poulet à teneur réduite en sodium
125 ml (½ tasse) de jus de pomme non sucré
30 ml (2 c. à soupe) de crème sure légère
Cannelle moulue

1. Mettre les panais et les poires sur la plaque à pâtisserie préparée, puis y verser 10 ml (2 c. à thé) de l'huile et le sirop d'érable. Les faire griller au four préchauffé, en les brassant une fois, de 20 à 25 minutes ou jusqu'à ce qu'ils commencent à caraméliser et qu'ils soient dorés.
2. Entre-temps, dans une grande casserole, chauffer le reste de l'huile à feu moyen-vif. Y faire sauter l'oignon de 3 à 4 minutes ou jusqu'à ce qu'il soit ramolli. Ajouter l'ail et le faire sauter pendant 30 secondes. Ajouter les panais caramélisés et les poires, en les brisant à l'aide d'une cuillère. Incorporer le bouillon et le jus de pomme, puis porter à ébullition. Réduire le feu et laisser mijoter pendant 10 minutes pour que les saveurs se marient. Retirer du feu.
3. Mettre une partie du mélange dans un robot culinaire (ou utiliser un mélangeur à immersion dans la casserole) et le réduire en une purée très lisse. Répéter l'opération pour le reste du mélange. Verser dans des bols et garnir chacun d'une bonne cuillerée de crème sure et d'une pincée de cannelle.

Les poiriers ont une grande longévité et peuvent produire des fruits jusqu'à 100 ans.

VARIANTE

Pour obtenir une soupe végétalienne, remplacez le bouillon de poulet par du bouillon de légumes.

Soupe d'hiver aux légumes-racines

Kathleen Martin, Nouvelle-Écosse

✓ LE CHOIX DES ENFANTS

Quand le soir tombe plus rapidement et que vous avez du temps, laissez la chaleur et les arômes de cette soupe envahir votre maison.

CONSEILS

Apprenez aux enfants les secrets des différents légumes pendant qu'ils vous aident à les peler!

Pour obtenir une belle texture, coupez les pommes de terre, les patates douces et les navets en cubes de 1 cm (½ po).

Vous pouvez aussi utiliser une marmite à pression et cuire la soupe pendant 8 minutes, plutôt que de la faire mijoter, à l'étape 2.

Valeur nutritive par portion	
Calories	156
Lipides	3,7 g
saturés	0,3 g
Sodium	488 mg (20 % VQ)
Glucides	27 g
Fibres	4 g (16 % VQ)
Protéines	5 g
Calcium	56 mg (5 % VQ)
Fer	1,0 mg (7 % VQ)

Teneur très élevée en vitamine A
Teneur élevée en vitamine B$_6$ et acide folique

Équivalents par portion pour les personnes diabétiques :
1   Glucides
½   Matières grasses

30 ml (2 c. à soupe) d'huile de canola
375 ml (1 ½ tasse) d'oignons grossièrement hachés
375 ml (1 ½ tasse) de champignons grossièrement hachés
3 gousses d'ail, hachées
125 ml (½ tasse) de vin rouge sec
500 ml (2 tasses) de panais grossièrement hachés
500 ml (2 tasses) de carottes grossièrement hachées
500 ml (2 tasses) de pommes de terre pelées en cubes
500 ml (2 tasses) de patates douces pelées en cubes
250 ml (1 tasse) de navets en cubes
1,5 litre (6 tasses) de bouillon de poulet ou de bouillon de légumes à teneur réduite en sodium

1. Dans une grande casserole, chauffer l'huile à feu moyen. Y faire sauter les oignons et les champignons de 4 à 5 minutes ou jusqu'à ce qu'ils soient ramollis. Ajouter l'ail et le faire sauter pendant 30 secondes.
2. Ajouter le vin et déglacer la casserole, en raclant le fond pour enlever tous les petits morceaux qui y ont adhéré. Faire bouillir pendant environ 10 minutes pour faire réduire le vin légèrement. Incorporer les panais, les carottes, les pommes de terre, les patates douces, les navets et le bouillon, puis porter à ébullition. Réduire le feu et laisser mijoter de 20 à 30 minutes ou jusqu'à ce que les légumes soient tendres.

Les panais sont parfois appelés «carottes blanches», car leur forme ressemble à celle des carottes. Toutefois, contrairement aux carottes, ils ne contiennent pas de bêta-carotène, le pigment responsable de la couleur orange.

VARIANTE

Si vous voulez obtenir une texture onctueuse, passez la soupe, une petite quantité à la fois, dans un robot culinaire ou un mélangeur (ou utilisez un mélangeur à immersion dans la casserole).

Soupe aux patates douces, à l'orange et au gingembre

Tanya Lorimer-Charles, Nouvelle-Écosse

✓ LE CHOIX DES ENFANTS

Tanya a créé cette soupe un soir où elle devait préparer un souper vite fait pour ses enfants. Elle a remarqué qu'elle avait quelques patates douces, puis elle a jeté un coup d'œil dans son frigo et dans ses armoires pour trouver l'inspiration. Et le résultat l'a agréablement surprise !

CONSEILS

Les enfants peuvent vous aider à peler les patates douces.

Cette soupe donne des restes extraordinaires, car les saveurs s'améliorent avec le temps.

Valeur nutritive par portion	
Calories	94
Lipides	0,2 g
saturés	0,0 g
Sodium	410 mg (17 % VQ)
Glucides	21 g
Fibres	2 g (8 % VQ)
Protéines	3 g
Calcium	37 mg (3 % VQ)
Fer	0,5 mg (4 % VQ)

Teneur très élevée en vitamine A
Teneur élevée en magnésium, vitamine C, vitamine B$_6$, acide folique et thiamine

Équivalents par portion pour les personnes diabétiques :
1   Glucides

• *Un robot culinaire, un mélangeur ou un mélangeur à immersion*

1 oignon rouge, finement tranché
500 ml (2 tasses) de patates douces pelées finement tranchées
30 ml (2 c. à soupe) de marmelade de gingembre
1 litre (4 tasses) de bouillon de poulet à teneur réduite en sodium
15 ml (1 c. à soupe) de zeste d'orange râpé
125 ml (½ tasse) de jus d'orange fraîchement pressé
2 ml (½ c. à thé) de poivre blanc fraîchement moulu ou, au goût
2 ml (½ c. à thé) de cumin moulu
2 ml (½ c. à thé) de sel (facultatif)

1. Dans une grande casserole, mettre l'oignon, les patates douces, la marmelade et le bouillon, puis porter à ébullition à feu moyen-vif. Réduire le feu et laisser mijoter pendant environ 30 minutes ou jusqu'à ce que les patates douces se défassent à la fourchette.
2. Mettre une partie du mélange dans un robot culinaire (ou utiliser un mélangeur à immersion dans la casserole) et le réduire en une purée lisse. Répéter l'opération pour le reste de la soupe.
3. Remettre la soupe dans la casserole, au besoin, et la chauffer à feu doux. Incorporer le zeste d'orange, le jus d'orange, le poivre, le cumin et du sel, si désiré. Laisser mijoter, en brassant de temps en temps, pendant 10 minutes pour que les saveurs se marient.

SUGGESTION DE SERVICE

Pour un souper léger, servez la soupe avec un petit pain de grains entiers et un morceau de fromage.

Potage à la courge musquée et aux haricots blancs au cari

Rosie Dhaliwal, diététiste, Colombie-Britannique

6 PORTIONS

Les haricots blancs ajoutent à cette soupe des protéines et contribuent aussi à l'épaissir.

CONSEIL
Pour réduire la teneur en sodium de cette recette, utilisez un bouillon de légumes maison (p. 256) ou du bouillon à teneur réduite en sodium.

VARIANTE
Vous pouvez remplacer la courge musquée par une courge poivrée.

Valeur nutritive par portion	
Calories	138
Lipides	3,1 g
saturés	0,3 g
Sodium	526 mg (22 % VQ)
Glucides	25 g
Fibres	7 g (28 % VQ)
Protéines	6 g
Calcium	76 mg (7 % VQ)
Fer	1,9 mg (14 % VQ)

Teneur très élevée en vitamine A
Teneur élevée en magnésium et acide folique

Équivalents par portion pour les personnes diabétiques :
1 Glucides
½ Matières grasses

• *Un robot culinaire, un mélangeur ou un mélangeur à immersion*

15 ml (1 c. à soupe) d'huile de canola
125 ml (½ tasse) d'oignon grossièrement haché
125 ml (½ tasse) de carotte grossièrement hachée
125 ml (½ tasse) de céleri grossièrement haché
2 gousses d'ail, hachées
5 ml (1 c. à thé) de gingembre finement haché
10 ml (2 c. à thé) de poudre de cari
7 ml (1 ½ c. à thé) de cumin moulu
1 boîte de 540 ml (19 oz) de haricots blancs, égouttés et rincés
500 ml (2 tasses) de courge musquée cuite, en purée (voir l'encadré, ci-dessous)
500 ml (2 tasses) de bouillon de légumes
Sel et poivre noir fraîchement moulu

1. Dans une grande casserole, chauffer l'huile à feu moyen-vif. Y faire sauter l'oignon, la carotte et le céleri de 4 à 5 minutes ou jusqu'à ce qu'ils soient ramollis. Ajouter l'ail, le gingembre, la poudre de cari et le cumin, puis les cuire pendant 30 secondes. Incorporer les haricots, la courge, le bouillon et 500 ml (2 tasses) d'eau, puis porter à ébullition. Réduire le feu et laisser mijoter, en remuant de temps en temps, pendant 30 minutes pour que les saveurs se marient.
2. Mettre une partie du mélange dans un robot culinaire (ou utiliser un mélangeur à immersion dans la casserole) et le réduire en une purée lisse. Répéter l'opération pour le reste du mélange. Transvider le potage dans la casserole, au besoin, puis saler et poivrer, au goût.

Pour obtenir 500 ml (2 tasses) de purée de courge cuite, utilisez une courge musquée de taille moyenne. Coupez la courge en 2 dans le sens de la longueur et enlevez les graines. Déposez le côté coupé sur une plaque à pâtisserie légèrement graissée et piquez la peau à plusieurs endroits à l'aide d'une fourchette. Faites cuire la courge au four à 190 °C (375 °F) pendant environ 30 minutes ou jusqu'à ce qu'elle se défasse à la fourchette. Laissez-la refroidir, puis retirez la chair et jetez la peau. Si vous avez plus de chair que ce dont vous avez besoin, conservez-la pour un usage ultérieur.

Soupe aux haricots Pinto garnie de lanières de tortilla

Heather McColl, diététiste, Colombie-Britannique

Heather McColl, diététiste, Colombie-Britannique

8 PORTIONS

Voici une soupe nutritive et réconfortante. Elle est idéale pour ajouter de la chaleur aux repas de nos froides soirées d'hiver! De plus, grâce aux haricots, elle constitue une savoureuse façon d'obtenir des fibres solubles. Préparez-la le week-end. Ainsi, vous n'aurez qu'à la réchauffer avant de la servir la semaine.

Valeur nutritive par portion	
Calories	257
Lipides	7,6 g
saturés	2,1 g
Sodium	388 mg (16 % VQ)
Glucides	37 g
Fibres	11 g (44 % VQ)
Protéines	13 g
Calcium	122 mg (11 % VQ)
Fer	2,8 mg (20 % VQ)

Teneur très élevée en magnésium et acide folique
Teneur élevée en zinc, vitamine B$_6$, thiamine et niacine
Source de vitamine A, vitamine C et riboflavine

Équivalents par portion pour les personnes diabétiques :
1 ½ Glucides
1   Viandes et substituts
1   Matières grasses

- *Une plaque à pâtisserie munie d'un bord*
- *Un robot culinaire ou un mélangeur*

375 ml (1 ½ tasse) de haricots Pinto secs
1 gros oignon, coupé en 6 quartiers
5 tomates italiennes, en quartiers
20 ml (4 c. à thé) d'huile de canola, au total
4 tortillas de maïs de 12,5 cm (5 po), au total
2 gousses d'ail, hachées
1 piment jalapeño, épépiné et finement émincé
10 ml (2 c. à thé) de cumin moulu
5 ml (1 c. à thé) de coriandre moulue
1 litre (4 tasses) de bouillon de poulet à teneur réduite en sodium
Une feuille de laurier
30 ml (2 c. à soupe) de pâte de tomate
250 ml (1 tasse) de maïs en grains surgelé
Une pincée de sel
½ avocat, coupé en dés
125 ml (½ tasse) de cheddar râpé

1. Mettre les haricots dans un grand bol et ajouter suffisamment d'eau froide pour les couvrir d'au moins 7,5 cm (3 po). Couvrir et laisser tremper pendant toute la nuit. Égoutter les haricots et bien les rincer sous l'eau froide. Jeter tous les haricots desséchés ou ceux qui n'ont pas gonflé.
2. Mettre les haricots dans une grande casserole, puis ajouter suffisamment d'eau froide fraîche pour les couvrir d'au moins 7,5 cm (3 po). Porter à ébullition à feu vif. Réduire le feu et laisser mijoter de 30 à 35 minutes ou jusqu'à ce que les haricots soient tendres. Les égoutter et réserver.
3. Entre-temps, préchauffer le gril du four. Mettre l'oignon et les tomates sur la plaque à pâtisserie et les badigeonner de 5 ml (1 c. à thé) de l'huile. Les faire griller, en les retournant toutes les 5 minutes, pendant environ 15 minutes ou jusqu'à ce qu'ils soient presque carbonisés. Les mettre ensuite dans un robot culinaire et mélanger jusqu'à l'obtention d'une texture homogène. Réserver. Réduire la température du four à 180 °C (350 °F).

4. Couper les tortillas en lanières de 5 x 0,5 cm (2 x ¼ po).

5. Dans une grande casserole propre, chauffer 10 ml (2 c. à thé) d'huile à feu moyen. Ajouter la moitié des lanières de tortilla, l'ail et le piment jalapeño, puis les faire sauter pendant 3 minutes. Incorporer le cumin et la coriandre. Ajouter le bouillon et déglacer la casserole, en raclant le fond pour enlever tous les petits morceaux qui y ont adhéré. Ajouter la feuille de laurier et porter à ébullition. Incorporer le mélange d'oignon en purée et la pâte de tomate, puis porter de nouveau à ébullition. Réduire le feu et laisser mijoter, en brassant de temps en temps, pendant 20 minutes. Incorporer le maïs et les haricots Pinto cuits. Laisser mijoter pendant 10 minutes pour que les saveurs se marient. Jeter la feuille de laurier.

6. Entre-temps, mélanger délicatement le reste des lanières de tortilla avec le reste de l'huile et le sel. Les étendre sur une plaque à pâtisserie. Cuire pendant environ 10 minutes ou jusqu'à ce que les lanières de tortilla soient croustillantes.

7. Verser la soupe dans des bols, puis les garnir de lanières de tortillas, d'avocat et de fromage.

Il est absolument impossible d'évaluer la force d'un piment jalapeño seulement à le regarder. Mais, pour vérifier, placez le bout d'un doigt sur un morceau de piment qui a été coupé, puis touchez votre langue avec le doigt. Assurez-vous de vous laver les mains par la suite et ne touchez pas vos yeux.

Variantes

Nous avons aussi obtenu de bons résultats en préparant la soupe avec des haricots Jacob's cattle, qui sont cultivés en Nouvelle-Écosse.

Pour obtenir une soupe plus relevée, ajoutez de la sauce aux piments forts, au goût, avec le maïs et les haricots.

Conseils

Vous pouvez préparer les tomates et l'oignon jusqu'à une journée à l'avance. Une fois grillés, laissez-les refroidir, couvrez-les, puis mettez-les au réfrigérateur jusqu'à l'utilisation.

Parmi toutes les soupes de ce livre, c'est celle-ci qui contient le plus de fibres alimentaires. Elle renferme 11 g de fibres par portion. Voilà une délicieuse façon d'augmenter votre consommation de fibres.

Chaudrée de poulet et de maïs

Eileen Campbell, Ontario

9 PORTIONS

✓ LE CHOIX DES ENFANTS

Le lait évaporé donne à cette délicieuse crème une richesse qui laisse croire que la teneur en gras est plus élevée qu'elle l'est vraiment. L'ajout de patate douce et de poivron rouge contribue à augmenter votre consommation de bêta-carotène et de vitamine C.

15 ml (1 c. à soupe) de margarine non hydrogénée
250 ml (1 tasse) d'oignon finement haché
250 ml (1 tasse) de céleri en dés
125 ml (½ tasse) de poivron rouge finement haché
1 poitrine de poulet désossée sans la peau, soit environ 125 g (4 oz), en cubes
1 litre (4 tasses) de bouillon de poulet à teneur réduite en sodium
250 ml (1 tasse) de patate douce pelée en dés
250 ml (1 tasse) de maïs en grains surgelé, décongelé
1 boîte de lait évaporé de 385 ml (14 oz)
15 ml (1 c. à soupe) de persil frais haché

1. Dans une grande casserole, faire fondre la margarine à feu moyen. Y faire sauter l'oignon, le céleri et le poivron rouge jusqu'à ce qu'ils soient ramollis, pendant environ 5 minutes.
2. Ajouter le poulet, le bouillon, la patate douce et le maïs, puis porter à ébullition. Réduire le feu, couvrir et laisser mijoter pendant 25 minutes ou jusqu'à ce que le poulet et la patate douce soient bien cuits. Ajouter le lait évaporé et le persil, puis chauffer à feu doux (ne pas laisser bouillir, car le lait caillerait).

VARIANTES

Cette soupe est également délicieuse sans poulet. Pour faire un peu de variété, remplacez le poulet par des palourdes en conserve égouttées. Avec les palourdes, un peu de sauce aux piments forts est un bon ajout.

Pour préparer une soupe au goût des membres de votre famille, demandez-leur quels autres ingrédients ils aimeraient ajouter à la soupe.

Valeur nutritive par portion	
Calories	118
Lipides	2,7 g
saturés	0,8 g
Sodium	362 mg (15 % VQ)
Glucides	14 g
Fibres	1 g (4 % VQ)
Protéines	10 g
Calcium	145 mg (13 % VQ)
Fer	0,5 mg (4 % VQ)

Teneur très élevée en vitamine A et vitamine C
Teneur élevée en vitamine D et niacine

Équivalents par portion pour les personnes diabétiques :
½   Glucides
1   Viandes et substituts

Soupe au poulet et aux tortellinis

Laurie Barker Jackman, diététiste, Nouvelle-Écosse

8 PORTIONS

✓ **LE CHOIX DES ENFANTS**

Un reste de poulet? Pas de problème! Ajoutez-le à cette savoureuse soupe. Vous obtiendrez un souper ou un lunch équilibré et nutritif en un tournemain. Le mari et la fille de Laurie adorent cette soupe. Ils l'aident à hacher les légumes, à mélanger les ingrédients et à remuer la soupe.

15 ml (1 c. à soupe) d'huile de canola
500 ml (2 tasses) de champignons grossièrement hachés
250 ml (1 tasse) d'oignon grossièrement haché
250 ml (1 tasse) de carottes grossièrement hachées
125 ml (½ tasse) de courgette grossièrement hachée
175 ml (¾ tasse) de poivron rouge finement haché
3 gousses d'ail, hachées
1 boîte de 796 ml (28 oz) de tomates en dés
1 litre (4 tasses) de bouillon de poulet à teneur réduite en sodium
1 paquet de 340 g (12 oz) de tortellinis farcis au fromage
500 ml (2 tasses) de poulet cuit en cubes ou déchiqueté
500 ml (2 tasses) de feuilles d'épinard fraîches non tassées
60 ml (¼ tasse) de parmesan fraîchement râpé

1. Dans une grande casserole, chauffer l'huile à feu moyen. Y faire sauter les champignons, l'oignon, les carottes, la courgette et le poivron rouge de 4 à 5 minutes ou jusqu'à ce qu'ils soient ramollis. Ajouter l'ail et le faire sauter pendant 30 secondes.
2. Ajouter les tomates, le bouillon et 1 litre (4 tasses) d'eau, puis porter à ébullition. Incorporer les tortellinis et les faire bouillir pendant 10 minutes ou jusqu'à ce que les pâtes soient al dente (fermes sous la dent).
3. Incorporer le poulet et les épinards, puis laisser mijoter, en remuant de temps en temps, pendant 10 minutes ou jusqu'à ce que le poulet soit chaud et que les épinards soient tendres. Verser la soupe dans des bols et garnir de fromage.

CONSEIL

Si vous surveillez votre consommation de sodium, utilisez moitié bouillon et moitié eau pour préparer la soupe. Pour réduire davantage la quantité de sodium, utilisez 500 ml (2 tasses) de rotinis de blé entier, cuits, plutôt que des tortellinis.

SUGGESTION DE SERVICE

Pour ajouter un élément frais et croquant au repas, servez la soupe avec de la Salade de chou fraîche (p. 152).

Valeur nutritive par portion	
Calories	266
Lipides	8,0 g
saturés	1,5 g
Sodium	693 mg (29 % VQ)
Glucides	31 g
Fibres	3 g (12 % VQ)
Protéines	19 g
Calcium	128 mg (12 % VQ)
Fer	2,9 mg (21 % VQ)

Teneur très élevée en vitamine A, vitamine C et niacine
Teneur élevée en magnésium, zinc, vitamine B$_6$, acide folique, thiamine et riboflavine

Équivalents par portion pour les personnes diabétiques:
1 ½ Glucides
2 Viandes et substituts

Soupe au poulet à l'asiatique

Recette adaptée du Géant vert de General Mills
www.vivredelicieusement.ca

Cette savoureuse soupe est un plat de tous les jours aux saveurs exotiques.

500 ml (2 tasses) de nouilles aux œufs moyennes
15 ml (1 c. à soupe) de gingembre émincé
5 ml (1 c. à thé) de zeste de citron jaune râpé
5 ml (1 c. à thé) de zeste de citron vert râpé
875 ml (3 ½ tasses) de bouillon de poulet à teneur réduite en sodium
30 ml (2 c. à soupe) de sauce soya à teneur réduite en sodium
5 ml (1 c. à thé) de pâte de piments
375 g (12 oz) de poitrines de poulet sans la peau ni les os, coupées en minces lanières
1 paquet de 400 g (14 oz) de mini-légumes surgelés
5 ml (1 c. à thé) de jus de citron vert fraîchement pressé
60 ml (¼ tasse) de coriandre fraîche hachée

1. Dans une casserole d'eau bouillante salée, cuire les nouilles selon les instructions qui figurent sur l'emballage. Bien les égoutter. Réserver.
2. Entre-temps, dans une grande casserole, mettre le gingembre, le zeste de citron jaune, le zeste de citron vert, le bouillon, 625 ml (2 ½ tasses) d'eau, la sauce soya et la pâte de piments. Porter à ébullition à feu moyen-vif. Ajouter le poulet et les légumes. Réduire le feu et laisser bouillir doucement pendant 5 minutes ou jusqu'à ce que le poulet ait perdu sa couleur rosée et que les légumes soient bien chauds.
3. Ajouter les nouilles cuites et laisser mijoter de 2 à 3 minutes pour que les saveurs se marient. Incorporer le jus de citron vert. Verser dans des bols et parsemer de coriandre.

VARIANTES

Remplacez le poulet par 250 g (8 oz) de tofu en lanières.

Vous pouvez aussi remplacer le poulet par de fines lanières de filets de poisson sans la peau ou par des crevettes moyennes, décortiquées et déveinées. Faites cuire le poisson jusqu'à ce que la chair soit opaque et qu'il se défasse

Valeur nutritive par portion	
Calories	177
Lipides	1,6 g
saturés	0,4 g
Sodium	695 mg (29 % VQ)
Glucides	19 g
Fibres	3 g (12 % VQ)
Protéines	21 g
Calcium	48 mg (4 % VQ)
Fer	1,8 mg (13 % VQ)

Teneur très élevée en vitamine A et niacine
Teneur élevée en vitamine B_6

Équivalents par portion pour les personnes diabétiques :
½ Glucides
2 Viandes et substituts

Soupe à la dinde et au riz sauvage

Dorraine Hayward, Saskatchewan

Dorraine n'arrivait pas à trouver de recette de soupe à la dinde à teneur réduite en sodium pour la mijoteuse, elle en a donc créé une. Vous serez transporté par les merveilleux arômes de volaille qui envahiront votre cuisine.

- *Une mijoteuse d'au moins 4 litres (16 tasses)*

10 ml (2 c. à thé) d'huile de canola
500 g (1 lb) de dinde hachée maigre
1 gousse d'ail, hachée
250 ml (1 tasse) d'oignon grossièrement haché
250 ml (1 tasse) de céleri grossièrement haché
250 ml (1 tasse) de carottes grossièrement hachées
125 ml (½ tasse) de riz sauvage
1 litre (4 tasses) de bouillon de poulet à teneur
    réduite en sodium
2 ml (½ c. à thé) de sauge moulue
2 ml (½ c. à thé) de sarriette séchée
2 ml (½ c. à thé) de thym séché
2 ml (½ c. à thé) de marjolaine séchée
2 ml (½ c. à thé) de poivre noir fraîchement moulu
2 ml (½ c. à thé) de sel (facultatif)
30 à 45 ml (2 à 3 c. à soupe) de persil frais haché

1. Dans un grand poêlon antiadhésif, chauffer l'huile à feu moyen. Y faire dorer la dinde, en brisant la viande avec une cuillère, pendant environ 8 minutes ou jusqu'à ce qu'elle ait perdu sa couleur rosée. Égoutter l'excès de gras.
2. Mettre la dinde dans la cocotte de la mijoteuse, puis incorporer l'ail, l'oignon, le céleri, les carottes, le riz sauvage, le bouillon, 500 ml (2 tasses) d'eau, la sauge, la sarriette, le thym, la marjolaine, le poivre et du sel, si désiré. Couvrir et cuire à température élevée de 4 à 5 heures ou jusqu'à ce que les légumes et le riz soient tendres. Verser la soupe dans des bols et garnir de persil, au goût.

VARIANTE

Vous pouvez remplacer le riz sauvage par du riz brun à grain long.

SUGGESTION DE SERVICE

Pour obtenir un souper savoureux, servez la soupe avec la Salade de betteraves jaunes (p. 158).

Valeur nutritive par portion	
Calories	125
Lipides	4,9 g
saturés	1,1 g
Sodium	287 mg (12 % VQ)
Glucides	10 g
Fibres	1 g (4 % VQ)
Protéines	11 g
Calcium	31 mg (3 % VQ)
Fer	1,1 mg (8 % VQ)

Teneur élevée en vitamine A et niacine

Équivalents par portion pour les personnes diabétiques :
½   Glucides
1   Viandes et substituts

Soupe aux mini-boulettes de viande

Adam Hudson, diététiste, Ontario

✓ LE CHOIX DES ENFANTS

Cette soupe a le goût du spaghetti aux boulettes de viande. En prime, elle contient des aliments provenant de 3 des 4 groupes alimentaires, selon *Bien manger avec le Guide alimentaire canadien.* Pour compléter le repas, vous n'avez qu'à ajouter un verre de lait.

Valeur nutritive par portion	
Calories	248
Lipides	10,7 g
saturés	3,6 g
Sodium	586 mg (24 % VQ)
Glucides	20 g
Fibres	3 g (12 % VQ)
Protéines	18 g
Calcium	120 mg (11 % VQ)
Fer	2,9 mg (21 % VQ)

Teneur très élevée en zinc, vitamine A, acide folique, vitamine B_{12}, thiamine et niacine
Teneur élevée en magnésium, vitamine B_6 et riboflavine

Équivalents par portion pour les personnes diabétiques :
1 Glucides
2 Viandes et substituts

Les boulettes de viande
250 g (8 oz) de bœuf haché maigre
250 g (8 oz) de porc haché maigre
2 gousses d'ail, hachées
1 œuf
75 ml (⅓ tasse) de chapelure fine
5 ml (1 c. à thé) d'origan séché
2 ml (½ c. à thé) de basilic séché
1 ml (¼ c. à thé) de chili en poudre
1 ml (¼ c. à thé) de piment rouge en flocons
Une pincée de cayenne
10 ml (2 c. à thé) d'huile de canola, au total

La soupe
5 ml (1 c. à thé) d'huile de canola
250 ml (1 tasse) d'oignon finement haché
250 ml (1 tasse) de carottes finement hachées
250 ml (1 tasse) de céleri finement haché
1 gousse d'ail, hachée
1 boîte de 796 ml (28 oz) de tomates en dés
Une feuille de laurier
Un brin de thym frais
1 litre (4 tasses) de bouillon de bœuf à teneur réduite en sodium
15 ml (1 c. à soupe) de pâte de tomate
125 ml (½ tasse) d'orzo, de peperini ou d'autres toutes petites pâtes
375 ml (1 ½ tasse) d'épinards frais grossièrement hachés non tassés
60 ml (¼ tasse) de parmesan fraîchement râpé

1. *Les boulettes de viande :* Dans un grand bol, mélanger délicatement le bœuf, le porc, l'ail, l'œuf, la chapelure, l'origan, le basilic, le chili en poudre, le piment en flocons et le cayenne. Rouler doucement de petites quantités du mélange entre les paumes de ses mains pour obtenir des boulettes de 2 cm (¾ po). Les réserver dans une assiette.

2. Dans une grande casserole, chauffer 5 ml (1 c. à thé) de l'huile à feu moyen-vif. Ajouter la moitié des boulettes et les faire dorer de tous les côtés, en rectifiant la température, au besoin, pour éviter que les boulettes ne brûlent. Les mettre ensuite dans une assiette sèche et propre. Chauffer le reste de l'huile et répéter l'opération pour le reste des boulettes. Jeter le gras qui reste au fond de la casserole, mais conserver les petits morceaux de viande. Réserver les boulettes.

3. *La soupe :* Dans la même casserole, chauffer l'huile à feu moyen-vif. Y faire sauter l'oignon, les carottes et le céleri, en raclant le fond pour enlever tous les petits morceaux qui y ont adhéré, de 4 à 5 minutes ou jusqu'à ce qu'ils soient ramollis. Ajouter l'ail et le faire sauter pendant 30 secondes.

4. Incorporer les boulettes cuites, les tomates, la feuille de laurier, le thym, le bouillon et la pâte de tomate, puis porter à ébullition. Réduire le feu et laisser mijoter pendant 30 minutes. Incorporer les pâtes et laisser mijoter de 5 à 7 minutes ou jusqu'à ce qu'elles soient tendres. Jeter la feuille de laurier et le brin de thym. Incorporer les épinards et cuire jusqu'à ce qu'ils soient tendres. Verser la soupe dans des bols et garnir de fromage.

Déchirez du pain (tranches ou petits pains) vieux d'un jour en petits morceaux, puis étendez-les sur une plaque à pâtisserie non graissée. Mettez la plaque au four à 100 °C (200 °F) pour faire sécher le pain. Laissez refroidir complètement. Mettez les morceaux de pain dans un robot culinaire et actionnez la touche Pulse pour obtenir de la chapelure ou mettez le pain entre 2 feuilles de papier ciré ou dans un sac en plastique refermable, puis écrasez-le à l'aide d'un rouleau à pâtisserie.

VARIANTE
Pour faire les boulettes, vous pouvez remplacer le bœuf et le porc par du poulet ou de la dinde, haché, maigre.

SUGGESTION DE SERVICE
Cette soupe peut être servie seule, mais elle est aussi délicieuse avec du pain croûté ou avec une salade.

CONSEILS
Demandez aux enfants de vous aider à faire les boulettes, mais assurez-vous qu'ils se lavent les mains après avoir manipulé la viande crue.

Quand vous faites les boulettes, incorporez les ingrédients délicatement et laissez-les dorer dans la casserole avant de les retourner. Elles resteront ainsi moelleuses et elles conserveront toute leur saveur.

En faisant cuire les boulettes, ne surchargez pas la casserole, pour leur permettre de prendre une belle couleur dorée et éviter qu'elles ne se transforment en bouillie.

Les salades

Les salades, qu'elles soient simplement composées de quelques feuilles vertes et arrosées de vinaigrette ou qu'elles soient plus élaborées, séduisent par leur fraîcheur et leur polyvalence. Elles peuvent être servies en entrée, comme plat d'accompagnement, en plat principal ou même après le plat principal. Pour un maximum de saveur, de couleur et de texture, il faut s'assurer de marier harmonieusement les ingrédients et de lier le tout avec une vinaigrette. Les recettes de ce chapitre respectent ces critères, tout en étant nutritives.

Salade de fruits d'été, sauce yogourt
    vanille et érable 142

Salade de fruits chaude pour nos
    beaux jours d'hiver 143

Salade de fruits froide pour
    nos beaux jours d'hiver 144

Salade de concombre et de melon d'eau 145

Salade verte, vinaigrette aux pommes et
    au vinaigre balsamique 146

Salade d'épinards et de fromage de chèvre 147

Salade de roquette, de pomme et de bleu 148

Salade de laitue à feuilles rouges,
    vinaigrette à la mangue 149

Salade aux poires et au fromage haloumi 150

Salade du printemps au poulet et aux fruits 151

Salade de chou fraîche 152

Salade aux agrumes et au fenouil 153

Salade de son propre jardin d'herbes 154

Salade du jardin au goût des enfants 155

Salade de radicchio 156

Salade niçoise 157

Salade de betteraves jaunes 158

Salade de pommes de terre aux fines herbes 159

Salade de pommes de terre rouges très épicée 160

Salade de poivrons grillés, de tomates et
    de pommes de terre 161

Merveilleuse salade de haricots 162

Salade aux tomates et aux lentilles vite faite 163

Salade de seigle aux tomates 164

Salade de boulgour au brocoli,
    aux radis et au céleri 165

Salade de quinoa aux amandes et
    aux fruits, vinaigrette à l'érable 166

Le choix des matières grasses

Lorsqu'il s'agit de choisir les matières grasses qui composent une vinaigrette ou pour cuisiner en général, optez pour les huiles végétales comme l'huile de canola, l'huile d'olive ou l'huile de soya. Elles sont d'excellents choix santé, car elles possèdent une plus haute teneur en gras insaturés. De plus, l'huile de canola et l'huile d'arachide possèdent un point de fumée plus élevé, ce qui signifie qu'elles ne brûlent pas facilement. L'huile d'olive extra-vierge peut brûler à feu vif. Par contre, l'huile d'olive ordinaire s'utilise généralement sans problème pour les sautés et la friture.

L'huile d'olive extra-vierge se démarque par son goût d'olive bien distinctif. On l'utilise alors pour bonifier la saveur de certaines recettes, dans les salades et certains hors-d'œuvre, par exemple. On peut ajouter aux vinaigrettes de petites quantités d'huiles de noix et de graines – huile de noix, huile d'amande ou huile de sésame –, car elles sont aromatiques, mais leur goût est prononcé. Ces huiles ont un point de fumée plus bas et ne sont pas recommandées pour la cuisson à feu vif.

Comment griller les noix et les graines

Pour faire ressortir la saveur des noix et des graines, rien de mieux que de les faire griller. Toutefois, ces aliments brûlent facilement, car ils contiennent beaucoup d'huile, il faut donc les surveiller de près. Pour faire griller des noix et des graines, chauffez un poêlon à feu moyen-vif. Ajoutez les noix ou les graines en une seule couche, puis chauffez-les pendant 1 minute, en brassant. Retournez les noix ou les graines et chauffez-les de 1 à 2 minutes, en brassant et en les retournant, au besoin, en rectifiant la température pour ne pas qu'elles brûlent. L'objectif, c'est qu'elles soient dorées et «grillées». Retirez-les du feu et mettez-les dans une assiette propre ou sur une feuille de papier sulfurisé. Laissez-les tiédir avant de les utiliser.

Comment transformer une salade d'accompagnement en plat principal

Si vous voulez servir une salade-repas, ajoutez à la salade une source de protéines, comme des restes de poulet, de crevettes ou de saumon, cuits. Vous pouvez aussi opter pour des œufs durs tranchés, du fromage râpé, du tofu en dés et des haricots, lentilles ou pois chiches, cuits. Les noix et les graines sont également riches en protéines, mais aussi en gras, et la modération est de mise.

Le vinaigre balsamique

Vinaigre balsamique signifie «vinaigre comparable à un baume». Savoureux, aromatique et sans aucune matière grasse, le vinaigre balsamique est l'un des alliés d'une saine alimentation. C'est un ingrédient très apprécié pour la préparation des vinaigrettes, mais il s'utilise de bien d'autres façons. En voici quelques-unes :

- Mélangez 1 ou 2 gouttes de vinaigre balsamique avec 60 ml (¼ tasse) d'huile d'olive extra-vierge, puis trempez-y du pain croûté italien.
- Incorporez 15 ml (1 c. à soupe) de vinaigre balsamique dans une sauce qui accompagne un rôti – cela en rehaussera vraiment la saveur.
- Arrosez d'un peu de vinaigre balsamique des légumes grillés, comme les oignons, les tomates, le fenouil, les poivrons et l'aubergine.
- Aspergez d'un peu de vinaigre balsamique du poisson blanc après l'avoir fait cuire à la vapeur, l'avoir grillé ou passé sous le gril du four.
- Ajoutez du vinaigre balsamique à une sauce tomate fraîche, puis mélangez-la avec des pâtes.
- Ajoutez quelques gouttes de vinaigre balsamique à la limonade.

Petit cours de cuisine familiale

Les vinaigrettes et les sauces à salade

La vinaigrette traditionnelle est composée d'huile et de vinaigre dans les proportions de 3 pour 1, ce qui donne une vinaigrette plutôt huileuse. Pour créer des vinaigrettes tout aussi savoureuses, mais réduites en gras, remplacez une partie de l'huile par de l'eau, par du jus ou par du jus concentré. Vous pouvez aussi remplacer le vinaigre par un autre élément acide, comme le jus d'orange, le jus de citron jaune ou le jus de citron vert. La méthode est toujours la même :

1. Dans un petit bol, mettre l'huile, l'élément acide et l'eau ou le jus. Fouetter énergiquement avec une fourchette ou verser les ingrédients dans un contenant, le couvrir et l'agiter jusqu'à ce que le tout soit bien mélangé.
2. Ajouter une touche sucrée (miel, sirop d'érable, sucre, etc.), les assaisonnements et bien mélanger.
3. Couvrir et mettre au réfrigérateur. La vinaigrette se conservera jusqu'à 5 jours (3, si elle contient de l'ail). Agiter le contenant avant l'utilisation.

Voici quelques savoureuses vinaigrettes :

Vinaigrette asiatique

Huile : 30 ml (2 c. à soupe) d'huile de sésame
Élément acide : 125 ml (½ tasse) de vinaigre de riz
Eau ou jus : 60 ml (¼ tasse) de jus de pomme non sucré
Touche sucrée : 5 ml (1 c. à thé) de sucre granulé
Assaisonnements : 2 oignons verts, hachés, 30 ml (2 c. à soupe) de sauce soya à teneur réduire en sodium, 15 ml (1 c. à soupe) de gingembre râpé, 5 ml (1 c. à thé) de moutarde de Dijon
Rendement : environ 325 ml (1 ⅓ tasse)
Portion suggérée : 15 ml (1 c. à soupe)
Utilisation : salade d'edamames vapeur, de grains de maïs grillés et de poivrons rouges hachés

Vinaigrette aux bleuets

Huile : 30 ml (2 c. à soupe) d'huile de canola
Élément acide : 60 ml (¼ tasse) de vinaigre balsamique
Eau ou jus : 30 ml (2 c. à soupe) d'eau
Touche sucrée : 75 ml (⅓ tasse) de miel liquide
Assaisonnements : 125 ml (½ tasse) de bleuets frais ou surgelés, décongelés, en purée
Rendement : environ 325 ml (1 ⅓ tasse)
Portion suggérée : 15 ml (1 c. à soupe)
Utilisation : salade de mesclun, de fraises et de bleuets, frais, et de pacanes grillées.

Vinaigrette aux framboises et à l'orange

Huile : 60 ml (¼ tasse) d'huile d'olive
Élément acide : 60 ml (¼ tasse) de jus d'orange, 30 ml (2 c. à soupe) de vinaigre de framboise
Eau ou jus : 60 ml (¼ tasse) d'eau
Assaisonnements : 30 ml (2 c. à soupe) de persil frais, haché
Rendement : environ 250 ml (1 tasse)
Portion suggérée : 15 ml (1 c. à soupe)
Utilisation : salades de fruits ou salades au fromage cottage

Vinaigrette à la ciboulette et aux agrumes

Huile : 30 ml (2 c. à soupe) d'huile de canola
Élément acide : 500 ml (2 tasses) de jus d'orange, chauffé pour le réduire à 150 ml (⅔ tasse)
Eau ou jus : 30 ml (2 c. à soupe) de jus de citron fraîchement pressé
Touche sucrée : 15 ml (1 c. à soupe) de miel liquide
Assaisonnements : 30 ml (2 c. à soupe) de ciboulette hachée, sel et poivre noir fraîchement moulu, au goût
Rendement : environ 250 ml (1 tasse)
Portion suggérée : 15 ml (1 c. à soupe)
Utilisation : salade de romaine, de petits pois cuits et de menthe fraîche

Vinaigrette au pamplemousse et aux graines de pavot

Huile : 45 ml (3 c. à soupe) d'huile de canola
Élément acide : 500 ml (2 tasses) de jus de pamplemousse, chauffé pour le réduire à 150 ml (⅔ tasse)
Eau ou jus : 30 ml (2 c. à soupe) d'eau
Touche sucrée : 15 à 30 ml (1 à 2 c. à soupe) de miel liquide
Assaisonnements : 15 ml (1 c. à soupe) de graines de pavot
Rendement : environ 250 ml (1 tasse)
Portion suggérée : 15 ml (1 c. à soupe)
Utilisation : salade d'épinards, de roquette, de céleri tranché, de quartiers de pamplemousse et d'amandes grillées.

Vinaigrette César

Huile : 45 ml (3 c. à soupe) d'huile d'olive extra-vierge
Élément acide : 40 ml (2 c. à soupe + 2 c. à thé) de jus de citron fraîchement pressé
Eau ou jus : 15 ml (1 c. à soupe) d'eau
Assaisonnements : 5 ml (1 c. à thé) d'ail émincé, 5 ml (1 c. à thé) de sauce Worcestershire, 5 ml (1 c. à thé) de moutarde de Dijon, 2 ml (½ c. à thé) de poivre noir fraîchement moulu
Rendement : environ 125 ml (½ tasse)
Portion suggérée : 15 ml (1 c. à soupe)
Utilisation : laitue romaine avec croûtons de grains entiers ; rotini de blé entier et parmesan fraîchement râpé

Sauces crémeuses à salade

Vous pouvez créer des sauces à salade riches et crémeuses à l'aide de yogourt nature faible en gras, plutôt que d'utiliser de la mayonnaise ou de la crème sure. En plus de contenir beaucoup moins de gras que la mayonnaise et la crème sure ordinaires, le yogourt renferme des protéines et autres éléments nutritifs. La méthode ressemble à celle que l'on utilise pour les vinaigrettes classiques :

1. Dans un petit bol, mettre le yogourt. Ajouter une touche sucrée (miel, sirop d'érable, sucre, etc.), les assaisonnements et bien mélanger.
2. Couvrir et mettre au réfrigérateur. La vinaigrette se conservera jusqu'à 5 jours (3, si elle contient de l'ail). Agiter le contenant avant l'utilisation.

Voici quelques sauces à salade crémeuses, faibles en gras, dont vous vous régalerez.

Sauce à salade crémeuse aux herbes faible en gras

Yogourt : 60 ml (¼ tasse) de yogourt nature faible en gras
Assaisonnements : 75 ml (⅓ tasse) de babeurre, 2 oignons verts, hachés, 30 ml (2 c. à soupe) d'aneth ou basilic frais, haché, 2 ml (½ c. à thé) d'origan séché
Rendement : environ 175 ml (¾ tasse)
Portion suggérée : 30 ml (2 c. à soupe)
Utilisation : salades vertes ou salades de chou

Sauce à salade crémeuse relevée

Yogourt : 175 ml (¾ tasse) de yogourt nature faible en gras
Touche sucrée : 10 ml (2 c. à thé) de miel liquide
Assaisonnements : 60 ml (¼ tasse) d'aneth frais, haché, 15 ml (1 c. à soupe) de jus de citron fraîchement pressé, 10 ml (2 c. à thé) de moutarde de Dijon
Rendement : environ 250 ml (1 tasse)
Portion suggérée : 30 ml (2 c. à soupe)
Utilisation : salades de chou contenant une variété de légumes, comme les carottes, le brocoli ou le fenouil

Sauce à salade crémeuse au piment et au citron vert

Yogourt : 90 ml (6 c. à soupe) de yogourt nature faible en gras
Touche sucrée : 7 ml (1 ½ c. à thé) de sucre granulé
Assaisonnements : 45 ml (3 c. à soupe) de jus de citron vert et 5 ml (1 c. à thé) de chili en poudre
Rendement : environ 150 ml (⅔ tasse)
Portion suggérée : 30 ml (2 c. à soupe)
Utilisation : salade de laitues mélangées, d'oranges, d'avocat, d'oignon rouge et de crevettes

Salade de fruits d'été, sauce yogourt vanille et érable

Mary Sue Waisman, diététiste, Nouvelle-Écosse

4 PORTIONS

✓ LE CHOIX DES ENFANTS

Pendant l'été, profitez des merveilleux petits fruits frais, colorés et savoureux, que l'on trouve dans plusieurs régions de chez nous. C'est la gâterie parfaite au petit-déjeuner et vous pouvez aussi servir la salade comme dessert.

CONSEILS

Vous pouvez aussi utiliser cette sauce comme trempette avec des fruits, comme garniture sur des céréales ou des crêpes. La recette est également délicieuse avec de la crème sure ordinaire.

Une portion de cette jolie salade vous donnera 2 portions de Légumes et fruits.

Valeur nutritive par portion	
Calories	104
Lipides	1,5 g
saturés	0,6 g
Sodium	26 mg (1 % VQ)
Glucides	22 g
Fibres	6 g (24 % VQ)
Protéines	3 g
Calcium	87 mg (8 % VQ)
Fer	0,8 mg (6 % VQ)

Teneur très élevée en vitamine C

Équivalents par portion pour les personnes diabétiques :
1   Glucides
½   Matières grasses

250 ml (1 tasse) de bleuets
250 ml (1 tasse) de framboises
250 ml (1 tasse) de fraises en tranches
250 ml (1 tasse) de mûres ou de baies d'amélanchier de la Saskatchewan
60 ml (¼ tasse) de noisettes grillées finement hachées (facultatif)

La sauce yogourt vanille et érable
60 ml (¼ tasse) de yogourt à la vanille faible en gras
60 ml (¼ tasse) de crème sure légère
15 ml (1 c. à soupe) de sirop d'érable pur à 100 %
Une pincée de cannelle moulue

1. Dans un bol, mélanger délicatement les bleuets, les framboises, les fraises et les mûres.
2. *La sauce yogourt vanille et érable :* Dans un petit bol, mélanger le yogourt, la crème sure, le sirop d'érable et la cannelle. Utiliser la sauce immédiatement ou la couvrir et la mettre au réfrigérateur, elle se conservera jusqu'à 3 jours.
3. Mettre 250 ml (1 tasse) du mélange de fruits dans chacun des bols de service. Garnir chacun de 30 ml (2 c. à soupe) de sauce et de 10 ml (2 c. à thé) de noisettes, si désiré.

SUGGESTION DE SERVICE

Faites un parfait au yogourt : garnissez cette salade de fruits d'une couche de Céréales de grains entiers aux fruits et aux noix, beurre d'amande et miel (p. 36), puis de la Sauce yogourt vanille et érable.

Salade de fruits chaude pour nos beaux jours d'hiver

Mary Sue Waisman, diététiste, Nouvelle-Écosse

4 PORTIONS

✓ LE CHOIX DES ENFANTS

Grâce aux techniques d'entreposage moderne, il est possible de se procurer des pommes et des poires fraîches toute l'année. Quelle chance nous avons de pouvoir profiter de fruits frais en hiver !

5 ml (1 c. à thé) de beurre ou de margarine non hydrogénée
5 ml (1 c. à thé) de sirop d'érable pur à 100 %
1 pomme à cuire, comme la Granny Smith, pelée et coupée en 8 quartiers
1 poire, pelée et coupée en 8 quartiers

1. Dans un grand poêlon antiadhésif, faire fondre le beurre à feu moyen. Ajouter le sirop d'érable, en faisant tourner le poêlon pour le couvrir de sirop. Ajouter les quartiers de pomme et de poire. Cuire de 2 à 3 minutes de chaque côté, en les retournant pour que tous les côtés soient dorés.

VARIANTE

Vous pouvez ajouter un peu de fruits séchés, comme les raisins secs, les canneberges, les cerises et les bleuets, ou des noix, comme les noisettes, finement hachées.

SUGGESTIONS DE SERVICE

Garnissez la salade de fruits de la Sauce yogourt vanille et érable (p. 142).

Pour obtenir un dessert facile à préparer, servez la salade sur de la crème glacée à la vanille.

Valeur nutritive par portion	
Calories	49
Lipides	1,0 g
saturés	0,6 g
Sodium	7 mg (0 % VQ)
Glucides	11 g
Fibres	2 g (8 % VQ)
Protéines	0 g
Calcium	6 mg (1 % VQ)
Fer	0,1 mg (1 % VQ)

Équivalents par portion pour les personnes diabétiques :
½ Glucides

Salade de fruits froide pour nos beaux jours d'hiver

Adam Hudson, diététiste, Ontario

8 PORTIONS

✓ LE CHOIX DES ENFANTS

Les fruits en conserve et les fruits frais importés sont particulièrement utiles pendant les mois d'hiver, quand les fruits frais sont difficiles à trouver ou qu'ils sont plus chers.

CONSEIL

Évitez d'acheter des fruits en conserve dans un sirop, car ils contiennent du sucre ajouté.

1 boîte de 398 ml (14 oz) de pêches en tranches, non sucrées, égouttées
1 boîte de 398 ml (14 oz) de poires en tranches, non sucrées, égouttées
1 banane, en tranches
250 ml (1 tasse) de raisins rouges sans pépins, coupés en 2
10 ml (2 c. à thé) de jus d'orange
10 ml (2 c. à thé) de jus de citron vert
15 ml (1 c. à soupe) de gingembre confit finement haché (facultatif)

1. Dans un grand bol, mélanger les pêches, les poires, la banane et les raisins. Asperger les fruits de jus d'orange et de jus de citron vert, puis remuer délicatement pour couvrir les fruits de jus. Garnir de gingembre, si désiré.

VARIANTE

Vous pouvez garnir la salade de fruits de 30 ml (2 c. à soupe) de graines de tournesol grillées, non salées, ou de noix, comme les pacanes, les noisettes ou les amandes.

SUGGESTION DE SERVICE

Servez la salade de fruits garnie de yogourt aux pêches faible en gras.

Valeur nutritive par portion	
Calories	56
Lipides	0,1 g
saturés	0,0 g
Sodium	3 mg (0 % VQ)
Glucides	15 g
Fibres	1 g (4 % VQ)
Protéines	1 g
Calcium	7 mg (1 % VQ)
Fer	0,3 mg (2 % VQ)

Équivalents par portion pour les personnes diabétiques :
1 Glucides

Soupe aux haricots Pinto garnie de lanières de tortilla, p. 130

Salade de laitue à feuilles rouges, vinaigrette à la mangue, p. 149

Salade aux agrumes et au fenouil, p. 153

Salade de quinoa aux amandes et aux fruits, vinaigrette à l'érable, p. 166

Poulet sauté, sauce fruitée, p. 175

Poulet à la grecque, p. 182

Escalopes de dinde aux canneberges, p. 185

Rôti de bœuf et légumes à la méditerranéenne, p. 196

Salade de concombre et de melon d'eau

Brendine Partyka, Ontario

✓ LE CHOIX DES ENFANTS

Cette salade possède des couleurs éclatantes, une texture croquante et une saveur rafraîchissante – le plat parfait par une chaude journée d'été. Au premier coup d'œil, elle ressemble à une salade grecque avec des tomates, alors quand Brendine a fait cette recette pour la première fois, les membres de sa famille ont applaudi à la vue du melon d'eau. Maintenant, presque chaque fois qu'elle leur demande « Quelle sorte de salade voulez-vous manger ce soir ? », ils choisissent celle-ci.

½ melon d'eau, dont on a retiré les pépins et l'écorce, la chair coupée en morceaux de 2,5 cm (1 po), soit 1 à 1,5 litre (4 à 6 tasses) de chair
1 concombre anglais, dont on a retiré les graines, coupé en quartiers dans le sens de la longueur, puis coupé en tranches de 0,5 cm (¼ po)
15 ml (1 c. à soupe) d'huile de canola ou d'huile d'olive extra-vierge
125 ml (½ tasse) de basilic frais finement haché
125 ml (½ tasse) de fromage feta émietté

1. Dans un grand bol, mettre le melon d'eau et le concombre. Y verser l'huile en filet. Ajouter le basilic et le fromage, puis remuer délicatement.

> Essayez de cultiver du melon d'eau et des concombres dans votre jardin ou dans un jardin communautaire – c'est une merveilleuse façon d'aider les enfants à mieux connaître les aliments. Ou pourquoi ne pas faire un petit jardin d'herbes dans votre cuisine ? Votre famille pourra alors bénéficier de fines herbes fraîches toute l'année. Demandez aux enfants de peindre de petits pots en terre cuite et d'y planter leurs herbes préférées.

CONSEILS
Pour retirer les graines du concombre et émietter le fromage feta, faites-vous aider des enfants.

Cette salade devient très liquide si vous la conservez pour le lendemain. Mais il y a peu de chances qu'il en reste !

VARIANTE
Pour faire un peu de variété, versez 15 ml (1 c. à soupe) de vinaigre balsamique en filet sur la salade.

Valeur nutritive par portion	
Calories	69
Lipides	3,9 g
saturés	1,6 g
Sodium	106 mg (4 % VQ)
Glucides	8 g
Fibres	1 g (4 % VQ)
Protéines	2 g
Calcium	62 mg (6 % VQ)
Fer	0,4 mg (3 % VQ)

Équivalents par portion pour les personnes diabétiques :
½   Glucides
1   Matières grasses

Salade verte, vinaigrette aux pommes et au vinaigre balsamique

Jennifer House, diététiste, Alberta

6 PORTIONS

✓ LE CHOIX DES ENFANTS

Cette salade a été créée par la grand-mère du mari de Jennifer. Dans les réunions de famille, elle fait toujours partie de leurs plats favoris. Le fils de Jennifer, qui a 3 ans, adore remuer la vinaigrette et garnir les feuilles de laitue de fraises, de fromage et de noix.

CONSEILS

N'utilisez que des fraises fraîches. Des fraises surgelées pourraient détremper la salade.

Pour plus de saveur, faites griller les amandes (voir p. 139).

1,5 litre (6 tasses) d'un mélange de feuilles de laitues
500 ml (2 tasses) de fraises en tranches
125 ml (½ tasse) de fromage feta émietté
60 ml (¼ tasse) d'amandes effilées

La vinaigrette
1 gousse d'ail, hachée
15 ml (1 c. à soupe) de cassonade non tassée
30 ml (2 c. à soupe) de jus de pomme non sucré
15 ml (1 c. à soupe) de vinaigre balsamique
2 ml (½ c. à thé) de moutarde de Dijon au miel
60 ml (¼ tasse) d'huile de canola

1. Dans un grand bol, mettre les feuilles de laitue, les fraises, le fromage et les amandes.
2. *La vinaigrette:* Dans un petit bol, fouetter l'ail avec la cassonade, le jus de pomme, le vinaigre et la moutarde. Fouetter graduellement l'huile.
3. Verser la vinaigrette sur la salade et mélanger pour la couvrir de vinaigrette.

> Le fromage feta peut être fabriqué avec du lait de vache, de brebis ou de chèvre. C'est un fromage blanc, frais, qui est conservé dans la saumure. Il est généralement associé à la cuisine grecque, mais son goût salé et sa texture unique en font aussi un ingrédient savoureux dans plusieurs mets internationaux.

VARIANTE
Vous pouvez remplacer les amandes par des noix.

Valeur nutritive par portion	
Calories	181
Lipides	14,4 g
saturés	2,8 g
Sodium	162 mg (7 % VQ)
Glucides	11 g
Fibres	3 g (12 % VQ)
Protéines	4 g
Calcium	120 mg (11 % VQ)
Fer	1,0 mg (7 % VQ)

Teneur très élevée en vitamine C et acide folique
Teneur élevée en magnésium

Équivalents par portion pour les personnes diabétiques :
½   Glucides
½   Viandes et substituts
2 ½ Matières grasses

Salade d'épinards et de fromage de chèvre

Jessica Kelly, diététiste, Ontario

8 PORTIONS

✓ LE CHOIX DES ENFANTS

Jessica a mangé une salade semblable dans l'un de ses restaurants préférés et elle a eu l'idée de la faire à la maison. Un vrai succès!

CONSEILS

La recette de vinaigrette donne 250 ml (1 tasse), mais vous n'aurez besoin que de 75 ml (⅓ tasse) pour 8 portions. Versez le reste dans un bocal, couvrez-le et placez-le au réfrigérateur. La vinaigrette se conservera jusqu'à une semaine.

Dans la recette originale, on trouvait de la vinaigrette allégée aux graines de pavot. Nous avons créé cette vinaigrette maison à base de fruits et de graines de pavot.

Valeur nutritive par portion	
Calories	97
Lipides	5,0 g
saturés	1,3 g
Sodium	63 mg (3 % VQ)
Glucides	11 g
Fibres	2 g (8 % VQ)
Protéines	3 g
Calcium	53 mg (5 % VQ)
Fer	1,2 mg (9 % VQ)

Teneur très élevée en vitamine A et acide folique
Teneur élevée en vitamine C

Équivalents par portion pour les personnes diabétiques :
½ Glucides
1 Matières grasses

• *Un mélangeur ou un robot culinaire*

2 litres (8 tasses) de jeunes épinards
1 boîte de 284 ml (10 oz) de quartiers de mandarine conservés dans leur jus, égouttés
½ gros oignon rouge, en fins dés
60 g (2 oz) de fromage de chèvre, émietté
60 ml (¼ tasse) d'amandes grillées au miel
60 ml (¼ tasse) de canneberges séchées

La vinaigrette
175 ml (¾ tasse) de framboises surgelées, décongelées
30 ml (2 c. à soupe) de sucre granulé
30 ml (2 c. à soupe) d'huile de canola
20 ml (4 c. à thé) de vinaigre de framboises
5 ml (1 c. à thé) de graines de pavot

1. Dans un grand bol, mettre les épinards, les mandarines, l'oignon rouge, le fromage de chèvre, les amandes et les canneberges.
2. *La vinaigrette:* Dans un mélangeur, mettre les framboises, le sucre, 45 ml (3 c. à soupe) d'eau, l'huile et le vinaigre. Mélanger jusqu'à l'obtention d'une consistance lisse. Verser dans un petit bol et incorporer les graines de pavot.
3. Verser 75 ml (⅓ tasse) de la vinaigrette sur la salade et bien mélanger. Conserver le reste pour un autre usage.

Un chèvre aromatisé aux fruits, comme les canneberges, donne de bons résultats dans cette recette.

SUGGESTION DE SERVICE
Pour obtenir un fabuleux plat de résistance, garnissez la salade de tranches de poulet grillé.

Salade de roquette, de pomme et de bleu

Caroline Dubeau, diététiste, Ontario

Cette salade offre une agréable combinaison de saveurs. Même les gens qui ne sont pas amateurs de bleu vont l'adorer. Si vous préférez un bleu à la saveur plus douce, essayez le cambozola.

CONSEILS

Rincez bien la roquette pour enlever toute la saleté et le sable, puis passez-la dans une essoreuse à salade ou épongez-la bien pour que la vinaigrette adhère aux feuilles. Utilisez des ciseaux de cuisine pour couper les feuilles de roquette.

Caroline préfère utiliser un fromage bleu canadien dans cette salade.

1 litre (4 tasses) de roquette hachée
2 pommes, coupées en dés
125 g (4 oz) de fromage bleu, émietté
125 ml (½ tasse) de graines de tournesol grillées, non salées
  (voir p. 139)

La vinaigrette
45 ml (3 c. à soupe) de mayonnaise légère
15 ml (1 c. à soupe) d'huile de canola
15 ml (1 c. à soupe) de vinaigre de cidre
10 ml (2 c. à thé) de miel liquide
5 ml (1 c. à thé) de moutarde de Dijon
Poivre noir fraîchement moulu

1. Dans un grand bol, mélanger délicatement la roquette, les pommes, le fromage bleu et les graines de tournesol.
2. *La vinaigrette :* Dans un petit bol, fouetter la mayonnaise avec l'huile, le vinaigre, 15 ml (1 c. à soupe) d'eau, le miel et la moutarde. Poivrer, au goût.
3. Verser la vinaigrette sur la salade et bien mélanger.

Les pommes Gala, Cortland et Jonagold conservent leur couleur plus longtemps que d'autres variétés de pomme quand on les coupe.

VARIANTE

Vous pouvez remplacer les pommes par des poires et les graines de tournesol par des demi-pacanes ou par des pignons, grillés.

Valeur nutritive par portion	
Calories	221
Lipides	16,5 g
saturés	4,8 g
Sodium	336 mg (14 % VQ)
Glucides	13 g
Fibres	3 g (12 % VQ)
Protéines	8 g
Calcium	177 mg (16 % VQ)
Fer	1,5 mg (11 % VQ)

Teneur très élevée en magnésium et acide folique
Teneur élevée en thiamine

Équivalents par portion pour les personnes diabétiques :
½   Glucides
1   Viandes et substituts
2   Matières grasses

Salade de laitue à feuilles rouges, vinaigrette à la mangue

Shemina Patni, diététiste, Colombie-Britannique

✓ LE CHOIX DES ENFANTS

Des couleurs et des textures attrayantes, et un goût tout à fait sensationnel, quoi de mieux!

CONSEILS

Plutôt que d'utiliser un robot culinaire ou un mélangeur, fouettez la vinaigrette. Le fils de Shemina adore fouetter la vinaigrette.

La plus grande partie des lipides contenus dans cette salade provient des arachides, qui renferment surtout des lipides insaturés. Pour diminuer la quantité de lipides, utilisez 125 ml (½ tasse) d'arachides, mais la quantité de protéines sera également réduite.

Valeur nutritive par portion	
Calories	211
Lipides	15,7 g
saturés	1,9 g
Sodium	113 mg (5 % VQ)
Glucides	15 g
Fibres	3 g (12 % VQ)
Protéines	7 g
Calcium	43 mg (4 % VQ)
Fer	1,1 mg (8 % VQ)

Teneur très élevée en vitamine A
Teneur élevée en magnésium, zinc, acide folique et niacine

Équivalents par portion pour les personnes diabétiques:
½ Glucides
1 Viandes et substituts
2 Matières grasses

• *Un mélangeur ou un robot culinaire*

2 litres (8 tasses) de feuilles de laitue rouge déchiquetées
1 pomme acidulée, grossièrement hachée
125 ml (½ tasse) d'oignons verts tranchés
125 ml (½ tasse) de raisins rouges sans pépins coupés en 2
250 ml (1 tasse) d'arachides entières, grillées, non salées

La vinaigrette
5 ml (1 c. à thé) de poudre de cari
2 ml (½ c. à thé) de sucre granulé
0,5 ml (⅛ c. à thé) de curcuma moulu
Une pincée de sel
60 ml (¼ tasse) de jus de citron fraîchement pressé
45 ml (3 c. à soupe) de chutney à la mangue doux ou épicé
30 ml (2 c. à soupe) de vinaigre de vin rouge
60 ml (¼ tasse) d'huile de canola

1. Dans un grand bol, mettre la laitue, la pomme, les oignons verts et les raisins.
2. *La vinaigrette:* Dans un mélangeur, mettre la poudre de cari, le sucre, le curcuma, le sel, 60 ml (¼ tasse) d'eau, le jus de citron, le chutney et le vinaigre. Mélanger jusqu'à l'obtention d'une consistance lisse. Pendant que l'appareil est en marche, ajouter l'huile graduellement par l'orifice d'alimentation et mélanger jusqu'à ce que ce soit homogène.
3. Verser la moitié de la vinaigrette sur la salade et mélanger le tout. La garnir d'arachides. Mettre le reste de la vinaigrette sur la table, si désiré.

Le sucre, les épices et le vinaigre sont les ingrédients incontournables des chutneys, qui leur donnent un goût sucré, épicé et piquant bien distinctif. Les chutneys ont parfois une consistance homogène, mais ils ont traditionnellement une consistance plus grossière. Les chutneys à la mangue du commerce sont doux ou épicés. Tous donneront de bons résultats dans cette vinaigrette.

Salade aux poires et au fromage haloumi

Claude Gamache, diététiste, Québec

✓ **LE CHOIX DES ENFANTS**

Le fromage haloumi conserve sa forme quand on le chauffe et il complète à merveille la douce saveur des poires.

CONSEILS

Piquez les poires avec une fourchette pour vérifier si elles sont tendres. Quand vous piquez le milieu des tranches de poires, la fourchette doit rencontrer le moins de résistance possible.

Demandez à votre marchand de fromages de vous conseiller un fromage d'ici que l'on peut faire griller.

Valeur nutritive par portion	
Calories	166
Lipides	10,5 g
saturés	5,2 g
Sodium	355 mg (15 % VQ)
Glucides	13 g
Fibres	2 g (8 % VQ)
Protéines	7 g
Calcium	180 mg (16 % VQ)
Fer	0,7 mg (5 % VQ)

Teneur élevée en vitamine A et acide folique

Équivalents par portion pour les personnes diabétiques :
1	Glucides
1	Viandes et substituts
1	Matières grasses

30 ml (2 c. à soupe) de cassonade non tassée
5 ml (1 c. à thé) de beurre
2 poires, pelées, évidées et coupées en 8 tranches chacune, dans le sens de la longueur
15 ml (1 c. à soupe) de vinaigre balsamique
1 paquet de 210 g (7 oz) de fromage haloumi, coupé en 8 tranches
1 litre (4 tasses) d'épinards non tassés parés
60 ml (¼ tasse) de noix légèrement grillées hachées (voir p. 139)
30 ml (2 c. à soupe) de canneberges séchées

1. Dans un poêlon antiadhésif, faire fondre la cassonade et le beurre, à feu moyen. Y faire sauter les poires pendant environ 5 minutes ou jusqu'à ce qu'elles soient tendres quand on les pique avec une fourchette. Ajouter le vinaigre et bien remuer pour en couvrir les poires. Mettre les poires dans un bol et réserver.
2. Bien essuyer le poêlon. À feu moyen, ajouter les tranches de fromage et cuire, en les retournant une fois, de 1 à 2 minutes de chaque côté ou jusqu'à ce qu'elles soient dorées. Les mettre ensuite dans une assiette.
3. Répartir les épinards entre 8 assiettes de service. Garnir chacune des assiettes de 2 tranches de poire et d'une tranche de fromage. Parsemer également de noix et de canneberges.

Le fromage haloumi est fait de lait de brebis et il est souvent utilisé dans la cuisine grecque et celle du Moyen-Orient.

VARIANTE
Vous pouvez remplacer les poires par des pommes.

SUGGESTION DE SERVICE
Ce plat impressionnera vos invités, à un brunch dominical, comme à une réception.

Salade du printemps au poulet et aux fruits

Lauren Coles, Ontario

Lauren Coles, Ontario

6 PORTIONS

✓ LE CHOIX DES ENFANTS

Les raisins congelés ajoutent de la fraîcheur à cette salade-repas. Si vous n'y mettez pas de poulet, cette salade devient une succulente entrée.

CONSEILS

Congelez les raisins au moins 1 heure avant de préparer la salade.

Si vous avez un reste de poitrines de poulet cuites, n'hésitez pas à l'utiliser dans cette recette.

Vous aurez 250 ml (1 tasse) de vinaigrette, mais vous n'aurez besoin que de 125 ml (½ tasse) pour 6 portions. Versez le reste dans un bocal, couvrez-le et mettez-le au réfrigérateur. La vinaigrette se conservera jusqu'à 3 jours.

Valeur nutritive par portion	
Calories	295
Lipides	15,8 g
saturés	4,1 g
Sodium	242 mg (10 % VQ)
Glucides	17 g
Fibres	2 g (8 % VQ)
Protéines	22 g
Calcium	92 mg (8 % VQ)
Fer	1,2 mg (9 % VQ)

Teneur très élevée en niacine
Teneur élevée en magnésium, vitamine A, vitamine B$_6$ et acide folique

Équivalents par portion pour les personnes diabétiques :
1   Glucides
3   Viandes et substituts

- *Un mélangeur ou un robot culinaire*

15 ml (1 c. à soupe) d'huile de canola, au total
500 g (1 lb) de poitrines de poulet sans la peau ni les os, coupées en minces lanières
1,5 litre (6 tasses) d'un mélange de feuilles de laitue
12 raisins congelés, coupés en 2
125 g (4 oz) de fromage de chèvre, émietté
60 ml (¼ tasse) de cerises séchées
60 ml (¼ tasse) de pommes séchées hachées

La vinaigrette
60 ml (¼ tasse) de sucre granulé
15 ml (1 c. à soupe) d'échalote finement hachée
5 ml (1 c. à thé) de moutarde sèche
1 ml (¼ c. à thé) de sel
125 ml (½ tasse) de mayonnaise légère
60 ml (¼ tasse) d'huile de canola
60 ml (¼ tasse) de vinaigre de vin blanc
30 ml (2 c. à soupe) de jus de pomme non sucré
15 ml (1 c. à soupe) de graines de pavot

1. Chauffer un wok ou un grand poêlon à feu moyen. Ajouter la moitié de l'huile et faire tourner le poêlon pour le couvrir d'huile. Faire sauter une partie du poulet de 6 à 8 minutes ou jusqu'à ce qu'il soit bien doré et qu'il ait perdu sa couleur rosée, en ajoutant de l'huile entre les différentes cuissons, au besoin. Quand une partie du poulet est cuite, la mettre dans une assiette et réserver. Répéter l'opération pour le reste du poulet.
2. *La vinaigrette :* Au mélangeur, mettre le sucre, l'échalote, la moutarde, le sel, la mayonnaise, l'huile, le vinaigre et le jus de pomme. Mélanger jusqu'à l'obtention d'une consistance homogène. Verser ensuite la vinaigrette dans un petit bol et y incorporer les graines de pavot.
3. Répartir les feuilles de laitue entre 6 assiettes. Garnir du poulet, des raisins, du fromage de chèvre, des cerises et des pommes. Utilisez 125 ml (½ tasse) de la vinaigrette et répartissez-la entre les assiettes de salade.

Salade de chou fraîche

Joanne Rankin, diététiste, Colombie-Britannique

8 PORTIONS

✓ LE CHOIX DES ENFANTS

Quand Joanne et sa collègue ont préparé cette salade pour leurs étudiants, elles ont récolté des commentaires élogieux, même venant de personnes qui n'aiment pas la salade de chou! Pour accompagner un barbecue estival, c'est un choix fantastique.

CONSEILS

Pour couper le chou, utilisez une mandoline ou un robot culinaire muni d'une lame.

Vous pouvez utiliser cette vinaigrette dans différentes salades.

Valeur nutritive par portion	
Calories	155
Lipides	12,0 g
saturés	1,5 g
Sodium	223 mg (9 % VQ)
Glucides	11 g
Fibres	3 g (12 % VQ)
Protéines	3 g
Calcium	92 mg (8 % VQ)
Fer	1,0 mg (7 % VQ)

Teneur très élevée en vitamine C et acide folique

Équivalents par portion pour les personnes diabétiques :
½ Glucides
2 ½ Matières grasses

½ chou, finement coupé
3 oignons verts, finement hachés
3 branches de céleri, finement tranchées
1 grosse orange
125 ml (½ tasse) de noix grillées hachées (voir p. 139)
125 ml (½ tasse) de persil frais haché non tassé

La vinaigrette
125 ml (½ tasse) de yogourt nature faible en gras
125 ml (½ tasse) de mayonnaise légère
30 ml (2 c. à soupe) de moutarde de Dijon
30 ml (2 c. à soupe) de jus de citron fraîchement pressé
15 ml (1 c. à soupe) d'huile de canola ou d'huile d'olive
Une pincée de sel
Poivre noir fraîchement moulu

1. Dans un grand bol, mettre le chou, les oignons verts et le céleri.
2. Peler l'orange à vif à l'aide d'un couteau, en retirant le plus possible de la partie blanche qui se trouve sous le zeste. Couper l'orange en 2, puis en quartiers, dans le sens de la longueur. Couper chaque quartier dans le sens de la largeur, en tranches de 0,5 cm (¼ po). Ajouter l'orange au mélange de chou avec le jus qui aurait pu couler sur la planche à découper. Bien mélanger.
3. *La vinaigrette:* Dans un petit bol, fouetter le yogourt avec la mayonnaise, la moutarde, le jus de citron, l'huile, le sel et du poivre, au goût.
4. Verser la vinaigrette sur la salade et mélanger pour couvrir la salade de vinaigrette. Couvrir et mettre au réfrigérateur pendant au moins 30 minutes ou jusqu'à 8 heures avant de servir. Garnir de noix et de persil juste avant de servir.

VARIANTES

Remplacez l'orange par une pomme tranchée, et le jus de citron par du vinaigre de cidre.

Vous pouvez remplacer les noix par des arachides, des pacanes, des noix de cajou ou des graines de tournesol.

Ajoutez à la salade 125 ml (½ tasse) de fromage bleu émietté.

Salade aux agrumes et au fenouil

Jaclyn Pritchard, diététiste, Ontario

✓ LE CHOIX DES ENFANTS

Le fenouil et les agrumes créent une combinaison gagnante dans cette variation croquante de la salade de chou. Les enfants adorent les agrumes.

CONSEILS

Pour couper le bulbe de fenouil, utilisez une mandoline et vous obtiendrez des tranches minces et uniformes.

Plutôt que de servir la salade dans des assiettes individuelles, sur le mesclun, vous pouvez simplement la déposer sur la table.

1 gros bulbe de fenouil
¼ oignon rouge, tranché très finement
Le zeste râpé et le jus d'un citron
Le zeste râpé et le jus d'une orange
30 ml (2 c. à soupe) de jus d'orange fraîchement pressé
15 ml (1 c. à soupe) d'huile de canola
Une pincée de sel
Poivre noir fraîchement moulu
1,5 litre (6 tasses) de mesclun
45 ml (3 c. à soupe) de pignons grillés (voir p. 139)

1. Retirer les tiges et les feuilles extérieures dures du bulbe de fenouil et les jeter. Couper le bulbe en 2 dans le sens de la longueur et retirer le cœur. Couper le bulbe en tranches très minces, dans le sens de la largeur.
2. Mettre le fenouil et l'oignon dans un grand bol. Incorporer le zeste et le jus de citron, ainsi que le zeste et le jus d'orange. Y verser l'huile en filet, puis saler et poivrer, au goût.
3. Répartir le mesclun également entre 6 petites assiettes. Dresser ⅙ de la salade de fenouil dans chaque assiette, puis garnir de pignons.

> La cuisine méditerranéenne utilise le fenouil abondamment depuis des siècles. Il possède une douce saveur de réglisse. Le bulbe est savoureux dans les salades, les soupes et les ragoûts. Mais les petites feuilles, même si elles sont très jolies, sont rarement utilisées en cuisine.

VARIANTE

Remplacez les pignons par des graines de tournesol grillées, non salées.

Valeur nutritive par portion	
Calories	85
Lipides	5,4 g
saturés	0,4 g
Sodium	88 mg (4 % VQ)
Glucides	9 g
Fibres	3 g (12 % VQ)
Protéines	2 g
Calcium	72 mg (7 % VQ)
Fer	1,1 mg (8 % VQ)

Teneur très élevée en acide folique
Teneur élevée en vitamine C

Équivalents par portion pour les personnes diabétiques :
1   Matières grasses

Salade de son propre jardin d'herbes

Judy Campbell-Gordon, diététiste, Québec

1 PORTION

Vous pouvez utiliser toutes les fines herbes que vous cultivez dans cette savoureuse salade fraîche. Et vous pouvez la doubler, la tripler ou la quadrupler pour servir jusqu'à 4 personnes.

1 tomate coupée en 8 quartiers
250 ml (1 tasse) de petites feuilles de roquette
75 ml (⅓ tasse) de concombre haché
30 ml (2 c. à soupe) d'origan frais haché
30 ml (2 c. à soupe) de basilic frais haché
30 ml (2 c. à soupe) de menthe fraîche hachée
15 ml (1 c. à soupe) de ciboulette fraîche hachée
15 ml (1 c. à soupe) de vinaigre balsamique
10 ml (2 c. à thé) d'huile d'olive extra-vierge
4 olives Kalamata dénoyautées
15 ml (1 c. à soupe) de fromage feta, émietté
1 ml (¼ c. à thé) de poivre noir fraîchement moulu

1. Dans un bol moyen, mélanger la tomate, la roquette, le concombre, l'origan, le basilic, la menthe et la ciboulette. Y verser le vinaigre et l'huile en filet. Garnir des olives et du fromage, puis saler et poivrer.

CONSEILS

Pour hacher le basilic, déposez plusieurs feuilles à plat, l'une sur l'autre. Roulez-les serré, puis coupez-les en fines lanières, c'est ce qu'on appelle une chiffonnade.

Dans cette salade, il est préférable d'éviter d'utiliser des fines herbes séchées, car elles n'ont pas le temps de s'humecter suffisamment pour libérer leurs saveurs.

Vous pouvez utiliser la quantité d'herbes qui vous plaît.

Valeur nutritive par portion	
Calories	211
Lipides	15,5 g
saturés	3,3 g
Sodium	482 mg (20 % VQ)
Glucides	16 g
Fibres	5 g (20 % VQ)
Protéines	6 g
Calcium	241 mg (22 % VQ)
Fer	4,5 mg (32 % VQ)

Teneur très élevée en magnésium, vitamine A, vitamine C et acide folique

Équivalents par portion pour les personnes diabétiques :
3   Matières grasses

Salade du jardin au goût des enfants

Ella et Keira Russell, Manitoba

✓ LE CHOIX DES ENFANTS

Faites découvrir aux enfants une grande variété de légumes, grâce à cette salade. Ils s'amuseront à expérimenter diverses combinaisons et à découvrir différentes saveurs.

CONSEILS

Vous aurez 250 ml (1 tasse) de sauce à salade, mais vous n'aurez besoin que de 125 ml (½ tasse) pour 8 portions. Mettez le reste dans un bocal, couvrez-le et placez-le au réfrigérateur. La sauce se conservera jusqu'à 3 jours.

Plutôt que de préparer la salade, vous pouvez aussi déposer sur la table tous les ingrédients dans différents bols et laisser les enfants créer leurs propres salades.

Valeur nutritive par portion	
Calories	73
Lipides	2,7 g
saturés	0,9 g
Sodium	160 mg (7 % VQ)
Glucides	8 g
Fibres	3 g (12 % VQ)
Protéines	5 g
Calcium	116 mg (11 % VQ)
Fer	1,1 mg (8 % VQ)

Teneur très élevée en vitamine A et acide folique
Teneur élevée en vitamine C

Équivalents par portion pour les personnes diabétiques :
½   Viandes et substituts

1 laitue romaine, déchiquetée en petits morceaux
½ concombre anglais, haché
500 ml (2 tasses) de tomates raisins
250 ml (1 tasse) de carottes râpées
250 ml (1 tasse) de cheddar léger râpé

La sauce à salade Ranch poivrée
125 ml (½ tasse) de babeurre
75 ml (⅓ tasse) de yogourt nature faible en gras
60 ml (¼ tasse) de mayonnaise légère
15 ml (1 c. à soupe) de vinaigre de vin blanc
2 gousses d'ail, hachées
30 ml (2 c. à soupe) de parmesan frais finement râpé (facultatif)
15 ml (1 c. à soupe) de persil frais finement haché
5 ml (1 c. à thé) d'oignon râpé
2 ml (½ c. à thé) de poivre noir fraîchement moulu
Une pincée de sel

1. Dans un grand bol, mélanger la laitue, le concombre, les tomates, les carottes et le cheddar.
2. *La sauce à salade Ranch poivrée:* Dans un petit bol, fouetter le babeurre, le yogourt, la mayonnaise et le vinaigre. Incorporer l'ail, le parmesan, si désiré, le persil, l'oignon, le poivre et le sel.
3. Verser 15 ml (1 c. à soupe) de sauce à salade dans chacun de 8 petits bols à condiment, puis les déposer sur la table à la place de chacun des enfants.

Salade de radicchio

Sarah Baker, Ontario

Dans les réunions de famille, chez Sarah, les nouvelles salades figurent toujours au menu. Voici l'une de ses plus belles réussites, qui lui a été transmise par sa mère, elle est pleine de couleurs, de textures et de saveurs.

CONSEILS

Si vous voulez réduire le goût de sel, ne mettez pas d'olives.

Le radicchio est originaire d'Italie, mais on en cultive maintenant au Canada. C'est au moment où la température refroidit, avant la récolte, que ses feuilles prennent leur couleur rouge caractéristique.

Pour réduire la teneur en lipides et en sodium, utilisez moins de fromage feta et moins d'olives.

1 bouquet de cresson frais, dont on a retiré les tiges
1 petit radicchio, coupé en 2 et grossièrement haché
1 oignon vert, finement haché
125 ml (½ tasse) de fromage feta émietté
125 ml (½ tasse) d'olives Kalamata
125 ml (½ tasse) d'amandes entières, grillées (voir p. 139)
125 ml (½ tasse) de parmesan fraîchement râpé
Poivre noir fraîchement moulu

La vinaigrette

2 ml (½ c. à thé) de sucre granulé
60 ml (¼ tasse) d'huile d'olive
30 ml (2 c. à soupe) de vinaigre de vin rouge
15 ml (1 c. à soupe) de moutarde de Dijon

1. Dans un grand bol, mélanger délicatement le cresson, le radicchio, l'oignon vert, le fromage feta, les olives, les amandes et le parmesan.
2. *La vinaigrette :* Dans un petit bol, fouetter le sucre, l'huile, le vinaigre et la moutarde.
3. Verser la vinaigrette sur la salade et remuer pour la couvrir de vinaigrette. Poivrer, au goût.

En Angleterre, au début du 19e siècle, il était fréquent, pour la classe ouvrière, de manger du cresson en sandwich, au petit-déjeuner. Lorsque l'argent se faisait rare, on mangeait seulement du cresson. On nomma donc le cresson « le pain du pauvre ».

Valeur nutritive par portion	
Calories	186
Lipides	16,7 g
saturés	4,0 g
Sodium	382 mg (16 % VQ)
Glucides	4 g
Fibres	1 g (4 % VQ)
Protéines	7 g
Calcium	161 mg (15 % VQ)
Fer	0,7 mg (5 % VQ)

Teneur élevée en vitamine B_{12}

Équivalents par portion pour les personnes diabétiques :
1   Viandes et substituts
2 ½ Matières grasses

Salade niçoise

Edie Shaw-Ewald, diététiste, Nouvelle-Écosse

Nous avons accepté la proposition d'Edie pour la recette de niçoise, mais nous lui avons ajouté une petite touche canadienne en utilisant du saumon, plutôt que le thon traditionnel.

CONSEIL

Plutôt que de fouetter les ingrédients de la vinaigrette, mettez-les dans un bocal à couvercle qui visse, puis agitez le bocal. C'est efficace, et c'est amusant aussi!

VARIANTE

Vous pouvez varier les légumes selon vos préférences et utiliser des haricots verts cuits à la vapeur, des edamames écossés ou des radis frais, par exemple.

Valeur nutritive par portion	
Calories	308
Lipides	13,9 g
saturés	2,5 g
Sodium	391 mg (16 % VQ)
Glucides	24 g
Fibres	6 g (24 % VQ)
Protéines	23 g
Calcium	231 mg (21 % VQ)
Fer	2,9 mg (21 % VQ)

Teneur très élevée en magnésium, vitamine D, acide folique, vitamine B_{12}, thiamine et niacine
Teneur élevée en zinc, vitamine A, vitamine C, vitamine B_6 et riboflavine

**Équivalents par portion pour
les personnes diabétiques :**

1	Glucides
2	Viandes et substituts
1	Matières grasses

1 laitue Boston ou romaine, dont on a séparé les feuilles
2 boîtes de 213 g (7 ½ oz) chacune de saumon, égoutté et émietté
250 ml (1 tasse) de tomates raisins
250 g (8 oz) de haricots jaunes, cuits à la vapeur jusqu'à ce qu'ils soient al dente, puis refroidis
250 g (8 oz) de pointes d'asperge, parées, cuites à la vapeur jusqu'à ce qu'elles soient al dente, puis refroidies
20 petites pommes de terre nouvelles, bouillies, refroidies et coupées en 2
3 œufs durs, en quartiers
60 ml (¼ tasse) d'olives niçoises

La vinaigrette

2 gousses d'ail, hachées
15 ml (1 c. à soupe) d'échalotes finement hachées
2 ml (½ c. à thé) de poivre noir fraîchement moulu
Une pincée de sel
45 ml (3 c. à soupe) d'huile d'olive extra-vierge
45 ml (3 c. à soupe) de jus de citron fraîchement pressé
15 ml (1 c. à soupe) de vinaigre de vin rouge
7 ml (1 ½ c. à thé) de moutarde de Dijon

1. Disposer les feuilles de laitue dans une grande assiette et parsemer la laitue de saumon. En commençant par l'une des extrémités, déposer, dans l'ordre : les tomates, les haricots, les asperges, les pommes de terre et les œufs.
2. *La vinaigrette :* Dans un petit bol, fouetter l'ail avec les échalotes, le poivre, le sel, l'huile, le jus de citron, 30 ml (2 c. à soupe) d'eau, le vinaigre et la moutarde.
3. Verser la vinaigrette sur la salade et parsemer d'olives.

> La ville de Nice, en France, est située entre la Méditerranée au sud et des oliveraies, qui produisent les olives niçoises, au nord. La salade niçoise traditionnelle contient aussi des anchois, mais étant donné leur teneur élevée en sel, nous n'en avons pas mis dans cette recette.

SUGGESTION DE SERVICE

Ajoutez du pain croûté de blé entier, et vous aurez un merveilleux plat d'été à déguster sur la terrasse.

Salade de betteraves jaunes

Sarah McKenna, Alberta

6 PORTIONS

✓ **LE CHOIX DES ENFANTS**

Cette salade est tellement simple qu'on a envie de la préparer. De plus, elle est jolie et savoureuse! Les enfants de Sarah adorent émietter le fromage feta et parsemer la salade de noix.

CONSEILS

Choisissez des betteraves de la même grosseur, pour qu'elles soient toutes cuites en même temps.

Si vous pelez les betteraves après les avoir fait griller, plutôt qu'avant, cela vous épargnera du temps et le travail sera plus facile à faire.

Assurez-vous d'utiliser du vinaigre de vin blanc, car le vinaigre de vin rouge donnerait une teinte rosée aux betteraves jaunes et à la feta.

Valeur nutritive par portion	
Calories	115
Lipides	9,2 g
saturés	1,6 g
Sodium	162 mg (7 % VQ)
Glucides	7 g
Fibres	2 g (8 % VQ)
Protéines	3 g
Calcium	45 mg (4 % VQ)
Fer	0,7 mg (5 % VQ)

Teneur élevée en acide folique

Équivalents par portion pour les personnes diabétiques:
2   Matières grasses

• *Préchauffer le four à 190 °C (375 °F)*

500 g (1 lb) de betteraves jaunes, soit environ 4
60 ml (¼ tasse) de fromage feta émietté
60 ml (¼ tasse) de noix grillées hachées (voir p. 139)

La vinaigrette
30 ml (2 c. à soupe) d'huile de canola
30 ml (2 c. à soupe) de vinaigre de vin blanc
Une pincée de sel
Poivre noir fraîchement moulu

1. Brosser les betteraves, puis couper les feuilles et les racines. Envelopper les betteraves de papier d'aluminium et les mettre dans un plat allant au four. Cuire les betteraves au four préchauffé pendant environ 45 minutes ou jusqu'à ce qu'elles soient tout juste tendres. Retirer le papier et les laisser refroidir. Les peler sous l'eau froide. Les couper en tranches minces, puis les mettre dans un grand bol.

2. *La vinaigrette :* Dans un petit bol, fouetter l'huile avec le vinaigre, 30 ml (2 c. à soupe) d'eau, le sel et du poivre, au goût.

3. Parsemer les betteraves de fromage, puis y verser la vinaigrette en filet. Parsemer ensuite de noix.

VARIANTE

Ajoutez 15 ml (1 c. à soupe) d'oignon rouge finement haché à la salade.

SUGGESTION DE SERVICE

Vous pouvez servir la salade dans des assiettes individuelles sur un lit de feuilles de roquette fraîche.

Salade de pommes de terre aux fines herbes

Adam Hudson, diététiste, Ontario

Adam Hudson, diététiste, Ontario

6 PORTIONS

Vous voulez impressionner vos voisins ? Au prochain barbecue, apportez cette salade de pommes de terre fraîche, savoureuse et santé. C'est une bonne façon de remplacer la traditionnelle salade à la mayonnaise.

CONSEIL

Vous pouvez cultiver vos fines herbes dans des pots sur votre balcon ou dans votre cour. L'hiver, vous pouvez les mettre à l'intérieur sur un rebord de fenêtre ensoleillé. De cette façon, vous aurez toujours des herbes fraîches à portée de la main.

Valeur nutritive par portion	
Calories	165
Lipides	4,8 g
saturés	0,4 g
Sodium	56 mg (2 % VQ)
Glucides	28 g
Fibres	3 g (12 % VQ)
Protéines	3 g
Calcium	28 mg (3 % VQ)
Fer	1,5 mg (11 % VQ)

Teneur élevée en magnésium, vitamine C et vitamine B$_6$

Équivalents par portion pour les personnes diabétiques :
1 ½ Glucides
1 Matières grasses

1 kg (2 lb) de petites pommes de terre nouvelles, non pelées
30 ml (2 c. à soupe) de vinaigre de vin blanc
2 gousses d'ail, hachées
30 ml (2 c. à soupe) de persil frais finement haché
30 ml (2 c. à soupe) de ciboulette fraîche finement hachée
30 ml (2 c. à soupe) d'aneth frais finement haché
30 ml (2 c. à soupe) de sauge fraîche finement émincée
5 ml (1 c. à thé) de poivre noir fraîchement moulu
Une pincée de sel
30 ml (2 c. à soupe) d'huile de canola ou d'huile d'olive
30 ml (2 c. à soupe) de jus de citron fraîchement pressé
125 ml (½ tasse) de petits pois cuits

1. Mettre les pommes de terre dans une casserole moyenne et ajouter suffisamment d'eau froide pour les couvrir. Porter à ébullition à feu moyen-vif, réduire le feu et laisser mijoter de 15 à 20 minutes ou jusqu'à ce que les pommes de terre soient tout juste tendres. Les égoutter, puis les laisser refroidir légèrement. Couper les pommes de terre en 2, puis les mettre dans un bol. Ajouter le vinaigre, remuer et laisser reposer pendant 30 minutes.

2. Dans un petit bol, mélanger l'ail, le persil, la ciboulette, l'aneth, la sauge, le poivre, le sel, l'huile et le jus de citron. Verser sur les pommes de terre et remuer délicatement pour les couvrir de vinaigrette. Incorporer les pois.

Les pommes de terre nouvelles sont parfois appelées pommes de terre grelots. Ce sont des pommes de terre jeunes et immatures, qui sont récoltées avant le reste de la récolte de pommes de terre. On en trouve de diverses couleurs, elles ont une texture cireuse et leur pelure est tellement fine qu'il n'est habituellement pas nécessaire de les peler.

VARIANTE

Remplacez le jus de citron par du jus d'orange.

Salade de pommes de terre rouges très épicée

Adam Hudson, diététiste, Ontario

Cette salade de pommes de terre froide, épicée, est une merveilleuse façon de remplacer la traditionnelle salade de pommes de terre.

1 kg (2 lb) de petites pommes de terre rouges nouvelles, non pelées
30 ml (2 c. à soupe) de vinaigre de vin blanc
2 gousses d'ail, hachées
10 ml (2 c. à thé) de chili en poudre
5 ml (1 c. à thé) de piment rouge, en flocons
1 ml (¼ c. à thé) de paprika fumé
1 ml (¼ c. à thé) de cayenne
Une pincée de sel
30 ml (2 c. à soupe) d'huile de canola ou d'huile d'olive
30 ml (2 c. à soupe) de jus de citron fraîchement pressé

1. Mettre les pommes de terre dans une casserole moyenne et ajouter suffisamment d'eau froide pour les couvrir. Porter à ébullition à feu moyen-vif, réduire le feu et laisser mijoter de 15 à 20 minutes ou jusqu'à ce que les pommes de terre soient tout juste tendres. Les égoutter et les laisser refroidir légèrement. Couper les pommes de terre en 2, puis les mettre dans un bol. Ajouter le vinaigre, remuer et laisser reposer pendant 30 minutes.
2. Dans un petit bol, mélanger l'ail, le chili en poudre, le piment en flocons, le paprika, le cayenne, le sel, l'huile et le jus de citron. Verser la vinaigrette sur les pommes de terre et remuer délicatement pour les couvrir de vinaigrette. Les couvrir, puis les mettre au réfrigérateur pendant au moins 2 heures ou jusqu'à 8 heures avant de servir.

Le paprika est fait d'un piment doux séché, que l'on réduit en poudre. Sa saveur est douce et on l'utilise souvent comme garniture pour ajouter une agréable teinte de rouge. Le paprika fumé, fait de piments fumés, a une saveur prononcée, alors, utilisez-le avec modération.

VARIANTE
Utilisez du vinaigre de vin rouge, plutôt que du vinaigre de vin blanc.

SUGGESTION DE SERVICE
Vous pouvez servir ce plat avec les Filets de porc glacés à l'érable (p. 212) et des haricots verts cuits à la vapeur.

Valeur nutritive par portion	
Calories	156
Lipides	4,9 g
saturés	0,4 g
Sodium	63 mg (3 % VQ)
Glucides	26 g
Fibres	3 g (12 % VQ)
Protéines	3 g
Calcium	16 mg (1 % VQ)
Fer	1,2 mg (9 % VQ)

Teneur élevée en vitamine C et vitamine B_6

Équivalents par portion pour les personnes diabétiques :
1 ½ Glucides
1   Matières grasses

Salade de poivrons grillés, de tomates et de pommes de terre

Sandra Gabriele, diététiste, Ontario

Les tomates du jardin et les fines herbes fraîches feront de cette salade l'un des plats favoris de l'été.

CONSEIL

C'est une bonne façon d'utiliser un reste de pommes de terre bouillies.

2 tomates moyennes ou grosses, coupées chacune en 8 quartiers
2 pommes de terre rouges, bouillies jusqu'à ce qu'elles soient tendres, puis grossièrement hachées
2 poivrons rouges grillés (voir encadré, p. 124), coupés en fines lanières
2 gousses d'ail, hachées
45 ml (3 c. à soupe) de basilic frais finement émincé, au total
15 ml (1 c. à soupe) d'origan frais finement émincé
2 ml (½ c. à thé) de sel
30 ml (2 c. à soupe) d'huile de canola
Sauce aux piments forts (facultatif)

1. Dans un grand bol, mettre les tomates, les pommes de terre et les poivrons grillés. Ajouter l'ail, 15 ml (1 c. à soupe) du basilic, l'origan, le sel, l'huile et de la sauce aux piments, au goût, si désiré. Mélanger pour couvrir les légumes de vinaigrette. Garnir du reste du basilic.

> Les pommes de terre rouges sont parfaites pour faire des salades de pommes de terre et quand on les fait griller ou bouillir. Les Russet, Idaho et Yukon Gold sont excellentes cuites au four, en purée et en friture.

VARIANTES

Vous pouvez ajouter 125 ml (½ tasse) de fromage bocconcini coupé en cubes ou 15 ml (1 c. à soupe) de vinaigre balsamique.

Si vous utilisez des fines herbes séchées, mettez environ le tiers de la quantité d'herbes fraîches et ajoutez-les toutes ensemble au mélange de salade. Couvrez la salade et mettez-la au réfrigérateur pendant au moins 2 heures ou jusqu'à 8 heures pour que les herbes puissent parfumer la salade.

Valeur nutritive par portion	
Calories	108
Lipides	4,8 g
saturés	0,4 g
Sodium	197 mg (8 % VQ)
Glucides	16 g
Fibres	2 g (8 % VQ)
Protéines	2 g
Calcium	19 mg (2 % VQ)
Fer	0,8 mg (6 % VQ)

Teneur très élevée en vitamine C
Teneur élevée en vitamine B_6

Équivalents par portion pour les personnes diabétiques :
½ Glucides
1 Matières grasses

Merveilleuse salade de haricots

Lucia Weiler, diététiste, Ontario

Dans ce plat, les haricots en conserve vous épargneront du temps et donneront de bons résultats.

CONSEIL

Assurez-vous de bien laver la coriandre, car elle contient souvent beaucoup de sable.

2 grosses tomates, hachées
1 boîte de 540 ml (19 oz) d'un mélange de haricots, égouttés et rincés
60 ml (¼ tasse) d'oignon rouge finement haché
60 ml (¼ tasse) de coriandre fraîche hachée
30 ml (2 c. à soupe) de basilic frais haché

La vinaigrette
1 gousse d'ail, hachée
1 ml (¼ c. à thé) de piment rouge, en flocons
1 ml (¼ c. à thé) de poivre noir fraîchement moulu
Une pincée de sel
22 ml (1 ½ c. à soupe) d'huile d'olive extra-vierge
10 ml (2 c. à thé) de vinaigre balsamique
5 ml (1 c. à thé) de jus de citron fraîchement pressé

1. Dans un bol moyen, mettre les tomates, le mélange de haricots, les oignons rouges, la coriandre et le basilic.
2. *La vinaigrette :* Dans un petit bol, fouetter l'ail avec le piment en flocons, le poivre, le sel, l'huile, le vinaigre et le jus de citron.
3. Verser la vinaigrette sur le mélange de haricots et remuer pour couvrir les ingrédients de vinaigrette. Couvrir et mettre la vinaigrette au réfrigérateur pendant au moins 1 heure, jusqu'à ce qu'elle soit froide ou jusqu'à une journée.

SUGGESTION DE SERVICE

Pour obtenir un repas nutritif, complétez la salade par un demi-sandwich à la salade aux œufs et un verre de lait.

Valeur nutritive par portion	
Calories	143
Lipides	4,3 g
saturés	0,7 g
Sodium	379 mg (16 % VQ)
Glucides	21 g
Fibres	6 g (24 % VQ)
Protéines	7 g
Calcium	43 mg (4 % VQ)
Fer	1,2 mg (9 % VQ)

Teneur élevée en vitamine A, vitamine C et acide folique

Équivalents par portion pour les personnes diabétiques :
1 Glucides
½ Viandes et substituts
½ Matières grasses

Salade aux tomates et aux lentilles vite faite

Teresa Taillefer, diététiste, Ontario

✓ LE CHOIX DES ENFANTS

Teresa aime bien servir un plat contenant des légumineuses quand elle reçoit, et cette salade toute simple est toujours un succès. Elle croit que la préparation des aliments est une affaire familiale, et ses fils ont appris à préparer cette salade, avec plusieurs autres plats.

3 oignons verts, tranchés
2 tomates, grossièrement hachées
1 boîte de 540 ml (19 oz) de lentilles, égouttées et rincées
60 ml (¼ tasse) de persil frais haché non tassé
125 ml (½ tasse) de vinaigrette italienne sans gras

1. Dans un bol moyen, mettre les oignons verts, les tomates, les lentilles et le persil. Verser la vinaigrette sur la salade et remuer pour en couvrir la salade.

CONSEILS

Gardez une boîte de lentilles en conserve au garde-manger et vous pourrez préparer cette salade vite faite quand des invités arriveront à l'improviste.

La plus grande partie du sodium de cette recette provient de la vinaigrette du commerce. Pour réduire la quantité de sodium, utilisez la vinaigrette de la Salade de radicchio (p. 156).

Valeur nutritive par portion	
Calories	96
Lipides	0,6 g
saturés	0,1 g
Sodium	473 mg (20 % VQ)
Glucides	17 g
Fibres	4 g (16 % VQ)
Protéines	7 g
Calcium	27 mg (2 % VQ)
Fer	2,6 mg (19 % VQ)

Teneur très élevée en acide folique

Équivalents par portion pour les personnes diabétiques :
1   Glucides
½   Viandes et substituts

Salade de seigle aux tomates

Chwen Johnson, diététiste, Ontario

Les grains de seigle sont très abordables et fournissent une grande quantité d'éléments nutritifs. Chwen se fait aider des enfants de l'école pour acheter les ingrédients, couper les légumes et mélanger la salade.

CONSEIL

Vous pouvez cuire les grains de seigle une journée à l'avance et les conserver au réfrigérateur dans un contenant hermétique.

250 ml (1 tasse) de grains de seigle
500 ml (2 tasses) de bouillon de poulet à teneur réduite en sodium ou d'eau
1 concombre anglais, haché
250 ml (1 tasse) de tomates raisins ou de tomates cerises coupées en 2
125 ml (½ tasse) d'oignon rouge finement émincé
125 ml (½ tasse) de coriandre fraîche grossièrement hachée
75 ml (⅓ tasse) de canneberges séchées
30 ml (2 c. à soupe) de fromage feta émietté
30 ml (2 c. à soupe) de jus de citron fraîchement pressé
15 ml (1 c. à soupe) d'huile de sésame
10 ml (2 c. à thé) de sauce de soya noir
60 ml (¼ tasse) de graines de tournesol grillées, non salées (voir p. 139)

1. Mettre les grains de seigle dans un grand bol et ajouter suffisamment d'eau pour les couvrir. Couvrir et laisser tremper pendant toute la nuit.
2. Égoutter les grains de seigle, puis les mettre dans une grande casserole. Ajouter le bouillon et porter à ébullition à feu moyen-vif. Couvrir, réduire à feu doux et laisser mijoter de 1 à 1 ½ heure ou jusqu'à ce que les grains soient tendres. Soulever le couvercle de temps en temps pour s'assurer que le liquide ne s'est pas évaporé. Si c'est le cas, ajouter plus d'eau, au besoin, jusqu'à ce que les grains soient cuits. Les égoutter, puis les rincer sous l'eau froide jusqu'à ce qu'ils soient refroidis.
3. Mettre les grains de seigle dans un grand bol de service. Ajouter le concombre, les tomates, l'oignon rouge, la coriandre, les canneberges et la feta. Bien mélanger.
4. Dans un petit bol, fouetter le jus de citron avec l'huile et la sauce de soya noir. Verser sur la salade et bien mélanger. Garnir de graines de tournesol.

Valeur nutritive par portion	
Calories	206
Lipides	6,9 g
saturés	1,2 g
Sodium	258 mg (11 % VQ)
Glucides	32 g
Fibres	6 g (24 % VQ)
Protéines	8 g
Calcium	53 mg (5 % VQ)
Fer	1,5 mg (11 % VQ)

Teneur très élevée en magnésium
Teneur élevée en zinc, acide folique et thiamine

Équivalents par portion pour les personnes diabétiques :
1 ½ Glucides
1 ½ Matières grasses

Les grains de seigle (et les grains de blé) sont les amandes entières de la céréale, dont seule l'enveloppe extérieure dure a été enlevée. Ils contiennent donc toutes les vitamines et tous les minéraux que l'on trouve dans le germe (le cœur de l'amande), ainsi que les fibres provenant du son, la couche externe de l'amande.

VARIANTE
Remplacez les grains de seigle par des grains de blé.

Salade de boulgour au brocoli, aux radis et au céleri

Pam Hatton, diététiste, Ontario

Voici une salade très colorée, inspirée du Moyen-Orient.

CONSEIL

Le fait de cuire le vinaigre, la moutarde et l'ail avec le bouillon intensifie la saveur du boulgour cuit.

Valeur nutritive par portion	
Calories	94
Lipides	2,9 g
saturés	0,4 g
Sodium	153 mg (6 % VQ)
Glucides	15 g
Fibres	3 g (12 % VQ)
Protéines	3 g
Calcium	22 mg (2 % VQ)
Fer	0,7 mg (5 % VQ)

Teneur élevée en vitamine C

Équivalents par portion pour les personnes diabétiques :
1   Glucides
½   Matières grasses

• *Une marguerite*

375 ml (1 ½ tasse) de bouquets de brocoli
1 gousse d'ail, hachée
175 ml (¾ tasse) de bouillon de poulet à teneur réduite en sodium
45 ml (3 c. à soupe) de vinaigre de vin rouge
7 ml (1 ½ c. à thé) de moutarde de Dijon
250 ml (1 tasse) de boulgour
75 ml (⅓ tasse) de radis hachés
75 ml (⅓ tasse) de céleri haché
75 ml (⅓ tasse) de poivron rouge haché
60 ml (¼ tasse) d'oignons verts hachés
22 ml (1 ½ c. à soupe) d'huile d'olive extra-vierge
2 ml (½ c. à thé) de poivre noir fraîchement moulu
1 ml (¼ c. à thé) de sel

1. Dans une grande marmite munie d'une marguerite, cuire le brocoli à la vapeur de 4 à 5 minutes ou jusqu'à ce qu'il soit al dente. Égoutter et réserver.
2. Dans une casserole moyenne, mettre l'ail, le bouillon, le vinaigre et la moutarde. Porter à ébullition à feu vif. Retirer du feu et incorporer le boulgour. Couvrir et laisser reposer pendant 15 minutes. Défaire les grains à l'aide d'une fourchette.
3. Ajouter le brocoli, les radis, le céleri, le poivron rouge et les oignons verts au mélange de boulgour et bien mélanger. Incorporer délicatement l'huile, le poivre et le sel.

VARIANTES

Remplacez le vinaigre par du jus de citron fraîchement pressé.

Vous pouvez ajouter 125 ml (½ tasse) d'un mélange de fines herbes fraîches, hachées, comme le basilic, l'origan, l'estragon et le thym.

Pour obtenir une teneur plus élevée en protéines et en fibres, ajoutez 250 ml (1 tasse) de pois chiches, de lentilles ou de haricots noirs, cuits.

Salade de quinoa aux amandes et aux fruits, vinaigrette à l'érable

Melinda Figliano-Lamarche, diététiste, Ontario (salade), et
Kristi Rokosh, diététiste, Alberta (vinaigrette)

8 PORTIONS

Quand nous avons testé cette salade, nous avons pensé que la recette de vinaigrette proposée par une autre personne serait délicieuse sur cette salade. Nous avons donc jumelé les deux recettes pour créer cette combinaison gagnante. Les fruits séchés donnent un goût sucré à cette salade et les amandes lui ajoutent du croquant.

CONSEIL

Si vous cuisez du quinoa pendant le week-end, faites-en cuire une quantité supplémentaire pour pouvoir servir cette salade la semaine.

250 ml (1 tasse) de quinoa, rincé
125 ml (½ tasse) d'amandes effilées
125 ml (½ tasse) de pomme grossièrement hachée
125 ml (½ tasse) d'abricots séchés grossièrement hachés
60 ml (¼ tasse) de graines de tournesol grillées, non salées (voir p. 139)
60 ml (¼ tasse) de canneberges séchées
60 ml (¼ tasse) de raisins secs
30 ml (2 c. à soupe) de menthe fraîche finement hachée
125 ml (½ tasse) de Vinaigrette à l'érable (recette page suivante)

1. Dans une casserole moyenne, mettre le quinoa et 500 ml (2 tasses) d'eau, puis porter à ébullition à feu vif. Réduire à feu doux, couvrir et laisser mijoter pendant environ 20 minutes ou jusqu'à ce que le liquide soit absorbé et que le quinoa soit tendre. Laisser reposer pendant 5 minutes. Défaire les grains à l'aide d'une fourchette.
2. Mettre le quinoa dans un grand bol. Ajouter les amandes, la pomme, les abricots, les graines de tournesol, les canneberges, les raisins secs et la menthe. Bien mélanger. Verser la vinaigrette et remuer délicatement pour en couvrir la salade.

Valeur nutritive par portion	
Calories	233
Lipides	8,3 g
saturés	1,1 g
Sodium	29 mg (1 % VQ)
Glucides	36 g
Fibres	4 g (16 % VQ)
Protéines	6 g
Calcium	47 mg (4 % VQ)
Fer	3,1 mg (22 % VQ)

Teneur très élevée en magnésium

Équivalents par portion pour les personnes diabétiques :
2   Glucides
1 ½ Matières grasses

Vinaigrette à l'érable

75 ml (⅓ tasse) de sirop d'érable pur à 100 %
60 ml (¼ tasse) de vinaigre de cidre
60 ml (¼ tasse) de moutarde au miel
30 ml (2 c. à soupe) d'huile de canola

1. Dans un bocal, mettre le sirop d'érable, le vinaigre, la moutarde, l'huile et 30 ml (2 c. à soupe) d'eau. Mettre le couvercle et remuer jusqu'à ce que ce soit bien mélangé.
2. Mettre la vinaigrette au réfrigérateur. Bien la remuer avant de l'utiliser.

> Le quinoa est une ancienne céréale originaire d'Amérique du Sud. Certaines marques doivent être rincées avant la cuisson pour enlever une substance amère, d'autres non. Familiarisez-vous avec les marques de quinoa qui sont en vente dans votre région et vous saurez s'il faut le rincer ou non.

SUGGESTION DE SERVICE
Vous pouvez servir cette salade avec les Filets de porc à l'érable et à la moutarde accompagnés de pommes sautées (p. 214).

DONNE 250 ml (1 TASSE)

CONSEIL
Dans la vinaigrette, vous pouvez aussi utiliser «du sirop à saveur d'érable à teneur réduite en sucre ou sans sucre».

Le poulet, la dinde et le canard

Tout le monde aime le poulet ! C'est l'une des viandes les plus populaires au Canada, notamment grâce à sa polyvalence : on peut le cuire en entier ou en morceaux, on peut le hacher, et même les os sont utilisés ! On en fait un délicieux bouillon maison. Mais le poulet n'est pas l'unique volaille ! Essayez nos savoureuses recettes de dinde et de canard. La variété et la saveur de ces volailles vous plairont à coup sûr.

Tendre poulet rôti au citron 170

Poulet rôti, farci aux pommes et aux oranges 172

Poulet épicé à l'indienne 173

Poulet « frit » au four 174

Poulet sauté, sauce fruitée 175

Poulet, sauce au piment et au chocolat,

    à la mexicaine 176

Poitrines de poulet grillées au citron et à l'ail 178

Poulet, sauce à l'aneth 179

Poulet, sauce douce et épicée 180

Chili au poulet léger et facile à préparer 181

Poulet à la grecque 182

Curry au poulet 183

Pâtes, sauce au poulet et aux légumes 184

Escalopes de dinde aux canneberges 185

Dinde barbecue à la moutarde à l'estragon 186

Jambalaya épicé au riz brun 187

Pâtes à la saucisse de dinde et au brocoli 188

Boulettes de dinde extra moelleuses 189

Canard à l'orange 190

Poitrines de canard grillées, sauce

    à la grenade 192

Pas seulement pour l'Action de grâce

La dinde est l'un des plats favoris à l'Action de grâce, mais pourquoi ne pas s'en régaler aussi à d'autres moments de l'année ? Elle a une teneur réduite en sodium et est une importante source de protéines, comme de plusieurs autres vitamines et minéraux. Comme dans le cas du poulet, la viande blanche contient moins de gras que la viande brune. Faites rôtir une volaille au printemps ou à l'été pour étonner votre famille. En prime, vous aurez des restes pour vos prochains lunchs et soupers.

Les poulets fermiers

Bien que le terme «poulet fermier» (ou «élevé en liberté») n'ait pas de définition juridique au Canada, il est communément accepté qu'on parle d'un élevage où les animaux peuvent paître ou se nourrir à l'extérieur. Si vous voulez acheter un poulet fermier ou une autre viande d'élevage naturel, renseignez-vous auprès de votre boucher ou au marché public.

Cuisson de la volaille

Bien des gens prennent des précautions extrêmes et font parfois cuire le poulet ou la dinde trop longtemps par crainte d'un empoisonnement à la salmonelle. La salmonelle est une bactérie qui peut entraîner une maladie appelée salmonellose. Une hygiène adéquate, ainsi qu'une manipulation et une préparation sécuritaires des aliments sont essentielles pour prévenir cette maladie et d'autres maladies d'origine alimentaire. Il faut savoir que la bactérie de la salmonellose est détruite lorsque l'aliment cuit atteint une température interne sécuritaire. Il n'y a pas de raison de trop cuire la volaille, fiez-vous à la température recommandée dans nos recettes. Si vous faites cuire de petits morceaux de poulet, il peut être plus difficile d'obtenir une lecture précise au thermomètre à viande, utilisez d'autres indices pour vérifier si le poulet est cuit : pour les poitrines, la viande doit avoir perdu sa couleur rosée ; pour les cuisses et les hauts de cuisse, le jus qui s'écoule lorsqu'on les pique doit être transparent.

Pour de plus amples renseignements sur la température de cuisson interne et pour d'autres informations utiles sur la salubrité alimentaire, visitez le site Web de l'Agence canadienne d'inspection des aliments : www.inspection.gc.ca.

Petit cours de cuisine familiale

Rôtissage ou cuisson sous le gril ?

Dans le rôtissage ou **cuisson au four,** l'aliment est entouré de chaleur sèche dans un milieu fermé, comme un four. On utilise le terme rôtir pour les viandes et les volailles. La cuisson au four s'applique au poisson, aux plats à base de céréales, aux plats en casserole, ainsi qu'aux pains, biscuits, gâteaux et tartes. L'aliment cuit par un transfert de chaleur de la surface vers le centre.

En général, lorsque vous faites rôtir une dinde ou un poulet entier, ou une plus grosse pièce de bœuf, de porc, d'agneau ou d'une autre viande, il est préférable de placer le plat de viande sur une grille pour laisser l'air circuler tout autour, y compris sous le plat. Ainsi, on évite que la viande cuise trop ou brûle.

La température de rôtissage varie selon le résultat souhaité. Par exemple, on fait souvent rôtir une côte de bœuf lentement à basse température – 120 à 150 °C (250 à 300 °F) – pour que la cuisson soit égale dans toute la pièce de viande. Une température plus élevée donne un rôti qui est bien cuit aux extrémités et plus saignant à l'intérieur. Assurez-vous de respecter la température et le temps de cuisson recommandés dans votre recette pour obtenir les meilleurs résultats possible.

Comme on n'ajoute pas de liquide dans cette méthode de cuisson, les meilleures coupes de viande pour le rôtissage sont les pièces tendres et bien marbrées provenant de la longe, des côtes, des jarrets ou du gigot. Si vous utilisez une coupe moins tendre, la ronde ou la pointe de surlonge, par exemple, la cuisson lente est le meilleur choix, car la température moins intense empêche le rôti de sécher.

Dans la **cuisson sous le gril,** la chaleur (généralement intense) provient d'en haut. Les aliments sont déposés sur une grille métallique préchauffée ou dans un plateau résistant à la chaleur, puis placés sous le gril. Seules les coupes tendres, comme les filets de bœuf ou de porc, les poitrines de poulet ou les viandes qui ont été attendries par une marinade devraient être cuites sous le gril. Les poissons peuvent également être cuits de cette façon. Le gril sert également à faire la finition d'un plat, par exemple à caraméliser le sucre d'une crème brûlée ou à gratiner le fromage sur un plat en casserole.

Tendre poulet rôti au citron

Joanne Rankin, diététiste, Colombie-Britannique

6 PORTIONS

✓ **LE CHOIX DES ENFANTS**

Joanne raconte que si elle dépose le poulet entier sur la table, il n'en restera plus un morceau. Mais si elle sert le poulet découpé en portions dans une assiette de service, les gens mangent moins et elle peut servir le reste à un autre repas.

• *Une rôtissoire*

1 poulet à rôtir entier de 1,5 à 2 kg (3 à 4 lb)
45 ml (3 c. à soupe) de sel casher
3 litres (12 tasses) d'eau
1 citron
10 ml (2 c. à thé) d'huile de canola ou d'huile d'olive
2 ml (½ c. à thé) de sel

1. Retirer l'excès de gras du poulet. Rincer l'intérieur et l'extérieur sous l'eau froide.
2. Dans une grande marmite, mettre le sel casher et l'eau, en remuant pour dissoudre le sel. Ajouter le poulet, la poitrine vers le bas, en s'assurant qu'il est complètement plongé dans l'eau. Couvrir et mettre au réfrigérateur pendant au moins 4 heures ou jusqu'à 8 heures.
3. Environ 30 minutes avant de cuire le poulet, égoutter la saumure et la jeter. Rincer le poulet sous l'eau froide, puis l'éponger. Le déposer ensuite dans une assiette propre et le laisser reposer à la température de la pièce.
4. Placer l'une des grilles du four au milieu du four, mettre la rôtissoire vide sur la grille et préchauffer le four à 220 °C (425 °F).
5. Entre-temps, mettre le citron entier dans une petite casserole et ajouter suffisamment d'eau pour le couvrir. Porter à ébullition, à feu vif. Réduire le feu et laisser mijoter pendant 5 minutes. Retirer du feu et laisser le citron dans l'eau chaude jusqu'au moment de l'utiliser.
6. Badigeonner tout le poulet d'huile, puis le parsemer de 2 ml (½ c. à thé) de sel. Retirer le citron de l'eau chaude, puis jeter l'eau. Piquer le citron à plusieurs endroits, puis le mettre à l'intérieur du poulet.

Valeur nutritive par portion	
Calories	168
Lipides	7,6 g
saturés	1,8 g
Sodium	456 mg (19 % VQ)
Glucides	1 g
Fibres	0 g (0 % VQ)
Protéines	23 g
Calcium	12 mg (1 % VQ)
Fer	1,1 mg (8 % VQ)

Teneur très élevée en niacine
Teneur élevée en zinc et vitamine B$_6$

Équivalents par portion pour les personnes diabétiques:
3   Viandes et substituts

7. Retirer la rôtissoire chaude du four avec précaution, y mettre le poulet, la poitrine vers le haut, et le faire rôtir pendant 30 minutes. Réduire la température à 200 °C (400 °F). Faire rôtir le poulet pendant 60 minutes ou jusqu'à ce que la peau soit bien dorée et croustillante, que les pilons bougent quand on les touche et qu'un thermomètre à viande inséré dans la partie la plus charnue de la cuisse indique 85 °C (185 °F). Mettre le poulet sur une planche à découper, le couvrir de papier d'aluminium et le laisser reposer de 10 à 15 minutes avant de le découper.

8. À l'aide d'une pince de cuisine, retirer le citron du poulet. Couper le citron en 2 et le presser sur les morceaux de poulet chaud.

Les viandes mises dans la saumure sont savoureuses et plus juteuses. La solution légèrement salée contribue à assouplir les fibres de la viande et les attendrit. Le sel permet à la viande de retenir une partie de l'eau de la saumure, ce qui contribue aussi à l'attendrir. De plus, les saveurs de la saumure se transmettent à la viande, ce qui donne un produit final plus goûteux. Pour réduire votre consommation de sodium, mangez des viandes en saumure seulement à l'occasion et accompagnez-les d'aliments faibles en sodium.

VARIANTE

Pour plus de saveur, mettez des fines herbes fraîches ou séchées, comme le thym, le romarin, la sarriette ou la marjolaine, à l'intérieur du poulet avec le citron.

SUGGESTION DE SERVICE

Pendant la dernière heure de cuisson du poulet, mettez au four, à côté de la rôtissoire, de petites patates douces que vous aurez brossées, piquées et placées sur une plaque à pâtisserie. Ajoutez une salade, le dîner est prêt!

CONSEILS

Quand on met le poulet dans une solution salée, on obtient une viande délicieusement tendre. Ne laissez pas le poulet dans la saumure pendant plus de 8 heures. Le laisser plus longtemps pourrait nuire à sa texture.

Le fait de mettre du papier d'aluminium sur le poulet et de le laisser reposer avant de le découper permet aux jus de se redistribuer dans la viande, ce qui donne un poulet plus juteux.

Poulet rôti, farci aux pommes et aux oranges

Judy Jenkins, diététiste, Nouvelle-Écosse

Judy Jenkins, diététiste, Nouvelle-Écosse

6 PORTIONS

✓ LE CHOIX DES ENFANTS

Rien n'est plus simple qu'un poulet rôti pour le repas du dimanche. Utilisez ensuite les savoureux restes pour faire des sandwichs au poulet ou de la salade de poulet pour le dîner du lundi.

CONSEIL

Ajoutez seulement du bouillon chaud ou tiède à un roux (mélange de matières grasses et de farine). Si vous ajoutez du bouillon froid, le gras pourrait se solidifier, et cela formerait des grumeaux qu'il serait difficile de dissoudre.

SUGGESTION DE SERVICE

Pour un repas du dimanche plus traditionnel, servez le poulet avec des pommes de terre en purée et des haricots verts cuits à la vapeur.

Valeur nutritive par portion	
Calories	176
Lipides	7,1 g
saturés	1,7 g
Sodium	191 mg (8 % VQ)
Glucides	2 g
Fibres	0 g (0 % VQ)
Protéines	24 g
Calcium	13 mg (1 % VQ)
Fer	1,2 mg (9 % VQ)

Teneur très élevée en vitamine B$_6$ et niacine
Teneur élevée en zinc et vitamine B$_{12}$

**Équivalents par portion
pour les personnes diabétiques :**
3   Viandes et substituts

- *Préchauffer le four à 180 °C (350 °F)*
- *Une rôtissoire munie d'une grille*

1 poulet à rôtir entier de 1,5 à 2 kg (3 à 4 lb)
2 gousses d'ail, hachées
1 petite pomme, évidée et hachée
1 petite orange, pelée et hachée
1 brin de romarin frais
30 ml (2 c. à soupe) de farine tout usage
250 ml (1 tasse) de bouillon de poulet à teneur réduite en sodium

1. Retirer l'excès de gras du poulet. Rincer l'intérieur et l'extérieur sous l'eau froide, puis l'éponger.
2. Mettre l'ail, la pomme, l'orange et le romarin à l'intérieur du poulet. Déposer le poulet, la poitrine vers le bas, sur la grille d'une rôtissoire. Le faire rôtir au four préchauffé pendant 1 heure, en l'arrosant de jus de cuisson au milieu de la cuisson.
3. Retourner le poulet pour que la poitrine soit vers le haut, l'arroser de jus de cuisson et le faire rôtir pendant 1 ¼ heure ou jusqu'à ce que la peau soit bien dorée et croustillante, que les pilons bougent quand on les touche et qu'un thermomètre à viande inséré dans la partie la plus charnue de la cuisse indique 85 °C (185 °F). Mettre le poulet sur une planche à découper, le couvrir de papier d'aluminium et le laisser reposer de 10 à 15 minutes avant de le découper.
4. Retirer le gras du jus de cuisson et le jeter. Il devrait y avoir environ 30 ml (2 c. à soupe) de jus de cuisson. Verser le jus de cuisson dans une petite casserole, à feu moyen-vif. Saupoudrer le jus de cuisson de farine et cuire, en fouettant, pendant 1 minute. Y verser graduellement le bouillon, en fouettant sans arrêt, pour éviter la formation de grumeaux. Réduire à feu doux et laisser mijoter, en fouettant souvent, pendant environ 5 minutes ou jusqu'à ce que le mélange ait légèrement épaissi.
5. Retirer l'ail, la pomme, l'orange et le romarin de l'intérieur du poulet, puis les jeter. Découper le poulet et le mettre dans une assiette de service. Passer la sauce aux invités pour qu'ils puissent en verser sur leur poulet.

VARIANTE

Vous pouvez ajouter 2 brins de thym à l'intérieur du poulet avec le romarin.

Poulet épicé à l'indienne

Le Groupe Compass Canada

Pour obtenir un merveilleux lunch, utilisez les restes de ce savoureux poulet dans un wrap ou un pita, ou servi sur une salade.

CONSEIL

Vous pouvez préparer la pâte d'épices et couper le poulet la veille. Enveloppez-les séparément et mettez-les au réfrigérateur jusqu'au moment de cuire le poulet.

SUGGESTION DE SERVICE

Servez ce plat avec du riz ou un pain plat et un accompagnement de tzatziki.

Valeur nutritive par portion	
Calories	193
Lipides	9,6 g
saturés	1,4 g
Sodium	197 mg (8 % VQ)
Glucides	2 g
Fibres	1 g (4 % VQ)
Protéines	24 g
Calcium	25 mg (2 % VQ)
Fer	1,7 mg (12 % VQ)

Teneur très élevée en niacine
Teneur élevée en zinc et vitamine B_6

**Équivalents par portion
pour les personnes diabétiques :**
3 Viandes et substituts

- Un plat en verre allant au four de 33 x 23 cm (13 x 9 po)

60 ml (¼ tasse) d'huile de canola
15 ml (1 c. à soupe) de cumin moulu
10 ml (2 c. à thé) de coriandre moulue
10 ml (2 c. à thé) de cannelle moulue
10 ml (2 c. à thé) de paprika
10 ml (2 c. à thé) de piment rouge en flocons ou, au goût
5 ml (1 c. à thé) d'ail en poudre
5 ml (1 c. à thé) de gingembre moulu
2 ml (½ c. à thé) de poivre noir fraîchement moulu
2 ml (½ c. à thé) de sel
625 g (1 ¼ lb) de cuisses de poulet sans les os ni la peau
625 g (1 ¼ lb) de poitrines de poulet sans les os ni la peau

1. Dans un petit bol, mélanger l'huile, le cumin, la coriandre, la cannelle, le paprika, le piment en flocons, l'ail en poudre, le gingembre, le poivre et le sel, puis former une pâte épaisse. Couvrir et laisser reposer pendant 30 minutes.

2. Préchauffer le four à 180 °C (350 °F).

3. Couper les cuisses et les poitrines de poulet en petits morceaux et les mettre dans le plat allant au four. Ajouter la pâte d'épices et bien en couvrir le poulet. Cuire pendant 40 minutes ou jusqu'à ce que le jus qui coule des cuisses quand on les pique avec une fourchette soit transparent et qu'elles aient perdu leur couleur rosée.

> Les fines herbes proviennent des feuilles parfumées de la plante, tandis que les épices proviennent d'autres parties de la plante, dont l'écorce (comme la cannelle) et les graines (comme la coriandre). Dans cette recette, le fait de laisser les épices séchées reposer dans l'huile pendant au moins 30 minutes leur permet de s'assouplir et de libérer leur parfum. Même si la plupart des épices qui entrent dans ce plat ne sont pas produites ici, nous avons la chance de profiter des importations pour ajouter saveurs et variété à nos repas.

VARIANTES

Utilisez 1,25 kg (2 ½ lb) de poitrines de poulet ou de cuisses de poulet, plutôt que de faire un mélange des deux.

Vous pouvez aussi utiliser ce mélange d'épices sur le porc, le bœuf ou l'agneau.

Poulet « frit » au four

Hélène Dufour, diététiste, Colombie-Britannique

✓ LE CHOIX DES ENFANTS

Cette méthode astucieuse donne un poulet savoureux, dont le goût ressemble à celui du poulet frit, mais sans friture.

CONSEILS

Pour faire ce plat, il est très important de couvrir la plaque à pâtisserie d'un papier sulfurisé, sinon, votre plaque à pâtisserie risque de brûler à certains endroits, et le poulet de coller.

Assurez-vous de ne pas trop cuire le poulet, car il pourrait sécher.

Cette méthode pour cuire les poitrines de poulet n'est pas recommandée, car elles contiennent peu de gras et deviendraient trop sèches.

Valeur nutritive par portion	
Calories	225
Lipides	6,9 g
saturés	1,7 g
Sodium	253 mg (11 % VQ)
Glucides	17 g
Fibres	4 g (16 % VQ)
Protéines	25 g
Calcium	59 mg (5 % VQ)
Fer	3,6 mg (26 % VQ)

Teneur très élevée en magnésium, zinc, vitamine A, vitamine B$_6$ et niacine
Teneur élevée en riboflavine

Équivalents par portion
pour les personnes diabétiques :
1   Glucides
3   Viandes et substituts

- *Préchauffer le four à 230 °C (450 °F)*
- *Une grande plaque à pâtisserie munie d'un bord, couverte de papier sulfurisé*

125 ml (½ tasse) de farine de blé entier
45 ml (3 c. à soupe) de paprika
22 ml (1 ½ c. à soupe) d'aneth séché
22 ml (1 ½ c. à soupe) d'oignon en poudre
2 ml (½ c. à thé) de sel de céleri
2 ml (½ c. à thé) de poivre noir fraîchement moulu
8 cuisses de poulet sans les os ni la peau

1. Dans un plat peu profond, mélanger la farine, le paprika, l'aneth, l'oignon en poudre, le sel de céleri et le poivre.
2. Déplier les cuisses de poulet, puis éponger chaque morceau avec un papier essuie-tout. Tremper chaque cuisse dans le mélange de farine, en la couvrant bien du mélange, puis la secouer pour enlever le surplus de farine. Replier les cuisses sans trop serrer, puis les mettre sur la plaque à pâtisserie préparée. Jeter tout surplus du mélange de farine.
3. Cuire au four préchauffé pendant 30 minutes. Retourner chaque morceau et cuire de 20 à 25 minutes ou jusqu'à ce que le poulet soit croustillant et qu'il ressemble à du poulet frit, que le jus qui en coule quand on le pique avec une fourchette soit transparent et qu'un thermomètre à viande inséré dans la partie la plus charnue de la cuisse indique 74 °C (165 °F).

Traditionnellement, on prépare le poulet frit en le couvrant d'une chapelure épicée, puis en le cuisant à grande friture, ce qui en fait un mets gras et calorique. La méthode employée ici donne un poulet dont la saveur et la texture sont comparables à celles du poulet frit, mais avec beaucoup moins de gras et de calories. La température de cuisson élevée libère le gras naturel de la cuisse de poulet, ce qui donne une cuisson très semblable à celle du poulet frit sans qu'on y ajoute d'huile.

SUGGESTION DE SERVICE

Servez ce plat avec des patates douces en purée et de la salade de chou fraîche et vous obtiendrez un repas de poulet frit traditionnel.

Poulet sauté, sauce fruitée

Christine D. Lee, Colombie-Britannique

4 PORTIONS

✓ LE CHOIX DES ENFANTS

Ce plat utilise le jus naturel des fruits, ce qui donne une saveur délicate au poulet. Voilà aussi une belle façon d'ajouter plus de fruits à votre alimentation.

SUGGESTION DE SERVICE

Vous pouvez servir ce poulet sur du couscous de blé entier ou sur du riz brun, cuit.

Valeur nutritive par portion	
Calories	280
Lipides	8,4 g
saturés	1,7 g
Sodium	460 mg (19 % VQ)
Glucides	30 g
Fibres	4 g (16 % VQ)
Protéines	23 g
Calcium	31 mg (3 % VQ)
Fer	1,7 mg (12 % VQ)

Teneur très élevée en zinc et niacine
Teneur élevée en magnésium, vitamine C, vitamine B$_6$ et riboflavine

Équivalents par portion pour les personnes diabétiques :
1 ½   Glucides
3   Viandes et substituts

8 cuisses de poulet sans les os ni la peau
Sel et poivre noir fraîchement moulu
10 ml (2 c. à thé) d'huile de canola, au total
125 ml (½ tasse) de jus d'orange
2 grosses pommes à cuire, hachées
1 grosse poire, hachée
125 ml (½ tasse) de raisins sans pépins coupés en 2
3 minces tranches de gingembre (facultatif)
1 bâton de cannelle de 10 cm (4 po) (facultatif)
30 ml (2 c. à soupe) de persil frais haché

1. Assaisonner le poulet d'une pincée de sel et d'une pincée de poivre. Dans une grosse cocotte en métal ou une grande marmite, chauffer 5 ml (1 c. à thé) de l'huile à feu moyen-vif. Ajouter la moitié du poulet et cuire, en le retournant une fois, de 3 à 4 minutes de chaque côté ou jusqu'à ce qu'il soit bien doré. Le mettre ensuite dans un bol. Réserver. Ajouter le reste de l'huile à la cocotte et faire dorer le reste du poulet. Mettre le poulet dans un bol.

2. Ajouter le jus d'orange et déglacer la cocotte, en raclant le fond pour enlever tous les petits morceaux qui y ont adhéré. Remettre le poulet et le jus qui s'est accumulé dans la cocotte. Incorporer les pommes, la poire, les raisins, le gingembre, si désiré, le bâton de cannelle, si désiré, 2 ml (½ c. à thé) de sel et 2 ml (½ c. à thé) de poivre, puis porter à ébullition. Réduire à feu moyen, couvrir et laisser mijoter pendant 15 minutes ou jusqu'à ce que les fruits soient tendres. Découvrir et laisser mijoter pendant 5 minutes ou jusqu'à ce que la sauce ait légèrement épaissi et que le jus qui coule du poulet quand on le pique avec une fourchette soit transparent. Jeter le bâton de cannelle et le gingembre. Servir garni de persil.

> Le déglaçage est l'opération par laquelle on dissout les savoureuses particules dorées qui se sont formées sur la surface de cuisson, pendant la cuisson. Pour déglacer, on ajoute un liquide au poêlon et l'on racle le fond pour enlever tous les morceaux qui y ont adhéré, puis on les incorpore au liquide. Le liquide servira ensuite à préparer une délicieuse sauce.

VARIANTE

Pour obtenir une sauce rouge, ajoutez 30 ml (2 c. à soupe) de canneberges séchées avec les autres fruits.

Poulet, sauce au piment et au chocolat, à la mexicaine

Simone Demers-Collins, Alberta

6 PORTIONS

La sauce *mole* est une sauce mexicaine traditionnelle, contenant des piments, d'autres épices et un peu de chocolat mexicain, ce qui donne à ce plat sa saveur caractéristique.

Valeur nutritive par portion	
Calories	344
Lipides	15,9 g
saturés	3,1 g
Sodium	377 mg (16 % VQ)
Glucides	19 g
Fibres	2 g (8 % VQ)
Protéines	32 g
Calcium	67 mg (6 % VQ)
Fer	2,8 mg (20 % VQ)

Teneur très élevée en magnésium, zinc, vitamine B$_6$ et niacine
Teneur élevée en vitamine C, vitamine B$_{12}$ et riboflavine

Équivalents par portion pour les personnes diabétiques :
1   Glucides
4   Viandes et substituts

• *Un robot culinaire*

1 kg (2 lb) de cuisses de poulet sans la peau ni les os
Une pincée de sel
Une pincée de poivre noir fraîchement moulu
30 ml (2 c. à soupe) d'huile de canola, au total
250 ml (1 tasse) d'oignon haché
3 gousses d'ail, hachées
60 ml (¼ tasse) d'amandes effilées
30 ml (2 c. à soupe) de piments chipotle dans la sauce adobo, hachés
10 ml (2 c. à thé) de cumin moulu
10 ml (2 c. à thé) de coriandre moulue
375 ml (1 ½ tasse) de bouillon de poulet à teneur réduite en sodium
Le zeste râpé d'une orange
250 ml (1 tasse) de jus d'orange
30 ml (2 c. à soupe) de raisins secs
5 ml (1 c. à thé) d'origan séché
45 g (1 ½ oz) de chocolat mexicain, haché
60 ml (¼ tasse) de coriandre fraîche hachée

1. Saler et poivrer le poulet. Dans une grosse cocotte en métal ou une marmite, chauffer 15 ml (1 c. à soupe) d'huile à feu moyen-vif. Ajouter la moitié du poulet et cuire, en retournant le poulet une fois, de 3 à 4 minutes de chaque côté ou jusqu'à ce qu'il soit bien doré. Le mettre dans un bol et le laisser reposer. Ajouter 5 ml (1 c. à thé) d'huile à la cocotte et bien faire dorer le reste du poulet. Mettre le poulet dans un bol. Réserver.

2. Réduire à feu moyen et ajouter le reste de l'huile à la cocotte. Faire sauter l'oignon de 3 à 4 minutes ou jusqu'à ce qu'il soit bien doré. Ajouter l'ail, les amandes, le piment chipotle, le cumin et la coriandre. Faire sauter le tout pendant 2 minutes ou jusqu'à ce que l'ail et les amandes commencent à dorer. Incorporer le bouillon, le zeste et le jus d'orange, les raisins secs et l'origan, puis porter à ébullition. Remettre le poulet dans la cocotte avec le jus de cuisson qui s'est accumulé. Réduire à feu moyen-doux, couvrir et laisser mijoter, en remuant de temps en temps, pendant 30 minutes ou jusqu'à ce que le jus qui coule du poulet quand on le pique soit transparent.

3. Retirer du feu. À l'aide d'une pince de cuisine, retirer le poulet de la sauce, le mettre dans un bol et le couvrir pour le garder au chaud. Ajouter le chocolat à la sauce et laisser reposer pendant 15 minutes ou jusqu'à ce que le chocolat soit fondu et que la sauce ait légèrement refroidi. Entre-temps, déchiqueter grossièrement le poulet réservé.

4. Mettre une partie de la sauce dans le robot culinaire et la réduire en une purée homogène (mais il peut rester quelques petits morceaux). Remettre la sauce dans la cocotte. Incorporer le poulet à la sauce et bien le couvrir de sauce. Répéter l'opération pour le reste de la sauce. Servir garni de coriandre.

Le chocolat mexicain est fait de chocolat noir, qui est souvent mélangé avec du sucre et des noix moulues, ainsi qu'avec d'autres épices, comme la cannelle. Cela donne au chocolat en pain une texture granuleuse. Depuis des siècles, le chocolat a une place toute particulière dans la culture mexicaine, et il était convoité et vénéré comme un aliment sacré.

Variante
Si vous préférez un plat à la texture moins homogène, ne passez pas la sauce au robot culinaire et laissez le poulet en morceaux.

Suggestion de service
Servez ce plat sur du riz brun ou avec des tortillas de blé entier chaudes pour les tremper dans la sauce.

Conseils
Si vous ne parvenez pas à trouver de chocolat mexicain, utilisez 45 g (1 ½ oz) de chocolat mi-sucré, 2 ml (½ c. à thé) de cannelle moulue et 2 gouttes d'extrait d'amande.

Ce plat peut être préparé jusqu'à 2 jours à l'avance. Laissez-le refroidir, couvrez-le et mettez-le au réfrigérateur jusqu'au moment de l'utiliser. Réchauffez-le dans une marmite, à feu doux, en remuant souvent, jusqu'à ce qu'il soit très chaud et qu'il bouillonne.

Poitrines de poulet grillées au citron et à l'ail

Jessie Kear, diététiste, Ontario

✓ LE CHOIX DES ENFANTS

Le mariage parfait du citron et de l'ail met en valeur le poulet grillé.

2 gousses d'ail, hachées

75 ml (⅓ tasse) de vin blanc sec

45 ml (3 c. à soupe) d'huile de canola

5 ml (1 c. à thé) d'estragon séché

5 ml (1 c. à thé) de poivre noir fraîchement moulu

1 ml (¼ c. à thé) de sel

Le zeste râpé et le jus d'un citron

6 petites poitrines de poulet sans la peau ni les os,
   soit 750 g (1 ½ lb), au total

1. Dans un plat peu profond, fouetter l'ail, avec le vin, l'huile, l'estragon, le poivre, le sel, le zeste et le jus de citron. Ajouter le poulet et le retourner pour le couvrir du mélange. Couvrir et mettre le poulet au réfrigérateur, en le retournant de temps en temps, pendant au moins 1 heure ou jusqu'à 6 heures.
2. Entre-temps, préchauffer le barbecue à température moyenne.
3. Retirer le poulet de la marinade, puis jeter la marinade. Mettre le poulet sur le barbecue, couvrir et cuire le poulet, en le retournant une fois, de 8 à 10 minutes de chaque côté ou jusqu'à ce qu'il ait perdu sa couleur rosée et qu'un thermomètre à viande inséré dans la partie la plus charnue de la poitrine indique 74 °C (165 °F). Le laisser reposer pendant 5 minutes.

VARIANTES

Au lieu d'utiliser le barbecue, faites cuire le poulet sous le gril du four. Préchauffez le gril. Retirez le poulet de la marinade, puis jetez la marinade. Déposez le poulet dans un plat carré, en métal, allant au four, de 23 cm (9 po), légèrement graissé. Faites griller le poulet, en le retournant une fois, de 5 à 6 minutes de chaque côté ou jusqu'à ce qu'il ait perdu sa couleur rosée et qu'un thermomètre à viande inséré dans la partie la plus charnue de la poitrine indique 74 °C (165 °F).

Vous pouvez remplacer les poitrines de poulet par des steaks de longe de porc.

Valeur nutritive par portion	
Calories	182
Lipides	5,3 g
saturés	0,8 g
Sodium	118 mg (5 % VQ)
Glucides	1 g
Fibres	0 g (0 % VQ)
Protéines	30 g
Calcium	9 mg (1 % VQ)
Fer	0,5 mg (4 % VQ)

Teneur très élevée en vitamine B_6 et niacine
Teneur élevée en vitamine B_{12}

Équivalents par portion pour les personnes diabétiques :
3   Viandes et substituts

Poulet, sauce à l'aneth

Dianna Bihun, diététiste, Colombie-Britannique

Ce plat tout en un associe l'aneth frais au poulet et aux légumes, ce qui donne une merveilleuse combinaison de saveurs!

CONSEIL

La texture du lait évaporé ressemble à la texture onctueuse de la crème à fouetter, mais il contient beaucoup moins de gras.

SUGGESTION DE SERVICE

Vous pouvez servir ce plat sur des pâtes de blé entier cuites avec la Salade d'épinards et de fromage de chèvre (p. 147) comme accompagnement.

Valeur nutritive par portion	
Calories	185
Lipides	2,3 g
saturés	0,7 g
Sodium	409 mg (17 % VQ)
Glucides	11 g
Fibres	2 g (8 % VQ)
Protéines	29 g
Calcium	73 mg (7 % VQ)
Fer	1,1 mg (8 % VQ)

Teneur très élevée en vitamine A, vitamine B$_6$ et niacine
Teneur élevée en magnésium et vitamine B$_{12}$

Équivalents par portion pour les personnes diabétiques :
3   Viandes et substituts

- *Préchauffer le four à 190 °C (375 °F)*
- *Un plat en verre allant au four de 33 x 23 cm (13 x 9 po), graissé*

4 grosses poitrines de poulet sans la peau ni les os d'environ 250 g (8 oz) chacune
2 ml (½ c. à thé) de sel
2 ml (½ c. à thé) de poivre noir fraîchement moulu
375 ml (1 ½ tasse) de carottes hachées
250 ml (1 tasse) de céleri haché
250 ml (1 tasse) d'oignon haché
500 ml (2 tasses) de bouillon de poulet à teneur réduite en sodium
250 ml (1 tasse) de petits pois surgelés, décongelés
37 ml (2 ½ c. à soupe) de farine tout usage
125 ml (½ tasse) de lait évaporé 2 %
15 ml (1 c. à soupe) d'aneth frais finement haché

1. Déposer une poitrine de poulet à plat sur une planche à découper. Mettre une main sur le dessus du poulet et, à l'aide d'un couteau bien aiguisé et en coupant parallèlement à la planche, couper le poulet pour obtenir 2 minces escalopes. Répéter l'opération pour le reste des poitrines.

2. Déposer les escalopes de poulet dans le plat allant au four graissé, en les faisant se chevaucher, au besoin. Saler et poivrer. Les couvrir de carottes, de céleri et d'oignon. Y verser ensuite le bouillon. Couvrir d'un papier d'aluminium.

3. Cuire au four préchauffé pendant environ 30 minutes ou jusqu'à ce que les légumes soient tendres. Retirer le plat du four et y incorporer les pois. Remettre le papier d'aluminium et cuire pendant 10 minutes ou jusqu'à ce que le poulet ait perdu sa couleur rosée.

4. Verser 250 ml (1 tasse) du liquide de cuisson dans un petit bol. Tout en fouettant, saupoudrer le liquide chaud de farine et fouetter jusqu'à ce qu'il ne reste plus de grumeaux et que le liquide soit homogène. Y fouetter graduellement le lait évaporé et l'aneth. Verser la sauce uniformément sur le poulet et les légumes, dans le plat allant au four. Cuire, à découvert, pendant 5 minutes ou jusqu'à ce que la sauce soit chaude.

VARIANTE

Remplacez les carottes par des haricots verts, et les pois par du maïs.

Poulet, sauce douce et épicée

Debbie Houle, diététiste, Colombie-Britannique

8 PORTIONS

✓ LE CHOIX DES ENFANTS

Ce plat est facile à préparer. Et il est à la fois doux et épicé.

CONSEIL

Pour obtenir des escalopes plus uniformes, commencez à couper à l'extrémité la plus charnue de la poitrine.

SUGGESTION DE SERVICE

Vous pouvez servir ce plat sur un lit de riz brun ou de riz sauvage ou, pour faire un burrito maison, roulez chaque poitrine de poulet dans une tortilla de blé entier chaude avec de la laitue déchiquetée et du fromage.

Valeur nutritive par portion	
Calories	183
Lipides	2,0 g
saturés	0,5 g
Sodium	404 mg (17 % VQ)
Glucides	15 g
Fibres	1 g (4 % VQ)
Protéines	27 g
Calcium	19 mg (2 % VQ)
Fer	0,8 mg (6 % VQ)

Teneur très élevée en vitamine B_6 et niacine

Équivalents par portion pour les personnes diabétiques :
1   Glucides
3   Viandes et substituts

- *Préchauffer le four à 200 °C (400 °F)*
- *Un plat en verre allant au four de 33 x 23 cm (13 x 9 po), graissé*

**4 poitrines de poulet sans la peau ni les os, d'environ
   250 g (8 oz) chacune**
175 ml (¾ tasse) de salsa
125 ml (½ tasse) de ketchup
60 ml (¼ tasse) de miel liquide
15 ml (1 c. à soupe) de moutarde de Dijon
5 ml (1 c. à thé) de chili en poudre
2 ml (½ c. à thé) de cumin moulu

1. Déposer une poitrine de poulet à plat sur une planche à découper. Mettre une main sur le dessus du poulet et, à l'aide d'un couteau bien aiguisé et en coupant parallèlement à la planche, couper le poulet pour obtenir 2 minces escalopes. Répéter l'opération pour le reste des poitrines.
2. Déposer les escalopes de poulet dans le plat allant au four graissé, en les faisant se chevaucher, au besoin. Cuire au four préchauffé pendant environ 30 minutes.
3. Entre-temps dans une petite casserole, mélanger la salsa, le ketchup, le miel, la moutarde, le chili en poudre et le cumin. Cuire à feu moyen, en remuant souvent, pendant 5 minutes ou jusqu'à ce que la sauce soit chaude.
4. Retirer le poulet du four, l'égoutter et jeter tout le jus de cuisson qui s'est accumulé dans le plat. Verser la sauce sur le poulet, en retournant chaque morceau pour le couvrir de sauce. Cuire au four pendant 10 minutes ou jusqu'à ce que le poulet ait perdu sa couleur rosée.

Le miel possède une longue et riche histoire : jadis, il était utilisé comme agent de conservation ; il fait partie de plusieurs cérémonies culturelles, dont certains rites religieux, comme le baptême, le mariage et les funérailles ; il avait aussi d'autres usages, comme les traitements pour la toux, pour le rhume, pour la fièvre et pour les affections de la peau. La saveur du miel varie selon les fleurs que les abeilles ont butinées.

VARIANTE

Si vous êtes amateur de plats relevés, choisissez une salsa plus piquante.

Chili au poulet léger et facile à préparer

Phyllis Quarrie, Alberta

8 PORTIONS

Le chili au poulet est un plat réconfortant lors des soirées froides.

CONSEILS

Coupez les légumes, mesurez les épices et ouvrez les boîtes de conserve avant de commencer à préparer le chili. De cette façon, la cuisson sera un jeu d'enfant.

La grande partie du sodium provient des haricots, des pois chiches et des tomates en conserve. Pour réduire la quantité de sodium, utilisez 500 ml (2 tasses) de haricots rouges secs cuits, réhydratés et 500 ml (2 tasses) de pois chiches secs cuits, réhydratés. Utilisez des tomates en dés sans ajout de sel.

Valeur nutritive par portion	
Calories	251
Lipides	4,2 g
saturés	0,6 g
Sodium	662 mg (28 % VQ)
Glucides	34 g
Fibres	9 g (36 % VQ)
Protéines	21 g
Calcium	99 mg (9 % VQ)
Fer	3,6 mg (26 % VQ)

Teneur très élevée en magnésium, vitamine A, vitamine C, vitamine B$_6$, acide folique et niacine
Teneur élevée en zinc et thiamine

Équivalents par portion pour les personnes diabétiques :
1   Glucides
2   Viandes et substituts

15 ml (1 c. à soupe) d'huile de canola
500 ml (2 tasses) d'oignons hachés
250 ml (1 tasse) de carottes hachées
250 ml (1 tasse) de céleri haché
250 ml (1 tasse) de poivron rouge haché
2 gousses d'ail, hachées
500 g (1 lb) de poitrines de poulet, sans la peau ni les os, coupées en cubes de 2,5 cm (1 po)
30 à 45 ml (2 à 3 c. à soupe) de chili en poudre
10 ml (2 c. à thé) de cumin moulu
5 ml (1 c. à thé) d'origan séché
2 ml (½ c. à thé) de sel
1 ml (¼ c. à thé) de piment rouge en flocons
1 boîte de 540 ml (19 oz) de haricots rouges, égouttés et rincés
1 boîte de 540 ml (19 oz) de pois chiches, égouttés et rincés
1 boîte de 796 ml (28 oz) de tomates en dés, avec leur jus
60 ml (¼ tasse) de persil frais haché

1. Dans une grande marmite, chauffer l'huile à feu moyen-vif. Y faire sauter les oignons, les carottes, le céleri et le poivron pendant 4 à 5 minutes ou jusqu'à ce qu'ils soient tendres. Ajouter l'ail et le faire sauter pendant 30 secondes.
2. Ajouter le poulet et cuire, en remuant de temps en temps, de 7 à 8 minutes ou jusqu'à ce qu'il commence à dorer. Ajouter le chili en poudre, le cumin, l'origan, le sel et le piment en flocons. Faire sauter de 1 à 2 minutes ou jusqu'à ce qu'une bonne odeur s'en dégage.
3. Incorporer les haricots rouges, les pois chiches et les tomates, puis porter à ébullition, en remuant. Réduire le feu et laisser mijoter, en remuant de temps en temps, pendant 30 minutes ou jusqu'à ce que la sauce ait légèrement épaissi et que le poulet ait perdu sa couleur rosée. Servir garni de persil.

Le cumin est une épice d'origine égyptienne. On en trouve 2 formes : les graines de cumin et le cumin moulu. Les graines sont parfois grillées entières, puis moulues, dans les currys, particulièrement.

Poulet à la grecque

Laura Bennett, Colombie-Britannique

6 PORTIONS

✓ LE CHOIX DES ENFANTS

Ce plat est une merveilleuse façon de préparer rapidement un repas aux saveurs de la Grèce.

CONSEILS

Coupez le poulet en morceaux égaux pour vous assurer qu'il cuira uniformément.

Retirez les graines des tomates, si désiré.

Valeur nutritive par portion	
Calories	300
Lipides	13,0 g
saturés	4,1 g
Sodium	484 mg (20 % VQ)
Glucides	12 g
Fibres	2 g (8 % VQ)
Protéines	35 g
Calcium	150 mg (14 % VQ)
Fer	1,8 mg (13 % VQ)

Teneur très élevée en vitamine C, vitamine B$_6$, vitamine B$_{12}$ et niacine
Teneur élevée en magnésium, zinc, vitamine A et riboflavine

Équivalents par portion pour les personnes diabétiques :
4   Viandes et substituts

- *Préchauffer le four à 190 °C (375 °F)*
- *Un plat en verre allant au four de 33 x 23 cm (13 x 9 po)*

750 g (1 ½ lb) de poitrines de poulet sans la peau ni les os, coupées en cubes de 2,5 cm (1 po)
6 gousses d'ail, hachées
5 tomates italiennes, hachées
250 ml (1 tasse) d'oignon haché
250 ml (1 tasse) de poivron rouge haché
175 ml (¾ tasse) de fromage feta émietté
125 ml (½ tasse) de jus de citron fraîchement pressé, au total
22 ml (1 ½ c. à soupe) d'origan séché
22 ml (1 ½ c. à soupe) de basilic séché
30 ml (2 c. à soupe) d'huile de canola
125 ml (½ tasse) d'olives Kalamata dénoyautées
60 ml (¼ tasse) de basilic frais haché

1. Dans un grand bol, mélanger le poulet, l'ail, les tomates, l'oignon, le poivron, le fromage, 75 ml (⅓ tasse) de jus de citron, l'origan, le basilic et l'huile, bien couvrir le poulet du mélange. Étendre le poulet dans le plat allant au four et le couvrir de papier d'aluminium.
2. Cuire au four préchauffé pendant 30 minutes. Remuer, puis remettre le papier d'aluminium. Cuire de 20 à 30 minutes ou jusqu'à ce que le poulet ait perdu sa couleur rosée. Incorporer le reste du jus de citron, les olives et le basilic.

> Plusieurs des fines herbes utilisées dans la cuisine grecque traditionnelle poussent au Canada. Elles sont faciles à cultiver à la maison, soit sur le rebord d'une fenêtre de cuisine, soit à l'extérieur, dans un jardin d'herbes. Le basilic, l'origan, le thym et le romarin sont couramment utilisés dans des plats comme le souvlaki, le tzatziki et les pommes de terre rôties. Jumelez ces herbes avec des olives et des citrons, et vous êtes prêts à créer de nombreux plats d'inspiration grecque.

VARIANTE

Ajoutez un brin de romarin et quelques flocons de piment au mélange de poulet avant de le cuire. Retirez le romarin avant de servir.

SUGGESTION DE SERVICE

Vous pouvez servir ce plat sur du riz brun ou avec des croustilles de pita de blé entier, pour les tremper dans la sauce.

Curry au poulet

Anne Wall, Alberta

4 PORTIONS

Dans ce plat, les pommes et les raisins secs forment un doux contraste avec la poudre de cari. Garnissez-le d'une bonne cuillerée de yogourt nature faible en gras.

CONSEILS

Le curcuma peut tacher les mains, les comptoirs et les ustensiles, alors, attention quand vous l'utilisez, essuyez les taches rapidement.

Ajoutez seulement du bouillon chaud ou frais à un roux (mélange de matières grasses et de farine). Si vous ajoutez du bouillon froid, le gras pourrait se solidifier, et cela formerait des grumeaux qu'il serait difficile de dissoudre.

SUGGESTION DE SERVICE

Servez ce plat avec le traditionnel pain nan.

Valeur nutritive par portion	
Calories	293
Lipides	9,1 g
saturés	1,0 g
Sodium	521 mg (22 % VQ)
Glucides	25 g
Fibres	2 g (8 % VQ)
Protéines	28 g
Calcium	37 mg (3 % VQ)
Fer	1,7 mg (12 % VQ)

Teneur très élevée en vitamine B$_6$ et niacine
Teneur élevée en magnésium

Équivalents par portion pour les personnes diabétiques :
1   Glucides
3   Viandes et substituts
1   Matières grasses

500 g (1 lb) de poitrines de poulet sans les os ni la peau, coupées en cubes de 2,5 cm (1 po)
Sel et poivre noir fraîchement moulu
30 ml (2 c. à soupe) d'huile de canola, au total
250 ml (1 tasse) d'oignon haché
30 ml (2 c. à soupe) de farine tout usage
15 ml (1 c. à soupe) de poudre de cari
5 ml (1 c. à thé) de garam massala
1 ml (¼ c. à thé) de curcuma moulu
300 ml (1 ¼ tasse) de bouillon de poulet à teneur réduite en sodium
30 ml (2 c. à soupe) de confiture de cerises
15 ml (1 c. à soupe) de chutney à la mangue
175 ml (¾ tasse) de pomme hachée
30 ml (2 c. à soupe) de raisins secs

1. Assaisonner le poulet avec 1 ml (¼ c. à thé) de sel et 1 ml (¼ c. à thé) de poivre. Dans un grand poêlon, chauffer 15 ml (1 c. à soupe) de l'huile, à feu moyen. Ajouter la moitié du poulet et le faire sauter de 3 à 4 minutes ou jusqu'à ce qu'il soit doré de tous les côtés. Le mettre dans un bol et le laisser reposer. Faire dorer le reste du poulet, puis le mettre dans un bol.

2. Ajouter le reste de l'huile au poêlon. Y faire sauter l'oignon de 3 à 4 minutes ou jusqu'à ce qu'il soit ramolli. Ajouter la farine, la poudre de cari, le garam massala et le curcuma, puis faire sauter pendant 30 secondes. Verser graduellement le bouillon, en remuant pour éviter les grumeaux, puis porter à ébullition. Réduire le feu et laisser mijoter, en remuant souvent, pendant 3 minutes.

3. Incorporer la confiture, le chutney, 1 ml (¼ c. à thé) de poivre et une pincée de sel. Remettre le poulet et tout le jus de cuisson qui s'est accumulé dans le poêlon. Réduire à feu doux, couvrir et laisser mijoter, en remuant de temps en temps, pendant 10 minutes.

4. Incorporer la pomme et les raisins secs. Couvrir et laisser mijoter pendant 5 minutes ou jusqu'à ce que la pomme soit tendre et que le poulet ait perdu sa couleur rosée.

> Dans les currys indiens, on emploie rarement de la poudre de cari du commerce. Les cuisiniers utilisent plutôt des épices (cayenne, cannelle, coriandre, clou de girofle, cumin, fenouil, fenugrec, graines de moutarde broyées et poivre noir), pour créer la saveur unique et intense du curry.

VARIANTE

Remplacez les raisins secs par des dattes ou des abricots, séchés, hachés.

Pâtes, sauce au poulet et aux légumes

Joanne Rankin, diététiste, Colombie-Britannique

8 PORTIONS

Donnez une nouvelle vie à vos restes de poulet, grâce à cette savoureuse sauce pour les pâtes.

CONSEILS

Du poulet froid, déchiqueté à la main, est plus attrayant et offre une plus grande surface d'adhésion pour la sauce que des cubes uniformes coupés au couteau.

Pour obtenir la meilleure texture possible, prenez garde de ne pas faire bouillir le poulet dans la sauce.

Si les membres de votre famille ne font que commencer à manger des pâtes de blé entier, faites d'abord un mélange moitié pâtes ordinaires et moitié pâtes de blé entier. Augmentez graduellement la quantité, jusqu'à ce que vous ne serviez que des pâtes de blé entier.

Valeur nutritive par portion	
Calories	347
Lipides	9,5 g
saturés	2,3 g
Sodium	476 mg (20 % VQ)
Glucides	49 g
Fibres	6 g (24 % VQ)
Protéines	20 g
Calcium	140 mg (13 % VQ)
Fer	2,9 mg (21 % VQ)

Teneur très élevée en magnésium, zinc, vitamine C, acide folique et niacine
Teneur élevée en vitamine B_6 et thiamine

Équivalents par portion pour les personnes diabétiques :
2 ½ Glucides
2 Viandes et substituts

500 g (1 lb) de pennes ou de rotinis de blé entier
30 ml (2 c. à soupe) d'huile de canola ou d'huile d'olive
250 ml (1 tasse) d'oignon haché
3 gousses d'ail, hachées
2 ml (½ c. à thé) de piment rouge en flocons (facultatif)
1 litre (4 tasses) de petits bouquets de brocoli, soit environ 1 grosse tête
250 ml (1 tasse) de tomates en conserve, en dés, avec leur jus
375 ml (1 ½ tasse) de poulet cuit déchiqueté
30 ml (2 c. à soupe) de pesto au basilic
125 ml (½ tasse) de persil frais grossièrement haché
1 ml (¼ c. à thé) de sel
Poivre noir fraîchement moulu
125 ml (½ tasse) de parmesan fraîchement râpé

1. Dans une grande marmite d'eau bouillante salée, cuire les pâtes selon les instructions qui figurent sur l'emballage, jusqu'à ce qu'elles soient al dente. Les égoutter et réserver 125 ml (½ tasse) de l'eau de cuisson. Mettre les pâtes dans un grand bol de service.

2. Entre-temps, dans un grand poêlon, chauffer l'huile à feu moyen-vif. Y faire sauter l'oignon pendant environ 3 minutes ou jusqu'à ce qu'il soit ramolli et que les bords soient dorés. Ajouter l'ail et le piment en flocons, si désiré, puis les faire sauter pendant 30 secondes. Ajouter le brocoli et cuire, en remuant de temps en temps, pendant environ 5 minutes ou jusqu'à ce qu'il soit d'un beau vert brillant.

3. Incorporer les tomates et porter à ébullition. Incorporer le poulet, le pesto et l'eau des pâtes réservée. Réduire le feu et laisser mijoter, en remuant souvent, pendant environ 3 minutes ou jusqu'à ce que le poulet soit bien chaud. Retirer du feu, puis incorporer le persil, le sel et du poivre, au goût.

4. Verser la sauce sur les pâtes et bien mélanger. Parsemer de parmesan.

VARIANTE

Vous pouvez remplacer les restes de poulet par des restes de dinde ou de boulettes de viande.

Escalopes de dinde aux canneberges

Joan Rew, diététiste, Manitoba

Joan Rew, diététiste, Manitoba

4 PORTIONS

Cette recette rappelle l'Action de grâce, mais elle se prépare dans un seul poêlon!

CONSEILS

Demandez à votre boucher de couper la poitrine de dinde en escalopes de l'épaisseur désirée ou, si vous trouvez seulement des escalopes plus épaisses, aplatissez-les délicatement avec un attendrisseur à l'épaisseur désirée.

Pour réduire la quantité de glucides, utilisez seulement 60 ml (¼ tasse) de cassonade.

75 ml (⅓ tasse) de farine tout usage
2 ml (½ c. à thé) de sel
2 ml (½ c. à thé) de poivre blanc fraîchement moulu
4 escalopes de poitrine de dinde, coupés à une épaisseur de 1 cm (½ po), soit environ 500 g (1 lb), au total
20 ml (4 c. à thé) d'huile de canola, au total
250 ml (1 tasse) de jus d'orange
375 ml (1 ½ tasse) de canneberges fraîches ou surgelées
125 ml (½ tasse) de cassonade bien tassée
15 ml (1 c. à soupe) de farine tout usage
5 ml (1 c. à thé) de cannelle moulue
1 ml (¼ c. à thé) de clou de girofle moulu
1 ml (¼ c. à thé) de piment de la Jamaïque moulu
22 ml (1 ½ c. à soupe) de vinaigre de vin rouge

1. Dans un petit bol peu profond, mettre 75 ml (⅓ tasse) de farine, le sel et le poivre. Tremper chaque escalope de dinde dans le mélange de farine, en la couvrant uniformément, puis secouer le surplus de farine. Réserver les escalopes dans une assiette. Jeter tout surplus de farine.

2. Dans un poêlon antiadhésif, chauffer 10 ml (2 c. à thé) d'huile à feu moyen. Faire dorer 2 escalopes, en les retournant une fois, 2 minutes de chaque côté ou jusqu'à ce qu'elles soient bien dorées, mais que l'intérieur soit rosé. Retirer du poêlon et réserver dans une assiette. Répéter l'opération pour le reste de l'huile et les autres escalopes.

3. Ajouter le jus d'orange et déglacer le poêlon en raclant le fond pour enlever tous les petits morceaux qui y ont adhéré. Ajouter les canneberges et la cassonade. Cuire, en remuant souvent, pendant environ 5 minutes ou jusqu'à ce que les canneberges éclatent.

4. Entre-temps, dans un petit bol, fouetter 15 ml (1 c. à soupe) de farine avec la cannelle, le clou de girofle, le piment de la Jamaïque et le vinaigre pour former une pâte. Incorporer ce mélange au mélange de canneberges et laisser mijoter, en remuant sans arrêt, pendant environ 2 minutes ou jusqu'à ce que le mélange ait épaissi.

5. Remettre les escalopes dans le poêlon, en les retournant pour les couvrir de sauce. Réduire à feu doux, couvrir hermétiquement et laisser mijoter de 6 à 8 minutes ou jusqu'à ce que les escalopes aient perdu leur couleur rosée.

Valeur nutritive par portion	
Calories	363
Lipides	6,9 g
saturés	1,0 g
Sodium	375 mg (16 % VQ)
Glucides	48 g
Fibres	3 g (12 % VQ)
Protéines	27 g
Calcium	57 mg (5 % VQ)
Fer	2,6 mg (19 % VQ)

Teneur très élevée en vitamine B_6 et niacine
Teneur élevée en magnésium, zinc, vitamine C, vitamine D, acide folique, vitamine B_{12} et thiamine

Équivalents par portion pour les personnes diabétiques :
3   Glucides
3   Viandes et substituts

Les canneberges ont besoin de sucre pour être agréables au goût. Ici, le jus d'orange, la cassonade et les épices forment une sauce exquise.

Dinde barbecue à la moutarde à l'estragon

Jessie Kear, diététiste, Ontario

6 À 8 PORTIONS

Cette succulente et juteuse poitrine de dinde est l'un des plats favoris des membres de la famille de Jessie. Pendant l'été, la cuisson au barbecue est une façon simple et pratique de cuire la dinde.

CONSEIL

Ne cuisez pas trop la dinde, car elle pourrait sécher. Vérifiez la température après 35 minutes, car la température du barbecue n'est pas toujours constante.

• *Graisser la grille et préchauffer le barbecue à température moyenne*

2 gousses d'ail, finement hachées
10 ml (2 c. à thé) d'estragon séché
2 ml (½ c. à thé) de sel (facultatif)
2 ml (½ c. à thé) de poivre noir fraîchement moulu
30 ml (2 c. à soupe) de moutarde de Dijon
30 ml (2 c. à soupe) de bouillon de poulet
15 ml (1 c. à soupe) d'huile de canola, au total
1 poitrine de dinde avec les os et la peau d'environ 1 kg (2 lb)

1. Dans un petit bol, mélanger l'ail, l'estragon, du sel, si désiré, le poivre, la moutarde, le bouillon et 10 ml (2 c. à thé) de l'huile.
2. Détacher délicatement la peau de la poitrine de dinde, puis la soulever, mais ne pas la retirer. Étendre le mélange d'ail uniformément sur la dinde, sous la peau, puis remettre la peau en place. Badigeonner la peau du reste de l'huile.
3. Mettre la dinde, la peau vers le bas, sur le barbecue préchauffé. Refermer le couvercle et griller pendant 10 minutes. Retourner la poitrine pour que la peau soit vers le haut, refermer le couvercle et griller la dinde de 40 à 45 minutes ou jusqu'à ce qu'elle ait perdu sa couleur rosée et qu'un thermomètre à viande inséré dans la partie la plus charnue de la poitrine indique 77 °C (170 °F). Mettre la dinde sur une planche à découper, la couvrir de papier d'aluminium et la laisser reposer pendant 10 minutes avant de la découper.

SUGGESTION DE SERVICE

Vous pouvez servir la dinde avec du riz pilaf, un mélange de mini-courges d'été et une salade d'épinards.

Valeur nutritive par portion	
Calories	122
Lipides	3,8 g
saturés	0,9 g
Sodium	107 mg (4 % VQ)
Glucides	1 g
Fibres	0 g (0 % VQ)
Protéines	20 g
Calcium	21 mg (2 % VQ)
Fer	1,1 mg (8 % VQ)

Teneur très élevée en niacine
Teneur élevée en zinc et vitamine B$_6$

Équivalents par portion pour les personnes diabétiques:
2 ½ Viandes et substituts

Jambalaya épicé au riz brun

Giovanna Pizzin, diététiste, Colombie-Britannique

Le jambalaya est originaire de La Nouvelle-Orléans. On l'a créé en s'inspirant de la paella, ce plat espagnol traditionnel.

CONSEILS

Les repas thématiques sont une bonne façon pour s'initier à la cuisine du monde. Vous pouvez faire de ce jambalaya la pièce maîtresse d'un repas à thème cajun.

Dans cette recette, la grande partie du sodium provient des saucisses et des haricots en conserve. Pour réduire la quantité de sodium, utilisez des saucisses à teneur réduite en sodium et des haricots rouges secs cuits, réhydratés.

Valeur nutritive par portion	
Calories	315
Lipides	7,4 g
saturés	1,5 g
Sodium	619 mg (26 % VQ)
Glucides	45 g
Fibres	8 g (32 % VQ)
Protéines	18 g
Calcium	86 mg (8 % VQ)
Fer	3,1 mg (22 % VQ)

Teneur très élevée en magnésium, zinc, vitamine C, vitamine B_6, vitamine B_{12} et niacine
Teneur élevée en vitamine A, acide folique, thiamine et riboflavine

Équivalents par portion pour les personnes diabétiques :
2   Glucides
2   Viandes et substituts

10 ml (2 c. à thé) d'huile de canola
500 g (1 lb) de saucisses de dinde maigres, épicées, coupées en morceaux de 2,5 cm (1 po)
1 piment jalapeño, épépiné et finement haché
250 ml (1 tasse) d'oignon rouge haché
250 ml (1 tasse) de poivron vert haché
250 ml (1 tasse) de poivron rouge haché
250 ml (1 tasse) de céleri haché
4 gousses d'ail, hachées
2 feuilles de laurier
15 ml (1 c. à soupe) d'assaisonnement cajun
5 ml (1 c. à thé) d'origan séché
30 ml (2 c. à soupe) de pâte de tomates
1 boîte de 540 ml (19 oz) de haricots rouges, égouttés et rincés
1 boîte de 398 ml (14 oz) de tomates en dés, avec leur jus
375 ml (1 ½ tasse) de riz brun à grain long
125 ml (½ tasse) de persil frais grossièrement haché

1. Dans une grande marmite à fond épais, chauffer l'huile à feu moyen. Y faire sauter les saucisses de 4 à 5 minutes ou jusqu'à ce qu'elles soient bien dorées de tous les côtés. Les mettre ensuite dans une assiette et réserver.

2. Égoutter et jeter tout le gras de la marmite, sauf 10 ml (2 c. à thé). Ajouter le piment jalapeño, l'oignon rouge, le poivron vert, le poivron rouge et le céleri. Les faire sauter de 5 à 7 minutes ou jusqu'à ce qu'ils soient ramollis. Ajouter l'ail et le faire sauter pendant 30 secondes. Ajouter les feuilles de laurier, l'assaisonnement cajun, l'origan et la pâte de tomates. Cuire, en remuant, pendant 2 minutes.

3. Remettre les saucisses dans la marmite et y incorporer les haricots, les tomates, le riz et 875 ml (3 ½ tasses) d'eau, puis porter à ébullition. Réduire le feu et laisser mijoter, en mélangeant de temps en temps, pendant 1 ¼ heure ou jusqu'à ce que le liquide soit absorbé et que le riz soit tendre. Ajouter de l'eau, si le riz n'est pas assez tendre. Servir garni de persil.

VARIANTE

Le jambalaya a été conçu pour utiliser les restes, alors, plutôt que de cuire de la saucisse fraîche, vous pouvez ajouter de la saucisse cuite ou du poulet cuit au mélange de riz.

Pâtes à la saucisse de dinde et au brocoli

Marie Rainey, Nouvelle-Écosse

✓ LE CHOIX DES ENFANTS

Le goût de la saucisse de dinde et des pennes est complètement transformé quand vous leur ajoutez du cari, du fromage feta et du citron! Marie prépare cette création toutes les deux semaines, et tous l'apprécient, les enfants comme les adultes.

CONSEIL

Si vous avez l'esprit aventureux, vous pouvez ajouter jusqu'à 30 ml (2 c. à soupe) de poudre de cari supplémentaire.

Valeur nutritive par portion	
Calories	362
Lipides	10,4 g
saturés	3,0 g
Sodium	557 mg (23 % VQ)
Glucides	47 g
Fibres	4 g (16 % VQ)
Protéines	20 g
Calcium	85 mg (8 % VQ)
Fer	3,3 mg (24 % VQ)

Teneur très élevée en zinc, acide folique, vitamine B$_{12}$, thiamine et niacine
Teneur élevée en magnésium, vitamine B$_6$ et riboflavine

Équivalents par portion pour les personnes diabétiques :
3   Glucides
1 ½ Viandes et substituts
½   Matières grasses

15 ml (1 c. à soupe) d'huile de canola ou d'huile d'olive
500 g (1 lb) de saucisse de dinde maigre, dont on a retiré les boyaux, émiettée
500 g (1 lb) de pennes ou de rotinis
250 ml (1 tasse) d'oignon haché
1 gousse d'ail, finement hachée
500 ml (2 tasses) de bouquets de brocoli hachés
15 ml (1 c. à soupe) de poudre de cari
30 ml (2 c. à soupe) de jus de citron fraîchement pressé
125 ml (½ tasse) de fromage feta émietté

1. Dans un poêlon, chauffer l'huile à feu moyen-vif. Cuire la saucisse, en la brisant avec une cuillère, 8 minutes ou jusqu'à ce qu'elle ait perdu sa couleur rosée. Avec une cuillère à égoutter, mettre la saucisse dans un bol. Réserver. Égoutter le gras du poêlon, sauf 10 ml (2 c. à thé).
2. Entre-temps, dans une grande marmite d'eau bouillante salée, cuire les pâtes selon les instructions qui figurent sur l'emballage, jusqu'à ce qu'elles soient al dente. Les égoutter et les mettre dans un bol de service.
3. Réduire le feu du poêlon. Y faire sauter l'oignon à feu moyen de 3 à 4 minutes ou jusqu'à ce qu'il soit ramolli. Ajouter l'ail et le faire sauter pendant 30 secondes. Incorporer le brocoli, la poudre de cari et 60 ml (¼ tasse) d'eau. Laisser mijoter, en remuant souvent, de 3 à 4 minutes ou jusqu'à ce que le brocoli soit al dente. Incorporer la saucisse réservée et le jus de citron. Cuire, en mélangeant, de 2 à 3 minutes ou jusqu'à ce que ce soit bien chaud.
4. Verser le mélange de saucisse sur les pâtes et bien mélanger. Parsemer de feta.

> Vous devriez cuire les pâtes jusqu'à ce qu'elles soient al dente, ce qui signifie littéralement « à la dent ». Elles devraient être tendres, mais rester fermes sous la dent. Selon la forme des pâtes, calculez de 5 à 12 minutes de cuisson pour les pâtes sèches et de 1 à 4 minutes pour les fraîches. En cas de doute, faites cuire les pâtes selon les instructions qui figurent sur l'emballage.

VARIANTES

Remplacez la saucisse de dinde par de la saucisse de porc. Ou par de la poitrine de poulet sans les os ni la peau, coupée en petits morceaux, et la faire sauter, à l'étape 1, jusqu'à ce que le poulet ait perdu sa couleur rosée.

Vous pouvez aussi remplacer le brocoli par des pois ou des carottes.

Boulettes de dinde extra moelleuses

Kristin Wiens, diététiste, Alberta

4 PORTIONS

Ces boulettes de viande sont tendres et ont une saveur délicate.

CONSEIL

Mélangez doucement le mélange pour les boulettes. Si vous mélangez trop, elles seront dures.

VARIANTES

Remplacez la dinde par du bœuf, du porc ou du veau, haché, ou par un mélange de ces trois viandes.

Pour une saveur d'ail plus prononcée, utilisez 3 gousses d'ail, hachées.

SUGGESTION DE SERVICE

Pour obtenir un savoureux repas pour vos enfants, servez les boulettes avec une trempette, des crudités et un verre de lait.

Valeur nutritive par portion	
Calories	291
Lipides	17,4 g
saturés	4,3 g
Sodium	437 mg (18 % VQ)
Glucides	8 g
Fibres	2 g (8 % VQ)
Protéines	26 g
Calcium	117 mg (11 % VQ)
Fer	2,5 mg (18 % VQ)

Teneur très élevée en zinc, vitamine D, vitamine B$_{12}$ et niacine
Teneur élevée en magnésium, vitamine B$_6$ et riboflavine

Équivalents par portion pour les personnes diabétiques :
½   Glucides
3 ½   Viandes et substituts

1 tranche de pain de blé entier
30 ml (2 c. à soupe) de lait 2 %
1 œuf, battu
500 g (1 lb) de dinde hachée maigre
60 ml (¼ tasse) de persil frais haché
45 ml (3 c. à soupe) de parmesan fraîchement râpé
30 ml (2 c. à soupe) d'ail rôti (voir l'encadré ci-dessous), haché
30 ml (2 c. à soupe) de ciboulette fraîche hachée
30 ml (2 c. à soupe) de graines de lin moulues
15 ml (1 c. à soupe) de romarin frais haché
1 ml (¼ c à thé) de sel
2 ml (½ c. à thé) de poivre noir fraîchement moulu
15 ml (1 c. à soupe) d'huile de canola
75 ml (⅓ tasse) de bouillon de poulet à teneur réduite en sodium

1. Déchirer le pain en petits morceaux, puis les mettre dans un grand bol. Les couvrir de lait et les laisser tremper pendant 2 minutes. Ajouter l'œuf, la dinde, le persil, le fromage, l'ail, la ciboulette, les graines de lin, le romarin, le sel et le poivre. Se laver les mains, puis avec les mains, mélanger délicatement jusqu'à ce que le tout soit bien incorporé. Façonner des boulettes de 22 ml (1 ½ c. à soupe).

2. Dans un grand poêlon antiadhésif, chauffer l'huile à feu moyen-vif. Ajouter la moitié des boulettes et cuire, en les retournant de temps en temps, de 8 à 10 minutes ou jusqu'à ce qu'elles soient bien dorées de tous les côtés. Les mettre dans un bol. Faire dorer le reste des boulettes.

3. Ajouter le bouillon et déglacer le poêlon, en raclant le fond pour enlever tous les petits morceaux qui y ont adhéré. Remettre les boulettes dans le poêlon, réduire à feu moyen-doux, couvrir hermétiquement et laisser mijoter de 5 à 6 minutes ou jusqu'à ce que le bouillon ait réduit, qu'il n'y ait presque plus de liquide, et que les boulettes aient perdu leur couleur rosée.

Comment rôtir l'ail : coupez le haut de la tête, en découvrant les gousses, mais ne les séparez pas. Déposez la tête d'ail sur un grand carré de papier d'aluminium et versez-y de 5 à 10 ml (1 à 2 c à thé) d'huile en filet. Emprisonnez l'ail dans le papier d'aluminium, puis faites-le rôtir au four à 200 °C (400 °F) de 25 à 30 minutes ou jusqu'à ce que les gousses soient tendres et dorées. Laissez refroidir. Pressez les gousses d'ail pour les faire sortir de leur pellicule parcheminée.

Canard à l'orange

Lise Arsenault, diététiste, Nouveau-Brunswick

Ce plat classique pourrait faire un merveilleux plat principal lors d'un souper entre amis.

- *Préchauffer le four à 220 °C (425 °F)*
- *Une rôtissoire munie d'une grille*

1 canard entier d'environ 2,2 kg (5 lb),
   dont on a retiré les abats
Une pincée de sel
Une pincée de poivre noir fraîchement moulu
2 oranges
2 pommes, pelées et hachées
5 ml (1 c. à thé) de poudre de cari
250 ml (1 tasse) de jus d'orange
125 ml (½ tasse) de jus de pomme non sucré ou
   de vin blanc sec
10 ml (2 c. à thé) de cognac (facultatif)
15 ml (1 c. à soupe) de fécule de maïs
30 ml (2 c. à soupe) d'eau froide

1. Retirer l'excès de gras du canard. Rincer l'intérieur et l'extérieur de l'oiseau sous l'eau froide, puis l'éponger. Percer la peau à l'aide d'une fourchette. Saler et poivrer l'intérieur.

2. Râper le zeste des oranges, puis couper les oranges en tranches minces. Dans un petit bol, mettre les pommes, la poudre de cari et la moitié du zeste d'orange. Farcir le canard avec le mélange de pomme, sans tasser la farce. Déposer le canard, la poitrine vers le haut, sur la grille d'une rôtissoire. Éparpiller les tranches d'orange au fond de la rôtissoire. Verser 125 ml (½ tasse) d'eau.

3. Faire griller le canard au four préchauffé pendant 20 minutes. Réduire la température à 180 °C (350 °F) et cuire encore de 1 ¾ à 2 heures, en arrosant le canard 2 fois de jus de cuisson, jusqu'à ce que la peau soit bien dorée et croustillante, que les pilons bougent quand on les touche et qu'un thermomètre à viande inséré dans la partie la plus charnue de la cuisse indique 85 °C (185 °F). Déposer le canard sur une planche à découper, le couvrir de papier d'aluminium et le laisser reposer de 10 à 15 minutes avant de le découper.

Valeur nutritive par portion	
Calories	318
Lipides	14,7 g
saturés	5,5 g
Sodium	159 mg (7 % VQ)
Glucides	14 g
Fibres	1 g (4 % VQ)
Protéines	31 g
Calcium	34 mg (3 % VQ)
Fer	3,8 mg (27 % VQ)

Teneur très élevée en zinc, vitamine C, vitamine B_{12}, thiamine, riboflavine et niacine
Teneur élevée en vitamine B_6 et acide folique

Équivalents par portion pour les personnes diabétiques :
1   Glucides
4   Viandes et substituts

4. Dégraisser le jus de cuisson, puis jeter le gras. Verser le jus de cuisson dans une petite casserole, à feu moyen-vif. Incorporer le reste du zeste d'orange, le jus d'orange, le jus de pomme et le cognac, si désiré, puis porter à ébullition.

5. Dans un petit bol, fouetter la fécule de maïs avec l'eau froide. L'incorporer graduellement à la sauce et cuire, en fouettant, pendant environ 2 minutes ou jusqu'à ce que la sauce ait épaissi.

6. Retirer le mélange de pomme de l'intérieur du canard, puis le jeter. Découper le canard, puis le mettre dans une assiette de service. Passer la sauce pour que les invités puissent en arroser leur viande.

Chez nous, le canard et l'oie sont des plats populaires des jours de fête. Les méthodes de cuisson pour ce type de volaille sont généralement conçues pour faire fondre le plus de gras possible, et l'on ne mange presque jamais la peau grasse. On sert souvent le canard et l'oie avec une sauce aux agrumes ou aux cerises pour équilibrer les saveurs.

Suggestion de service

Vous pouvez servir le canard avec un Gratin dauphinois (p. 308) et des choux de Bruxelles cuits à la vapeur.

CONSEILS

Le canard d'élevage est beaucoup plus gras que le canard sauvage. Si vous utilisez un canard d'élevage, la rôtissoire contiendra une bonne quantité de gras après la cuisson. Quand vous sortirez le canard de la rôtissoire, prenez garde de ne pas vous brûler avec la graisse bouillante. Assurez-vous, aussi, de retirer le gras du jus de cuisson avant de faire la sauce.

Le fait de couvrir le canard de papier d'aluminium et de le laisser reposer avant de le découper permet au jus de la volaille de se répartir dans tout le canard, ce qui donnera une chair plus moelleuse.

Poitrines de canard grillées, sauce à la grenade

Lucia Weiler, diététiste, Ontario

6 PORTIONS

La grenade donne à la poitrine de canard une saveur différente et un air de fête. Et la sauce chili à l'ail accompagne agréablement bien le jus sucré du fruit.

- *Préchauffer le four à 200 °C (400 °F)*
- *Un plat en métal allant au four de 33 x 23 cm (13 x 9 po)*

75 ml (⅓ tasse) de sucre granulé
500 ml (2 tasses) de jus de grenade non sucré
500 ml (2 tasses) de bouillon de poulet à teneur
   réduite en sodium
7 ml (1 ½ c. à thé) de sauce chili à l'ail
7 ml (1 ½ c. à thé) de vinaigre balsamique
1 ml (¼ c. à thé) de cumin moulu
15 ml (1 c. à soupe) de fécule de maïs
30 ml (2 c. à soupe) d'eau froide
Sel et poivre noir fraîchement moulu
6 poitrines de canard avec la peau et les os, de 150 g
   (5 oz) chacune
2 ml (½ c. à thé) de coriandre moulue
60 ml (¼ tasse) de graines de grenade

1. Dans une grande casserole, mettre le sucre, le jus de grenade, le bouillon et la sauce chili. Porter à ébullition à feu moyen, en remuant pour dissoudre le sucre. Réduire le feu et laisser mijoter de 20 à 25 minutes ou jusqu'à ce que la sauce ait réduit d'environ les deux tiers. Incorporer le vinaigre et le cumin, en remuant. Retirer du feu.
2. Dans un petit bol, fouetter la fécule de maïs avec l'eau froide. L'incorporer graduellement à la sauce et cuire, en fouettant, pendant environ 2 minutes ou jusqu'à ce que la sauce ait épaissi. Incorporer une pincée de sel et une pincée de poivre. Réserver.
3. Entre-temps, inciser la peau des poitrines à 5 endroits dans la même direction. Répéter l'opération dans la direction opposée, en formant un motif de losanges. Assaisonner de 1 ml (¼ c. à thé) de poivre et frotter de coriandre.
4. Chauffer un grand poêlon à fond épais, à feu moyen-vif. Ajouter 2 poitrines de canard, la peau vers le bas, réduire à feu moyen et cuire pendant environ 7 minutes ou jusqu'à ce que la peau soit croustillante et bien brune. Retourner les poitrines et cuire pendant 1 minute. Mettre ensuite les poitrines dans le plat allant au four, la peau vers le haut. Répéter l'opération jusqu'à ce que toutes les poitrines de canard soient bien dorées.

Valeur nutritive par portion	
Calories	304
Lipides	7,6 g
saturés	2,8 g
Sodium	318 mg (13 % VQ)
Glucides	38 g
Fibres	0 g (0 % VQ)
Protéines	17 g
Calcium	39 mg (4 % VQ)
Fer	2,4 mg (17 % VQ)

Teneur très élevée en niacine
Teneur élevée en zinc et riboflavine

Équivalents par portion pour
les personnes diabétiques :
2 ½ Glucides
2   Viandes et substituts

5. Faire griller les poitrines au four préchauffé pendant environ 5 minutes ou jusqu'à ce que l'intérieur soit légèrement rosé pour une cuisson à point. Déposer les poitrines sur une planche à découper, les couvrir de papier d'aluminium et les laisser reposer pendant 5 minutes.

6. Trancher finement chaque poitrine dans le sens de la largeur, un peu en diagonale. Disposer les tranches dans les assiettes et les arroser de sauce. Parsemer de graines de grenade.

Comment retirer les graines d'une grenade? Oubliez le fait de piquer chaque graine avec la pointe d'un couteau ou de frapper une demi-grenade sur le comptoir en faisant gicler le jus partout. Il y a une façon beaucoup plus propre de retirer ces petites graines savoureuses. Coupez d'abord les extrémités du fruit, puis faites de 4 à 6 incisions le long de la peau. Plongez ensuite la grenade dans un grand bol d'eau froide, brisez-la en morceaux, puis pétrissez délicatement chaque morceau pour en retirer les graines. Elles tomberont au fond et la pulpe flottera à la surface. Retirez la chair, puis filtrez les graines.

SUGGESTION DE SERVICE

Vous pouvez servir ce plat avec un pilaf de riz brun et de riz sauvage et des pois mange-tout sautés avec des châtaignes d'eau.

CONSEILS

La sauce peut être faite jusqu'à 3 jours à l'avance. Laissez-la refroidir, couvrez-la et mettez-la au réfrigérateur jusqu'au moment de l'utiliser. Avant de servir, réchauffez-la dans une casserole, à feu doux.

Un poêlon en fonte, qui a servi plusieurs fois, donne les meilleurs résultats pour faire brunir les poitrines de canard. Comme le gras de la peau du canard peut éclabousser, soyez prudent quand vous faites cuire les poitrines dans le poêlon. N'oubliez pas de faire fonctionner la hotte de cuisine.

La peau de la poitrine de canard est très épaisse et grasse. Pour faire l'analyse nutritionnelle, on a supposé que la peau ne serait pas mangée.

Notez que la température interne recommandée de morceaux de volaille cuite, comprenant le canard, est de 74 °C (165 °F).

Le bœuf, le porc, l'agneau et le gibier

Le bœuf, le porc, le veau, l'agneau et le gibier renferment une variété d'éléments nutritifs essentiels, dont des protéines, du fer, des vitamines du groupe B et du zinc. Votre organisme a besoin de protéines pour se maintenir en bonne santé. Le fer contribue à transporter l'oxygène à toutes les parties du corps, produit de l'énergie, prévient les infections et l'anémie. Les vitamines du groupe B, comme la thiamine, la riboflavine et la vitamine B_{12}, contribuent à fabriquer des globules rouges et à utiliser l'énergie fournie par les aliments. Le zinc est indispensable à une croissance normale et aide à prévenir les infections. Pour des choix santé, optez pour des viandes maigres apprêtées avec peu ou pas de gras et retirez le gras visible de la viande là où c'est possible de le faire. Utilisez également des techniques de cuisson plus saines, comme rôtir, griller, braiser ou cuire sous le gril ou en ragoût, au lieu de frire la viande.

Rôti de bœuf et légumes à la méditerranéenne 196

Contre-filet, sauce forestière 197

Bifteck à l'abricot et au romarin 198

Bifteck à l'asiatique........................ 199

Bœuf sichuanais 200

Bœuf à l'orange et au gingembre.............. 201

Kébabs de bœuf, sauce aux arachides.......... 202

Pâté au bœuf 204

Pâté chinois des jours ensoleillés.............. 206

Pain de viande aux fruits farci au fromage bleu ... 207

Poivrons farcis au quinoa.................... 208

Cannellonis au veau à la florentine 210

Rôti de longe de porc, farce au fenouil et
    aux pommes 211

Filets de porc glacés à l'érable................. 212

Filets de porc au miel et à l'aneth 213

Filets de porc à l'érable et à la moutarde
    accompagnés de pommes sautées 214

Filets de porc, chutney aux bleuets 215

Filets de porc, chutney à la rhubarbe........... 216

Côtelettes de porc grillées, garniture
    à la moutarde et au parmesan 217

Porc aigre-doux 218

Côtelettes d'agneau grillées à la moutarde
    de Dijon.............................. 219

Gros gibier à la mijoteuse 220

Mini-pains de viande au cheddar.............. 221

Grillades 101

La grillade ou cuisson sur le gril est une méthode de cuisson à la chaleur sèche dans laquelle la source de chaleur se trouve sous l'aliment. Il est préférable de griller seulement les coupes de viandes tendres, comme le bœuf à griller ou à mariner, le filet de porc ou les boulettes de viande hachée, comme celles qui servent à faire des hamburgers. Les poissons gras, comme le saumon, la truite et l'omble, et certains fruits de mer, dont les crevettes, les pétoncles et le homard, peuvent également être grillés.

Maigre, c'est meilleur

Les viandes hachées sont étiquetées selon le maximum de la teneur en matière grasse permis par la loi. Toutes les viandes hachées (bœuf, porc, poulet, dinde ou autres) peuvent contenir le même maximum de matière grasse. La viande hachée extra-maigre a un maximum de 10 % de matière grasse ; la viande hachée maigre, de 17 % ; la mi-maigre, de 23 % ; et la viande ordinaire, de 30 %. Toutes les viandes hachées sont riches en nutriments, pratiques et savoureuses. Pour réduire votre consommation de gras saturés, choisissez des viandes hachées maigres ou extra-maigres.

Qu'y a-t-il dans votre assiette ?

Une bonne façon de vérifier si vous mangez santé est de regarder le contenu de votre assiette. Si elle est surtout composée de légumes colorés, de grains entiers et d'un aliment faisant partie du groupe des Viandes et substituts, vous êtes sur la bonne voie. Plus précisément, prenez une assiette et divisez-la en 2. Remplissez la moitié de légumes colorés de votre choix. Divisez la deuxième moitié en 2, encore une fois. Remplissez une moitié, au choix, de grains entiers ou de féculents, comme un pilaf à l'orge ou du riz sauvage, et la dernière moitié de votre choix de Viandes et substituts. Portez une attention particulière aux portions ! Consultez *Bien manger avec le Guide alimentaire canadien* (www.santecanada.gc.ca/guidealimentaire) pour vous familiariser avec les portions.

Petit cours de cuisine familiale

Le braisage et la cuisson en ragoût

Le braisage et les mijotés combinent la cuisson à chaleur sèche et la cuisson à chaleur humide. Une coupe de viande destinée au braisage est généralement volumineuse, un jarret de bœuf, par exemple. Pour les mijotés, on utilise de plus petites coupes ou des cubes. Dans les deux cas, la viande est d'abord saisie et dorée à feu vif (chaleur sèche) dans une petite quantité de gras. Puis on ajoute les légumes et les liquides, comme le vin ou le bouillon, ainsi que des assaisonnements. On couvre la marmite et la viande est braisée au four ou sur la cuisinière à feu doux pendant plusieurs heures (chaleur humide). En ajoutant un liquide et en prolongeant le temps de cuisson, on attendrit la viande en ramollissant les tissus conjonctifs. Ce sont donc des méthodes qui conviennent parfaitement aux coupes de viande moins tendres.

Rôti de bœuf et légumes à la méditerranéenne

Centre d'information sur le bœuf (www.boeufinfo.org)

Ce repas coloré et riche en éléments nutritifs cuit dans un seul plat. C'est la simplicité même! Servez-le avec du couscous, du quinoa, du riz ou des pâtes, cuits.

CONSEIL

Réservez 500 ml (2 tasses) de légumes grillés et 500 ml (2 tasses) de rôti de bœuf tranché mince pour préparer une salade-repas ou un sandwich, pour un dîner ou un souper le lendemain.

Valeur nutritive par portion	
Calories	204
Lipides	7,1 g
saturés	2,3 g
Sodium	130 mg (5 % VQ)
Glucides	7 g
Fibres	2 g (8 % VQ)
Protéines	26 g
Calcium	27 mg (2 % VQ)
Fer	3,1 mg (22 % VQ)

Teneur très élevée en zinc, vitamine C, vitamine B$_{12}$ et niacine
Teneur élevée en vitamine B$_6$ et riboflavine

Équivalents par portion pour les personnes diabétiques :

3   Viandes et substituts

- *Préchauffer le four à 140 °C (275 °F)*
- *Une plaque à pâtisserie munie d'un bord, couverte de papier d'aluminium graissé*
- *Une sauteuse à fond épais allant au four ou un poêlon muni d'une grille*

Huile végétale de cuisson en atomiseur
6 gousses d'ail, pelées
3 tomates italiennes, évidées et coupées en quartiers
1 petit oignon espagnol, coupé en 12 quartiers
1 petite aubergine, coupée en morceaux
1 poivron rouge et 1 poivron jaune, coupés en morceaux
250 g (8 oz) de courgettes, soit environ 2 petites, coupées en tranches de 1 cm (½ po)
125 g (4 oz) de champignons, coupés en quartiers
60 ml (4 c. à soupe) de pesto au basilic, au total
10 ml (2 c. à thé) d'huile d'olive
1,5 kg (3 lb) de pointe de surlonge désossée ou de rôti d'intérieur de ronde pour le four
Une pincée de sel et une pincée de poivre noir fraîchement moulu
15 ml (1 c. à soupe) de vinaigre balsamique
5 ml (1 c. à thé) de miel liquide

1. Vaporiser légèrement la plaque à pâtisserie préparée d'huile. Dans un grand bol, mélanger l'ail, les tomates, l'oignon, l'aubergine, le poivron rouge, le poivron jaune, les courgettes, les champignons et 45 ml (3 c. à soupe) de pesto. Remuer pour couvrir les légumes de pesto. Étendre le mélange également sur la plaque à pâtisserie préparée. Réserver.
2. Dans la sauteuse, chauffer l'huile à feu moyen-vif. Saler et poivrer le bœuf. Le cuire, en le retournant avec des pinces, environ 10 minutes ou jusqu'à ce qu'il soit doré de tous les côtés. Étendre le reste du pesto sur le rôti. Mettre le bœuf sur la grille, dans la même sauteuse.
3. Cuire le bœuf et les légumes au four préchauffé environ 1 ½ heure ou jusqu'à ce qu'un thermomètre à viande inséré dans la partie la plus charnue du rôti indique 60 °C (140 °F) pour une cuisson à point, ou jusqu'à la cuisson désirée. Mettre ensuite le rôti sur une planche à découper, l'envelopper de papier d'aluminium et le laisser reposer de 10 à 15 minutes.
4. Avec une spatule en caoutchouc, mettre les légumes dans un bol. Ajouter le vinaigre et le miel. Remuer pour couvrir les légumes du mélange.
5. Découper le rôti en tranches minces, dans le sens contraire à la fibre. Servir avec les légumes.

Contre-filet, sauce forestière

Mary Sue Waisman, diététiste, Nouvelle-Écosse

De 4 à 6 portions

Le contre-filet coupé en tranches dans le sens contraire à la fibre fait une agréable présentation.

Conseils

Vous pouvez remplacer le vin blanc par du vin rouge, mais la sauce à la crème sure prendra une teinte rosée.

Il faut tenir compte de la grosseur de la portion. Notez que 2 steaks peuvent servir jusqu'à 6 personnes.

Valeur nutritive par portion	
Calories	144
Lipides	6,1 g
saturés	2,1 g
Sodium	140 mg (6 % VQ)
Glucides	3 g
Fibres	1 g (4 % VQ)
Protéines	17 g
Calcium	19 mg (2 % VQ)
Fer	1,9 mg (14 % VQ)

Teneur très élevée en zinc, vitamine B$_{12}$ et niacine

Équivalents par portion pour les personnes diabétiques :
2   Viandes et substituts

• *Préchauffer le barbecue à température moyenne-élevée*

2 contre-filets de bœuf à griller désossés, de 250 g (8 oz) chacun
Poivre noir fraîchement moulu
10 ml (2 c. à thé) d'huile de canola
500 ml (2 tasses) de champignons tranchés
30 ml (2 c. à soupe) d'échalotes émincées
2 gousses d'ail, hachées
5 ml (1 c. à thé) d'estragon séché
60 ml (¼ tasse) de vin blanc sec
5 ml (1 c. à thé) de sauce Worcestershire
60 ml (¼ tasse) de crème sure légère
1 ml (¼ c. à thé) de sel

1. Assaisonner la viande de 1 ml (¼ c. à thé) de poivre. Mettre les contre-filets sur le barbecue préchauffé, couvrir et les faire griller de 3 à 4 minutes de chaque côté pour une cuisson à point ou jusqu'à la cuisson désirée. Mettre ensuite la viande sur une planche à découper, la couvrir de papier d'aluminium et la laisser reposer de 5 à 10 minutes pour permettre aux jus de se redistribuer dans la viande.

2. Entre-temps, dans un grand poêlon, chauffer l'huile à feu moyen. Y faire sauter les champignons et les échalotes de 3 à 4 minutes ou jusqu'à ce que les champignons soient tendres sans être dorés. Ajouter l'ail et le faire sauter pendant 30 secondes. Incorporer l'estragon, le vin et la sauce Worcestershire, puis porter à ébullition, en raclant le fond pour enlever tous les petits morceaux qui y ont adhéré. Faire bouillir, en remuant souvent, de 2 à 3 minutes ou jusqu'à ce que le vin ait légèrement réduit. Retirer du feu et incorporer la crème sure, le sel et du poivre, au goût.

3. Couper le gras des bords extérieurs des steaks et le jeter. Couper les steaks dans le sens contraire à la fibre, en tranches de 0,5 cm (¼ po) d'épaisseur. Servir la sauce aux champignons sur les tranches de steak.

Variantes

Remplacez les champignons blancs par des petits champignons portobellos ou par des champignons café.

Vous pouvez ajouter 30 ml (2 c. à soupe) de grains de poivre vert égouttés avec les échalotes et les champignons.

Bifteck à l'abricot et au romarin

Mary Sue Waisman, diététiste, Nouvelle-Écosse

L'abricot et le romarin ajoutent une douce saveur au bifteck.

CONSEILS

La membrane argentée est l'enveloppe de tissu conjonctif dure et brillante que l'on trouve parfois sur le filet de porc, le bifteck de flanc et autres viandes. Il faut l'enlever avant la cuisson. Demandez au boucher de le faire ou faites-le : glissez la pointe d'un couteau sous une extrémité de la membrane, puis passez le couteau entre la viande et la membrane, en tenant la membrane avec du papier essuie-tout pour la retirer.

Laissez la marinade refroidir tout à fait avant d'ajouter la viande.

VARIANTE

Vous pouvez remplacer l'oignon par des échalotes hachées.

Valeur nutritive par portion	
Calories	227
Lipides	8,8 g
saturés	3,1 g
Sodium	97 mg (4 % VQ)
Glucides	12 g
Fibres	0 g (0 % VQ)
Protéines	24 g
Calcium	9 mg (1 % VQ)
Fer	2,1 mg (15 % VQ)

Teneur très élevée en zinc, vitamine B$_{12}$ et niacine

Équivalents par portion pour les personnes diabétiques :
1   Glucides
3   Viandes et substituts

30 ml (2 c. à soupe) d'huile de canola
125 ml (½ tasse) d'oignon haché
3 gousses d'ail hachées
125 ml (½ tasse) de vin rouge sec
125 ml (½ tasse) de confiture d'abricots
30 ml (2 c. à soupe) de miel liquide
15 ml (1 c. à soupe) de sauce soya à teneur réduite en sodium
4 brins de romarin frais
1 bifteck de flanc à mariner de 750 g (1 ½ lb), paré

1. Dans un poêlon, chauffer l'huile à feu moyen. Y faire sauter l'oignon de 3 à 4 minutes ou jusqu'à ce qu'il soit ramolli. Ajouter l'ail et le faire sauter pendant 30 secondes. Incorporer le vin, la confiture, le miel, la sauce soya et le romarin. Cuire de 2 à 3 minutes ou jusqu'à ce que la confiture soit dissoute. Retirer du feu et laisser refroidir complètement.

2. Verser la marinade dans un bol en verre ou en céramique ou dans un sac en plastique refermable. Piquer le bifteck un peu partout avec une fourchette. L'ajouter au bol ou dans le sac et le retourner pour bien le couvrir de marinade. Couvrir hermétiquement ou sceller, mettre le bol au réfrigérateur et le laisser pendant 24 heures, en retournant la bavette 2 fois.

3. Préchauffer le barbecue à température moyenne. Retirer le bifteck de la marinade, jeter la marinade et enlever tous les petits morceaux d'oignon ou de romarin qui sont collés à la viande.

4. Mettre le bifteck sur le barbecue, fermer le couvercle et le faire griller pendant 6 minutes. Tourner le bifteck de 90°, couvrir et le faire griller pendant 3 minutes. Retourner le bifteck, couvrir et cuire encore pendant 4 minutes ou jusqu'à ce qu'un thermomètre à viande inséré dans l'épaisseur jusqu'au centre du steak indique 54 °C (130 °F). Mettre le bifteck sur une planche à découper, le couvrir de papier d'aluminium et la laisser reposer de 10 à 15 minutes pour permettre aux jus de se redistribuer et au bifteck d'atteindre une température interne de 57 °C (135 °F). Couper dans le sens contraire à la fibre, en diagonale, en tranches de 0,5 cm (¼ po) d'épaisseur.

Le bifteck de flanc à mariner est une coupe de viande moins tendre. Mais avec une cuisson appropriée, il devient savoureux et tendre. Pour de meilleurs résultats, faites-le mariner, puis griller rapidement pour obtenir une cuisson à point. Il est également important de le trancher finement dans le sens contraire à la fibre.

Bifteck à l'asiatique

Mary Sue Waisman, diététiste, Nouvelle-Écosse

Ce mélange d'assaisonnements asiatiques donne un bifteck tout à fait savoureux.

CONSEILS

L'huile de sésame a une saveur prononcée, vous n'avez pas besoin d'en mettre beaucoup. Vous pouvez en ajouter 5 ml (1 c. à thé) de plus, mais en mettre davantage donnerait une saveur trop prononcée.

La poudre de cinq épices, un mélange de cannelle, de clou de girofle, de graines de fenouil, d'anis étoilé et de grains de poivre du Sichuan, finement moulus, ajoute une saveur unique et délicate à plusieurs plats asiatiques.

Valeur nutritive par portion	
Calories	209
Lipides	10,3 g
saturés	3,2 g
Sodium	142 mg (6 % VQ)
Glucides	4 g
Fibres	0 g (0 % VQ)
Protéines	24 g
Calcium	9 mg (1 % VQ)
Fer	2,1 mg (15 % VQ)

Teneur très élevée en zinc, vitamine B$_{12}$ et niacine

Équivalents par portion pour les personnes diabétiques :
3   Viandes et substituts

4 gousses d'ail, hachées
5 ml (1 c. à thé) de poudre de cinq épices
5 ml (1 c. à thé) de piment rouge en flocons
2 ml (½ c. à thé) de clou de girofle moulu
45 ml (3 c. à soupe) d'huile de canola
30 ml (2 c. à soupe) de miel liquide
15 ml (1 c. à soupe) de sauce soya à teneur réduite en sodium
5 ml (1 c. à thé) d'huile de sésame
1 bifteck de flanc à mariner de 750 g (1 ½ lb), paré

1. Dans un plat peu profond ou dans un sac en plastique refermable, mélanger l'ail, la poudre de cinq épices, le piment en flocons, le clou de girofle, l'huile de canola, le miel, la sauce soya et l'huile de sésame. Ajouter la viande et la retourner pour bien la couvrir du mélange. Couvrir hermétiquement ou sceller, mettre le plat au réfrigérateur et le laisser pendant 24 heures, en retournant le bifteck 2 fois.
2. Préchauffer le barbecue à température moyenne. Retirer le bifteck de la marinade, puis jeter la marinade.
3. Mettre le bifteck sur le barbecue, fermer le couvercle et le faire griller pendant 6 minutes. Tourner le bifteck de 90°, couvrir et faire griller pendant 3 minutes. Retourner la viande, couvrir et cuire encore pendant 4 minutes ou jusqu'à ce qu'un thermomètre à viande inséré dans l'épaisseur jusqu'au centre du steak indique 54 °C (130 °F). Mettre le bifteck sur une planche à découper, le couvrir de papier d'aluminium et le laisser reposer de 10 à 15 minutes pour permettre aux jus de se redistribuer et au bifteck d'atteindre une température interne de 57 °C (135 °F). Couper dans le sens contraire à la fibre, en diagonale, en tranches de 0,5 cm (¼ po) d'épaisseur.

VARIANTE

Vous pouvez ajouter un anis étoilé à la marinade, mais assurez-vous de le retirer avant de cuire la viande.

Bœuf sichuanais

Centre d'information sur le bœuf (www.boeufinfo.org)

Dans cette recette, on trouve des ingrédients tout à fait savoureux, comme la sauce Hoisin et la poudre de cinq épices.

- *Préchauffer le barbecue à température moyenne-élevée*
- *Préchauffer le gril du four*
- *Une grande plaque à pâtisserie munie d'un bord, couverte de papier d'aluminium*

3 oignons verts
2 poivrons rouges, coupés en morceaux
500 ml (2 tasses) de pois mange-tout, parés
30 ml (2 c. à soupe) de sauce Hoisin
10 ml (2 c. à thé) de vinaigre de riz
10 ml (2 c. à thé) de gingembre frais émincé
10 ml (2 c. à thé) d'ail haché
500 g (1 lb) de bifteck de haut de surlonge à griller désossé, d'environ 2 cm (¾ po) d'épaisseur
2 ml (½ c. à thé) de poudre de cinq épices
125 ml (½ tasse) d'arachides grillées non salées, hachées

Les nouilles au sésame
375 g (12 oz) de linguines de blé entier
2 ml (½ c. à thé) de piment rouge en flocons
5 ml (1 c. à thé) d'huile de sésame

1. Couper la partie blanche des oignons verts en tranches fines. Réserver. Couper le reste des oignons en morceaux de 5 cm (2 po) de longueur et les mettre sur la plaque à pâtisserie. Ajouter les poivrons, les pois, la sauce Hoisin, le vinaigre, le gingembre et l'ail. Mélanger. Réserver.
2. Frotter tous les côtés du bœuf de poudre de cinq épices. Le mettre ensuite sur la grille du barbecue préchauffé, fermer le couvercle et griller de 3 à 4 minutes de chaque côté pour une cuisson à point ou jusqu'à la cuisson désirée. Mettre le bœuf sur une planche à découper, couvrir de papier d'aluminium et laisser reposer pendant 10 minutes.
3. *Les nouilles :* Entre-temps, dans une grande marmite d'eau bouillante salée, cuire les pâtes selon les instructions qui figurent sur l'emballage. Les égoutter, puis les mélanger avec les tranches d'oignons verts réservées, le piment en flocons et l'huile de sésame.
4. Entre-temps, cuire les légumes sous le gril du four, en les retournant de temps en temps, de 5 à 8 minutes ou jusqu'à ce qu'ils soient légèrement carbonisés.
5. Couper le steak dans le sens contraire à la fibre, en tranches minces. Dresser les nouilles sur les assiettes de service, puis les garnir de légumes et de bœuf. Parsemer d'arachides.

Valeur nutritive par portion	
Calories	396
Lipides	10,5 g
saturés	2,4 g
Sodium	283 mg (12 % VQ)
Glucides	52 g
Fibres	7 g (28 % VQ)
Protéines	28 g
Calcium	59 mg (5 % VQ)
Fer	4,0 mg (29 % VQ)

Teneur très élevée en magnésium, zinc, vitamine C, vitamine B_6, vitamine B_{12}, thiamine et niacine
Teneur élevée en vitamine A, acide folique et riboflavine

Équivalents par portion pour les personnes diabétiques :
3 Glucides
2 ½ Viandes et substituts

Bœuf à l'orange et au gingembre

Jennifer Garus, diététiste, Nouvelle-Écosse

Dans ce sauté de bœuf, le gingembre, l'ail et l'orange forment une combinaison gagnante.

CONSEIL

Assurez-vous de ne pas tasser le bœuf dans le poêlon quand vous le faites sauter, sinon il cuirait à la vapeur au lieu de dorer. Si vous avez un petit poêlon, faites dorer le bœuf en 3 fois.

30 ml (2 c. à soupe) de gingembre frais émincé
15 ml (1 c. à soupe) d'ail haché
5 ml (1 c. à thé) de poivre noir fraîchement moulu
30 ml (2 c. à soupe) d'huile de canola, au total
15 ml (1 c. à soupe) de sauce Hoisin
500 g (1 lb) de bifteck de noix de ronde de bœuf à mariner,
    coupé en lanières de 7,5 x 1 cm (3 x ½ po)
15 ml (1 c. à soupe) de fécule de maïs
175 ml (¾ tasse) de jus d'orange
500 ml (2 tasses) de champignons en quartiers
15 ml (1 c. à soupe) de zeste d'orange râpé
30 ml (2 c. à soupe) de coriandre fraîche hachée

1. Dans un bol peu profond, mélanger le gingembre, l'ail, le poivre, 15 ml (1 c. à soupe) de l'huile et la sauce Hoisin. Ajouter le bœuf et mélanger pour le couvrir des ingrédients. Couvrir et mettre au réfrigérateur pendant au moins 4 heures ou jusqu'à 12 heures.
2. Égoutter la marinade du bœuf, puis la jeter. Éponger les lanières de bœuf avec du papier essuie-tout. Chauffer un grand poêlon antiadhésif à feu moyen. Y mettre la moitié du bœuf et le faire sauter de 3 à 4 minutes ou jusqu'à ce qu'il soit doré. Le mettre ensuite dans un bol et réserver. Répéter l'opération pour le reste du bœuf.
3. Dans un petit bol, fouetter la fécule de maïs avec le jus d'orange.
4. Ajouter le reste de l'huile au poêlon et y faire sauter les champignons de 3 à 4 minutes ou jusqu'à ce qu'ils soient dorés. Remettre le bœuf et le jus accumulé dans le poêlon. Incorporer le mélange de fécule et cuire, en remuant, pendant environ 3 minutes ou jusqu'à ce que la sauce ait épaissi. Garnir de zeste d'orange et de coriandre et servir.

La noix de ronde est une coupe de bœuf maigre. Le fait de la mariner avant de la cuire la rend plus tendre.

VARIANTE

Vous pouvez remplacer les champignons par des pois mange-tout parés.

Valeur nutritive par portion	
Calories	269
Lipides	11,8 g
saturés	2,5 g
Sodium	138 mg (6 % VQ)
Glucides	12 g
Fibres	1 g (4 % VQ)
Protéines	28 g
Calcium	24 mg (2 % VQ)
Fer	2,2 mg (16 % VQ)

Teneur très élevée en zinc, vitamine B$_{12}$ et niacine
Teneur élevée en magnésium, vitamine C, vitamine B$_6$, thiamine et riboflavine

Équivalents par portion pour les personnes diabétiques :
½ Glucides
3 Viandes et substituts
1 Matières grasses

Kébabs de bœuf, sauce aux arachides

Caroline Dubeau, diététiste, Ontario (kébabs),
et Crystal Conrad, Québec (sauce aux arachides)

Pour faire ces savoureux kébabs, nous avons retiré le paprika et le sel de l'assaisonnement du Poulet épicé à l'indienne (p. 173) et nous avons ajouté du vinaigre de riz pour faire la marinade. Une autre collaboratrice a fourni la recette de la sauce piquante aux arachides, qui contient les saveurs de base typiques de la cuisine thaïlandaise : le sucré, l'aigre, le salé et le piquant.

- 6 brochettes en métal ou en bambou, d'au moins 25 cm (10 po), si les brochettes sont en bambou, les faire tremper dans l'eau

5 ml (1 c. à thé) de cumin moulu
5 ml (1 c. à thé) de coriandre moulue
5 ml (1 c. à thé) de cannelle moulue
5 ml (1 c. à thé) de piment rouge en flocons ou, au goût
2 ml (½ c. à thé) d'ail en poudre
2 ml (½ c. à thé) de gingembre moulu
45 ml (3 c. à soupe) d'huile de canola
30 ml (2 c. à soupe) de vinaigre de riz
750 g (1 ½ lb) de bifteck de haut de surlonge ou de bifteck de contre-filet, à griller, désossé, coupé en cubes de 2,5 cm (1 po)
1 oignon rouge, coupé en cubes de 2,5 cm (1 po)
1 poivron jaune, coupé en cubes de 2,5 cm (1 po)
1 poivron vert, coupé en cubes de 2,5 cm (1 po)

La sauce aux arachides
1 gousse d'ail, hachée
5 ml (1 c. à thé) de sucre granulé
125 ml (½ tasse) de beurre d'arachide croquant
125 ml (½ tasse) de bouillon de poulet à teneur réduite en sodium
15 ml (1 c. à soupe) de sauce soya à teneur réduite en sodium
10 ml (2 c. à thé) de jus de citron fraîchement pressé
5 ml (1 c. à thé) de sauce aux piments et à l'ail
60 ml (¼ tasse) de lait de coco léger

1. Dans un grand bol, mélanger le cumin, la coriandre, la cannelle, le piment en flocons, l'ail en poudre et le gingembre. Incorporer l'huile et le vinaigre. Ajouter le bœuf et remuer pour bien le couvrir du mélange. Couvrir et mettre au réfrigérateur pendant au moins 30 minutes ou jusqu'à 12 heures.

Valeur nutritive par portion	
Calories	282
Lipides	17,3 g
saturés	3,5 g
Sodium	231 mg (10 % VQ)
Glucides	11 g
Fibres	3 g (12 % VQ)
Protéines	22 g
Calcium	32 mg (3 % VQ)
Fer	2,5 mg (18 % VQ)

Teneur très élevée en zinc, vitamine C, vitamine B_{12} et niacine
Teneur élevée en magnésium et vitamine B_6

Équivalents par portion pour les personnes diabétiques :
3 Viandes et substituts
1 Matières grasses

2. *La sauce aux arachides :* Dans une casserole moyenne, mélanger l'ail, le sucre, le beurre d'arachide, le bouillon, la sauce soya, le jus de citron et la sauce aux piments et à l'ail. Porter à ébullition à feu moyen-vif, en remuant souvent. Réduire le feu et laisser mijoter, en remuant, pendant environ 1 minute ou jusqu'à ce que la sauce ait légèrement épaissi. Incorporer le lait de coco et cuire, en remuant, jusqu'à ce que la sauce soit bien chaude. Retirer du feu et garder au chaud.
3. Préchauffer le barbecue à température moyenne.
4. Enfiler sur les brochettes l'oignon rouge, le poivron jaune, le poivron vert et le bœuf. Mettre les brochettes sur le barbecue préchauffé, puis les faire griller, en les retournant une fois, pendant environ 5 minutes de chaque côté pour une cuisson à point ou jusqu'à la cuisson désirée. Servir les kébabs avec la sauce aux arachides pour y tremper les brochettes.

Il y a 3 types de base de vinaigre de riz (parfois appelé vinaigre chinois) : le vinaigre blanc (parfois assaisonné de sel et de sucre), le rouge et le noir. Le vinaigre de riz blanc est le plus courant, c'est celui qui est généralement utilisé en Amérique du Nord.

Suggestion de service
Vous pouvez servir les kébabs sur le Couscous Primavera (p. 314).

Conseil
Vous devriez pouvoir vous procurer des cubes de bœuf. Sinon, achetez des biftecks de 2,5 cm (1 po) d'épaisseur et coupez-les en cubes de 2,5 cm (1 po).

Pâté au bœuf

Sharon Deters Dusyk, Alberta

Le pâté au bœuf est une excellente façon d'utiliser un reste de rôti de bœuf. Et les enfants de tous âges raffolent de la garniture de biscuits! Chez Sharon, les plus jeunes l'aident à couper la margarine dans la garniture et à choisir les légumes qu'elle mettra dans le pâté.

- Préchauffer le four à 230 °C (450 °F)
- Une cocotte de 3 litres (12 tasses), légèrement graissée

500 ml (2 tasses) de pommes de terre pelées et coupées en cubes de 1 cm (½ po)
250 ml (1 tasse) de carottes coupées en cubes de 1 cm (½ po)
45 ml (3 c. à soupe) de margarine non hydrogénée ou d'huile de canola
250 ml (1 tasse) de champignons en tranches
125 ml (½ tasse) d'oignon haché
2 gousses d'ail, hachées
75 ml (⅓ tasse) de farine tout usage
2 ml (½ c. à thé) de sel
2 ml (½ c. à thé) de poivre noir fraîchement moulu
500 ml (2 tasses) de bouillon de bœuf à teneur réduite en sodium
175 ml (¾ tasse) de lait 1 %, à la température de la pièce
5 ml (1 c. à thé) de feuilles de thym frais
500 ml (2 tasses) d'un reste de rôti de bœuf cuit, en cubes de 1 à 2 cm (½ à ¾ po)
125 ml (½ tasse) de petits pois surgelés

La garniture de biscuits

375 ml (1 ½ tasse) de farine tout usage
10 ml (2 c. à thé) de poudre à pâte
2 ml (½ c. à thé) de sel
75 ml (⅓ tasse) de margarine non hydrogénée, froide
15 ml (1 c. à soupe) de ciboulette fraîche finement hachée (facultatif)
175 ml (¾ tasse) de lait 1 %

1. Mettre les pommes de terre et les carottes dans une marmite, puis ajouter suffisamment d'eau pour couvrir. Porter à ébullition à feu moyen-vif. Réduire le feu et laisser mijoter de 6 à 8 minutes ou jusqu'à ce que les légumes soient tendres quand on les pique avec une fourchette. Les égoutter et réserver.

2. Entre-temps, dans un grand poêlon antiadhésif, faire fondre la margarine à feu moyen-vif. Y faire sauter les champignons et l'oignon de 3 à 4 minutes ou jusqu'à ce que l'oignon soit ramolli. Ajouter l'ail et le faire sauter pendant 30 secondes. Incorporer la farine, le sel et le poivre. Cuire, en remuant, pendant 1 minute.

Valeur nutritive par portion	
Calories	349
Lipides	14,8 g
saturés	2,8 g
Sodium	452 mg (19 % VQ)
Glucides	37 g
Fibres	3 g (12 % VQ)
Protéines	17 g
Calcium	120 mg (11 % VQ)
Fer	2,9 mg (21 % VQ)

Teneur très élevée en zinc, vitamine A, vitamine D, acide folique, vitamine B_{12}, thiamine et niacine
Teneur élevée en vitamine B_6 et riboflavine

Équivalents par portion pour les personnes diabétiques:
2 Glucides
1 ½ Viandes et substituts
2 Matières grasses

3. Incorporer graduellement le bouillon, le lait et le thym. Porter à ébullition, en remuant souvent. Réduire le feu et laisser mijoter, en remuant de temps en temps, de 3 à 4 minutes ou jusqu'à ce que la sauce ait épaissi.

4. Incorporer les pommes de terre et les carottes, cuites, le bœuf et les pois, puis porter à ébullition. Réduire le feu et laisser mijoter, en remuant souvent, pendant environ 5 minutes ou jusqu'à ce que ce soit bien chaud. Verser dans la cocotte préparée.

5. *La garniture de biscuits :* Dans un grand bol, mettre la farine, la poudre à pâte et le sel. À l'aide d'un mélangeur à pâtisserie ou de 2 couteaux, couper la margarine jusqu'à ce que le mélange ressemble à de la chapelure grossière. Incorporer la ciboulette, si désiré. Ajouter le lait et bien mélanger à l'aide d'une fourchette. Laisser tomber 12 cuillerées de pâte sur le mélange de bœuf pour le recouvrir.

6. Cuire au four préchauffé pendant 20 minutes ou jusqu'à ce que la pâte soit dorée et que la sauce bouillonne.

Comment nettoyer et conserver les champignons : Nettoyez les champignons avec un linge humide. Ne les plongez pas dans l'eau, car ils l'absorbent comme une éponge. Conservez les champignons au réfrigérateur, dans un sac en papier, plutôt qu'en plastique, où ils seraient trop humides et deviendraient visqueux. Ils se conserveront jusqu'à 1 semaine.

VARIANTE

Remplacez les pommes de terre par des patates douces, et les pois par du maïs surgelé.

SUGGESTION DE SERVICE

Vous pouvez servir ce plat avec la Salade verte, vinaigrette aux pommes et au vinaigre balsamique (p. 146).

CONSEILS

À l'étape 1, vous pouvez utiliser un reste de pommes de terre et de carottes, cuites, plutôt que de les faire cuire.

Ajoutez seulement du bouillon chaud ou tiède à un roux (mélange de matières grasses et de farine). Si vous ajoutez du bouillon froid, le gras pourrait se solidifier, et cela formerait des grumeaux qu'il serait difficile de dissoudre.

Pâté chinois des jours ensoleillés

Jennifer Lactin, Colombie-Britannique

✓ **LE CHOIX DES ENFANTS**

Le pâté chinois est l'un des plats les plus réconfortants. Ici, on l'a remis au goût du jour en lui ajoutant une garniture de patates douces.

CONSEIL

Avant de cuire ce plat, hachez d'abord tous les légumes.

Valeur nutritive par portion	
Calories	241
Lipides	6,6 g
saturés	2,7 g
Sodium	312 mg (13 % VQ)
Glucides	26 g
Fibres	4 g (16 % VQ)
Protéines	19 g
Calcium	50 mg (5 % VQ)
Fer	2,6 mg (19 % VQ)

Teneur très élevée en zinc, vitamine A, vitamine B_{12} et niacine
Teneur élevée en magnésium, vitamine B_6 et riboflavine

Équivalents par portion pour les personnes diabétiques :
1 ½   Glucides
2   Viandes et substituts

- *Préchauffer le four à 180 °C (350 °F)*
- *Un plat carré allant au four de 20 cm (8 po)*

500 g (1 lb) de bœuf haché extra-maigre
125 ml (½ tasse) d'oignon haché
125 ml (½ tasse) de carottes hachées
125 ml (½ tasse) de céleri haché
2 ml (½ c. à thé) de poivre noir fraîchement moulu
1 ml (¼ c. à thé) de sel
1 ml (¼ c. à thé) de muscade moulue
1 gousse d'ail, hachée
22 ml (1 ½ c. à soupe) de farine tout usage
300 ml (1 ¼ tasse) de bouillon de bœuf à teneur réduite en sodium
125 ml (½ tasse) de maïs en conserve sans sel égoutté
500 ml (2 tasses) de patates douces en purée, soit environ 2 moyennes

1. Dans un grand poêlon, à feu moyen-vif, cuire le bœuf, en brisant la viande avec une cuillère, pendant environ 8 minutes ou jusqu'à ce que la viande ait perdu sa couleur rosée. À l'aide d'une cuillère à égoutter, mettre le bœuf dans un bol et réserver. Égoutter tout le gras du poêlon, sauf 10 ml (2 c. à thé).

2. Réduire à feu moyen. Ajouter l'oignon, les carottes, le céleri, le poivre, le sel et la muscade au poêlon, puis les faire sauter de 4 à 5 minutes ou jusqu'à ce que les légumes soient ramollis. Ajouter l'ail et le faire sauter pendant 30 secondes. Saupoudrer de farine et cuire, en remuant, pendant 1 minute. Incorporer graduellement le bouillon et porter à ébullition. Laisser bouillir, en remuant, jusqu'à ce que le mélange ait épaissi. Remettre le bœuf et le jus accumulé dans le poêlon, puis remuer pour le couvrir du mélange.

3. Verser le mélange de bœuf dans le plat allant au four. Parsemer uniformément le dessus de maïs. Étendre les patates douces uniformément sur le maïs.

4. Cuire au four préchauffé de 35 à 40 minutes ou jusqu'à ce qu'un couteau qu'on insère au milieu du pâté en ressorte chaud.

Traditionnellement, on préparait du pâté chinois pour utiliser les restes d'agneau ou de mouton, cuits, de sauce et de légumes.

VARIANTE

Remplacez les patates douces par un reste de pommes de terre en purée.

Pain de viande aux fruits farci au fromage bleu

Katherine Ng, diététiste, Alberta

Katherine Ng, diététiste, Alberta

DONNE 10 TRANCHES
PORTION DE 2 TRANCHES

Dans cette version moderne du classique pain de viande, le goût piquant du cayenne est bien équilibré par le fromage bleu crémeux, fondu.

CONSEILS

Assurez-vous que le cayenne est distribué également dans tout le mélange de viande.

Ce pain de viande fait de très bons sandwichs pour les lunchs. Pour que votre sandwich se conserve bien, emballez-le avec un sachet réfrigérant, dans une boîte à lunch isolante.

- *Préchauffer le four à 180 °C (350 °F)*
- *Un moule à pain en métal de 23 x 12,5 cm (9 x 5 po)*

500 g (1 lb) de bœuf haché extra-maigre
1 œuf, battu
175 ml (¾ tasse) de son de blé naturel
75 ml (⅓ tasse) de canneberges séchées finement hachées
75 ml (⅓ tasse) d'abricots séchés finement hachés
10 ml (2 c. à thé) de cayenne
5 ml (1 c. à thé) de poivre noir fraîchement moulu
2 ml (½ c. à thé) de sel
45 g (1 ½ oz) de fromage bleu, coupé en 6 morceaux

1. Dans un grand bol, mélanger délicatement le bœuf, l'œuf, le son, les canneberges, les abricots, le cayenne, le poivre et le sel.
2. Mettre les trois quarts du mélange de bœuf dans le moule à pain, en le tassant légèrement. Au milieu du pain, creuser un espace de 2,5 cm (1 po) de largeur x 1 cm (½ po) de profondeur. Disposer les morceaux de fromage bleu également le long de cet espace et couvrir du reste du mélange de bœuf, en emprisonnant le bleu.
3. Cuire au four préchauffé de 25 à 30 minutes ou jusqu'à ce qu'un thermomètre à mesure instantanée inséré au milieu de la viande (sans toucher le fromage) indique 71 °C (160 °F). Le laisser reposer pendant 10 minutes avant de le couper en tranches.

VARIANTES

Vous pouvez remplacer le bœuf par du porc haché, extra-maigre.

Si vous avez l'esprit aventurier, utilisez jusqu'à 20 ml (4 c. à thé) de cayenne.

Valeur nutritive par portion	
Calories	255
Lipides	11,0 g
saturés	4,8 g
Sodium	420 mg (18 % VQ)
Glucides	19 g
Fibres	5 g (20 % VQ)
Protéines	24 g
Calcium	70 mg (6 % VQ)
Fer	3,3 mg (24 % VQ)

Teneur très élevée en magnésium, zinc, vitamine B$_{12}$ et niacine
Teneur élevée en vitamine B$_6$ et riboflavine

Équivalents par portion pour les personnes diabétiques :
1 Glucides
3 Viandes et substituts

Poivrons farcis au quinoa

Lisa Diamond, diététiste, Colombie-Britannique

12 PORTIONS

✓ **LE CHOIX DES ENFANTS**

Les enfants de Lisa adorent ces poivrons colorés – on dirait une lasagne dans un poivron!

- *Préchauffer le four à 190 °C (375 °F)*
- *Une plaque à pâtisserie munie d'un bord, graissée*

12 poivrons, petits à moyens, rouges, jaunes ou oranges
500 ml (2 tasses) de fromage cottage 2 %, égoutté
75 ml (⅓ tasse) de parmesan fraîchement râpé
250 ml (1 tasse) de quinoa, rincé
10 ml (2 c. à thé) d'huile de canola
500 g (1 lb) de bœuf haché extra-maigre
250 ml (1 tasse) d'oignon haché
250 ml (1 tasse) de champignons hachés
2 gousses d'ail, hachées
375 ml (1 ½ tasse) de sauce tomate
125 ml (½ tasse) de châtaignes d'eau en conserve hachées égouttées
2 ml (½ c. à thé) d'origan séché
2 ml (½ c. à thé) de basilic séché
Poivre noir fraîchement moulu
125 ml (½ tasse) de cheddar râpé

1. Retirer la tige et les graines des poivrons. Dans le haut de chaque poivron, faire une ouverture suffisamment large pour pouvoir les farcir. Si les poivrons ne tiennent pas debout, couper une petite tranche dans le bas, sans faire d'ouverture. Réserver les poivrons.

2. Dans un petit bol, mélanger le fromage cottage et le parmesan. Réserver.

3. Dans une casserole moyenne au couvercle hermétique, mettre le quinoa et 500 ml (2 tasses) d'eau, puis porter à ébullition à feu vif. Réduire à feu doux, couvrir et laisser mijoter pendant 15 minutes ou jusqu'à ce que le liquide soit absorbé. Retirer le couvercle et laisser refroidir pendant 5 minutes. Détacher les grains à l'aide d'une fourchette. Réserver.

4. Entre-temps, dans un grand poêlon antiadhésif, chauffer l'huile à feu moyen-vif. Cuire le bœuf, en remuant et en brisant la viande avec une cuillère pendant environ 8 minutes ou jusqu'à ce que le bœuf ait perdu sa couleur rosée. À l'aide d'une cuillère à égoutter, mettre le bœuf dans un bol et réserver. Égoutter tout le gras du poêlon, sauf 10 ml (2 c. à thé).

Valeur nutritive par portion	
Calories	238
Lipides	8,1 g
saturés	3,4 g
Sodium	412 mg (17 % VQ)
Glucides	23 g
Fibres	3 g (12 % VQ)
Protéines	19 g
Calcium	121 mg (11 % VQ)
Fer	3,2 mg (23 % VQ)

Teneur très élevée en magnésium, zinc, vitamine A, vitamine C, vitamine B_{12} et niacine
Teneur élevée en vitamine B_6, acide folique et riboflavine

Équivalents par portion pour les personnes diabétiques:
½   Glucides
2   Viandes et substituts

5. Réduire à feu moyen. Ajouter l'oignon et les champignons au poêlon et les faire sauter de 4 à 5 minutes ou jusqu'à ce que l'oignon soit ramolli. Ajouter l'ail et le faire sauter pendant 30 secondes. Remettre le bœuf et le jus accumulé dans le poêlon. Incorporer la sauce tomate, les châtaignes d'eau, l'origan, le basilic et du poivre, au goût, puis porter à ébullition. Réduire le feu et laisser mijoter, en remuant de temps en temps, pendant 10 minutes. Incorporer le quinoa et retirer du feu.

6. Verser une partie du mélange de quinoa dans les poivrons, en les remplissant un peu moins qu'à la mi-hauteur. Répartir le mélange de fromage cottage également sur le dessus, puis remplir les poivrons jusqu'en haut avec le reste du mélange de quinoa. Parsemer de cheddar. Déposer les poivrons sur la plaque à pâtisserie graissée.

7. Cuire au four préchauffé pendant environ 20 minutes ou jusqu'à ce qu'un couteau inséré dans la garniture en ressorte chaud.

> Les poivrons rouges contiennent près de 10 fois plus de bêta-carotène que les poivrons verts ou jaunes.

Variante

Vous pouvez remplacer le bœuf haché par du poulet ou du porc, haché, ou par un reste de bœuf cuit, déchiqueté.

Suggestion de service

Servez ce plat avec des tomates en tranches, du fromage bocconcini, du basilic frais et un filet d'huile d'olive extra-vierge et de vinaigre balsamique.

Conseil

Ne remplissez pas trop les poivrons. Le mélange de quinoa devrait être réparti également entre eux.

Cannellonis au veau à la florentine

Caroline Dubeau, diététiste, Ontario

Les pâtes prêtes à cuire font de ces savoureux cannellonis un plat facile à préparer.

CONSEIL
Les restes font un lunch parfait.

- *Préchauffer le four à 180 °C (350 °F)*
- *Un plat en verre allant au four de 33 x 23 cm (13 x 9 po)*

5 ml (1 c. à thé) d'huile de canola
500 g (1 lb) de veau haché maigre
3 échalotes, hachées, au total
1 gousse d'ail, hachée
1 paquet de 300 g (10 oz) d'épinards surgelés hachés, décongelés et égouttés
1 ml (¼ c. à thé) de muscade moulue
Poivre noir fraîchement moulu
30 ml (2 c. à soupe) d'huile de canola
30 ml (2 c. à soupe) de farine tout usage
500 ml (2 tasses) de bouillon de poulet à teneur réduite en sodium
1 boîte de 796 ml (28 oz) de tomates en dés sans sel, égouttées
15 ml (1 c. à soupe) de basilic séchées
Sel
18 cannellonis prêts à cuire

1. Dans un poêlon, chauffer 5 ml (1 c. à thé) d'huile à feu moyen. Cuire le veau, les deux tiers des échalotes et l'ail, en brisant la viande avec une cuillère, de 8 à 10 minutes ou jusqu'à ce que le veau ait perdu sa couleur rosée. Incorporer les épinards, la muscade et 1 ml (¼ c. à thé) de poivre. Réserver.

2. Entre-temps, dans une casserole moyenne, chauffer 30 ml (2 c. à soupe) d'huile à feu moyen. Y faire sauter la farine et le reste des échalotes pendant 1 minute. Incorporer graduellement le bouillon et porter à ébullition, en remuant souvent. Réduire le feu et laisser bouillir doucement, en remuant souvent, pendant environ 5 minutes ou jusqu'à ce que la sauce ait légèrement épaissi. Incorporer les tomates et le basilic. Saler et poivrer, au goût.

3. Farcir les cannellonis du mélange de viande. Verser 125 ml (½ tasse) d'eau dans le plat allant au four, puis mettre les cannellonis farcis dans le plat. Verser la sauce sur les cannellonis et couvrir de papier d'aluminium. Cuire au four préchauffé pendant 1 heure ou jusqu'à ce que les pâtes soient tendres.

VARIANTE
Vous pouvez remplacer le veau par du bœuf, du porc ou du poulet, hachés.

SUGGESTION DE SERVICE
Servez ce plat avec des haricots verts cuits à la vapeur.

Valeur nutritive par portion	
Calories	299
Lipides	11,1 g
saturés	2,6 g
Sodium	307 mg (13 % VQ)
Glucides	28 g
Fibres	3 g (12 % VQ)
Protéines	21 g
Calcium	130 mg (12 % VQ)
Fer	4,0 mg (29 % VQ)

Teneur très élevée en zinc, vitamine A, acide folique, vitamine B_{12} et niacine
Teneur élevée en magnésium, vitamine D, vitamine B_6, thiamine et riboflavine

Équivalents par portion pour les personnes diabétiques :
1 ½ Glucides
2 Viandes et substituts

Rôti de longe de porc, farce au fenouil et aux pommes

Heather McColl, diététiste, Colombie-Britannique

DE 8 À 10 PORTIONS

Ce plat élégant est tout à fait approprié pour recevoir.

CONSEILS

Dans cette recette, les pommes Cortland, Jonagold ou Empire donnent de bons résultats.

Si vous n'avez pas de pain rassis, faites griller des tranches de pain, jusqu'à ce qu'elles soient bien dorées.

SUGGESTION DE SERVICE

Vous pouvez servir ce plat avec la Courge à l'érable délicieuse et vite préparée (p. 305) et des pois mange-tout cuits à la vapeur.

Valeur nutritive par portion	
Calories	193
Lipides	4,5 g
saturés	1,5 g
Sodium	183 mg (8 % VQ)
Glucides	6 g
Fibres	1 g (4 % VQ)
Protéines	31 g
Calcium	18 mg (2 % VQ)
Fer	1,0 mg (7 % VQ)

Teneur très élevée en vitamine B_6, vitamine B_{12}, thiamine et niacine
Teneur élevée en zinc

Équivalents par portion pour les personnes diabétiques :
3   Viandes et substituts

- *Préchauffer le four à 190 °C (375 °F)*
- *Une grande rôtissoire munie d'une grille*

10 ml (2 c. à thé) d'huile de canola
250 ml (1 tasse) de bulbe de fenouil finement haché
250 ml (1 tasse) d'oignon finement haché
2 gousses d'ail hachées
1 pomme, pelée et hachée
125 ml (½ tasse) de pain rassis déchiré
75 ml (⅓ tasse) de cidre sec ou de jus de pomme
10 ml (2 c. à thé) de thym frais haché
2 ml (½ c. à thé) de sel
2 ml (½ c. à thé) de poivre noir fraîchement moulu
1 rôti de longe de porc, coupe du centre, désossé de 1,5 à 1,75 kg (3 à 4 lb)

1. Dans un grand poêlon, chauffer l'huile à feu moyen. Y faire sauter le fenouil et l'oignon de 3 à 4 minutes ou jusqu'à ce que l'oignon soit ramolli. Ajouter l'ail et le faire sauter pendant 30 secondes. Ajouter la pomme et la faire sauter pendant 4 minutes ou jusqu'à ce qu'elle commence à ramollir. Incorporer le pain, le cidre, le thym, le sel et le poivre. Cuire, en remuant, jusqu'à ce que le liquide soit absorbé. Retirer du feu et laisser refroidir à la température de la pièce.
2. Retirer l'excès de gras du rôti. Couper le rôti en 2 dans le sens de la longueur pour qu'il s'ouvre comme un livre. Étendre la farce refroidie sur un côté de la longe. Déposer par-dessus l'autre moitié et trousser la viande à l'aide de ficelle de cuisine ou de brochettes. Mettre ensuite la viande sur la grille, dans la rôtissoire.
3. Rôtir de 1 ¼ à 1 ½ heure ou jusqu'à ce qu'un thermomètre à viande inséré au milieu du rôti indique 68 °C (155 °F). Mettre ensuite le rôti sur une planche à découper, le couvrir de papier d'aluminium et le laisser reposer de 10 à 15 minutes pour permettre aux jus de se redistribuer et au porc d'atteindre une température interne de 71 °C (160 °F).

En cuisine, le terme «trousser» est généralement utilisé pour la volaille. Cela signifie attacher ou embrocher les pattes et les ailes au corps pour les tenir en place. Mais ce terme peut aussi être utilisé pour décrire comment attacher ou embrocher la viande afin d'emprisonner la farce à l'intérieur, comme dans ce rôti de porc papillon.

Filets de porc glacés à l'érable

Diane Kermay Nielsen, diététiste, Alberta

De 4 à 6 portions

Une glace sucrée et un soupçon de moutarde font de ces filets un plat gagnant.

Conseils

La membrane argentée est l'enveloppe de tissu conjonctif dure et brillante que l'on trouve parfois sur le filet de porc, le bifteck de flanc et autres viandes. Il faut l'enlever avant la cuisson. Demandez au boucher de le faire ou faites-le : glissez la pointe d'un couteau sous une extrémité de la membrane, puis passez le couteau entre la viande et la membrane, en tenant la membrane avec du papier essuie-tout pour la retirer.

Un poêlon en fonte qui a servi plusieurs fois donnera les meilleurs résultats dans cette recette.

Valeur nutritive par portion	
Calories	175
Lipides	4,0 g
saturés	0,9 g
Sodium	285 mg (12 % VQ)
Glucides	8 g
Fibres	0 g (0 % VQ)
Protéines	26 g
Calcium	20 mg (2 % VQ)
Fer	1,5 mg (11 % VQ)

Teneur très élevée en zinc, vitamine B_{12}, thiamine, riboflavine et niacine
Teneur élevée en vitamine B_6

Équivalents par portion pour les personnes diabétiques :
½ Glucides
3 Viandes et substituts

- *Préchauffer le four à 190 °C (375 °F)*
- *Un grand poêlon allant au four*

30 ml (2 c. à soupe) d'échalotes émincées
45 ml (3 c. à soupe) de sirop d'érable pur à 100 %
20 ml (4 c. à thé) de moutarde de Dijon
10 ml (2 c. à thé) de vinaigre de cidre
10 ml (2 c. à thé) de sauce soya à teneur réduite en sodium
2 filets de porc d'environ 375 g (12 oz) chacun, parés
1 ml (¼ c. à thé) de sel
1 ml (¼ c. à thé) de poivre noir fraîchement moulu
15 ml (1 c. à soupe) d'huile de canola
60 ml (¼ tasse) de bouillon de poulet à teneur réduite en sodium

1. Dans un petit bol, fouetter l'échalote avec le sirop d'érable, la moutarde, le vinaigre et la sauce soya. Réserver.
2. Saler et poivrer le porc. Dans le poêlon allant au four, chauffer l'huile à feu moyen-vif. Ajouter le porc et cuire pendant environ 1 minute de chaque côté ou jusqu'à ce qu'il soit bien doré de tous les côtés. Badigeonner généreusement le dessus et les côtés de la viande d'une partie du mélange de sirop d'érable et réserver le reste. Incorporer le bouillon, augmenter le feu et porter à ébullition.
3. Mettre le poêlon au four préchauffé et rôtir la viande de 20 à 25 minutes, en la badigeonnant encore généreusement d'une autre partie du mélange de sirop d'érable, à 3 reprises (réserver le reste), jusqu'à ce qu'un thermomètre à viande inséré dans la partie la plus charnue du filet indique 68 °C (155 °F). Mettre ensuite le porc sur une planche à découper, l'envelopper de papier d'aluminium et le laisser reposer de 5 à 10 minutes pour permettre aux jus de se redistribuer et au porc d'atteindre une température interne de 71 °C (160 °F).
4. Entre-temps, porter le jus du poêlon à ébullition, à feu vif. Ajouter le reste du mélange de sirop d'érable. Laisser bouillir, en remuant de temps en temps, pendant 3 minutes ou jusqu'à ce que le liquide ait légèrement épaissi.
5. Couper le porc dans le sens de la largeur en tranches fines et le servir avec un filet de sauce.

Filets de porc au miel et à l'aneth

Kara McDonald, diététiste, Ontario

Quelques ingrédients simples et un barbecue bien chaud, voilà tout ce qu'il faut pour préparer ce savoureux repas.

CONSEIL

Pour obtenir une saveur unique, utilisez divers types de miel.

• *Préchauffer le barbecue à température moyenne*

60 ml (¼ tasse) de miel liquide
60 ml (¼ tasse) de moutarde de Dijon
15 ml (1 c. à soupe) d'aneth finement haché
3 filets de porc d'environ 500 g (1 lb) chacun, parés

1. Dans un petit bol, mélanger le miel, la moutarde et l'aneth. Réserver.
2. Mettre les filets de porc sur le barbecue préchauffé, fermer le couvercle et les faire griller de 20 à 25 minutes, en les retournant une fois, ou jusqu'à ce qu'un thermomètre à viande inséré dans la partie la plus charnue d'un filet indique 66 °C (150 °F). Badigeonner un côté des filets d'une petite quantité de sauce, puis les faire griller pendant 2 minutes. Retourner les filets et les badigeonner de sauce. Les faire griller jusqu'à ce que le thermomètre indique 68 °C (155 °F). Mettre ensuite les filets sur une planche à découper, les couvrir de papier d'aluminium et les laisser reposer de 5 à 10 minutes pour permettre aux jus de se redistribuer et au porc d'atteindre la température interne de 71 °C (160 °F).
3. Couper le porc dans le sens de la largeur en tranches fines et le servir avec le reste de la sauce.

La moutarde de Dijon tire son nom de la ville de Dijon, en France, où elle a d'abord été fabriquée. Pour obtenir cette saveur caractéristique, on mélange les graines de moutarde avec du sel, du vinaigre blanc, du vin blanc et des épices.

SUGGESTION DE SERVICE

Servez ce plat avec les Fleurs de patates douces (p. 306) et la Salade aux agrumes et au fenouil (p. 153) lors d'un barbecue.

Valeur nutritive par portion	
Calories	183
Lipides	3,0 g
saturés	1,2 g
Sodium	142 mg (6 % VQ)
Glucides	7 g
Fibres	0 g (0 % VQ)
Protéines	30 g
Calcium	15 mg (1 % VQ)
Fer	1,5 mg (11 % VQ)

Teneur très élevée en zinc, vitamine B_6, vitamine B_{12}, thiamine, riboflavine et niacine

Équivalents par portion pour les personnes diabétiques :
½ Glucides
3 ½ Viandes et substituts

Filets de porc à l'érable et à la moutarde accompagnés de pommes sautées

Le Groupe Compass Canada

DE 4 À 6 PORTIONS

Le porc se marie bien avec plusieurs fruits. Ici, les pommes cuites prennent la vedette dans ce mariage tout à fait délectable.

CONSEIL

Dans cette recette, utilisez des pommes Cortland, Empire ou Honeycrisp, car elles conservent leur forme pendant la cuisson.

DE 4 À 6 PORTIONS

- *Préchauffer le four à 190 °C (375 °F)*
- *Une rôtissoire, graissée*

2 filets de porc d'environ 375 g (12 oz) chacun, parés
75 ml (5 c. à soupe) de sirop d'érable pur à 100 %, au total
45 ml (3 c. à soupe) de moutarde de Dijon
5 ml (1 c. à thé) de romarin frais haché
2 ml (½ c. à thé) de sel
2 ml (½ c. à thé) de poivre noir fraîchement moulu
10 ml (2 c. à thé) d'huile de canola
750 ml (3 tasses) de pommes pelées en tranches
60 ml (¼ tasse) d'eau ou de jus de pomme non sucré
30 ml (2 c. à soupe) de persil frais finement haché

1. Mettre les filets dans la rôtissoire préparée. Dans un petit bol, verser 30 ml (2 c. à soupe) du sirop d'érable, ajouter la moutarde, le romarin, le sel et le poivre. En badigeonner le porc. Rôtir au four préchauffé pendant 25 minutes ou jusqu'à ce qu'un thermomètre à viande inséré dans la partie la plus charnue d'un filet indique 68 °C (155 °F). Mettre ensuite les filets sur une planche à découper, les couvrir de papier d'aluminium et les laisser reposer de 5 à 10 minutes pour permettre aux jus de se redistribuer et au porc d'atteindre une température interne de 71 °C (160 °F).
2. Entre-temps, dans un grand poêlon, chauffer l'huile à feu moyen. Ajouter les pommes et les faire sauter pendant 10 minutes ou jusqu'à ce qu'elles soient dorées. Réduire à feu doux et ajouter le reste du sirop d'érable. Laisser mijoter, en remuant de temps en temps, pendant 5 minutes ou jusqu'à ce que les pommes soient tendres.
3. Ajouter l'eau à la rôtissoire pour la déglacer, en raclant le fond pour enlever tous les petits morceaux qui y ont adhéré. Filtrer ce liquide pour l'incorporer au mélange de pommes. Bien mélanger.
4. Couper le porc dans le sens de la largeur en tranches fines. Garnir chaque portion de pommes et de persil.

VARIANTE

Vous pouvez ajouter 60 ml (¼ tasse) de canneberges séchées hachées aux pommes avec le sirop.

Valeur nutritive par portion	
Calories	212
Lipides	3,6 g
saturés	0,9 g
Sodium	356 mg (15 % VQ)
Glucides	18 g
Fibres	1 g (4 % VQ)
Protéines	26 g
Calcium	34 mg (3 % VQ)
Fer	1,9 mg (14 % VQ)

Teneur très élevée en zinc, vitamine B_{12}, thiamine, riboflavine et niacine
Teneur élevée en magnésium et vitamine B_6

Équivalents par portion pour les personnes diabétiques :
1   Glucides
3   Viandes et substituts

Filets de porc, chutney aux bleuets

Heather McColl, diététiste, Colombie-Britannique

DE 8 À 10 PORTIONS

Ce chutney aux fruits doux et piquant forme un agréable mariage avec la tendre viande de porc.

CONSEILS

Vous pouvez préparer le chutney jusqu'à 3 jours à l'avance.

Servez le chutney avec du poulet rôti ou grillé. Ou servez-le comme hors-d'œuvre, accompagné de fromage à la crème et de crudités ou dans un plateau de fromages. Il est délicieux avec du fromage à pâte molle, comme le brie ou le camembert.

Faites griller les filets au barbecue, à température moyenne, le couvercle fermé, de 25 à 30 minutes, en les retournant une fois à mi-cuisson. Les couvrir de papier d'aluminium et les laisser reposer tel qu'indiqué.

Valeur nutritive par portion	
Calories	208
Lipides	3,1 g
saturés	1,3 g
Sodium	201 mg (8 % VQ)
Glucides	14 g
Fibres	1 g (4 % VQ)
Protéines	31 g
Calcium	22 mg (2 % VQ)
Fer	1,7 mg (12 % VQ)

Teneur très élevée en zinc, vitamine B_6, vitamine B_{12}, thiamine, riboflavine et niacine
Teneur élevée en magnésium

Équivalents par portion pour les personnes diabétiques :
½ Glucides
3 ½ Viandes et substituts

- *Préchauffer le four à 190 °C (375 °F)*
- *Un plat en métal allant au four de 33 x 23 cm (13 x 9 po), graissé*

Le chutney aux bleuets

2 échalotes, finement hachées
2 gousses d'ail, hachées
500 ml (2 tasses) de bleuets frais ou surgelés
15 ml (1 c. à soupe) de gingembre frais râpé
60 ml (¼ tasse) de vinaigre de cidre
45 ml (3 c. à soupe) de miel liquide

Le porc

30 ml (2 c. à soupe) de cassonade bien tassée
2 ml (½ c. à thé) de poivre noir fraîchement moulu
1 ml (¼ c. à thé) de sel
60 ml (¼ tasse) de moutarde à l'ancienne
3 filets de porc d'environ 500 g (1 lb) chacun, parés

1. *Le chutney aux bleuets :* Dans une casserole moyenne, mélanger les échalotes, l'ail, les bleuets, le gingembre, le vinaigre et le miel. Porter à ébullition à feu moyen. Réduire le feu et laisser mijoter, en remuant souvent, pendant environ 20 minutes ou jusqu'à ce que le chutney ait épaissi. Le mettre ensuite dans un bol et laisser refroidir.

2. *Le porc :* Entre-temps, dans un petit bol, mélanger la cassonade, le poivre, le sel et la moutarde. Frotter tous les côtés des filets de ce mélange. Mettre les filets dans le plat allant au four préparé. Les rôtir au four préchauffé de 25 à 30 minutes ou jusqu'à ce qu'un thermomètre à viande inséré dans la partie la plus charnue d'un filet indique 68 °C (155 °F). Mettre ensuite les filets sur une planche à découper, les couvrir de papier d'aluminium et les laisser reposer de 5 à 10 minutes pour permettre aux jus de se redistribuer et au porc d'atteindre une température interne de 71 °C (160 °F).

3. Couper le porc dans le sens de la largeur en tranches fines et le servir avec le chutney.

Filets de porc, chutney à la rhubarbe

Jennifer Miller, diététiste, Saskatchewan

DE 4 À 6 PORTIONS

Le mari de Jennifer, qui n'est pas friand de rhubarbe, voulait arracher les plants de leur jardin. Mais la première fois qu'il a goûté au chutney, il a donné un sursis aux plants de rhubarbe.

CONSEIL

Doublez la recette. Utilisez-en avec le porc, le reste dans un hors-d'œuvre servi avec des tranches de baguette de blé entier et une fine couche de fromage à la crème léger. Le chutney se conserve jusqu'à 3 jours.

VARIANTE

Remplacez la moitié de la rhubarbe par des fraises, en tranches, et vous aurez un chutney aux fraises et à la rhubarbe.

Valeur nutritive par portion	
Calories	296
Lipides	3,0 g
saturés	1,1 g
Sodium	62 mg (3 % VQ)
Glucides	41 g
Fibres	3 g (12 % VQ)
Protéines	27 g
Calcium	113 mg (10 % VQ)
Fer	3,1 mg (22 % VQ)

Teneur très élevée en zinc, vitamine B_6, thiamine et niacine
Teneur élevée en magnésium, vitamine B_{12} et riboflavine

Équivalents par portion pour les personnes diabétiques :
2 Glucides
3 Viandes et substituts

- *Préchauffer le four à 190 °C (375 °F)*
- *Une petite rôtissoire, graissée*

Le chutney à la rhubarbe
175 ml (¾ tasse) de sucre granulé
30 ml (2 c. à soupe) de gingembre frais émincé
30 ml (2 c. à soupe) d'ail haché, soit environ 6 gousses
10 ml (2 c. à thé) de cumin moulu
5 ml (1 c. à thé) de cannelle moulue
5 ml (1 c. à thé) de clou de girofle moulu
2 ml (½ c. à thé) de piment rouge en flocons
75 ml (⅓ tasse) de vinaigre de vin blanc
½ oignon rouge, haché
1 litre (4 tasses) de rhubarbe hachée
75 ml (⅓ tasse) de raisins secs

Le porc
15 ml (1 c. à soupe) de cumin moulu
5 ml (1 c. à thé) d'ail en poudre
2 ml (½ c. à thé) de poivre noir fraîchement moulu
2 filets de porc d'environ 375 g (12 oz) chacun, parés

1. *Le chutney à la rhubarbe :* Dans une grande casserole, mélanger le sucre, le gingembre, l'ail, le cumin, la cannelle, le clou de girofle, le piment en flocons et le vinaigre. Porter à légère ébullition à feu moyen, en remuant de temps en temps, jusqu'à ce que le sucre soit dissous. Incorporer l'oignon rouge, la rhubarbe et les raisins secs, puis porter à ébullition, en remuant souvent. Réduire le feu et laisser mijoter, en remuant de temps en temps, pendant environ 20 minutes ou jusqu'à ce que la rhubarbe soit tendre et que le mélange ait épaissi et soit devenu sirupeux.

2. *Le porc :* Entre-temps, dans un petit bol, mélanger le cumin, l'ail en poudre et le poivre. Frotter tous les côtés des filets de ce mélange. Mettre le porc dans la rôtissoire graissée. Rôtir les filets au four préchauffé pendant 20 minutes. Étendre la moitié du chutney sur le porc. Rôtir de 5 à 10 minutes ou jusqu'à ce qu'un thermomètre à viande inséré dans la partie la plus charnue d'un filet indique 68 °C (155 °F). Mettre ensuite les filets sur une planche à découper, les couvrir de papier d'aluminium et les laisser reposer de 5 à 10 minutes pour permettre aux jus de se redistribuer et au porc d'atteindre une température interne de 71 °C (160 °F).

3. Couper les filets dans le sens de la largeur en tranches fines et les servir avec le reste du chutney.

Côtelettes de porc grillées, garniture à la moutarde et au parmesan

Helen Ann Dillon, diététiste, Ontario

L'estragon ajoute une légère saveur de réglisse à la garniture de ces côtelettes.

CONSEIL

Retirez tout le gras visible des côtelettes pour diminuer la quantité de gras dans votre plat et pour réduire les éclaboussures au minimum pendant la cuisson.

- *Préchauffer le gril du four*
- *Un plateau à grillades*

4 côtelettes de longe de porc de 2 cm (¾ po) d'épaisseur non désossées d'environ 175 g (6 oz) chacune
60 ml (¼ tasse) de chapelure fine sèche
60 ml (¼ tasse) de parmesan finement râpé
10 ml (2 c. à thé) d'estragon séché
1 ml (¼ c. à thé) de sel
60 ml (¼ tasse) de moutarde de Dijon

1. Mettre les côtelettes sur un plateau à grillades et les griller, en les retournant une fois, pendant environ 8 minutes de chaque côté ou jusqu'à ce qu'elles aient encore une petite teinte rosée.
2. Entre-temps, dans un petit bol, mélanger la chapelure, le parmesan, l'estragon, le sel et la moutarde.
3. Étendre une épaisse couche du mélange de moutarde sur chaque côtelette. Griller les côtelettes de 2 à 3 minutes ou jusqu'à ce que le fromage fonde, que le dessus soit bien doré et qu'un thermomètre à viande inséré au milieu d'une côtelette indique 71 °C (160 °F). Laisser reposer les côtelettes pendant 5 minutes avant de servir.

SUGGESTION DE SERVICE

Servez ce plat avec un Gratin dauphinois (p. 308) et la Salade de radicchio (p. 156).

Valeur nutritive par portion	
Calories	234
Lipides	10,6 g
saturés	4,1 g
Sodium	545 mg (23 % VQ)
Glucides	6 g
Fibres	1 g (4 % VQ)
Protéines	27 g
Calcium	124 mg (11 % VQ)
Fer	1,5 mg (11 % VQ)

Teneur très élevée en vitamine B_{12}, thiamine et niacine
Teneur élevée en zinc, vitamine B_6 et riboflavine

Équivalents par portion pour les personnes diabétiques :
½   Glucides
3 ½ Viandes et substituts

Porc aigre-doux

Anne Taylor, diététiste, Ontario

Anne Taylor, diététiste, Ontario

8 PORTIONS

✓ **LE CHOIX DES ENFANTS**

Le mélange de saveurs aigres-douces, que l'on trouve souvent dans les mets asiatiques, fait le bonheur des petits… et des grands!

CONSEILS

Retirez le gras visible du porc.

Quand vous faites dorer le porc, assurez-vous qu'il se soulève facilement, avant de le retourner, pour éviter qu'il ne colle.

VARIANTE

Pour obtenir un plat plus maigre, remplacez l'épaule de porc par des médaillons de filets de porc. Les laisser mijoter seulement 10 minutes.

Valeur nutritive par portion	
Calories	244
Lipides	7,5 g
saturés	1,8 g
Sodium	316 mg (13 % VQ)
Glucides	23 g
Fibres	1 g (4 % VQ)
Protéines	21 g
Calcium	31 mg (3 % VQ)
Fer	1,8 mg (13 % VQ)

Teneur très élevée en zinc, vitamine C, vitamine B_{12}, thiamine et niacine
Teneur élevée en magnésium, vitamine B_6 et riboflavine

Équivalents par portion pour les personnes diabétiques:
1   Glucides
3   Viandes et substituts

• *Une grosse cocotte en métal*

45 ml (3 c. à soupe) de farine tout usage
2 ml (½ c. à thé) de poivre noir fraîchement moulu
1 kg (2 lb) d'épaule de porc désossée, dont le gras a été enlevé et coupée en morceaux de 2,5 cm (1 po)
30 ml (2 c. à soupe) d'huile de canola, au total
2 gousses d'ail, hachées
500 ml (2 tasses) de céleri en dés
500 ml (2 tasses) de bouillon de poulet à teneur réduite en sodium, au total
1 boîte de 398 ml (14 oz) d'ananas en morceaux, avec le jus
1 poivron rouge, coupé en fines lanières
45 ml (3 c. à soupe) de fécule de maïs
60 ml (¼ tasse) de sucre granulé
125 ml (½ tasse) de vinaigre blanc
15 ml (1 c. à soupe) de sauce soya à teneur réduite en sodium

1. Dans un grand bol peu profond, mettre la farine et le poivre. Saupoudrer le porc de farine assaisonnée, le secouer pour enlever le surplus de farine et le déposer dans une assiette propre. Jeter tout surplus de farine.

2. Dans la cocotte, chauffer 15 ml (1 c. à soupe) d'huile à feu moyen-vif. Ajouter la moitié du porc et cuire de 3 à 4 minutes ou jusqu'à ce que le porc soit bien doré de tous les côtés. Mettre le porc dans une assiette propre. Répéter l'opération pour le reste d'huile et de porc.

3. Remettre tout le porc et le jus accumulé dans la cocotte. Ajouter l'ail et le céleri. Faire sauter 1 minute. Verser 250 ml (1 tasse) du bouillon. Déglacer la cocotte, en raclant le fond pour enlever les morceaux qui ont collé. Incorporer l'ananas et le jus. Porter à ébullition. Réduire à feu doux et couvrir avec un couvercle hermétique. Laisser mijoter, en remuant de temps en temps, 20 minutes. Incorporer le poivron et couvrir. Laisser mijoter 10 minutes ou jusqu'à ce que le porc soit tendre.

4. Entre-temps, dans un bol, fouetter la fécule dans le reste du bouillon. Y fouetter ensuite le sucre, le vinaigre et la sauce soya, jusqu'à ce que le sucre soit dissous. Incorporer à la cocotte. Laisser mijoter, en remuant, environ 5 minutes ou jusqu'à ce que la sauce épaississe.

> Une cocotte en métal est une grande marmite à fond épais avec un couvercle hermétique. On l'utilise habituellement pour préparer les plats mijotés. Ici, la cocotte est parfaite pour dorer la viande et elle est assez grande pour qu'on puisse y ajouter les autres ingrédients.

Côtelettes d'agneau grillées à la moutarde de Dijon

June Martin, diététiste, Ontario

4 PORTIONS

Voici une façon rapide, simple et délicieuse de préparer de succulentes côtelettes d'agneau.

CONSEIL

Retirez tout le gras visible des côtelettes pour diminuer la quantité de gras dans votre plat et pour réduire les éclaboussures au minimum pendant la cuisson.

- *Graisser la grille du barbecue et préchauffer le barbecue à température moyenne-élevée*

2 gousses d'ail, hachées
15 ml (1 c. à soupe) de thym séché
5 ml (1 c. à thé) de poivre noir fraîchement moulu
30 ml (2 c. à soupe) de moutarde de Dijon
5 ml (1 c. à thé) d'huile de canola
8 côtelettes d'agneau d'environ 125 g (4 oz) chacune

1. Dans un petit bol, mélanger l'ail, le thym, le poivre, la moutarde et l'huile. Frotter tous les côtés des côtelettes de ce mélange.
2. Mettre les côtelettes sur le barbecue préchauffé, fermer le couvercle et les griller, en les retournant une fois, de 4 à 5 minutes de chaque côté pour obtenir une cuisson à point ou la cuisson désirée.

> La viande d'agneau est de la viande de mouton âgé de moins d'un an. Généralement, cette viande est plutôt tendre et l'on peut la cuire en utilisant diverses méthodes. Le mouton, lui, est abattu après l'âge de 2 ans. Pendant la cuisson, il dégage souvent une forte odeur.

VARIANTE

Vous pouvez remplacer les côtelettes d'agneau par 4 côtelettes de veau ou de longe de porc non désossées.

SUGGESTION DE SERVICE

Servez ce plat avec la Salade de son propre jardin d'herbes (p. 154) et la Purée de courge (p. 304).

Valeur nutritive par portion	
Calories	182
Lipides	8,3 g
saturés	3,1 g
Sodium	146 mg (6 % VQ)
Glucides	2 g
Fibres	1 g (4 % VQ)
Protéines	24 g
Calcium	46 mg (4 % VQ)
Fer	3,1 mg (22 % VQ)

Teneur très élevée en zinc, vitamine B_{12} et niacine
Teneur élevée en riboflavine

Équivalents par portion pour les personnes diabétiques :
3 Viandes et substituts

Gros gibier à la mijoteuse

George Petrie, Nouvelle-Écosse

George adore la chasse, alors la viande de cerf est souvent à son menu.

CONSEILS

La viande de gros gibier est très maigre et plus ou moins tendre, mais la cuisson lente à la mijoteuse la rend succulente et tendre.

Cette recette donne de bons résultats avec la plupart des coupes de viande de cerf, comme les rôtis de ronde, de palette et d'épaule. Mais n'utilisez pas la mijoteuse pour les côtelettes, elles sont trop tendres. La meilleure façon de les cuire est de les griller.

Valeur nutritive par portion	
Calories	243
Lipides	7,8 g
saturés	3,6 g
Sodium	375 mg (16 % VQ)
Glucides	18 g
Fibres	1 g (4 % VQ)
Protéines	24 g
Calcium	33 mg (3 % VQ)
Fer	3,8 mg (27 % VQ)

Teneur très élevée en zinc, vitamine A, vitamine B_{12}, thiamine et niacine
Teneur élevée en vitamine B_6 et riboflavine

Équivalents par portion pour les personnes diabétiques :
1   Glucides
3   Viandes et substituts

- *Une mijoteuse d'au moins 4 litres (16 tasses)*

1 kg (2 lb) de rôti de cerf désossé (voir Conseils)
Une pincée de sel
2 ml (½ c. à thé) de poivre noir fraîchement moulu
1 gros oignon
2 gousses d'ail, hachées
30 ml (2 c. à soupe) de cassonade légèrement tassée
2 ml (½ c. à thé) de thym séché
250 ml (1 tasse) de bière lager ou d'eau
125 ml (½ tasse) de sauce barbecue de type Poulet et côtes levées
15 ml (1 c. à soupe) de moutarde préparée
5 ml (1 c. à thé) de sauce soya à teneur réduite en sodium
5 à 6 petites pommes de terre
250 ml (1 tasse) de carottes en tranches épaisses

1. Retirer le plus de gras possible du cerf. Le saler et le poivrer.
2. Couper le quart de l'oignon en rondelles et réserver. Hacher grossièrement le reste de l'oignon. Éparpiller 125 ml (½ tasse) de l'oignon haché au fond de la mijoteuse. Déposer la viande par-dessus.
3. Dans un petit bol, mélanger le reste de l'oignon haché, l'ail, la cassonade, le thym, la bière lager, la sauce barbecue, la moutarde et la sauce soya. Verser ce mélange sur la viande et les oignons. Disposer les rondelles d'oignon par-dessus.
4. Couvrir et cuire à température élevée pendant 4 heures ou à basse température pendant 6 heures. Une heure avant que la viande soit cuite, ajouter les pommes de terre et les carottes à la mijoteuse et couvrir de sauce.

Mini-pains de viande au cheddar

Andrea Toogood, diététiste, Saskatchewan

✓ LE CHOIX DES ENFANTS

Ces savoureux petits pains de viande sont une délicieuse façon de faire découvrir la viande de gibier aux enfants. Andrea et sa famille préfèrent les petits pains faits avec du wapiti.

CONSEILS

Remuez le mélange délicatement, tout juste pour le mêler, pour éviter qu'il ne soit compact et dur.

Si désiré, remplacez le lait écrémé par du lait 1 ou 2 %.

Dans cette recette, vous pouvez remplacer le cheddar ordinaire par du cheddar allégé.

Valeur nutritive par portion	
Calories	226
Lipides	10,0 g
saturés	4,9 g
Sodium	457 mg (19 % VQ)
Glucides	11 g
Fibres	1 g (4 % VQ)
Protéines	22 g
Calcium	115 mg (10 % VQ)
Fer	2,8 mg (20 % VQ)

Teneur très élevée en zinc, vitamine B_{12} et niacine
Teneur élevée en magnésium, thiamine et riboflavine

Équivalents par portion pour les personnes diabétiques :
½ Glucides
3 Viandes et substituts

- *Préchauffer le four à 180 °C (350 °F)*
- *Un moule à muffins pour 12 muffins, légèrement graissé*

500 g (1 lb) de wapiti, d'orignal ou de cerf, haché
1 œuf
125 ml (½ tasse) de fromage cheddar râpé
125 ml (½ tasse) de flocons d'avoine à cuisson rapide
60 ml (¼ tasse) d'oignon haché
2 ml (½ c. à thé) de sel
1 ml (¼ c. à thé) d'ail en poudre
125 ml (½ tasse) de lait écrémé
10 ml (2 c. à thé) de cassonade légèrement tassée
60 ml (¼ tasse) de ketchup
10 ml (2 c. à thé) de moutarde préparée

1. Dans un grand bol, mélanger délicatement le wapiti, l'œuf, le cheddar, les flocons d'avoine, l'oignon, le sel, l'ail en poudre et le lait. Répartir uniformément le mélange entre les petits moules.
2. Dans un petit bol, mélanger la cassonade, le ketchup et la moutarde. Étendre ce mélange uniformément sur chacun des mini-pains. Cuire au four préchauffé de 25 à 30 minutes ou jusqu'à ce qu'un thermomètre à viande inséré au milieu d'un pain indique 71 °C (160 °F).

Comme la viande de gibier est très maigre, il faut souvent la cuire en utilisant une méthode qui va l'attendrir, comme la faire mijoter ou la braiser. Ici, l'ajout des ingrédients traditionnels du pain de viande donne un plat tendre. De plus, vous ne verrez aucun gras au fond du moule, ou très peu.

VARIANTE
Vous pouvez remplacer le gibier haché par du bœuf haché.

Les poissons et les fruits de mer

Les poissons et les fruits de mer sont délicieux et nutritifs et font partie du groupe alimentaire Viandes et substituts. Ils sont à la portée de tous les budgets et sont offerts dans une grande variété de produits frais, surgelés et en conserve. *Bien manger avec le Guide alimentaire canadien* recommande aux Canadiens de manger au moins 2 portions de poisson par semaine. Une portion de poisson ou de fruits de mer frais ou surgelés correspond à 75 g (2 ½ oz) ; une portion de poisson en conserve correspond à 125 ml (½ tasse). Utilisez des méthodes de cuisson plus saines pour apprêter le poisson, par exemple, la cuisson au four, sous le gril, grillée ou à la vapeur, en évitant la cuisson à la grande friture.

Aiglefin en croûte de graines de tournesol 225

Poisson « frit » au four 226

Croquettes de poisson savoureuses 227

Flétan, sauce aux tomates séchées et au fromage
de chèvre 228

Poisson blanc aux saveurs méditerranéennes 229

Poisson en papillote à la toscane 230

Poisson en papillote à la thaïlandaise 231

Wraps au saumon 232

Saumon au four à l'orange et aux noix 233

Salade d'épinards au saumon grillé, à la mangue
et aux framboises 234

Saumon à la façon de la Côte Ouest 236

Saumon au scotch 237

Saumon au four au sirop d'érable 238

Saumon à l'asiatique 239

Roulés de sole au fromage à la crème 240

Truite arc-en-ciel en croûte de poivre 241

Truite glacée aux pêches 242

Truite aux épinards à la grecque 243

Moules, sauce tomate épicée 244

Moules au cari 245

Risotto aux pétoncles 246

Bouillabaisse aux crevettes 248

Curry de crevettes et carottes en rubans 249

Pâtes aux rapinis et aux crevettes 250

Linguines aux asperges, au citron et à l'aneth 251

Courge spaghetti, sauce rouge aux palourdes 252

Guedilles au homard 253

Oméga quoi ?

Les acides gras oméga-3 jouissent d'une grande popularité. Tous les jours, nous sommes témoins de publicités ou de messages sur le Web à propos des acides gras oméga-3. Mais de quoi parle-t-on exactement ? Les oméga-3 font tout simplement référence à la composition chimique de certains types de gras. Il y a trois types d'acides gras oméga-3 : l'ALA, l'EPA et le DHA.

L'ALA provient d'aliments à base de plantes, comme l'huile de lin et l'huile de canola. C'est un « acide gras essentiel » : l'organisme ne peut produire d'ALA, mais il en a besoin pour fonctionner normalement. C'est pourquoi nous devons manger des aliments qui en contiennent. Les poissons gras comme le saumon, les sardines et le maquereau contiennent de l'EPA et du DHA. Ces derniers ne sont pas des acides gras essentiels, car l'organisme peut transformer, jusqu'à un certain point, l'ALA en EPA et en DHA.

Des études démontrent que l'EPA et le DHA favorisent la santé du cœur ainsi que le développement du cerveau, des nerfs et des yeux chez les jeunes enfants. Profitez des bienfaits des oméga-3 EPA et DHA, en mangeant 2 portions de poisson chaque semaine. Assurez-vous de consommer suffisamment d'acide gras essentiel ALA pour conserver une saine alimentation, en privilégiant les acides gras oméga-3 que l'on trouve dans les graines de lin, l'huile de lin, l'huile de canola, les noix, l'huile de noix, le germe de blé et le soya.

Un aliment dont l'étiquette porte la mention « contient des oméga-3 » n'est pas forcément un choix santé. Par exemple, on trouve des biscuits, de la crème glacée et des croustilles additionnés d'oméga-3, mais ces aliments demeurent peu nutritifs. Il est préférable de vérifier le tableau de la valeur nutritive afin de choisir les aliments qui ont le meilleur apport nutritif.

Les fruits de mer dans votre alimentation

De nos jours, les poissons gras, compte tenu de leur haute teneur en acides gras oméga-3, attirent l'attention des médias. Pourtant, d'autres poissons et fruits de mer s'intègrent à merveille au menu d'une saine alimentation.

- **Les crustacés** (espèces marines qui portent leur squelette à l'extérieur) comprennent les crevettes, le crabe et le homard. Les crevettes contiennent une quantité considérable de cholestérol et devraient être consommées avec modération. Le crabe et le homard sont des aliments raffinés et très recherchés en cuisine. En raison de leur saveur douce et délicate, il suffit de les cuire simplement à la vapeur pour les rendre dignes d'un festin. Tous les deux ont des teneurs relativement élevées en sodium à l'état naturel, il faut donc surveiller la taille des portions.

- **Les mollusques** (invertébrés mous) comprennent les pétoncles, les huîtres, les moules et les palourdes. Tous sont une délicieuse source de protéines. Pour les savourer pleinement, apprêtez-les avec quelques aromates – et favorisez des méthodes de cuisson simples, comme une cuisson à la vapeur ou poêlée. Les palourdes représentent sans doute la plus riche source alimentaire de vitamine B_{12}, suivies des huîtres et des moules. Les palourdes sont également l'une des meilleures sources de fer, alors que la teneur en fer des huîtres et des moules est moins élevée, mais tout de même appréciable. Le profil nutritionnel des pétoncles est un peu moins intéressant, mais ils contiennent des protéines de haute qualité et très peu de gras, comme tous les mollusques.

Même si la plupart des fruits de mer sont naturellement faibles en gras, la méthode de cuisson peut contribuer à l'apport en gras et en calories, il suffit de penser aux palourdes et aux crevettes panées et frites ou aux pétoncles, crabes et homards servis avec du beurre. Le chapitre qui suit propose des façons saines et savoureuses d'apprêter les poissons et les fruits de mer afin de profiter pleinement de leurs avantages nutritionnels, tout en limitant le gras et les calories.

Petit cours de cuisine familiale

Réussir la cuisson du poisson !

Presque toutes les variétés de poisson peuvent être cuites au four, sous le gril ou grillées. Les poissons gras, comme le saumon, la truite et l'espadon sont meilleurs lorsqu'on les fait griller ou cuire au four, alors que les filets de poisson maigre, comme la plie et la sole conviennent mieux à une cuisson sous le gril.

Il est essentiel de ne pas trop cuire le poisson, sinon, il sera sec et aura un goût trop prononcé. En règle générale, calculez environ 10 minutes par 2,5 cm (1 po) d'épaisseur. Les filets de sole très minces cuisent en moins de 5 minutes, alors qu'une grosse darne de saumon peut prendre de 10 à 15 minutes.

Comment savoir si le poisson est cuit ? Un test simple consiste à insérer une fourchette dans la partie la plus charnue et de tourner délicatement. Si le poisson s'émiette et qu'il est opaque, il est cuit. S'il semble humide, il faut continuer la cuisson.

Petit cours de cuisine familiale

Le poisson en papillote

La cuisson du poisson en papillote, c'est-à-dire enveloppé de papier sulfurisé, est une technique simple et infaillible qui permet d'obtenir un poisson sain et délicieux. Il suffit d'ajouter au poisson, dans la papillote, des aromates, des légumes, des épices et un jus de cuisson comme le vin ou le bouillon, puis de placer les papillotes dans un four chaud ou sur le barbecue. Pour faire une belle présentation, déposez chacune des papillotes dans une assiette de service. Et c'est l'invité qui ouvrira lui-même sa papillote pour libérer les délicieux arômes. Les recettes de poisson en papillote se trouvent aux pages 230 et 231 de ce chapitre.

La pêche durable

SeaChoice, un programme canadien, fait la promotion de la pêche durable. Pour en apprendre davantage sur la pêche durable, visitez le site Web à l'adresse suivante : www.seachoice.org

Aiglefin en croûte de graines de tournesol

Jaclyn Pritchard, diététiste, Ontario

4 PORTIONS

✓ **LE CHOIX DES ENFANTS**

Les graines de tournesol ajoutent un côté croquant et une agréable saveur de noisette à l'aiglefin. Les enfants de Jaclyn l'aident à préparer la panure. Assurez-vous que les enfants ont les mains propres et qu'ils les lavent bien ensuite.

CONSEIL

Si vous n'avez pas de mortier, mettez les graines sur une planche à découper et écrasez-les avec le fond d'une boîte de conserve propre ou avec une tasse incassable.

VARIANTE

Vous pouvez utiliser du tilapia ou n'importe quel autre poisson blanc.

Valeur nutritive par portion	
Calories	366
Lipides	18,8 g
saturés	2,2 g
Sodium	263 mg (11 % VQ)
Glucides	20 g
Fibres	4 g (16 % VQ)
Protéines	30 g
Calcium	102 mg (9 % VQ)
Fer	4,0 mg (29 % VQ)

Teneur très élevée en magnésium, vitamine B_6, acide folique, vitamine B_{12}, thiamine et niacine
Teneur élevée en zinc

Équivalents par portion pour les personnes diabétiques :

1 Glucides
4 Viandes et substituts

5 ml (1 c. à thé) de graines de fenouil
5 ml (1 c. à thé) de graines de cumin
125 ml (½ tasse) de graines de tournesol non salées
125 ml (½ tasse) de chapelure fine de blé entier
1 ml (¼ c. à thé) de poivre noir fraîchement moulu
Une pincée de sel
60 ml (¼ tasse) de farine tout usage
1 œuf
4 filets d'aiglefin sans la peau, d'environ 500 g (1 lb), au total
30 ml (2 c. à soupe) d'huile de canola, au total

1. Dans un poêlon sec, à feu moyen, faire griller les graines de fenouil et les graines de cumin, en remuant sans arrêt, de 1 à 2 minutes ou jusqu'à ce qu'elles soient dorées et qu'une bonne odeur s'en dégage. Les mettre aussitôt dans un mortier, ajouter les graines de tournesol et les écraser légèrement. Les mettre dans un bol peu profond, puis incorporer la chapelure, le poivre et le sel.

2. Mettre la farine dans un autre bol peu profond. Mettre l'œuf dans un petit bol, puis le fouetter légèrement avec une fourchette. Tremper chaque filet d'aiglefin d'abord dans la farine, puis dans l'œuf et finalement dans le mélange de graines de tournesol. Jeter tout surplus de farine, d'œuf et du mélange de graines.

3. Dans un poêlon, chauffer 15 ml (1 c. à soupe) d'huile à feu moyen-vif jusqu'à ce qu'elle soit chaude, mais qu'elle ne fume pas. Y mettre 2 filets et les frire pendant environ 5 minutes ou jusqu'à ce qu'ils soient dorés également, en rectifiant la température, au besoin, pour empêcher le poisson de brûler. Retourner les filets et les frire pendant 5 minutes ou jusqu'à ce que le poisson soit opaque et qu'il s'émiette facilement quand on le pique avec une fourchette. Le mettre ensuite dans une assiette et le garder au chaud. Répéter l'opération pour le reste de l'huile et du poisson.

> Dans cette recette, une grande partie des lipides proviennent des graines de tournesol, une source d'acides gras polyinsaturés. Si vous voulez réduire la teneur en gras, diminuez la quantité de graines de tournesol à 60 à 75 ml (¼ à ⅓ tasse). Vous pouvez aussi réduire la quantité d'huile à 15 ml (1 c. à soupe), mais le poisson ne sera pas aussi croustillant.

Poisson « frit » au four

Eileen Campbell, Ontario

✓ **LE CHOIX DES ENFANTS**

Vous n'aurez plus envie de manger du poisson cuit en grande friture quand vous aurez goûté à cette version santé.

CONSEILS

Essayez des filets de tilapia, de sole ou d'aiglefin.

Si vous ne trouvez pas de chapelure assaisonnée pour le poisson au supermarché, faites la vôtre en mélangeant de la chapelure ordinaire avec un peu de sel, du poivre au citron et du persil séché.

- *Préchauffer le four à 180 °C (350 °F)*
- *Une plaque à pâtisserie, graissée*

1 œuf
125 ml (½ tasse) de lait
125 ml (½ tasse) de farine tout usage
1 sac de 57 g (2 oz) de chapelure assaisonnée pour le poisson (voir Conseils)
4 filets de poisson blanc minces, soit environ 750 g (1 ½ lb), au total
Huile végétale de cuisson en atomiseur

1. Dans un bol peu profond, fouetter l'œuf avec le lait. Mettre de la farine dans une assiette et de la chapelure dans une autre.
2. Passer les 2 côtés des filets dans la farine, puis dans le mélange d'œuf. Bien les couvrir de chapelure. Les déposer sur la plaque à pâtisserie graissée et vaporiser légèrement le dessus d'huile. Jeter tout surplus de farine, d'œuf et du mélange de chapelure.
3. Cuire au four préchauffé pendant 10 minutes ou jusqu'à ce que le poisson soit opaque et qu'il s'émiette facilement à la fourchette.

SUGGESTION DE SERVICE

Servez ce poisson avec la Salade aux agrumes et au fenouil (p. 153) et les Asperges au citron rôties (p. 297).

Valeur nutritive par portion	
Calories	275
Lipides	5,8 g
saturés	1,9 g
Sodium	308 mg (13 % VQ)
Glucides	19 g
Fibres	1 g (4 % VQ)
Protéines	37 g
Calcium	73 mg (7 % VQ)
Fer	2,2 mg (16 % VQ)

Teneur très élevée en vitamine D, vitamine B_{12} et niacine
Teneur élevée en magnésium, acide folique, thiamine et riboflavine

Équivalents par portion pour les personnes diabétiques :
1   Glucides
4   Viandes et substituts

Croquettes de poisson savoureuses

Eileen Campbell, Ontario

✓ LE CHOIX DES ENFANTS

Voici une merveilleuse façon d'utiliser un reste de saumon cuit et de purée de pommes de terre, mais c'est tout aussi bon avec du saumon en conserve.

CONSEIL

Utilisez une purée de pommes de terre nature, sans lait ni beurre.

1 boîte de 213 g (7 ½ oz) de saumon, égoutté, sans la peau ni les grosses
  arêtes ou 175 g (6 oz) d'un reste de saumon cuit
250 ml (1 tasse) de purée de pommes de terre
60 ml (¼ tasse) d'oignon vert finement haché
60 ml (¼ tasse) de poivron rouge finement haché
45 ml (3 c. à soupe) d'aneth frais haché
45 ml (3 c. à soupe) de lait
Sel et poivre noir fraîchement moulu
1 œuf, battu
Huile végétale de cuisson en atomiseur

1. Dans un bol moyen, mélanger le saumon, la purée de pommes de terre, l'oignon vert, le poivron rouge, l'aneth et le lait. Saler et poivrer, au goût. Incorporer délicatement l'œuf. Façonner le mélange en 4 croquettes de 2 cm (¾ po) d'épaisseur. Couvrir et mettre au réfrigérateur pendant au moins 30 minutes ou toute la nuit pour que les saveurs se marient.
2. Chauffer un grand poêlon antiadhésif à feu moyen. Le vaporiser d'huile. Y ajouter les croquettes de poisson et les cuire pendant environ 2 minutes de chaque côté ou jusqu'à ce qu'elles soient dorées des 2 côtés et chaudes au centre.

VARIANTE

Pour varier les saveurs, remplacez le saumon par 175 g (6 oz) d'aiglefin, de crevettes en dés ou de crabe, cuits. Utilisez des fines herbes et des légumes qui conviennent au poisson ou aux fruits de mer choisis.

SUGGESTION DE SERVICE

Vous pouvez servir les croquettes avec la Salade de laitue à feuilles rouges, vinaigrette à la mangue (p. 149). Savourez la Compote de pommes, crème anglaise à l'érable (p. 363) pour dessert.

Valeur nutritive par portion	
Calories	149
Lipides	5,1 g
saturés	1,2 g
Sodium	179 mg (7 % VQ)
Glucides	12 g
Fibres	1 g (4 % VQ)
Protéines	13 g
Calcium	125 mg (11 % VQ)
Fer	0,8 mg (6 % VQ)

Teneur très élevée en vitamine D, vitamine B_{12} et niacine
Teneur élevée en vitamine C

Équivalents par portion pour les personnes diabétiques:
½ Glucides
2 Viandes et substituts

Flétan, sauce aux tomates séchées et au fromage de chèvre

Mary Sue Waisman, diététiste, Nouvelle-Écosse

6 PORTIONS

Seulement 3 ingrédients tout simples font un heureux mariage dans cette savoureuse sauce pour le poisson.

CONSEILS

Ne laissez pas bouillir la sauce, sinon elle pourrait cailler. Cela ne serait pas nocif, mais l'apparence en souffrirait.

La sauce supplémentaire peut être refroidie, couverte et mise au réfrigérateur. Elle se conservera jusqu'à 3 jours. Vous pouvez la réchauffer pour la servir sur des pâtes cuites, chaudes, ou sur du poulet cuit.

Cette sauce est aussi savoureuse avec du tilapia ou de la morue.

Valeur nutritive par portion	
Calories	176
Lipides	5,7 g
saturés	1,8 g
Sodium	166 mg (7 % VQ)
Glucides	3 g
Fibres	0 g (0 % VQ)
Protéines	27 g
Calcium	130 mg (12 % VQ)
Fer	1,2 mg (9 % VQ)

Teneur très élevée en magnésium, vitamine D, vitamine B_{12} et niacine
Teneur élevée en vitamine B_6

Équivalents par portion pour les personnes diabétiques :
3 ½ Viandes et substituts

- *Un bain-marie*
- *Un robot culinaire ou un mélangeur*

9 tomates séchées dans l'huile, égouttées et épongées
375 ml (1 ½ tasse) de lait évaporé 2 %
125 g (4 oz) de fromage de chèvre, émietté
6 darnes de flétan d'environ 750 g (1 1/2 lb), au total
2 ml (½ c. à thé) de poivre noir fraîchement moulu
Une pincée de sel
15 ml (1 c. à soupe) d'huile de canola, au total

1. Dans un bain-marie, à feu moyen-vif, mélanger les tomates et le lait. Les laisser mijoter pendant 10 minutes ou jusqu'à ce qu'elles commencent à ramollir. Les retirer du feu, puis les mettre dans un robot culinaire. Faire fonctionner l'appareil jusqu'à ce qu'elles soient en purée (on peut conserver des morceaux de tomate). Ajouter le fromage de chèvre et faire fonctionner de nouveau l'appareil jusqu'à ce que le mélange soit homogène. Réserver.

2. Entre-temps, poivrer et saler le flétan. Dans un grand poêlon antiadhésif, chauffer 7 ml (1 ½ c. à thé) d'huile à feu moyen. Y déposer 3 darnes et les frire de 4 à 5 minutes ou jusqu'à ce que le dessous soit doré. Retourner les darnes et les frire, en rectifiant la température, au besoin, pour qu'elles dorent, mais qu'elles ne brûlent pas, de 3 à 4 minutes ou jusqu'à ce que le poisson soit opaque et qu'il s'émiette facilement quand on le pique avec une fourchette. Mettre les darnes dans un plat de service et les garder au chaud. Répéter l'opération pour le reste du poisson.

3. Déposer chaque darne dans une assiette, puis y verser 30 ml (2 c. à soupe) de sauce. Conserver le reste de sauce pour un autre usage.

> Le chèvre, comme son nom l'indique, est un fromage fait de lait de chèvre. C'est un fromage à pâte molle, mais contrairement aux autres fromages à pâte molle, il est plutôt friable et moins onctueux. Il possède une saveur acidulée qui lui est propre.

Poisson blanc aux saveurs méditerranéennes

Isla Horvath, Ontario

4 PORTIONS

La première fois qu'Isla a préparé ce plat, elle a utilisé du mérou frais, elle était alors en vacances dans les Caraïbes. Ici, en Ontario, elle utilise un poisson blanc à chair ferme, comme le flétan.

CONSEIL

Le temps de cuisson variera selon l'épaisseur du poisson. Calculez 10 minutes de cuisson par 2,5 cm (1 po) d'épaisseur.

10 ml (2 c. à thé) de basilic séché
5 ml (1 c. à thé) d'origan séché
30 ml (2 c. à soupe) d'huile d'olive, au total
Le jus d'un citron
4 darnes de flétan sans la peau, soit 500 g (1 lb), au total
175 ml (¾ tasse) d'oignon finement haché
2 gousses d'ail, hachées
175 ml (¾ tasse) de tomates italiennes hachées
125 ml (½ tasse) d'olives noires en tranches
125 ml (½ tasse) de vin blanc sec
125 ml (½ tasse) de fromage feta émietté
Quartiers de citron

1. Dans un plat moyen peu profond, mélanger le basilic, l'origan, 15 ml (1 c. à soupe) d'huile et le jus de citron. Ajouter le flétan et le retourner pour couvrir tous les côtés du mélange. Le mariner à la température de la pièce de 5 à 10 minutes.
2. Chauffer un grand poêlon antiadhésif à feu moyen. Ajouter le flétan et le frire de 3 à 4 minutes de chaque côté ou jusqu'à ce qu'il soit doré des 2 côtés. Le déposer dans une assiette et le garder au chaud.
3. Bien essuyer le poêlon, ajouter le reste de l'huile et faire sauter l'oignon de 3 à 4 minutes ou jusqu'à ce qu'il soit ramolli. Ajouter l'ail et le faire sauter pendant 30 secondes. Ajouter les tomates, les olives et le vin. Faire bouillir, en remuant, jusqu'à ce que le vin ait légèrement réduit. Remettre le poisson dans le poêlon et verser de la sauce par-dessus. Réduire le feu et laisser mijoter de 1 à 2 minutes ou jusqu'à ce que le poisson soit opaque et qu'il s'émiette facilement quand on le pique avec une fourchette.
4. Déposer chaque darne dans une assiette et verser de la sauce uniformément sur le dessus. Parsemer uniformément de feta, puis garnir de quartiers de citron.

VARIANTE

Remplacez les olives noires par des olives vertes farcies au piment.

SUGGESTION DE SERVICE

Servez ce plat avec du quinoa ou du riz brun, cuit et des asperges cuites à la vapeur.

Valeur nutritive par portion	
Calories	289
Lipides	15,2 g
saturés	4,4 g
Sodium	406 mg (17 % VQ)
Glucides	8 g
Fibres	2 g (8 % VQ)
Protéines	27 g
Calcium	189 mg (17 % VQ)
Fer	2,2 mg (16 % VQ)

Teneur très élevée en magnésium, vitamine D, vitamine B_6, vitamine B_{12} et niacine
Teneur élevée en riboflavine

Équivalents par portion pour les personnes diabétiques :
3 ½ Viandes et substituts
1 Matières grasses

Poisson en papillote à la toscane

Christina Blais, diététiste, Québec

4 PORTIONS

«En papillote» signifie cuire les portions individuelles dans de petits paquets. Dans cette recette, les saveurs de la Toscane sont emprisonnées dans les papillotes.

CONSEILS

Pour une présentation spectaculaire, ouvrez les papillotes à table, les invités seront conquis pour ces merveilleux arômes.

Vous pouvez aussi utiliser des filets surgelés. Augmentez alors le temps de cuisson à 15 à 18 minutes.

- • *Préchauffer le four à 220 °C (425 °F)*
- • *4 feuilles de papier sulfurisé d'environ 40 x 30 cm (16 x 12 po) chacune*

4 morceaux d'un filet de saumon sans la peau ou 4 filets de poisson blanc, soit environ 500 g (1 lb), au total
1 gousse d'ail, finement tranchée
2 ml (½ c. à thé) de feuilles de thym frais
30 ml (2 c. à soupe) de vin blanc sec
22 ml (1 ½ c. à soupe) d'huile d'olive extra-vierge, au total
4 olives noires mûres, en tranches
3 tomates séchées dans l'huile, égouttées, épongées et en julienne
175 ml (¾ tasse) de bulbe de fenouil en julienne
3 à 4 feuilles de basilic frais, coupées en fines lanières
1 citron, coupé en 4 quartiers

1. Déposer un morceau de poisson sur chaque feuille de papier sulfurisé. Plier les 4 côtés du papier pour former des plis à environ 10 cm (4 po) du bord, mais ne pas refermer le papier. (Cela empêchera le liquide de se répandre hors du papier).
2. Dans un petit bol, mélanger l'ail, le thym, le vin et 15 ml (1 c. à soupe) d'huile. Verser ce mélange également sur le poisson. Répartir les olives, les tomates et le fenouil également sur le dessus du poisson. Ramener les 2 côtés les plus longs du papier sulfurisé ensemble sur le poisson, puis les replier plusieurs fois pour fermer le centre. Replier ensuite les côtés ensemble, en rentrant les extrémités sous la papillote pour qu'elles tiennent bien en place.
3. Déposer les papillotes sur une plaque à pâtisserie. Cuire au four préchauffé de 10 à 12 minutes ou jusqu'à ce que le poisson s'émiette facilement quand on le pique avec une fourchette.
4. Mettre les papillotes dans des assiettes de service. À l'aide d'un couteau ou de ciseaux, couper le papier pour ouvrir la papillote. Ajouter à chaque papillote le basilic, un quartier de citron et un filet du reste de l'huile.

Valeur nutritive par portion	
Calories	274
Lipides	18,2 g
saturés	3,3 g
Sodium	121 mg (5 % VQ)
Glucides	3 g
Fibres	1 g (4 % VQ)
Protéines	23 g
Calcium	32 mg (3 % VQ)
Fer	1,0 mg (7 % VQ)

Teneur très élevée en vitamine D, vitamine B_6, vitamine B_{12}, thiamine et niacine
Teneur élevée en magnésium et acide folique

Équivalents par portion pour les personnes diabétiques :
3   Viandes et substituts

Les tomates séchées ont été déshydratées par la chaleur du soleil. On peut les trouver sèches ou conservées dans l'huile. Celles qui sont dans l'huile contiennent davantage de matières grasses et de calories, mais elles sont plus savoureuses. Avant la cuisson, égouttez les tomates et épongez-les avec du papier essuie-tout pour retirer une partie de l'huile.

Poisson en papillote à la thaïlandaise

Christina Blais, diététiste, Québec

Christina Blais, diététiste, Québec

4 PORTIONS

Quand le poisson cuit dans sa papillote, les ingrédients aromatiques thaïlandais ajoutent des saveurs sucrées, salées et piquantes.

CONSEILS

Les mangues vertes matures ont une saveur et une texture qui ressemblent à celles d'une pomme verte croquante, acidulée. Choisissez-en une dont la peau est sans tache et la chair ferme.

Pour une présentation spectaculaire, ouvrez les papillotes à table, les invités seront conquis par ces merveilleux arômes.

Vous pouvez aussi utiliser des filets surgelés. Augmentez alors le temps de cuisson à 15 à 18 minutes.

Valeur nutritive par portion	
Calories	269
Lipides	13,5 g
saturés	3,3 g
Sodium	310 mg (13 % VQ)
Glucides	13 g
Fibres	2 g (8 % VQ)
Protéines	23 g
Calcium	27 mg (2 % VQ)
Fer	0,7 mg (5 % VQ)

Teneur très élevée en vitamine C, vitamine D, vitamine B$_6$, vitamine B$_{12}$, thiamine et niacine
Teneur élevée en magnésium, vitamine A et acide folique

Équivalents par portion pour les personnes diabétiques :
½ Glucides
3 Viandes et substituts

- *Préchauffer le four à 220 °C (425 °F)*
- *4 feuilles de papier sulfurisé d'environ 40 x 30 cm (16 x 12 po) chacune*

4 morceaux d'un filet de saumon ou de filets de poisson blanc,
   sans la peau, soit environ 500 g (1 lb), au total
15 ml (1 c. à soupe) de gingembre frais haché
60 ml (¼ tasse) de lait de coco léger
10 ml (2 c. à thé) de sauce de poisson
5 ml (1 c. à thé) de sauce aux piments et à l'ail
Le zeste râpé et le jus d'un citron vert
1 poivron rouge, en julienne
1 mangue verte (voir Conseils), en julienne
30 ml (2 c. à soupe) de feuilles de coriandre fraîche
1 citron vert, coupé en 4 quartiers

1. Déposer un morceau de poisson sur chaque feuille de papier sulfurisé. Plier les 4 côtés du papier pour former des plis à environ 10 cm (4 po) du bord, mais ne pas refermer le papier. (Cela empêchera le liquide de se répandre hors du papier).

2. Dans un petit bol, mélanger le gingembre, le lait de coco, la sauce de poisson, la sauce aux piments et à l'ail, le zeste et le jus de citron vert. Verser le mélange également sur le poisson. Répartir le poivron rouge et la mangue verte également sur le dessus du poisson. Ramener les 2 côtés les plus longs du papier sulfurisé ensemble sur le poisson, puis les replier plusieurs fois pour fermer le centre. Replier ensuite les côtés ensemble, en rentrant les extrémités sous la papillote pour qu'elles tiennent bien en place.

3. Déposer les papillotes sur une plaque à pâtisserie. Cuire au four préchauffé de 10 à 12 minutes ou jusqu'à ce que le poisson s'émiette facilement quand on le pique avec une fourchette.

4. Mettre les papillotes dans des assiettes de service. À l'aide d'un couteau ou de ciseaux, couper le papier pour ouvrir la papillote. Ajouter à chaque papillote la coriandre et un quartier de citron vert.

Même si la noix de coco est considérée comme un fruit du point de vue de la botanique, elle a une teneur élevée en acides gras saturés et devrait être utilisée avec modération. Comparez les étiquettes du lait de coco ordinaire et des versions légères. Plusieurs versions légères contiennent beaucoup moins de gras que le lait de coco ordinaire.

Wraps au saumon

Judy Reynolds, Saskatchewan

✓ **LE CHOIX DES ENFANTS**

Voici une recette simple, aux saveurs remarquablement délicates.

CONSEILS

En manipulant les feuilles de riz, il faut travailler vite et avec soin pour ne pas les déchirer ni les laisser sécher.

Judy prépare parfois de plus petits paquets qu'elle cuit et congèle. Elle les utilise ensuite comme lunchs pour ses enfants. Déposez simplement les petits paquets cuits, refroidis, dans un sac en plastique refermable, puis congelez-les. Décongelez-les au four à micro-ondes pour obtenir un lunch prêt en un tournemain.

Valeur nutritive par portion	
Calories	243
Lipides	12,5 g
saturés	2,5 g
Sodium	128 mg (5 % VQ)
Glucides	8 g
Fibres	0 g (0 % VQ)
Protéines	24 g
Calcium	21 mg (2 % VQ)
Fer	0,5 mg (4 % VQ)

Teneur très élevée en vitamine D, vitamine B_6, vitamine B_{12}, thiamine et niacine

Équivalents par portion pour les personnes diabétiques :
½ Glucides
3 Viandes et substituts

• *Préchauffer le four à 190 °C (375 °F)*
• *Une plaque à pâtisserie légèrement graissée*

6 feuilles de riz de 20 cm (8 po)
6 brins d'aneth frais, sans les tiges
6 morceaux de filet de saumon, sans la peau, d'environ
   750 g (1 ½ lb), au total
1 citron, coupé en 2
Une pincée de sel

1. Remplir un plat peu profond d'eau chaude. Étendre une serviette non pelucheuse propre. En utilisant une seule feuille à la fois, mettre la feuille dans l'eau chaude pendant environ 1 minute pour la ramollir. La retirer délicatement de l'eau, puis la mettre sur la serviette. Déposer un brin d'aneth frais au milieu de la feuille. Mettre un filet de saumon sur l'aneth. Arroser d'une giclée de jus de citron et parsemer de quelques grains de sel. Replier la moitié inférieure de la feuille de riz sur le saumon, replier les côtés, puis replier la partie supérieure pour emprisonner le saumon. Retourner le petit paquet et le déposer, côté fermé vers le bas, sur la plaque à pâtisserie graissée. Répéter l'opération pour faire les cinq autres paquets.

2. Cuire au four préchauffé de 10 à 12 minutes ou jusqu'à ce que le poisson s'émiette facilement quand on le pique avec une fourchette.

VARIANTE

Vous pouvez utiliser d'autres poissons, comme le tilapia, l'aiglefin ou la morue, en ajustant les temps de cuisson, au besoin.

Saumon au four à l'orange et aux noix

Dale Mayerson, diététiste, Ontario

4 PORTIONS

Cette recette ne nécessite que quatre ingrédients simples, mais ils donnent beaucoup de saveur à ce plat.

CONSEILS

Remplissez chaque compartiment d'un bac à glaçons de 15 ml (1 c. à soupe) de jus d'orange concentré et congelez-le. Mettez ensuite les cubes dans un sac de congélation, pour une utilisation ultérieure.

Achetez des demi-noix, puis hachez-les juste avant de les utiliser. Pour obtenir un maximum de fraîcheur, conservez les noix dans un contenant hermétique, au congélateur.

- *Préchauffer le four à 180 °C (350 °F)*
- *Un plat en verre allant au four de 28 x 18 cm (11 x 7 po), graissé*

4 morceaux de filet de saumon sans la peau d'environ 500 g (1 lb), au total
60 ml (¼ tasse) de jus d'orange concentré surgelé décongelé
125 ml (½ tasse) de noix finement hachées
10 ml (2 c. à thé) d'huile de canola

1. Déposer les filets de saumon dans le plat allant au four, graissé. Les arroser uniformément de jus d'orange concentré, puis les parsemer de noix. Les arroser d'huile.
2. Cuire au four préchauffé pendant environ 15 minutes ou jusqu'à ce que le saumon soit opaque et qu'il s'émiette facilement quand on le pique avec une fourchette.

> Le saumon et les noix contribuent à la teneur élevée en gras de cette recette. Ces deux aliments sont des sources d'acides gras oméga-3. Les noix fournissent de l'ALA (un acide gras oméga-3 dont notre organisme a besoin, que l'on trouve dans les aliments d'origine végétale), et le saumon procure de l'EPA et du DHA, qui favorisent la santé du cœur, ainsi que le développement du cerveau, des nerfs et des yeux chez les jeunes enfants. Pour diminuer les acides gras totaux, utilisez 60 ml (¼ tasse) de noix.

VARIANTE

Remplacez le saumon par de l'omble chevalier.

Valeur nutritive par portion	
Calories	326
Lipides	22,8 g
saturés	3,3 g
Sodium	55 mg (2 % VQ)
Glucides	9 g
Fibres	1 g (4 % VQ)
Protéines	22 g
Calcium	33 mg (3 % VQ)
Fer	0,8 mg (6 % VQ)

Teneur très élevée en vitamine D, vitamine B_6, acide folique, vitamine B_{12}, thiamine et niacine
Teneur élevée en magnésium et vitamine C

Équivalents par portion pour les personnes diabétiques :
½ Glucides
3 Viandes et substituts
2 Matières grasses

Salade d'épinards au saumon grillé, à la mangue et aux framboises

Heather McColl, diététiste, Colombie-Britannique

4 PORTIONS

Voilà une succulente salade aux couleurs vives et aux textures différentes.

CONSEIL
Pour éviter la contamination croisée, utilisez deux pinceaux différents pour badigeonner les oignons et le saumon.

Valeur nutritive par portion	
Calories	348
Lipides	17,2 g
saturés	2,5 g
Sodium	98 mg (4 % VQ)
Glucides	30 g
Fibres	5 g (20 % VQ)
Protéines	20 g
Calcium	95 mg (9 % VQ)
Fer	2,2 mg (16 % VQ)

Teneur très élevée en magnésium, vitamine A, vitamine C, vitamine D, vitamine B_6, acide folique, vitamine B_{12}, thiamine et niacine
Teneur élevée en riboflavine

Équivalents par portion pour les personnes diabétiques :
1   Glucides
3   Viandes et substituts
1   Matières grasses

- *Préchauffer le barbecue à température moyenne*
- *Un mélangeur ou un robot culinaire*
- *2 brochettes en bambou de 30 cm (12 po), qui ont trempé dans l'eau*

La vinaigrette aux framboises

150 ml (⅔ tasse) de framboises fraîches ou surgelées
   (décongelées et égouttées, si surgelées)
45 ml (3 c. à soupe) de vinaigre balsamique
15 ml (1 c. à soupe) de miel liquide
30 ml (2 c. à soupe) d'eau
2 ml (½ c. à thé) de moutarde de Dijon
1 ml (¼ c. à thé) de poivre noir fraîchement moulu
30 ml (2 c. à soupe) d'huile de canola ou d'huile d'olive
15 ml (1 c. à soupe) d'échalotes finement hachées

La salade

1 oignon rouge, coupé en 8 quartiers
4 darnes de saumon d'environ 500 g (1 lb), au total
1,5 litre (6 tasses) de jeunes épinards légèrement tassés
1 mangue mûre, en tranches minces
250 ml (1 tasse) de framboises fraîches

1. *La vinaigrette aux framboises :* Au mélangeur, mettre les framboises en purée. Les passer dans un tamis pour en retirer les graines.
2. Dans un petit bol, fouetter la purée de framboises avec le vinaigre, le miel, 30 ml (2 c. à soupe) d'eau, la moutarde et le poivre. Y fouetter l'huile graduellement jusqu'à ce que ce soit bien mélangé. Incorporer les échalotes. Diviser la vinaigrette en deux. En réserver une moitié pour la fin et utiliser l'autre moitié pour griller les brochettes et le saumon.

3. *La salade*: Enfiler 4 quartiers d'oignon sur chaque brochette et les badigeonner de la vinaigrette. Badigeonner les 2 côtés du saumon de vinaigrette. Déposer les brochettes et le saumon sur le barbecue préchauffé, fermer le couvercle et les griller, en les badigeonnant souvent de vinaigrette et en les retournant une fois, pendant 10 minutes ou jusqu'à ce que le saumon soit opaque et qu'il s'émiette facilement quand on le pique avec une fourchette.

4. Retirer les oignons des brochettes, puis les mettre dans un bol à salade. Ajouter les épinards, la mangue, les framboises et la vinaigrette réservée. Mélanger délicatement pour couvrir les ingrédients de la vinaigrette. Répartir la salade entre 4 assiettes et garnir chacune d'une darne de saumon grillé.

Il y a des centaines de variétés de mangue qui poussent sous les tropiques, mais seulement quelques-unes parviennent jusqu'à nous. Les mangues mûres ont une saveur douce et sucrée, semblable à celle d'une pêche mûre, mais leur texture est plus dense. Certaines mangues doivent être mangées pas tout à fait mûres, ou vertes, tandis que d'autres sont meilleures quand elles sont mûres.

VARIANTE

Dans la salade, utilisez un mélange de bleuets, de mûres et de framboises.

SUGGESTION DE SERVICE

C'est la salade-repas idéale. Ajoutez-y simplement des pains bâtons de blé entier pour le côté croquant et savourez les Fraises grillées au yogourt à la vanille (p. 362) comme dessert.

Saumon à la façon de la Côte Ouest

Debbie Houle, diététiste, Colombie-Britannique

6 PORTIONS

Quelques ingrédients et un barbecue chaud, c'est tout ce qu'il faut pour un repas de poisson raffiné prêt en un éclair. Par une chaude soirée d'été, c'est le plat principal par excellence.

CONSEILS

Ne couvrez pas le poisson de papier d'aluminium.

Plutôt qu'un grand morceau de papier d'aluminium, vous pouvez utiliser 6 petits morceaux et mettre un filet sur chaque morceau.

Le temps de cuisson variera selon l'épaisseur du poisson. En règle générale, calculez 10 minutes de cuisson par 2,5 cm (1 po) d'épaisseur.

- *Préchauffer le barbecue à température moyenne*

6 morceaux de filet de saumon d'environ 750 g (1 ½ lb), au total
60 ml (¼ tasse) de mayonnaise légère
60 ml (¼ tasse) de moutarde de Dijon
15 ml (1 c. à soupe) de cassonade légèrement tassée

1. Déposer les filets de saumon, côté peau vers le bas, sur un grand morceau de papier d'aluminium. Plier le papier pour former un bord tout autour.
2. Dans un petit bol, mélanger la mayonnaise et la moutarde. Étendre ce mélange uniformément sur les filets. Parsemer uniformément de cassonade.
3. Mettre le papier d'aluminium sur le barbecue préchauffé, fermer le couvercle et griller de 10 à 12 minutes ou jusqu'à ce que le saumon soit opaque et qu'il s'émiette facilement quand on le pique avec une fourchette.

VARIANTE

Parsemez le poisson cru d'assaisonnement pour poisson sans sel avant d'ajouter le mélange mayonnaise-moutarde.

Valeur nutritive par portion	
Calories	212
Lipides	13,6 g
saturés	2,6 g
Sodium	250 mg (10 % VQ)
Glucides	4 g
Fibres	0 g (0 % VQ)
Protéines	18 g
Calcium	27 mg (2 % VQ)
Fer	0,5 mg (4 % VQ)

Teneur très élevée en vitamine D, vitamine B$_6$, vitamine B$_{12}$ et niacine
Teneur élevée en thiamine

Équivalents par portion pour les personnes diabétiques:
2 ½ Viandes et substituts
½ Matières grasses

Saumon au scotch

Mary Bamford, diététiste, Ontario

4 PORTIONS

✓ **LE CHOIX DES ENFANTS**

Voici l'un des plats favoris de la famille Bamford. Il figure au menu de deux à quatre fois par mois, depuis maintenant plus de 10 ans, et la famille attend toujours ce moment avec joie. Vous en ferez autant!

CONSEILS

Visitez le www.seachoice.org pour vous renseigner sur la pêche durable.

N'utilisez pas plus d'une gousse d'ail, même si vous adorez l'ail. Si vous en utilisiez plus, l'ail dominerait les autres saveurs.

- Préchauffer le gril du four après avoir placé la grille à 10 cm (4 po) de la source de chaleur
- Une plaque à pâtisserie munie d'un bord, graissée

4 morceaux de filet de saumon sans la peau d'environ 500 g (1 lb), au total
1 gousse d'ail, hachée
5 ml (1 c. à thé) de gingembre frais haché (facultatif)
75 ml (⅓ tasse) de scotch
60 ml (¼ tasse) de sirop d'érable pur à 100 %
15 ml (1 c. à soupe) d'huile de canola ou d'huile d'olive
15 ml (1 c. à soupe) de sauce soya à teneur réduite en sodium

1. Déposer les filets de saumon dans un plat en verre ou en céramique peu profond. Dans un petit bol, mélanger l'ail, le gingembre, si désiré, le scotch, le sirop d'érable, l'huile et la sauce soya. Verser la marinade sur le poisson et laisser reposer à la température de la pièce pendant au moins 15 minutes, mais pas plus de 30 minutes. Verser la marinade dans une petite casserole.
2. Mettre le saumon sur la plaque à pâtisserie graissée. Griller de 7 à 10 minutes ou jusqu'à ce que le saumon soit opaque et qu'il s'émiette facilement quand on le pique avec une fourchette.
3. Entre-temps, porter à ébullition la marinade réservée, à feu vif. Réduire le feu et laisser mijoter de 3 à 4 minutes ou jusqu'à ce que la marinade ait légèrement épaissi.
4. Servir le saumon garni de sauce.

VARIANTE
Vous pouvez remplacer le saumon par de la truite arc-en-ciel.

Valeur nutritive par portion	
Calories	298
Lipides	14,4 g
saturés	2,5 g
Sodium	206 mg (9 % VQ)
Glucides	14 g
Fibres	0 g (0 % VQ)
Protéines	20 g
Calcium	29 mg (3 % VQ)
Fer	0,5 mg (4 % VQ)

Teneur très élevée en vitamine D, vitamine B_6, vitamine B_{12} et niacine
Teneur élevée en thiamine et riboflavine

Équivalents par portion pour les personnes diabétiques :
1 Glucides
3 Viandes et substituts

Saumon au four au sirop d'érable

Sue Mah, diététiste, Ontario

Ce plat est assez simple pour être servi un soir de semaine, mais assez raffiné pour recevoir.

CONSEIL

Le temps de cuisson varie selon l'épaisseur du poisson. En règle générale, calculez 10 minutes de cuisson par 2,5 cm (1 po) d'épaisseur.

- *Préchauffer le four à 190 °C (375 °F)*
- *Une plaque à pâtisserie munie d'un bord, couverte de papier sulfurisé ou légèrement graissée*

30 ml (2 c. à soupe) de cassonade bien tassée
30 ml (2 c. à soupe) de sirop d'érable pur à 100 %
15 ml (1 c. à soupe) de sauce soya à teneur réduite en sodium
4 morceaux de filet de saumon sans la peau, soit environ 500 g (1 lb), au total
10 ml (2 c. à thé) d'amandes effilées grillées (p. 139)

1. Dans un bol, mélanger la cassonade, le sirop d'érable et la sauce soya.
2. Déposer les filets de saumon sur la plaque à pâtisserie graissée et les cuire au four préchauffé pendant 10 minutes. Les retirer du four et les arroser également de sauce à l'érable. Cuire de 2 à 3 minutes ou jusqu'à ce que le saumon soit opaque et qu'il s'émiette facilement quand on le pique avec une fourchette. Le parsemer d'amandes et servir.

> C'est en faisant bouillir la sève des érables que l'on fait le sirop d'érable. Traditionnellement, pour récolter la sève, un petit robinet en métal était inséré dans l'écorce et un seau servait à recueillir la sève à mesure qu'elle coulait, au printemps. Au début de la saison des sucres, le sirop est habituellement clair et légèrement sucré. À mesure que la saison avance, le sirop devient plus foncé et plus caramélisé, et il a une saveur plus riche et plus intense. La plus grande partie du sirop d'érable est produite au Québec.

VARIANTE

Vous pouvez ajouter 5 ml (1 c. à thé) d'ail finement haché et 5 ml (1 c. à thé) de gingembre frais finement haché au mélange de sirop d'érable.

Valeur nutritive par portion	
Calories	242
Lipides	11,4 g
saturés	2,3 g
Sodium	208 mg (9 % VQ)
Glucides	14 g
Fibres	0 g (0 % VQ)
Protéines	20 g
Calcium	29 mg (3 % VQ)
Fer	0,7 mg (5 % VQ)

Teneur très élevée en vitamine D, vitamine B_6, vitamine B_{12} et niacine
Teneur élevée en thiamine

Équivalents par portion pour les personnes diabétiques :
1   Glucides
3   Viandes et substituts

Saumon à l'asiatique

Sarah Cormier, diététiste, Nouvelle-Écosse

✓ LE CHOIX DES ENFANTS

Ce saumon doux et épicé plaira à toute la famille, à coup sûr.

CONSEILS

La sauce Hoisin, une sauce très savoureuse faite de soya, d'ail et d'autres épices, a une teneur élevée en sodium, alors utilisez-en peu.

Si vous n'avez pas de vinaigre de riz, vous pouvez le remplacer par du vinaigre de vin rouge ou blanc.

Utilisez un reste de saumon pour faire des croquettes ou de la salade de saumon.

Cette marinade est aussi délicieuse avec le poulet, le porc, les crevettes ou les pétoncles. C'est également une merveilleuse sauce pour les sautés à base de nouilles ou de riz.

Valeur nutritive par portion	
Calories	231
Lipides	12,2 g
saturés	2,4 g
Sodium	309 mg (13 % VQ)
Glucides	9 g
Fibres	0 g (0 % VQ)
Protéines	20 g
Calcium	19 mg (2 % VQ)
Fer	0,5 mg (4 % VQ)

Teneur très élevée en vitamine D, vitamine B_6, vitamine B_{12} et niacine
Teneur élevée en acide folique et thiamine

Équivalents par portion pour les personnes diabétiques :
½ Glucides
3 Viandes et substituts

- *Préchauffer le four à 190 °C (375 °F)*
- *Une plaque à pâtisserie munie d'un bord, couverte de papier d'aluminium, puis de papier sulfurisé*

1 gousse d'ail, finement hachée
10 ml (2 c. à thé) de gingembre frais finement haché
Une pincée de piment rouge en flocons
60 ml (¼ tasse) de sauce Hoisin
15 ml (1 c. à soupe) de vinaigre de riz
15 ml (1 c. à soupe) de miel liquide
10 ml (2 c. à thé) de sauce soya à teneur réduite en sodium
5 ml (1 c. à thé) d'huile de sésame
4 morceaux de filets de saumon sans la peau d'environ 500 g (1 lb), au total

1. Dans un petit bol, mélanger l'ail, le gingembre, le piment en flocons, la sauce Hoisin, le vinaigre, le miel, la sauce soya et l'huile. Mettre toute la marinade, sauf 30 ml (2 c. à soupe), dans un sac en plastique refermable. Ajouter les filets de saumon et y répartir la marinade pour couvrir le saumon. Sceller le sac et laisser reposer à la température de la pièce pendant 10 minutes ou le mettre au réfrigérateur jusqu'à 2 heures.
2. Retirer le saumon de la marinade et le mettre sur la plaque à pâtisserie préparée. Jeter la marinade du sac.
3. Cuire le saumon au four préchauffé, en l'arrosant une fois de la marinade réservée, de 10 à 12 minutes ou jusqu'à ce qu'il soit opaque et qu'il s'émiette quand on le pique avec une fourchette.

Roulés de sole au fromage à la crème

Kelly Light, étudiante en nutrition, Québec

Ce plat se cuit entièrement au micro-ondes. La sole possède une saveur délicate et neutre, et sa chair est très tendre.

CONSEIL

Les temps de cuisson varient selon la puissance des micro-ondes. Les temps de cuisson donnés ont été calculés pour un micro-ondes de 1500 watts. Ajustez-les, au besoin.

Valeur nutritive par portion	
Calories	228
Lipides	9,8 g
saturés	5,5 g
Sodium	331 mg (14 % VQ)
Glucides	7 g
Fibres	2 g (8 % VQ)
Protéines	27 g
Calcium	136 mg (12 % VQ)
Fer	1,9 mg (14 % VQ)

Teneur très élevée en magnésium, vitamine A, vitamine D, acide folique, vitamine B_{12} et niacine
Teneur élevée en vitamine B_6 et riboflavine

Équivalents par portion pour les personnes diabétiques:
3 ½ Viandes et substituts

- *Un plat carré allant au micro-ondes de 23 cm (9 po)*

1 paquet de 300 g (10 oz) d'épinards hachés surgelés
4 filets de sole sans la peau, soit environ 500 g (1 lb), au total
125 g (4 oz) de fromage à la crème léger, au total
125 ml (½ tasse) de carottes en julienne
15 ml (1 c. à soupe) de beurre
15 ml (1 c. à soupe) de farine tout usage
125 ml (½ tasse) de bouillon de poulet à teneur réduite en sodium

1. Déposer les épinards dans le plat allant au micro-ondes, couvrir de pellicule plastique, en laissant un coin ouvert pour que l'air circule, puis chauffer au micro-ondes à puissance élevée pendant 4 minutes. À l'aide d'une fourchette, séparer les épinards le plus possible. Couvrir et chauffer au micro-ondes à puissance élevée pendant 3 minutes. Égoutter les épinards dans une passoire et jeter le liquide. Étendre les épinards uniformément dans le plat.
2. Sur un plan de travail propre, éponger les filets de papier essuie-tout. Étendre 15 ml (1 c. à soupe) du fromage à la crème sur chaque filet, puis rouler le filet comme pour un gâteau roulé, en emprisonnant le fromage. Fixer avec un cure-dent, au besoin.
3. Déposer les roulés uniformément sur les épinards. Répandre les carottes autour du poisson. Couvrir et cuire au micro-ondes à puissance élevée pendant 6 minutes. Réserver.
4. Dans un petit bol allant au micro-ondes, faire fondre le beurre à puissance moyenne (50 %) de 15 à 20 secondes. Incorporer la farine, puis incorporer graduellement le bouillon. Chauffer à puissance élevée pendant 2 minutes. Incorporer le reste du fromage à la crème. Chauffer à puissance élevée pendant 2 minutes ou jusqu'à ce que le fromage soit fondu. Incorporer la sauce, puis verser sur le poisson. Couvrir et chauffer à puissance élevée pendant 2 minutes ou jusqu'à ce que la sole s'émiette facilement quand on la pique avec une fourchette. Laisser reposer, à couvert, pendant 2 minutes. Retirer les cure-dents avant de servir.

VARIANTE

Vous pouvez remplacer la sole par du saumon, et le fromage à la crème nature par du fromage à la crème herbes et ail.

Bœuf à l'orange et au gingembre, p. 201

Filets de porc glacés à l'érable, p. 212

Côtelettes d'agneau grillées à la moutarde de Dijon, p. 219

Flétan, sauce aux tomates séchées et au fromage de chèvre, p. 228

Poisson en papillote à la thaïlandaise, p. 231

Bouillabaisse aux crevettes, p. 248

Frittata à la courge musquée, aux épinards et à la feta, p. 258

Curry marocain aux légumes, p. 272

Truite arc-en-ciel en croûte de poivre

Michelle Gelok, diététiste, Émirats arabes unis

4 PORTIONS

Il n'y a rien de comparable à la truite arc-en-ciel fraîche! Cette recette toute simple assaisonnée d'une bonne quantité de poivre noir fraîchement moulu donne un excellent résultat.

CONSEILS

Laissez le ventilateur de la hotte en marche pour évacuer rapidement la fumée qui proviendrait du poisson que vous avez saisi à feu vif.

Vous avez sans doute l'impression que ça fait une grande quantité de poivre, mais cela donne une délicieuse saveur épicée.

60 ml (4 c. à soupe) de poivre noir grossièrement moulu
1 ml (¼ c. à thé) de gros sel de mer
4 filets de truite arc-en-ciel d'environ 500 g (1 lb), au total
15 ml (1 c. à soupe) d'huile de canola
250 ml (1 tasse) de vin blanc sec
60 ml (¼ tasse) de jus de citron fraîchement pressé

1. Dans un grand plat peu profond, mélanger le poivre et le sel, bien en couvrir le fond du plat. Presser fermement les filets de truite, côté chair vers le bas, dans le mélange de poivre pour couvrir la chair complètement (ne pas couvrir le côté peau). Secouer le surplus et réserver les filets dans une assiette propre. Jeter le surplus du mélange de poivre.
2. Dans un grand poêlon, chauffer l'huile à feu moyen-vif jusqu'à ce qu'elle soit chaude, mais qu'elle ne fume pas. En plusieurs fois, au besoin, déposer les filets dans un poêlon, côté chair vers le bas. Couvrir et cuire de 1 à 2 minutes ou jusqu'à ce que la truite soit bien dorée et croustillante, puis la mettre dans une assiette. Répéter l'opération pour les autres filets.
3. Remettre la truite dans le poêlon, côté chair vers le haut. Réduire à feu moyen-doux, puis ajouter le vin et le jus de citron au poêlon. Couvrir et cuire de 8 à 10 minutes ou jusqu'à ce que la truite soit opaque et qu'elle s'émiette facilement quand on la pique avec une fourchette. Si le poêlon commence à sécher, ajouter de 15 à 30 ml (1 à 2 c. à soupe) d'eau.

Que vous ayez été assez chanceux pour pêcher la truite vous-même ou que vous ayez acheté des filets chez le poissonnier, la truite arc-en-ciel est une savoureuse façon de faire des provisions d'acides gras oméga-3 favorables à la santé. On en trouve dans les Grands Lacs et on la pêche sur le littoral du Pacifique. Ce poisson d'eau douce peut s'adapter à l'eau salée.

VARIANTE

Vous pouvez remplacer la truite par du saumon ou de l'omble chevalier et augmenter le temps de cuisson, au besoin, à l'étape 3.

Valeur nutritive par portion	
Calories	217
Lipides	9,2 g
saturés	1,9 g
Sodium	131 mg (5 % VQ)
Glucides	6 g
Fibres	2 g (8 % VQ)
Protéines	22 g
Calcium	101 mg (9 % VQ)
Fer	2,2 mg (16 % VQ)

Teneur très élevée en vitamine D, vitamine B_6, vitamine B_{12} et niacine
Teneur élevée en magnésium et thiamine

Équivalents par portion pour les personnes diabétiques :
3   Viandes et substituts

Truite glacée aux pêches

Le Groupe Compass Canada

6 PORTIONS

La délicate saveur des pêches et leur agréable couleur orange complètent magnifiquement bien la truite.

CONSEIL

Le temps de blanchiment des pêches varie selon leur degré de maturité.

VARIANTES

Vous pouvez utiliser des nectarines ou des prunes, en ajustant le temps de blanchiment selon la maturité du fruit.

Vous pouvez aussi remplacer la truite par du saumon ou de l'omble chevalier et ajuster le temps de cuisson, au besoin.

- *Préchauffer le four à 200 °C (400 °F)*
- *Un plat en verre allant au four de 33 x 23 cm (13 x 9 po), graissé*

3 pêches
1 gousse d'ail, hachée
10 ml (2 c. à thé) de gingembre frais râpé
30 ml (2 c. à soupe) de cassonade légèrement tassée
2 ml (½ c. à thé) de poivre noir fraîchement moulu
75 ml (⅓ tasse) de jus d'orange non sucré
15 ml (1 c. à soupe) de sauce soya à teneur réduite en sodium
15 ml (1 c. à soupe) de moutarde de Dijon
6 filets de truite sans la peau d'environ 750 g (1 ½ lb), au total

1. À l'aide d'un couteau d'office, faire un petit X en dessous de chaque pêche. Dans une casserole d'eau qui mijote, blanchir les pêches de 2 à 3 minutes ou jusqu'à ce que la peau commence à se détacher. À l'aide d'une cuillère à égoutter, mettre les pêches dans un bain d'eau glacée pour stopper la cuisson. Laisser refroidir pendant 5 minutes ou jusqu'à ce que les pêches soient assez froides pour être manipulées. Peler les pêches et jeter la peau. Hacher les pêches.

2. Dans un bol moyen, mélanger les pêches, l'ail, le gingembre, la cassonade, le poivre, le jus d'orange, la sauce soya et la moutarde.

3. Éponger les filets de truite avec du papier essuie-tout. Les déposer dans le plat allant au four graissé et verser la sauce uniformément sur le poisson.

4. Cuire le poisson au four préchauffé, en l'arrosant de temps en temps de sauce, de 12 à 15 minutes ou jusqu'à ce qu'il soit opaque et qu'il s'émiette facilement quand on le pique avec une fourchette.

Valeur nutritive par portion	
Calories	203
Lipides	6,4 g
saturés	1,8 g
Sodium	176 mg (7 % VQ)
Glucides	11 g
Fibres	1 g (4 % VQ)
Protéines	25 g
Calcium	89 mg (8 % VQ)
Fer	0,7 mg (5 % VQ)

Teneur très élevée en vitamine D, vitamine B$_6$, vitamine B$_{12}$ et niacine
Teneur élevée en magnésium et thiamine

Équivalents par portion pour les personnes diabétiques :
½ Glucides
3 Viandes et substituts

Les pêches sont l'un des quatre fruits les plus populaires en Amérique du Nord (les autres sont les bananes, les pommes et les oranges). Les pêches à noyau libre constituent le meilleur choix quand il faut retirer rapidement la pulpe du noyau, comme dans les conserves ou la fabrication des tartes. Dans les pêches à noyau adhérent, comme leur nom l'indique, la pulpe est plus difficile à retirer du noyau. On les utilise plutôt dans les recettes où la forme du fruit entier doit être conservée, dans les traditionnelles pêches Melba, par exemple.

Truite aux épinards à la grecque

Kristy Lalonde, étudiante en nutrition, Ontario

4 PORTIONS

Une agréable présentation et une délicieuse saveur font de ce plat le choix parfait pour recevoir.

CONSEILS

Assurez-vous d'acheter un filet sans la peau, sinon la peau et le fond de la croûte ne se couperaient pas, au moment de faire des portions.

Utilisez une grande truite épaisse pour obtenir de bons résultats.

VARIANTE

Vous pouvez remplacer la truite par du saumon ou de l'omble chevalier.

Valeur nutritive par portion	
Calories	323
Lipides	15,6 g
saturés	4,0 g
Sodium	279 mg (12 % VQ)
Glucides	17 g
Fibres	1 g (4 % VQ)
Protéines	28 g
Calcium	163 mg (15 % VQ)
Fer	2,1 mg (15 % VQ)

Teneur très élevée en magnésium, vitamine A, vitamine D, vitamine B_6, acide folique, vitamine B_{12}, thiamine et niacine
Teneur élevée en riboflavine

Équivalents par portion pour les personnes diabétiques :
1   Glucides
3 ½ Viandes et substituts
1   Matières grasses

- *Préchauffer le four à 200 °C (400 °F)*
- *Une plaque à pâtisserie munie d'un bord, graissée*

20 ml (4 c. à thé) d'huile de canola ou d'huile d'olive, au total
125 ml (½ tasse) d'oignon finement haché
2 gousses d'ail, hachées
2 ml (½ c. à thé) de poivre noir fraîchement moulu
750 ml (3 tasses) d'épinards frais grossièrement hachés non tassés
60 ml (¼ tasse) de fromage feta émietté
1 filet de truite sans la peau d'environ 500 g (1 lb), au total
Huile végétale de cuisson en atomiseur
4 feuilles de pâte phyllo surgelée, décongelée

1. Dans un grand poêlon, chauffer 5 ml (1 c. à thé) d'huile à feu moyen. Y faire sauter l'oignon de 3 à 4 minutes ou jusqu'à ce qu'il soit ramolli. Ajouter l'ail et le poivre. Faire sauter pendant 30 secondes. Ajouter les épinards, une poignée à la fois, en remuant jusqu'à ce qu'ils soient tendres, avant d'ajouter la poignée suivante. Ajouter jusqu'à 60 ml (¼ tasse) d'eau pour attendrir les épinards plus rapidement, au besoin. Quand tous les épinards sont tendres, retirer le poêlon du feu et incorporer le fromage. Mettre dans un bol moyen et réserver.

2. Essuyer le poêlon, le mettre à feu moyen-vif et ajouter le reste de l'huile. Saisir le filet de truite, en le retournant une fois, pendant environ 1 minute de chaque côté (ne pas le cuire complètement). Retirer du feu.

3. Vaporiser légèrement un plan de travail d'huile. Étendre une feuille de pâte phyllo sur la surface huilée, puis vaporiser la pâte uniformément d'huile. Couvrir délicatement la pâte d'une deuxième feuille de pâte, puis vaporiser d'huile. Répéter l'opération pour les 2 dernières feuilles de pâte phyllo. Déposer la truite saisie au milieu de la pâte phyllo et la garnir uniformément du mélange d'épinards. Replier délicatement le bord inférieur de la pâte sur le poisson, replier les côtés, puis replier le bord supérieur pour former un paquet lâche. Déposer le paquet, le côté fermé vers le bas, sur la plaque à pâtisserie graissée et vaporiser le dessus d'huile.

4. Cuire au four préchauffé de 15 à 20 minutes ou jusqu'à ce que la pâte soit dorée et que le poisson s'émiette facilement quand on le pique avec une fourchette.

Moules, sauce tomate épicée

Mary Sue Waisman, diététiste, Nouvelle-Écosse

Savourez ces moules avec des petits pains de grains entiers ou du pain croûté pour tremper dans la savoureuse sauce.

CONSEILS

Brossez et rincez les moules dans l'eau froide, en prenant soin de changer l'eau 2 ou 3 fois pour vous débarrasser du sable. Utilisez une brosse à poils durs pour enlever tous les filaments sur la coquille extérieure. Jetez les moules dont la coquille est brisée et celles qui ne se referment pas quand vous les frappez légèrement. Après la cuisson, jetez toutes les moules qui ne sont pas ouvertes.

Si vous préférez une sauce moins épicée, réduisez la quantité de piment en flocons.

Valeur nutritive par portion	
Calories	153
Lipides	3,8 g
saturés	0,6 g
Sodium	380 mg (16 % VQ)
Glucides	12 g
Fibres	2 g (8 % VQ)
Protéines	12 g
Calcium	86 mg (8 % VQ)
Fer	5,3 mg (38 % VQ)

Teneur très élevée en vitamine B_{12}
Teneur élevée en magnésium, zinc, vitamine C, acide folique, thiamine et niacine

Équivalents par portion pour les personnes diabétiques :
1 ½ Viandes et substituts

10 ml (2 c. à thé) d'huile de canola
250 ml (1 tasse) d'oignon finement haché
4 gousses d'ail, hachées
1 boîte de 540 ml (19 oz) de tomates, grossièrement hachées
15 ml (1 c. à soupe) d'origan séché
15 ml (1 c. à soupe) de basilic séché
5 ml (1 c. à thé) de piment rouge en flocons
5 ml (1 c. à thé) de poivre noir fraîchement moulu
250 ml (1 tasse) de vin blanc sec
2 kg (4 lb) de moules, brossées et ébarbées (voir Conseils)

1. Dans une grande casserole, chauffer l'huile à feu moyen. Y faire sauter l'oignon de 3 à 4 minutes ou jusqu'à ce qu'il soit ramolli. Ajouter l'ail et le faire sauter pendant 30 secondes. Incorporer les tomates, l'origan, le basilic, le piment en flocons, le poivre et le vin, puis porter à ébullition. Réduire le feu et laisser mijoter, en remuant de temps en temps, de 8 à 10 minutes ou jusqu'à ce que la sauce ait réduit environ du quart.

2. Ajouter les moules, en les pressant pour les plonger dans le liquide, couvrir et laisser mijoter de 6 à 8 minutes ou jusqu'à ce que les moules soient ouvertes. Jeter toutes les moules qui ne sont pas ouvertes.

Moules au cari

Barbara Jaques, Ontario

Les pâtes de cari du commerce peuvent avoir une teneur très élevée en sodium, mais cette sauce au cari maison permet de contrôler la quantité de sodium.

CONSEIL

À l'étape 1, quand vous faites suer les oignons verts et le poivron rouge, vérifiez, de temps en temps, pour vous assurer qu'ils ne dorent pas et baissez le feu, au besoin.

Valeur nutritive par portion	
Calories	157
Lipides	8,3 g
saturés	3,9 g
Sodium	374 mg (16 % VQ)
Glucides	7 g
Fibres	1 g (4 % VQ)
Protéines	12 g
Calcium	39 mg (4 % VQ)
Fer	4,2 mg (30 % VQ)

Teneur très élevée en vitamine B_{12}
Teneur élevée en magnésium, zinc, vitamine C, acide folique et niacine

Équivalents par portion pour les personnes diabétiques :
1 ½ Viandes et substituts
1   Matières grasses

10 ml (2 c. à thé) d'huile de canola
3 oignons verts, finement tranchés
½ gros poivron rouge, en fins dés
7 ml (1 ½ c. à thé) de poudre de cari
5 ml (1 c. à thé) de cumin moulu
2 ml (½ c. à thé) de piment rouge en flocons
30 ml (2 c. à soupe) de gingembre frais râpé
30 ml (2 c. à soupe) de coriandre fraîche grossièrement hachée
1 boîte de 398 ml (14 oz) de lait de coco léger
250 ml (1 tasse) de bouillon de poulet à teneur réduite en sodium
2 kg (4 lb) de moules, brossées et ébarbées (voir Conseils, p. 244)

1. Dans une grande casserole, chauffer l'huile à feu moyen. Incorporer les oignons verts et le poivron rouge. Couvrir et laisser suer de 3 à 4 minutes ou jusqu'à ce qu'ils soient ramollis. Incorporer la poudre de cari, le cumin et le piment en flocons. Les faire sauter pendant 30 secondes ou jusqu'à ce qu'une bonne odeur s'en dégage. Incorporer le gingembre, la coriandre, le lait de coco et le bouillon, puis porter à ébullition. Réduire le feu et laisser mijoter pendant 10 minutes.

2. Ajouter les moules, en les pressant pour les plonger dans le liquide, couvrir et laisser mijoter de 6 à 8 minutes ou jusqu'à ce qu'elles soient ouvertes. Jeter toutes les moules qui ne sont pas ouvertes.

> Chez nous, il y a une profusion de moules le long du littoral atlantique. Avec d'autres mollusques, comme les palourdes et les huîtres, les moules sont l'une des meilleures sources de vitamine B_{12}.

VARIANTE

Pour servir le plat comme soupe, retirez les moules de leurs coquilles, puis remettez-les dans la sauce.

SUGGESTION DE SERVICE

Servez ces moules dans de grandes assiettes à soupe avec du pain croûté au levain de blé entier et une salade verte comme accompagnement.

Risotto aux pétoncles

Summer-Lee Clark, Ontario

Dans cette recette raffinée, la saveur délicate des pétoncles se marie merveilleusement bien au risotto crémeux.

Le risotto

750 ml (3 tasses) de bouillon de poulet à teneur réduite en sodium
5 ml (1 c. à thé) d'huile d'olive
5 ml (1 c. à thé) de beurre
60 ml (¼ tasse) d'échalotes en fins dés
2 gousses d'ail, hachées
250 ml (1 tasse) de riz arborio
250 ml (1 tasse) de vin blanc sec
150 ml (⅔ tasse) de parmesan fraîchement râpé
Une pincée de sel
Poivre blanc fraîchement moulu
15 ml (1 c. à soupe) de thym frais haché (facultatif)

Les pétoncles

10 ml (2 c. à thé) d'huile d'olive
60 ml (¼ tasse) d'échalotes finement hachées
2 gousses d'ail, hachées
60 ml (¼ tasse) de pancetta en fins dés
250 ml (1 tasse) de pétoncles géants, parés et coupés en
    morceaux de 2 cm (¾ po) (voir Conseils)

1. Dans une casserole, verser le bouillon et 750 ml (3 tasses) d'eau, puis les porter à légère ébullition à feu vif. Réduire à feu doux et garder au chaud.

2. *Le risotto:* Dans une casserole moyenne, chauffer l'huile et le beurre à feu moyen. Y faire sauter les échalotes de 1 à 2 minutes ou jusqu'à ce qu'elles soient ramollies sans être dorées. Ajouter l'ail et le faire sauter pendant 30 secondes. Incorporer le riz jusqu'à ce qu'il soit couvert du mélange. Ajouter le vin et le porter à légère ébullition. Laisser mijoter, en remuant, jusqu'à ce que le liquide ait réduit. Incorporer 250 ml (1 tasse) de bouillon, puis laisser mijoter, en remuant souvent, jusqu'à ce que le liquide soit presque tout absorbé et que l'amidon contenu dans le riz commence à être libéré. Continuer à ajouter le bouillon, 250 ml (1 tasse) à la fois, en remuant souvent, jusqu'à ce qu'il ne reste que 250 ml (1 tasse). S'assurer que le bouillon ne soit jamais complètement absorbé par le riz entre chaque ajout.

Valeur nutritive par portion	
Calories	199
Lipides	6,2 g
saturés	2,5 g
Sodium	458 mg (19 % VQ)
Glucides	23 g
Fibres	1 g (4 % VQ)
Protéines	10 g
Calcium	112 mg (10 % VQ)
Fer	0,5 mg (4 % VQ)

Teneur élevée en vitamine B$_{12}$

Équivalents par portion pour les personnes diabétiques:
1½ Glucides
1 Viandes et substituts

3. *Les pétoncles:* Entre-temps, dans un poêlon antiadhésif, chauffer l'huile à feu moyen. Y faire sauter les échalotes de 1 à 2 minutes ou jusqu'à ce qu'elles soient ramollies sans être dorées. Ajouter l'ail et le faire sauter pendant 30 secondes. Ajouter la pancetta et la faire sauter pendant 5 minutes ou jusqu'à ce qu'une partie du gras soit libéré. Ajouter les pétoncles et les faire sauter de 2 à 3 minutes ou jusqu'à ce qu'ils soient presque fermes et opaques. Mettre le mélange de pétoncles dans une assiette et garder au chaud.

4. Vérifier la consistance du riz. S'il est al dente, passer à l'étape 5. S'il n'est pas encore al dente, incorporer le reste du bouillon et cuire, en remuant, jusqu'à ce qu'il soit al dente.

5. Incorporer les pétoncles, le parmesan et le sel au risotto. Poivrer, au goût. Servir garni de thym, si désiré.

Le riz arborio est un riz à grain court qui a une teneur élevée en amidon, ce qui en fait le riz parfait pour le risotto. Le riz carnaroli, un autre riz à grain court, est aussi utilisé pour le risotto. Le riz pour le risotto ne doit pas être rincé avant d'être utilisé, car l'amidon contenu dans la couche extérieure contribue à la texture crémeuse du risotto.

Variante

Vous pouvez remplacer les pétoncles hachés par de petites crevettes (grosseur 36 à 45).

Suggestions de service

Pour servir ce risotto comme plat principal, accompagnez-le d'asperges cuites à la vapeur et de carottes pour compléter le repas.

Pour servir le risotto en entrée, mettez-le dans de jolies coquilles qui ont été transformées en plats.

Conseils

Si vous utilisez les petits pétoncles de baie, vous n'avez pas besoin de les couper. Les pétoncles géants toutefois peuvent avoir jusqu'à 5 cm (2 po) de diamètre et doivent être coupés en plus petits morceaux, dans cette recette. Assurez-vous d'enlever le muscle dur situé sur les côtés des pétoncles, avant de les couper.

La pancetta, que l'on appelle souvent bacon italien, a une teneur élevée en gras, alors utilisez-en peu.

Les pétoncles sont cuits séparément pour éviter qu'ils ne soient trop cuits.

Bouillabaisse aux crevettes

Heather McColl, diététiste, Colombie-Britannique

Le zeste d'orange et le fenouil font un mariage éclatant et savoureux dans cette copieuse bouillabaisse, un ragoût de fruits de mer originaire de Provence.

CONSEILS

Si vous ne trouvez pas de crevettes tachetées, utilisez des crevettes moyennes (grosseur 31 à 35).

Pour décongeler les crevettes, déposez le paquet surgelé dans un bol et mettez-le au réfrigérateur pendant toute la nuit.

Préparez tout avant de commencer à cuisiner, car dans ce plat, il faut ajouter les ingrédients rapidement.

Les poireaux peuvent contenir de la terre et du sable entre leurs couches, alors assurez-vous de bien les laver.

Valeur nutritive par portion	
Calories	160
Lipides	4,4 g
saturés	1,2 g
Sodium	374 mg (16 % VQ)
Glucides	9 g
Fibres	2 g (8 % VQ)
Protéines	19 g
Calcium	91 mg (8 % VQ)
Fer	2,6 mg (19 % VQ)

Teneur très élevée en magnésium, vitamine B$_{12}$ et niacine
Teneur élevée en vitamine B$_6$

Équivalents par portion pour les personnes diabétiques :
2   Viandes et substituts

15 ml (1 c. à soupe) d'huile de canola
15 ml (1 c. à soupe) de beurre
5 ml (1 c. à thé) de graines de fenouil, écrasées
1 poireau, la partie blanche seulement, finement tranché
1 bulbe de fenouil, finement haché
250 ml (1 tasse) d'oignon haché
2 gousses d'ail, hachées
30 ml (2 c. à soupe) de pâte de tomates
2 ml (½ c. à thé) de thym séché
250 ml (1 tasse) de vin blanc sec
4 tomates italiennes, en dés
2 boîtes de 398 ml (14 oz) chacune de jus de palourdes
60 ml (¼ tasse) de persil frais grossièrement haché
Une pincée de brins de safran
Le zeste râpé d'une petite orange
500 g (1 lb) de filets de poisson blanc sans la peau (comme l'aiglefin, la morue ou le flétan), coupés en cubes
1 paquet de 340 g (12 oz) de crevettes tachetées sauvages de Colombie-Britannique, décortiquées et déveinées
Une pincée de sel
Poivre noir fraîchement moulu

1. Dans une casserole, chauffer l'huile et le beurre à feu moyen. Faire sauter les graines de fenouil environ 30 secondes ou jusqu'à ce qu'une bonne odeur s'en dégage. Ajouter le poireau, le bulbe de fenouil et l'oignon. Les faire sauter 5 minutes ou jusqu'à ce qu'ils soient ramollis. Ajouter l'ail et le faire sauter 30 secondes. Incorporer la pâte de tomates et le thym, puis les faire sauter 2 minutes.
2. Ajouter le vin et déglacer la casserole, en raclant le fond pour enlever tous les petits morceaux qui y ont adhéré. Incorporer les tomates, le jus de palourdes, le persil, le safran et le zeste d'orange. Couvrir et porter à ébullition. Incorporer le poisson et laisser bouillir 2 minutes. Incorporer les crevettes et laisser bouillir 2 minutes ou jusqu'à ce que le poisson soit opaque, qu'il s'émiette quand on le pique avec une fourchette et que les crevettes soient roses et opaques. Saler et poivrer, au goût.

On trouve les crevettes tachetées au large de la côte Ouest canadienne. Leur corps est généralement brun roux ou brun clair et leur carapace a des barres horizontales et des taches blanches caractéristiques. Leur saveur est douce et délicate et leur texture est ferme.

Curry de crevettes et carottes en rubans

Candace Ivanco-Boutot, Colombie-Britannique

✓ LE CHOIX DES ENFANTS

Les carottes pelées en rubans donnent à ce plat une allure chic et une texture intéressante. Servez-les sur du riz brun.

CONSEIL

Vérifiez votre habileté à peler les carottes *avant* de préparer ce plat pour vos invités.

Valeur nutritive par portion	
Calories	172
Lipides	7,0 g
saturés	3,0 g
Sodium	167 mg (7 % VQ)
Glucides	8 g
Fibres	2 g (8 % VQ)
Protéines	18 g
Calcium	75 mg (7 % VQ)
Fer	2,9 mg (21 % VQ)

Teneur très élevée en vitamine A, vitamine B$_{12}$ et niacine
Teneur élevée en magnésium

Équivalents par portion pour les personnes diabétiques :
2 ½ Viandes et substituts

1 kg (2 lb) de grosses crevettes, décortiquées et déveinées
6 gousses d'ail, hachées
45 ml (3 c. à soupe) de poudre de cari
15 ml (1 c. à soupe) d'huile de canola
6 carottes
1 boîte de 398 ml (14 oz) de lait de coco léger
Le jus de ½ citron vert
60 ml (¼ tasse) de coriandre fraîche finement hachée

1. Dans un grand bol, mélanger les crevettes, l'ail, la poudre de cari et l'huile, en s'assurant que les crevettes sont bien couvertes du mélange. Mariner à la température de la pièce pendant 30 minutes.

2. Entre-temps, peler la couche extérieure des carottes. À l'aide d'un économe, presser fermement d'un côté de la carotte pour couper de longs rubans. Retourner la carotte et continuer à couper des rubans. Jeter la partie intérieure si elle semble dure. Répéter l'opération pour les autres carottes. Il devrait y avoir environ 1,5 litre (6 tasses) de rubans de carottes non tassés.

3. Chauffer un grand poêlon à feu moyen-vif. Ajouter la moitié des crevettes et cuire de 1 à 2 minutes ou jusqu'à ce qu'elles deviennent roses. Retourner les crevettes et cuire de 1 à 2 minutes ou jusqu'à ce qu'elles soient presque fermes. Les mettre ensuite dans une assiette et les garder au chaud. Répéter l'opération pour le reste des crevettes.

4. Remettre toutes les crevettes dans le poêlon, ajouter les rubans de carotte et le lait de coco, puis porter à ébullition. Réduire le feu et laisser mijoter pendant 2 minutes ou jusqu'à ce que les carottes soient tendres et que les crevettes soient opaques. Arroser de jus de citron vert et servir garni de coriandre.

Les crevettes sont vendues selon leur grosseur. Le nombre que l'on trouve sur les emballages indique le nombre de crevettes par 454 g (1 lb). Par exemple, un sac étiqueté « 21 à 25 » contient de 21 à 25 crevettes par 454 g (1 lb), et celles-ci seront assez grosses. Dans un sac de crevettes étiqueté « 51 à 60 », les crevettes seront beaucoup plus petites.

SUGGESTION DE SERVICE

Accompagnez ce plat de riz brun et d'asperges cuites à la vapeur et vous aurez un agréable contraste de couleurs.

Pâtes aux rapinis et aux crevettes

Karen Benevento, Ontario

DE 6 À 8 PORTIONS

Cette recette est une savoureuse aventure avec un légume vert souvent délaissé.

CONSEILS

Ne respirez pas les émanations qui se dégagent du piment en flocons quand vous le faites cuire.

Vous pouvez remplacer les pâtes blanches par des pâtes de blé entier ou par des pâtes trois couleurs.

750 ml (3 tasses) de pennes ou de rotinis
1 botte de rapinis d'environ 500 g (1 lb), parés et grossièrement hachés
30 ml (2 c. à soupe) d'huile de canola, au total
3 gousses d'ail, hachées
5 ml (1 c. à thé) de piment rouge en flocons
5 ml (1 c. à thé) de basilic séché
500 g (1 lb) de grosses crevettes, décortiquées et déveinées
1 gros oignon rouge, très finement tranché
375 ml (1 ½ tasse) de champignons en tranches de 0,5 cm (¼ po) d'épaisseur
125 ml (½ tasse) de parmesan fraîchement râpé

1. Dans une grande casserole d'eau bouillante salée, cuire les pâtes selon les instructions qui figurent sur l'emballage jusqu'à ce qu'elles soient al dente. Les égoutter, puis les mettre dans un grand bol de service.

2. Entre-temps, dans une autre casserole, porter 750 ml (3 tasses) d'eau à ébullition à feu vif. Ajouter les rapinis, réduire à feu moyen-vif, couvrir et laisser bouillir de 3 à 4 minutes ou jusqu'à ce qu'ils soient tendres. Les égoutter, puis les rincer sous l'eau froide. Réserver.

3. Dans un grand poêlon, chauffer 15 ml (1 c. à soupe) d'huile à feu moyen. Y faire sauter l'ail, le piment en flocons et le basilic pendant 1 minute ou jusqu'à ce que l'ail commence à ramollir, mais il ne doit pas dorer. Ajouter les crevettes et les faire sauter de 2 à 3 minutes ou jusqu'à ce qu'elles commencent à devenir roses. Réduire à feu doux, couvrir et cuire pendant 2 minutes, jusqu'à ce que les crevettes soient roses et opaques. Mettre ensuite les crevettes dans un bol et réserver.

4. Essuyer le poêlon. Augmenter à feu moyen-vif et ajouter le reste de l'huile. Y faire sauter les oignons et les champignons de 3 à 4 minutes ou jusqu'à ce que les oignons soient ramollis. Ajouter les rapinis et les crevettes, puis les faire sauter de 2 à 3 minutes ou jusqu'à ce qu'ils soient bien chauds.

5. Verser le mélange de crevettes sur les pâtes et bien mélanger. Parsemer de parmesan.

Valeur nutritive par portion	
Calories	251
Lipides	6,7 g
saturés	1,5 g
Sodium	264 mg (11 % VQ)
Glucides	31 g
Fibres	4 g (16 % VQ)
Protéines	17 g
Calcium	173 mg (16 % VQ)
Fer	3,6 mg (26 % VQ)

Teneur très élevée en acide folique, vitamine B_{12} et niacine
Teneur élevée en magnésium, zinc, vitamine A et thiamine

Équivalents par portion pour les personnes diabétiques :
1 ½ Glucides
1 ½ Viandes et substituts

Le rapini, qu'on appelle aussi brocoli italien, est un légume vert au goût amer qui est apprécié pour sa saveur affirmée. Avant de l'utiliser, retirez les tiges sous l'endroit où les feuilles sont attachées.

Linguines aux asperges, au citron et à l'aneth

Heather McColl, diététiste, Colombie-Britannique

Des saveurs délicates et rafraîchissantes complètent parfaitement les linguines de blé entier dans ce délicieux plat de pâtes aux fruits de mer.

CONSEILS

Si vous ne trouvez pas de crevettes tachetées, utilisez des crevettes moyennes (grosseur 31 à 35).

Quand vous cuisez les asperges avec les pâtes, vous utilisez une casserole de moins.

Valeur nutritive par portion	
Calories	280
Lipides	6,1 g
saturés	1,8 g
Sodium	416 mg (17 % VQ)
Glucides	33 g
Fibres	4 g (16 % VQ)
Protéines	21 g
Calcium	163 mg (15 % VQ)
Fer	3,1 mg (22 % VQ)

Teneur très élevée en magnésium, acide folique, vitamine B_{12} et niacine
Teneur élevée en zinc et thiamine

Équivalents par portion pour les personnes diabétiques :
2   Glucides
2   Viandes et substituts

250 g (8 oz) de linguines de blé entier
250 g (8 oz) de pointes d'asperge, parées et coupées en morceaux de 5 cm (2 po)
15 ml (1 c. à soupe) d'huile de canola
3 échalotes, tranchées
3 gousses d'ail, hachées
250 ml (1 tasse) de vin blanc sec
Le zeste râpé et le jus d'un citron
1 paquet de 340 g (12 oz) de crevettes tachetées sauvages de Colombie-Britannique, décortiquées et déveinées
125 ml (½ tasse) de parmesan fraîchement râpé
60 ml (¼ tasse) d'aneth frais haché

1. Dans une grande casserole d'eau bouillante salée, cuire les pâtes selon les instructions qui figurent sur l'emballage, jusqu'à ce qu'elles soient al dente, en ajoutant les asperges dans les trois dernières minutes de cuisson. Les égoutter, puis les mettre dans un grand bol de service.
2. Entre-temps, dans un grand poêlon, chauffer l'huile à feu moyen. Faire sauter les échalotes de 3 à 4 minutes ou jusqu'à ce qu'elles soient ramollies. Ajouter l'ail et le faire sauter pendant 30 secondes. Ajouter le vin, le zeste et le jus de citron, puis porter à ébullition, en remuant. Incorporer les crevettes et laisser mijoter de 2 à 3 minutes ou jusqu'à ce qu'elles soient roses et opaques.
3. Verser le mélange de crevettes sur les pâtes et remuer pour bien mélanger. Parsemer de parmesan et d'aneth.

VARIANTE

Vous pouvez remplacer les asperges par 500 ml (2 tasses) de brocoli haché.

Courge spaghetti, sauce rouge aux palourdes

Brigitte Lamoureux, diététiste, Manitoba

6 PORTIONS

Cette sauce facile à préparer et polyvalente est tout à fait savoureuse. Elle est délicieuse sur la courge spaghetti, comme dans cette recette, mais elle est aussi excellente sur des pâtes de blé entier.

Conseils

L'acidité des tomates en conserve varie. Goûtez la sauce et rectifiez l'assaisonnement en ajoutant plus de sucre pour neutraliser l'acidité, au besoin.

Selon la grosseur de la courge, vous aurez peut-être besoin de moins de sauce. Réfrigérez les restes de sauce jusqu'à 2 jours et utilisez-la pour un autre repas.

Valeur nutritive par portion	
Calories	175
Lipides	3,1 g
saturés	0,6 g
Sodium	210 mg (9 % VQ)
Glucides	30 g
Fibres	6 g (24 % VQ)
Protéines	10 g
Calcium	110 mg (10 % VQ)
Fer	7,5 mg (54 % VQ)

Teneur très élevée en vitamine A, vitamine C et vitamine B_{12}
Teneur élevée en magnésium, vitamine B_6, acide folique et niacine

Équivalents par portion pour les personnes diabétiques :
1 Glucides
1 Viandes et substituts

- *Préchauffer le four à 180 °C (350 °F)*
- *Un plat en verre allant au four de 33 x 23 cm (13 x 9 po)*

1 courge spaghetti
2 boîtes de 142 g (5 oz) chacune de petites palourdes, avec leur jus
5 ml (1 c. à thé) d'huile de canola ou d'huile d'olive
250 ml (1 tasse) d'oignon finement haché
1 gousse d'ail, hachée
1 boîte de 796 ml (28 oz) de tomates en dés sans sel, avec leur jus
1 boîte de 156 ml (5 ½ oz) de pâte de tomates
60 ml (¼ tasse) de persil frais finement haché
60 ml (¼ tasse) de basilic frais finement haché
30 ml (2 c. à soupe) de parmesan fraîchement râpé
15 ml (1 c. à soupe) de sucre granulé
5 ml (1 c. à thé) d'ail en poudre
2 ml (½ c. à thé) de poivre noir fraîchement moulu
Une pincée de sel
60 ml (¼ tasse) de vin rouge sec

1. Couper les 2 extrémités de la courge, puis la couper en 2 dans le sens de la longueur. Déposer les demi-courges, côté chair vers le haut, dans le plat allant au four. Verser 1 cm (½ po) d'eau. Couvrir le plat de papier d'aluminium. Cuire au four 45 minutes ou jusqu'à ce que la courge soit tendre. Mettre sur une grille métallique. Laisser refroidir.
2. Égoutter le jus des palourdes, mais en réserver la moitié. Réserver les palourdes et leur jus.
3. Entre-temps, dans une casserole moyenne, chauffer l'huile à feu moyen. Y faire sauter l'oignon de 3 à 4 minutes ou jusqu'à ce qu'il soit ramolli. Ajouter l'ail et le faire sauter 30 secondes. Réduire à feu moyen-doux et faire sauter le mélange environ 5 minutes ou jusqu'à ce que les oignons commencent à caraméliser.
4. Incorporer les palourdes avec le jus réservé, les tomates avec leur jus, la pâte de tomates, le persil, le basilic, le parmesan, le sucre, l'ail en poudre, le poivre, le sel et le vin, puis porter à ébullition, en remuant souvent. Réduire à feu doux, couvrir et laisser mijoter 30 minutes.
5. Quand la courge est assez froide pour être manipulée, gratter les graines et les enlever. À l'aide d'une fourchette, gratter la courge et les filaments se détacheront, puis les mettre dans un grand bol de service. Jeter la peau. Verser la sauce sur la courge.

Guedilles au homard

Mary Sue Waisman, diététiste, Nouvelle-Écosse

Dans ce plat traditionnel des Maritimes, il est préférable d'utiliser de la chair de homard fraîchement cuite, mais du homard en conserve surgelé, décongelé, donne aussi d'excellents résultats.

CONSEILS

C'est la façon traditionnelle de préparer des guedilles au homard. Mais si vous voulez leur ajouter des éléments nutritifs, utilisez des pains à hot-dogs de blé entier ou des petits pains croûtés de blé entier et ajoutez de la laitue déchiquetée et d'autres légumes hachés.

Remuez la salade délicatement pour éviter qu'elle ne soit trop mélangée.

500 ml (2 tasses) de chair de homard cuite déchiquetée ou hachée
60 ml (¼ tasse) d'oignon en fins dés
60 ml (¼ tasse) de céleri en fins dés
30 ml (2 c. à soupe) de mayonnaise légère
15 ml (1 c. à soupe) de jus de citron fraîchement pressé
1 ml (¼ c. à thé) de poivre noir fraîchement moulu
4 pains blancs à hot-dogs, ouverts

1. Dans un bol moyen, mélanger délicatement le homard, l'oignon, le céleri, la mayonnaise, le jus de citron et le poivre. Répartir le mélange également entre les pains.

Valeur nutritive par portion	
Calories	231
Lipides	5,0 g
saturés	1,0 g
Sodium	548 mg (23 % VQ)
Glucides	26 g
Fibres	1 g (4 % VQ)
Protéines	19 g
Calcium	114 mg (10 % VQ)
Fer	1,9 mg (14 % VQ)

Teneur très élevée en zinc, acide folique, vitamine B$_{12}$ et niacine
Teneur élevée en magnésium et thiamine

Équivalents par portion pour les personnes diabétiques :

1 ½ Glucides
2 Viandes et substituts

Les mets végétariens

Les recettes de ce chapitre illustrent bien à quel point il est simple de composer des mets végétariens et végétaliens à saveur internationale à partir d'aliments d'ici, le tout agrémenté d'une touche d'épices et de produits de spécialité. Un régime végétarien peut vous fournir tous les éléments nutritifs dont vous avez besoin, s'il est bien planifié. Mais vous devez porter une attention particulière à votre apport en vitamine B$_{12}$, en calcium et en certains autres éléments nutritifs. Dans l'ensemble, le végétarisme est assez bénéfique pour la santé. En effet, des études démontrent qu'un régime végétalien réduirait les risques d'obésité, de diabète de type 2, d'hypertension artérielle, de maladies du cœur et de certains types de cancer.

Frittata à la courge musquée, aux épinards
et à la feta 258

Quiche aux courgettes, aux carottes et au
cheddar fumé en croûte de pommes de terre . . . 259

Hamburgers végétariens aux légumineuses 260

Galettes aux pacanes 262

Burgers aux portobellos garnis de fromage 263

Portobellos farcis au fromage à la crème 264

Pizza aux légumes verts de l'été 266

Pâte à pizza de blé entier 267

Tacos aux lentilles vite faits 268

Enchiladas aux haricots noirs et au maïs 269

Succotash à la courge, au maïs et aux haricots 270

Curry de patates douces et de pois chiches 271

Curry marocain aux légumes 272

Kugel de pommes de terre sans gluten 274

Terrine à l'orge 275

Couscous à la courge à la mijoteuse 276

Chow mein aux légumes 277

Sauce de base aux tomates italiennes 278

Sauce à l'aubergine 279

Pâtes aux légumes grillés 280

Fettuccinis, sauce crémeuse aux noix de cajou 282

Pasta e Fagioli 283

Pâtes aux épinards et aux haricots noirs 284

Tourte aux spaghettis et aux épinards 285

Casserole de pâtes aux légumes et au fromage 286

Lasagne à l'aubergine 287

Lasagne au tofu et aux épinards 288

Lasagne végétarienne épicée 290

Pilaf au tofu et aux légumes 291

Les types d'alimentation végétarienne

Même si tous les régimes sans viande sont considérés comme une forme de végétarisme, certains végétariens adoptent un régime plus strict :

- Les *lacto-végétariens* éliminent toute source de protéines animales, sauf les produits laitiers.
- Les *ovo-végétariens* éliminent toute source de protéines animales, sauf les œufs et les produits à base d'œufs.
- Les *lacto-ovo-végétariens* éliminent toute source de protéines animales, sauf les produits laitiers et les produits à base d'œufs.
- Les *végétaliens* éliminent toute source de protéines animales, dont le miel et les aliments contenant des produits d'origine animale, comme la gélatine et la caséine.

Les végétaliens ont-ils un apport suffisant en éléments nutritifs ?

Les habitudes alimentaires des végétaliens peuvent nécessiter une planification supplémentaire. Ils doivent porter une attention particulière pour consommer assez de certains éléments nutritifs, dont les protéines, le fer, le zinc, le calcium, les vitamines D et B_{12}, ainsi que les acides gras oméga-3. Un régime alimentaire végétalien bien planifié peut satisfaire tous ces besoins. C'est un mode d'alimentation sûr et sain pour les femmes enceintes et celles qui allaitent, les bébés, les enfants, les adolescents et les personnes âgées. Une variété d'aliments végétaux consommés tout au long de la journée peut fournir assez de protéines pour favoriser et maintenir une bonne santé.

Choisissez des légumineuses

Les légumineuses, dont les pois, les haricots, les pois chiches et les lentilles, fournissent des protéines et des fibres alimentaires en plus d'être faibles en gras. La plupart sont également riches en fer et contiennent plusieurs autres vitamines et minéraux.

Notre pays produit beaucoup de légumineuses. Elles sont savoureuses, très nutritives et abordables. Voilà de bonnes raisons pour les intégrer à votre menu quotidien. Voici quelques idées pratiques :

- Réduisez des haricots cuits en purée et ajoutez-les à vos sauces tomate.
- Ajoutez des lentilles dans une soupe, pour l'épaissir sans que vous ayez besoin d'ajouter de la crème.
- Utilisez des lentilles brunes cuites, plutôt que du bœuf haché, dans des plats comme la lasagne et le pâté chinois.
- Parsemez les pizzas de lentilles ou de pois chiches, cuits, et d'autres garnitures de votre choix.
- Ajoutez des haricots rouges cuits aux pilafs. Vous aurez un plat coloré et plus élevé en fibres.
- Ajoutez des pois chiches cuits aux salades.

Petit cours de cuisine familiale

Comment préparer le bouillon de légumes

Savoureux et polyvalent, le bouillon de légumes est facile à préparer et vous pouvez utiliser les légumes que vous avez sous la main. De plus, vous contrôlez la quantité de sel ajouté. Dans la recette ci-dessous, il n'y a pas de sel.

Le bouillon de légumes remplace le bouillon de bœuf dans la plupart des cas. Toutefois, notez que le bouillon de légumes froid est liquide et non gélatineux, car il ne contient aucune gélatine (un sous-produit de la préparation du bouillon à base d'os animaux).

Pour le bouillon de légumes, il vaut mieux ne pas compliquer les choses et utiliser quelques variétés de légumes seulement. En préparant la recette de bouillon ci-dessous, ajoutez-y de la tomate si vous désirez l'employer dans des recettes utilisant d'autres produits de la tomate. N'en mettez pas si vous voulez préparer un bouillon clair, pour une soupe aux champignons ou au chou-fleur, par exemple. Ajoutez le navet si vous prévoyez utiliser le bouillon dans des recettes avec d'autres légumes-racines.

Cette recette donne 2 litres (8 tasses) de bouillon de légumes.

Le bouquet garni

8 tiges de persil
4 brins de thym frais
1 feuille de laurier
1 ml (¼ c. à thé) de poivre noir fraîchement moulu

Le bouillon

30 ml (2 c. à soupe) d'huile de canola
3 gousses d'ail, pelées et écrasées
1 oignon, haché
1 poireau, les parties blanches et vertes, haché
1 grosse carotte, hachée
1 branche de céleri, hachée
1 tomate, hachée (facultatif)
125 ml (½ tasse) de navet ou de fenouil, coupé en dés (facultatif)

1. *Le bouquet garni :* Étendre un carré d'étamine à plat, puis le plier en 2. Déposer le persil, le thym, la feuille de laurier et les grains de poivre au centre. Replier les côtés, former un petit balluchon, puis l'attacher avec de la ficelle de cuisine. Couper l'excédent d'étamine.
2. *Le bouillon :* Dans une grande marmite, chauffer l'huile à feu moyen. Ajouter l'ail, l'oignon, le poireau, la carotte, le céleri, la tomate, si désiré, et le navet, si désiré. Couvrir et faire suer les légumes de 8 à 10 minutes ou jusqu'à ce qu'ils libèrent une partie de leur jus, en réduisant le feu, au besoin, pour les empêcher de dorer.
3. Ajouter 2 litres (8 tasses) d'eau et le bouquet garni. Augmenter à feu vif, puis porter à ébullition. Réduire à feu doux et laisser mijoter, à découvert, de 35 à 40 minutes ou jusqu'à ce que le bouillon soit savoureux. Filtrer dans une passoire, puis jeter les légumes et le bouquet garni. Utiliser immédiatement ou laisser refroidir complètement, verser dans des contenants hermétiques et mettre au réfrigérateur. Le bouillon se conservera jusqu'à 5 jours.

Petit cours de cuisine familiale

La cuisson des haricots secs

On trouve des légumineuses cuites, comme les haricots rouges et les pois chiches, en conserve, mais ils ont souvent une teneur élevée en sodium. Vous pouvez réduire cette quantité de moitié en les rinçant, mais si vous avez le temps, il est plus économique de cuire les haricots et les pois secs vous-même. De cette façon, ils n'auront aucun sel ajouté. Voici la façon de procéder.

Le trempage

Les haricots et les pois secs (sauf les lentilles et les pois cassés) doivent avoir trempé avant la cuisson pour remplacer l'eau perdue lors du séchage. En règle générale, utilisez 750 ml (3 tasses) d'eau par 250 ml (1 tasse) de haricots. Après le trempage, jetez l'eau, puis rincez les haricots (cette étape permet de réduire les composantes responsables des gaz). Voici trois méthodes de trempage:

- *Le trempage pendant la nuit:* Laisser reposer les haricots et l'eau dans un bol jusqu'au lendemain. Égoutter les haricots. (**Note:** Pour les pois entiers, un trempage de 1 ou 2 heures suffit. Pour les pois chiches et les haricots, les faire tremper pendant 8 heures ou jusqu'au lendemain).
- *Le trempage rapide:* Dans une grande casserole, porter l'eau et les haricots à ébullition. Couvrir et laisser bouillir pendant 2 minutes. Retirer du feu et laisser reposer pendant 1 heure. Égoutter les haricots.
- *Le trempage au micro-ondes:* Dans un plat allant au micro-ondes, mettre de l'eau chaude et les haricots. Couvrir et cuire au micro-ondes à puissance élevée pendant 15 minutes ou jusqu'à ébullition. Laisser reposer pendant 1 heure. Égoutter les haricots.

La cuisson

Pour cuire des haricots qui ont déjà trempé, utilisez 750 ml (3 tasses) d'eau par 250 ml (1 tasse) de haricots et suivez l'une des méthodes ci-dessous. Plus vous laissez reposer les haricots qui ont trempé, plus ils vont sécher et plus le temps de cuisson sera long.

- *La cuisson sur la cuisinière:* Dans une grande casserole, mettre l'eau et les haricots qui ont déjà trempé. Couvrir et porter à vive ébullition. Réduire le feu et laisser mijoter de 45 à 60 minutes ou jusqu'à ce que les haricots soient tendres quand on les pique avec une fourchette. Pour les lentilles, calculer de 20 à 30 minutes.
- *La cuisson au micro-ondes:* Dans un plat allant au micro-ondes, mettre l'eau et les haricots qui ont trempé. Couvrir et cuire au micro-ondes à puissance élevée de 10 à 15 minutes ou jusqu'à ébullition. Remuer et cuire à puissance moyenne (50%) pendant 15 minutes. Remuer de nouveau et cuire à puissance moyenne (50%) de 10 à 20 minutes ou jusqu'à ce que les haricots soient tendres quand on les pique avec une fourchette.

Ces méthodes servent de guide seulement. En cas de doute, vérifiez les instructions qui figurent sur l'emballage.

Frittata à la courge musquée, aux épinards et à la feta

Lindsay Mandryk, diététiste, Colombie-Britannique

12 PORTIONS

Lindsay achète des œufs de poulet fermier d'une collègue. Cette frittata colorée lui a fait voir les œufs frais d'un autre œil.

CONSEIL

La courge musquée peut être difficile à peler. Pour vous faciliter la tâche, coupez d'abord la courge en 2 dans le sens de la largeur pour obtenir 2 surfaces planes. Déposez ensuite chaque demi-courge du côté coupé et utilisez un couteau bien aiguisé pour retirer la peau dure.

Valeur nutritive par portion	
Calories	151
Lipides	8,0 g
saturés	4,1 g
Sodium	192 mg (8 % VQ)
Glucides	12 g
Fibres	2 g (8 % VQ)
Protéines	9 g
Calcium	177 mg (16 % VQ)
Fer	1,2 mg (9 % VQ)

Teneur très élevée en vitamine A et vitamine B$_{12}$
Teneur élevée en magnésium, acide folique et riboflavine

Équivalents par portion pour les personnes diabétiques :
½ Glucides
1 Viandes et substituts
1 Matières grasses

- *Préchauffer le four à 200 °C (400 °F)*
- *Un plat en verre allant au four de 33 x 23 cm (13 x 9 po), légèrement graissé*

1 courge musquée, pelée et en cubes, soit 1 à 1,25 litre (4 à 5 tasses)
1 paquet de 300 g (10 oz) d'épinards surgelés hachés, décongelés et égouttés
375 ml (1 ½ tasse) de pommes de terre en cubes
175 ml (¾ tasse) d'oignon rouge finement haché
8 œufs
125 ml (½ tasse) de lait 1 %
Poivre noir fraîchement moulu
250 ml (1 tasse) de cheddar râpé
125 ml (½ tasse) de fromage feta émietté

1. Mettre la courge dans un grand bol allant au micro-ondes et le couvrir de pellicule plastique, en laissant un coin ouvert pour que l'air circule. Cuire au micro-ondes à puissance élevée pendant environ 5 minutes ou jusqu'à ce que la courge soit tendre quand on la pique avec une fourchette. Égoutter le surplus de liquide. Incorporer délicatement les épinards, les pommes de terre et l'oignon rouge. Étendre ce mélange dans le plat allant au four graissé.
2. Dans un bol, fouetter les œufs avec le lait. Poivrer, au goût. Verser sur les légumes et remuer délicatement pour répartir le mélange. Parsemer uniformément de cheddar et de feta.
3. Cuire au four préchauffé de 35 à 40 minutes ou jusqu'à ce que les œufs soient pris.

> Dans une frittata, les ingrédients sont mélangés avec les œufs. Dans une omelette, ils sont déposés sur les œufs cuits, puis emprisonnés en repliant l'omelette.

SUGGESTION DE SERVICE

Servez ce plat avec une salade verte ou un légume vert cuit à la vapeur, comme les pois, les haricots ou les edamames. Pour augmenter la teneur en protéines de ce repas, parsemez la salade ou les légumes de noix grillées ou de graines.

Quiche aux courgettes, aux carottes et au cheddar fumé en croûte de pommes de terre

Heather McColl, diététiste, Colombie-Britannique

6 PORTIONS

Les saveurs des légumes sont mises en valeur par le fromage fumé.

CONSEIL

Faites bouillir les pommes de terre pour les attendrir et les empêcher de changer de couleur, mais ne les cuisez pas trop, à l'étape 1, sinon elles se briseraient.

VARIANTES

Pour obtenir un plat relevé, ajoutez aux légumes 1 ml (¼ c. à thé) de cayenne ou 2 ml (½ c. à thé) de sauce aux piments forts.

Pour une saveur légèrement différente, ajoutez aux légumes 2 ml (½ c. à thé) de cumin moulu.

Valeur nutritive par portion	
Calories	203
Lipides	10,8 g
saturés	5,3 g
Sodium	181 mg (8 % VQ)
Glucides	16 g
Fibres	2 g (8 % VQ)
Protéines	11 g
Calcium	197 mg (18 % VQ)
Fer	1,2 mg (9 % VQ)

Teneur très élevée en vitamine A et vitamine B$_{12}$
Teneur élevée en vitamine B$_6$, acide folique et riboflavine

Équivalents par portion pour les personnes diabétiques :
½ Glucides
1 Viandes et substituts
1 Matières grasses

- *Préchauffer le four à 180 °C (350 °F)*
- *Un moule à tarte en verre de 23 cm (9 po), graissé*

375 g (12 oz) de pommes de terre Russet, coupées en tranches de 3 mm (⅛ po)
5 ml (1 c. à thé) d'huile de canola
500 ml (2 tasses) de courgettes hachées
250 ml (1 tasse) de fines rondelles de carottes
75 ml (⅓ tasse) d'oignon finement haché
1 gousse d'ail, hachée
2 ml (½ c. à thé) de poivre noir fraîchement moulu
Une pincée de muscade moulue
4 œufs
250 ml (1 tasse) de cheddar fumé au bois de pommier râpé
125 ml (½ tasse) de lait 2 %

1. Porter une casserole moyenne d'eau à ébullition à feu vif. Ajouter les pommes de terre, réduire le feu et laisser mijoter pendant 7 minutes ou jusqu'à ce qu'elles se défassent à la fourchette. Les égoutter. Déposer au fond du moule à tarte graissé assez de tranches de pommes de terre pour couvrir le fond, en les faisant se chevaucher légèrement (toutes les tranches ne seront sans doute pas nécessaires).
2. Entre-temps, dans un poêlon, chauffer l'huile à feu moyen. Y faire sauter les courgettes, les carottes et l'oignon de 4 à 5 minutes ou jusqu'à ce qu'ils soient ramollis. Ajouter l'ail, le poivre et la muscade. Les faire sauter pendant 30 secondes. Verser les légumes sur les pommes de terre.
3. Dans un bol moyen, fouetter les œufs jusqu'à ce qu'ils soient bien mélangés. Incorporer le fromage et le lait. Verser uniformément sur le mélange de légumes.
4. Cuire au four préchauffé pendant 30 minutes ou jusqu'à ce que la quiche soit ferme au centre. La laisser refroidir de 10 à 15 minutes. La couper en 6 morceaux.

La saveur du fromage fumé provient d'un léger fumage fait avec du bois d'arbres fruitiers, comme le pommier ou le cerisier. Le fumage au bois de pommier donne au cheddar une saveur fumée douce et subtile.

Hamburgers végétariens aux légumineuses

Heather McColl, diététiste, Colombie-Britannique

✓ LE CHOIX DES ENFANTS

Un jour, nous avons servi ces burgers pour dîner à des étudiants universitaires et ils se sont tous extasiés. C'est tout un compliment !

1 boîte de 398 ml (14 oz) de haricots rouges, rincés et égouttés
2 gousses d'ail, hachées
1 carotte, râpée
125 ml (½ tasse) de champignons finement hachés
125 ml (½ tasse) d'oignon finement haché
125 ml (½ tasse) de poivron rouge finement haché
125 ml (½ tasse) de flocons d'avoine à cuisson rapide
30 ml (2 c. à soupe) de salsa
1 ml (¼ c. à thé) de poivre noir fraîchement moulu
Huile végétale de cuisson en atomiseur
6 tranches de 30 g (1 oz) chacune de Monterey Jack ou
    d'un équivalent végétarien
6 petits pains de grains entiers, coupés en 2

1. Dans un grand bol, à l'aide d'une fourchette, écraser les haricots pour obtenir une texture grossière. Ajouter l'ail, la carotte, les champignons, l'oignon, le poivron rouge, les flocons d'avoine, la salsa et le poivre. Bien mélanger. Former 6 galettes de 1 cm (½ po) d'épaisseur. Les déposer dans une grande assiette et les mettre au réfrigérateur pendant 30 minutes.
2. Vaporiser un poêlon antiadhésif d'huile et chauffer à feu moyen. En plusieurs fois, au besoin, frire les galettes de 5 à 6 minutes ou jusqu'à ce que le dessous soit doré. Les retourner et frire encore de 5 à 6 minutes ou jusqu'à ce que le dessous soit doré et que les galettes soient bien chaudes.
3. Garnir les galettes de fromage et les servir sur les petits pains.

> Le fait de bien rincer les haricots en conserve sous l'eau froide avant de les utiliser réduit la quantité de sodium. En prime, vous diminuez les risques d'avoir des gaz.

Valeur nutritive par portion	
Calories	409
Lipides	13,0 g
saturés	6,8 g
Sodium	705 mg (29 % VQ)
Glucides	54 g
Fibres	9 g (36 % VQ)
Protéines	19 g
Calcium	352 mg (32 % VQ)
Fer	2,8 mg (20 % VQ)

Teneur très élevée en magnésium, zinc, vitamine A, acide folique, thiamine et niacine
Teneur élevée en vitamine C, vitamine B$_6$ et riboflavine

Équivalents par portion pour les personnes diabétiques :
3   Glucides
1   Viandes et substituts
1 ½ Matières grasses

Différentes techniques de cuisson

1. **Sur le barbecue :** La grille doit être propre et bien huilée ou utiliser sur le barbecue une plaque à pâtisserie vaporisée d'huile. Griller à feu moyen de 4 à 5 minutes de chaque côté.
2. **Sur la cuisinière et sur le barbecue :** Cuire les burgers partiellement sur la cuisinière, puis les griller sur le barbecue pendant les dernières minutes de cuisson.
3. **Sous le gril du four :** Préchauffer le gril du four après avoir placé la grille à 10 à 15 cm (4 à 6 po) de la source de chaleur. Déposer les galettes sur un plateau à grillades, puis les griller de 5 à 6 minutes de chaque côté.

VARIANTE

Si vous remplacez les haricots rouges par des haricots blancs, les galettes ressembleront à des burgers au poulet.

SUGGESTIONS DE SERVICE

Servez les burgers sur des petits pains de blé entier, avec vos garnitures à hamburgers préférées. Voici des suggestions de savoureuses garnitures : des tranches d'oignon rouge, du fromage de chèvre, des champignons sautés ou de la salsa à la mangue.

N'utilisez pas de pain et servez chaque galette sur une salade verte.

CONSEILS

Assurez-vous que les champignons, l'oignon et le poivron sont finement hachés pour que les ingrédients des galettes adhèrent bien ensemble.

Choisissez de la salsa douce, moyenne ou forte, selon vos préférences.

Pour réduire la teneur en sodium, choisissez des petits pains qui ont le pourcentage de la valeur quotidienne (% VQ) en sodium le moins élevé.

Congelez séparément les galettes cuites pour obtenir un repas vite préparé que vous pourrez servir à une autre occasion. Elles se conserveront jusqu'à 3 mois. Pour les réchauffer, les laisser décongeler au réfrigérateur. Les mettre ensuite sur une plaque à pâtisserie et les réchauffer au four à 160 °C (325 °F) ou au four grille-pain jusqu'à ce qu'elles soient bien chaudes.

Galettes aux pacanes

Melinda Heidebrecht, diététiste, Ontario

En lisant la liste des ingrédients, il est difficile de croire que ce plat ressemblera à un hamburger, mais c'est pourtant le cas – et il est tout à fait savoureux!

CONSEIL
Ne vous inquiétez pas si le mélange de pacanes est trop clair. Quand vous le verserez dans le poêlon, sa texture se raffermira.

4 œufs
125 ml (½ tasse) de pacanes finement hachées
125 ml (½ tasse) d'oignon finement haché
75 ml (⅓ tasse) de cheddar râpé
125 ml (½ tasse) de chapelure fine
1 ml (¼ c. à thé) de sel
1 ml (¼ c. à thé) de poivre noir fraîchement moulu
10 ml (2 c. à thé) d'huile de canola, au total

1. Dans un petit bol, fouetter les œufs de 20 à 30 secondes. Dans un autre bol, mélanger les pacanes, l'oignon, le cheddar, la chapelure, le sel et le poivre. Incorporer les œufs jusqu'à ce qu'ils soient bien mélangés. Laisser reposer la pâte pendant 10 minutes.
2. Dans un poêlon antiadhésif, chauffer 5 ml (1 c. à thé) d'huile à feu moyen. Pour chaque galette, verser 75 ml (⅓ tasse) du mélange de pacanes dans le poêlon. Frire 3 galettes à la fois de 2 à 3 minutes ou jusqu'à ce qu'elles soient dorées. Retourner les galettes et les frire de 2 à 3 minutes ou jusqu'à ce qu'elles soient fermes et qu'aucun liquide ne coule des côtés. Répéter l'opération pour le reste de l'huile et des galettes.

SUGGESTION DE SERVICE
Vous pouvez servir ce plat sur des petits pains de grains entiers avec vos garnitures à hamburger préférées. Accompagnez-le de la Salade de quinoa aux amandes et aux fruits, vinaigrette à l'érable (p. 166) pour augmenter le contenu en protéines du repas.

Valeur nutritive par portion	
Calories	191
Lipides	13,9 g
saturés	3,2 g
Sodium	241 mg (10 % VQ)
Glucides	9 g
Fibres	2 g (8 % VQ)
Protéines	8 g
Calcium	88 mg (8 % VQ)
Fer	1,1 mg (8 % VQ)

Teneur élevée en vitamine B$_{12}$

Équivalents par portion pour les personnes diabétiques:
½   Glucides
1   Viandes et substituts
2   Matières grasses

Burgers aux portobellos garnis de fromage

Lynn Dowling, Ontario

✓ **LE CHOIX DES ENFANTS**

Lynn a conçu cette recette quand ses filles étaient adolescentes. Comme elle voulait les encourager à essayer de nouveaux aliments, elle a mis sur pied « La soirée d'essai de nouveaux aliments », qui avait lieu une fois par semaine. La seule condition, c'est que tout le monde devait goûter au plat. Si ses filles ne l'aimaient pas, elles pouvaient se préparer un sandwich. Des années plus tard, ses 2 filles apprécient toute une variété d'aliments et elles sont toujours à l'affût de nouvelles saveurs.

Valeur nutritive par portion	
Calories	278
Lipides	6,9 g
saturés	2,3 g
Sodium	663 mg (28 % VQ)
Glucides	39 g
Fibres	6 g (24 % VQ)
Protéines	19 g
Calcium	148 mg (13 % VQ)
Fer	2,9 mg (21 % VQ)

Teneur très élevée en magnésium, acide folique, riboflavine et niacine
Teneur élevée en zinc, vitamine A, vitamine B_6, vitamine B_{12} et thiamine

Équivalents par portion pour les personnes diabétiques :
2 Glucides
1 ½ Viandes et substituts

- *Préchauffer le barbecue à température moyenne*
- *Un robot culinaire*

4 gros champignons portobellos
10 ml (2 c. à thé) d'huile d'olive
2 gousses d'ail, hachées
500 ml (2 tasses) de feuilles d'épinards frais bien tassées
30 ml (2 c. à soupe) de basilic frais haché
250 ml (1 tasse) de fromage cottage 2 %
60 ml (¼ tasse) de parmesan fraîchement râpé
4 pitas de blé entier de 10 cm (4 po), ouverts
Poivron rouge grillé en tranches (facultatif)

1. Nettoyer les chapeaux des champignons avec du papier essuie-tout humide et retirer délicatement les pieds, en tournant. Hacher grossièrement les pieds et réserver. Enlever délicatement les lamelles sous les chapeaux, en les grattant avec une cuillère, puis les jeter.
2. Badigeonner les 2 côtés des chapeaux de champignon d'huile, puis les mettre sur le barbecue préchauffé. Les griller, en les retournant une fois, de 2 à 3 minutes de chaque côté ou jusqu'à ce qu'ils soient dorés des 2 côtés. Réserver.
3. Dans un robot culinaire, mettre les pieds de champignons, l'ail, les épinards, le basilic, le fromage cottage et le parmesan. Mélanger jusqu'à ce que la texture soit lisse sans être en purée.
4. Déposer un chapeau de champignon grillé, l'ouverture vers le haut, sur un demi-pita et le farcir du quart du mélange de fromage. Couvrir de l'autre demi-pita. Garnir de poivron rouge grillé, si désiré.

> Dans cette recette, ce sont les pitas qui ont la teneur la plus élevée en sodium. Lisez le tableau de la valeur nutritive et choisissez les pitas qui fournissent le moins de sodium par portion.

CONSEILS

Le fait d'ajouter les pieds de champignons hachés rehausse la texture du mélange de fromage.

Le mélange de fromage fait aussi une bonne trempette pour les légumes.

Portobellos farcis au fromage à la crème

Frances Russell, diététiste, Alberta

Ces champignons farcis sont savoureux en lunch ou servis lors d'un brunch. Toute la famille de Frances apprécie ce délicieux plat végétarien. Son mari, qui est pompier, affirme : « La viande ne me manque pas du tout dans ce plat ! »

- Un plat en verre ou en céramique allant au four de 33 x 23 cm (13 x 9 po), graissé

4 gros champignons portobellos
2 à 3 tomates italiennes, en tranches
75 ml (⅓ tasse) de parmesan fraîchement râpé

La marinade
10 ml (2 c. à thé) d'ail haché
15 ml (1 c. à soupe) de cassonade légèrement tassée
2 ml (½ c. à thé) de poivre noir fraîchement moulu
75 ml (⅓ tasse) de vinaigre balsamique
75 ml (⅓ tasse) de bouillon de légumes ou d'eau

La garniture au fromage à la crème
10 ml (2 c. à thé) d'huile de canola
125 ml (½ tasse) d'oignon finement haché
10 ml (2 c. à thé) d'ail haché
15 ml (1 c. à soupe) de thym frais haché
30 ml (2 c. à soupe) de bouillon de légumes ou d'eau
125 ml (½ tasse) de fromage à la crème léger

1. Nettoyer les chapeaux des champignons avec du papier essuie-tout humide et retirer délicatement les pieds, en tournant. Jeter les pieds ou les conserver pour un autre usage. Si désiré, enlever délicatement les lamelles sous les chapeaux, en les grattant à l'aide d'une cuillère, puis les jeter. Mettre les chapeaux de champignon, l'ouverture vers le haut, dans le plat allant au four graissé.
2. *La marinade :* Dans un petit bol, mélanger l'ail, la cassonade, le poivre, le vinaigre et le bouillon.
3. Répartir la marinade également au milieu des champignons. Couvrir et mettre au réfrigérateur pendant au moins 4 heures ou toute la nuit.
4. Sortir les champignons du réfrigérateur et les laisser reposer à la température de la pièce pendant 30 minutes. Entre-temps, préchauffer le four à 200 °C (400 °F).
5. Découvrir le plat et cuire les champignons pendant 10 minutes.

Valeur nutritive par portion	
Calories	185
Lipides	9,9 g
saturés	4,9 g
Sodium	305 mg (13 % VQ)
Glucides	16 g
Fibres	2 g (8 % VQ)
Protéines	9 g
Calcium	160 mg (15 % VQ)
Fer	1,5 mg (11 % VQ)

Teneur très élevée en riboflavine
Teneur élevée en vitamine B$_{12}$ et niacine

Équivalents par portion pour les personnes diabétiques :
½ Glucides
1 Viandes et substituts
1 Matières grasses

6. *La garniture au fromage à la crème :* Entre-temps, dans un petit poêlon, chauffer l'huile à feu moyen-vif. Y faire sauter l'oignon de 3 à 4 minutes ou jusqu'à ce qu'il soit ramolli. Ajouter l'ail et le thym, puis les faire sauter pendant 30 secondes. Ajouter le bouillon, puis déglacer le poêlon, en raclant le fond pour enlever tous les petits morceaux qui y ont adhéré. Ajouter le fromage à la crème et remuer jusqu'à ce qu'il soit fondu et lisse.

7. Farcir chaque champignon du quart de la garniture. Garnir des tomates et parsemer de parmesan. Cuire au four pendant 10 minutes ou jusqu'à ce que les champignons soient bien chauds. Les mettre sous le gril du four pendant 2 minutes ou jusqu'à ce que le fromage soit doré.

Les champignons portobellos sont de gros champignons café. Ils sont brun plus foncé que leurs petits frères, plus jeunes. Choisissez des portobellos fermes, dodus et bien frais. Évitez ceux dont le chapeau ou les côtés sont mous, ratatinés ou secs. Pour les conserver, retirez-les de leur emballage et mettez-les dans une assiette propre, en vous assurant qu'ils ne se chevauchent pas pour qu'il y ait une bonne circulation d'air. Couvrez-les de papier essuie-tout sec et mettez-les au réfrigérateur. Ils se conserveront jusqu'à 5 jours. Avant de les utiliser, brossez les saletés avec du papier essuie-tout humide ou rincez les champignons rapidement sous l'eau froide, puis épongez-les. Ne les faites pas tremper dans l'eau.

VARIANTE

Utilisez un fromage à la crème aromatisé, comme le fromage herbes et ail.

SUGGESTION DE SERVICE

Pour obtenir un magnifique festin végétarien, servez ce plat avec le Pilaf au tofu et aux légumes (p. 291) et les Carottes à l'estragon cuites à la vapeur (p. 299).

CONSEIL

Les lamelles sont habituellement déjà retirées des champignons portobellos, car leur couleur brun-noir tacherait les autres aliments, ce qui n'est pas souhaitable quand vous préparez un plat de couleur pâle, comme un potage crème. Dans cette recette, vous pouvez les retirer ou non.

Pizza aux légumes verts de l'été

Honey Bloomberg, diététiste, Ontario

Les beaux légumes verts qui ornent cette pizza lui ont donné son nom.

CONSEIL

Si vous manquez de temps, achetez une croûte à pizza partiellement cuite, plutôt que de faire la pâte. Il y a toutefois de bonnes chances que la teneur en sodium soit plus élevée dans la croûte du commerce. Recherchez celle qui a le pourcentage de la valeur quotidienne (% VQ) de sodium le moins élevé.

- *Préchauffer le four à 200 °C (400 °F)*
- *Une plaque à pizza de 30 cm (12 po), légèrement graissée*

½ recette de Pâte à pizza de blé entier (voir recette, sur la page opposée)
45 ml (3 c. à soupe) de pesto au basilic
500 ml (2 tasses) de chou frisé haché
125 ml (½ tasse) de petits pois frais cuits ou de petits pois surgelés décongelés et égouttés
250 ml (1 tasse) de fromage ricotta léger
175 ml (¾ tasse) d'oignon finement tranché
2 ml (½ c. à thé) de poivre noir fraîchement moulu
250 ml (1 tasse) de feuilles de roquette déchiquetées

1. Abaisser la pâte en un cercle de 30 cm (12 po) de diamètre, puis la déposer sur la plaque à pizza graissée. Étendre le pesto uniformément sur la pâte jusqu'à 1 cm (½ po) du bord. Disposer le chou frisé et les pois uniformément sur le pesto. Y laisser tomber la ricotta par cuillerées, puis l'étendre légèrement. Parsemer d'oignon et de poivre.
2. Cuire au four préchauffé de 14 à 16 minutes ou jusqu'à ce que le fromage se soit légèrement étendu, que les oignons soient dorés et que la croûte soit dorée et croustillante. Retirer du four, puis disposer la roquette sur la pizza.

> Le chou frisé fait partie de la famille des crucifères et il ressemble à un chou qui aurait de grandes feuilles très frisées. Ce légume vert foncé est extraordinaire dans les salades et dans les pizzas, comme garniture.

VARIANTES

Remplacez la moitié de la ricotta par du fromage feta.
   Vous pouvez utiliser moitié radicchio, moitié roquette.

Valeur nutritive par portion	
Calories	233
Lipides	5,8 g
saturés	1,9 g
Sodium	345 mg (14 % VQ)
Glucides	36 g
Fibres	6 g (24 % VQ)
Protéines	12 g
Calcium	189 mg (17 % VQ)
Fer	2,6 mg (19 % VQ)

Teneur très élevée en magnésium, vitamine A et acide folique
Teneur élevée en zinc, vitamine C, thiamine, riboflavine et niacine

Équivalents par portion pour les personnes diabétiques :
1 ½ Glucides
1   Viandes et substituts

La pâte à pizza maison, quand vous avez le temps de la préparer, est bien meilleure que la pâte du commerce et elle est plus nutritive.

CONSEIL

Si vous n'avez pas de batteur électrique muni d'un crochet pétrisseur, vous pouvez utiliser un robot culinaire.

Valeur nutritive par portion	
Calories	129
Lipides	0,8 g
saturés	0,1 g
Sodium	194 mg (8 % VQ)
Glucides	27 g
Fibres	4 g (16 % VQ)
Protéines	5 g
Calcium	12 mg (1 % VQ)
Fer	1,7 mg (12 % VQ)

Teneur très élevée en acide folique
Teneur élevée en magnésium, thiamine et niacine

Équivalents par portion pour les personnes diabétiques :
1 ½ Glucides

Pâte à pizza de blé entier

Eileen Campbell, Ontario

• *Un batteur électrique muni d'un crochet pétrisseur*

2 paquets de 7 g (¼ oz) de levure à action rapide
500 ml (2 tasses) de farine de blé entier
250 ml (1 tasse) de farine tout usage
5 ml (1 c. à thé) de sel
2 ml (½ c. à thé) de sucre granulé
375 ml (1 ½ tasse) d'eau tiède
2 ml (½ c. à thé) d'huile d'olive

1. Dans le bol du batteur électrique, mélanger la levure, la farine de blé entier, la farine tout usage, le sel et le sucre. Fixer le crochet pétrisseur et le bol au batteur électrique. Faire fonctionner l'appareil à basse vitesse, puis ajouter l'eau graduellement. Malaxer pendant environ 10 minutes, jusqu'à ce que la pâte soit lisse et élastique. Éteindre l'appareil et verser l'huile sur la paroi intérieure du bol. Mélanger à basse vitesse pendant 15 secondes pour couvrir le bol d'huile, puis couvrir légèrement la pâte d'huile. Retirer le bol, puis le couvrir de pellicule plastique, sans serrer.
2. Laisser gonfler la pâte dans un endroit chaud, à l'abri des courants d'air, jusqu'à ce qu'elle ait doublé de volume, soit environ 2 heures.
3. Frapper la pâte avec la paume de la main pour en expulser l'air, puis la couper en 2 pour former 2 boules de pâte. Mettre chaque boule dans un sac de congélation hermétique, puis les mettre au congélateur. Elles se conserveront jusqu'à 3 mois. Ou les abaisser pour les utiliser aussitôt.
4. Pour abaisser la pâte, la déposer sur un plan de travail fariné et former un cercle. Abaisser la pâte jusqu'à ce qu'elle ait de 30 à 38 cm (12 à 15 po) de diamètre. Piquer la pâte avec une fourchette avant d'ajouter les garnitures.

Tacos aux lentilles vite faits

Amanda Beales, diététiste, Ontario

Des amis d'Amanda, qui sont amateurs de viande, ont fait de ce plat leur recette à tacos pour dépanner. C'est une recette vite faite, moins chère et qui fait moins de dégâts que les tacos à la viande.

CONSEILS

Ce plat est facile à faire si une personne prépare le mélange de lentilles et met la table pendant qu'une autre hache les légumes et râpe le fromage.

Vous pouvez remplacer les lentilles cuites par 1 boîte de 540 ml (19 oz) de lentilles, égouttées et rincées.

375 ml (1 ½ tasse) de lentilles vertes cuites (p. 257)
30 ml (2 c. à soupe) d'oignon rouge finement haché
30 ml (2 c. à soupe) de poivron rouge finement haché
60 ml (¼ tasse) de salsa
4 coquilles à taco
175 ml (¾ tasse) de romaine ou de laitue iceberg finement hachée
175 ml (¾ tasse) de tomates italiennes en fins dés
125 ml (½ tasse) de cheddar ou de cheddar léger râpé
125 ml (½ tasse) de crème sure légère (facultatif)
1 avocat, en cubes (facultatif)
125 ml (½ tasse) d'olives noires en tranches (facultatif)

1. Dans une casserole moyenne, à feu moyen, mélanger les lentilles, l'oignon, le poivron rouge et la salsa. Cuire, en remuant souvent, de 3 à 4 minutes ou jusqu'à ce que le mélange bouillonne et soit chaud.
2. Garnir chaque coquille à taco du quart du mélange de lentilles, de laitue, de tomates et de cheddar. Si désiré, garnir de crème sure, d'avocat et d'olives.

VARIANTE

Pour faire une salade de tacos, déposez la garniture de lentilles sur un lit de laitue et de tomates, puis parsemer de fromage et garnir de croustilles au maïs.

Valeur nutritive par portion	
Calories	219
Lipides	8,0 g
saturés	3,5 g
Sodium	238 mg (10 % VQ)
Glucides	27 g
Fibres	5 g (20 % VQ)
Protéines	12 g
Calcium	149 mg (14 % VQ)
Fer	3,2 mg (23 % VQ)

Teneur très élevée en acide folique
Teneur élevée en magnésium, zinc, vitamine A et thiamine

Équivalents par portion pour les personnes diabétiques :
1   Glucides
1   Viandes et substituts
½   Matières grasses

Enchiladas aux haricots noirs et au maïs

Heather Church, diététiste, Nouvelle-Écosse

8 PORTIONS

Traditionnellement, les enchiladas sont faites avec du poulet, mais cette version végétarienne est aussi savoureuse et contient plus de fibres. Sa sauce crémeuse fera de ce plat l'un de vos préférés.

CONSEIL

La majeure partie du sodium provient des tortillas, dont la teneur en sodium varie beaucoup. Recherchez les tortillas qui ont le pourcentage de la valeur quotidienne (% VQ) de sodium le moins élevé par portion.

VARIANTE

Utilisez des tortillas de blé entier aux tomates séchées ou au pesto.

Valeur nutritive par portion	
Calories	289
Lipides	11,4 g
saturés	4,2 g
Sodium	706 mg (29 % VQ)
Glucides	36 g
Fibres	7 g (28 % VQ)
Protéines	12 g
Calcium	180 mg (16 % VQ)
Fer	2,2 mg (16 % VQ)

Teneur très élevée en vitamine C et acide folique
Teneur élevée en magnésium, zinc, vitamine A, thiamine et niacine

Équivalents par portion pour les personnes diabétiques :
1 ½ Glucides
1   Viandes et substituts
1   Matières grasses

- *Préchauffer le four à 200 °C (400 °F)*
- *Un plat allant au four en verre de 33 x 23 cm (13 x 9 po), graissé*

5 ml (1 c. à thé) d'huile de canola
375 ml (1 ½ tasse) de poivrons rouges hachés
250 ml (1 tasse) d'oignon haché
2 gousses d'ail, hachées
2 tomates italiennes, grossièrement hachées
1 boîte de 540 ml (19 oz) de haricots noirs, égouttés et rincés
125 ml (½ tasse) de maïs en grains surgelé décongelé
5 ml (1 c. à thé) de chili en poudre
1 ml (¼ c. à thé) de poivre noir fraîchement moulu
8 tortillas à la farine de blé entier de 20 cm (8 po) chacune
30 ml (2 c. à soupe) de margarine non hydrogénée
30 ml (2 c. à soupe) de farine tout usage
250 ml (1 tasse) de bouillon de légumes
125 ml (½ tasse) de crème sure légère
1 boîte de 128 ml (4 ½ oz) de piments verts doux hachés
250 ml (1 tasse) de Monterey Jack ou de cheddar râpé

1. Dans un poêlon antiadhésif, chauffer l'huile à feu moyen. Y faire sauter les poivrons rouges et l'oignon de 4 à 5 minutes ou jusqu'à ce qu'ils soient ramollis. Ajouter l'ail et le faire sauter 30 secondes. Incorporer les tomates, les haricots, le maïs, le chili en poudre et le poivre. Répartir le mélange de haricots également entre les tortillas. Rouler les tortillas comme un burrito, puis les déposer, le côté coupé vers le bas, dans le plat allant au four graissé. Réserver.
2. Dans une petite casserole, faire fondre la margarine à feu moyen. Y incorporer la farine et cuire 30 secondes. Y ajouter graduellement le bouillon et porter à ébullition, en fouettant. Laisser bouillir, en fouettant souvent, de 2 à 3 minutes ou jusqu'à ce que le mélange soit épais. Retirer du feu, puis incorporer la crème sure et les piments. Verser la sauce sur les tortillas, puis parsemer de fromage.
3. Cuire au four préchauffé 20 minutes ou jusqu'à ce que le fromage soit fondu et que la sauce bouillonne.

VARIANTES

Remplacez les haricots noirs par des haricots Pinto ou par des haricots rouges, en conserve.

Vous pouvez ajouter un piment jalapeño finement haché quand vous faites sauter les poivrons rouges et l'oignon.

Succotash à la courge, au maïs et aux haricots

Dean Simmons, diététiste, Colombie-Britannique

DE **6** À **8** PORTIONS

✓ LE CHOIX DES ENFANTS

Cette recette contient ce que les Amérindiens des Premières Nations qui vivaient autour des Grands Lacs appelaient « les trois sœurs » – la courge, le maïs et les haricots –, leurs trois principales cultures. C'est un merveilleux plat d'automne qui peut être servi comme plat végétarien.

30 ml (2 c. à soupe) d'huile de canola ou d'huile d'olive
½ oignon, finement haché
3 gousses d'ail, hachées
1 boîte de 540 ml (19 oz) de petits haricots de Lima, égouttés et rincés
500 ml (2 tasses) de courge musquée ou d'une autre courge d'hiver en cubes de 1 cm (½ po)
500 ml (2 tasses) de maïs en grains surgelés, décongelés
250 ml (1 tasse) de bouillon de légumes
5 ml (1 c. à thé) d'origan séché
5 ml (1 c. à thé) de basilic séché
2 ml (½ c. à thé) de paprika
2 ml (½ c. à thé) de sel
2 ml (½ c. à thé) de poivre noir fraîchement moulu
250 ml (1 tasse) de cheddar râpé
175 ml (¾ tasse) de graines de tournesol grillées (voir p. 139)

1. Dans un grand poêlon, chauffer l'huile à feu moyen. Y faire sauter l'oignon de 3 à 4 minutes ou jusqu'à ce qu'il soit ramolli. Ajouter l'ail et le faire sauter pendant 30 secondes.
2. Incorporer les haricots de Lima, la courge, le maïs, le bouillon, l'origan, le basilic, le paprika, le sel et le poivre, puis porter à ébullition. Réduire à feu doux, couvrir d'un couvercle hermétique et laisser mijoter de 10 à 15 minutes, en remuant de temps en temps, ou jusqu'à ce que la courge soit tendre. S'il reste du liquide, retirer le couvercle et laisser bouillir jusqu'à ce que le liquide soit évaporé.
3. Parsemer de cheddar et de graines de tournesol. Laisser reposer pendant environ 5 minutes ou jusqu'à ce que le fromage commence à fondre.

CONSEILS

Remplacez les haricots de Lima en conserve par 500 ml (2 tasses) de haricots de Lima surgelés décongelés.

Demandez à vos jeunes enfants de vous aider à retirer les graines de la courge avec une cuillère. Les plus vieux peuvent râper le fromage et faire griller les graines de tournesol dans un four grille-pain ou dans un poêlon, à sec.

Valeur nutritive par portion	
Calories	255
Lipides	15,3 g
saturés	4,0 g
Sodium	455 mg (19 % VQ)
Glucides	23 g
Fibres	5 g (20 % VQ)
Protéines	10 g
Calcium	158 mg (14 % VQ)
Fer	2,5 mg (18 % VQ)

Teneur très élevée en magnésium, vitamine A, acide folique et thiamine
Teneur élevée en zinc, vitamine B$_6$ et niacine

Équivalents par portion pour les personnes diabétiques :

1   Glucides
1   Viandes et substituts
2   Matières grasses

Curry de patates douces et de pois chiches

Heather McColl, diététiste, Colombie-Britannique

✓ LE CHOIX DES ENFANTS

Ce curry est très savoureux et contient beaucoup de fibres. Servez-le sur du riz basmati brun.

CONSEILS

Préparez ce plat le week-end, versez-le dans des contenants hermétiques et laissez-les refroidir. Couvrez-les et mettez-les au réfrigérateur, le curry se conservera jusqu'à 3 jours. Puis réchauffez-les pour servir le curry la semaine.

Remplacez les pois chiches cuits par 1 boîte de 540 ml (19 oz) de pois chiches en conserve, égouttés et rincés.

Valeur nutritive par portion	
Calories	209
Lipides	4,9 g
saturés	2,1 g
Sodium	295 mg (12 % VQ)
Glucides	34 g
Fibres	5 g (20 % VQ)
Protéines	9 g
Calcium	177 mg (16 % VQ)
Fer	2,6 mg (19 % VQ)

Teneur très élevée en vitamine A, vitamine C et acide folique
Teneur élevée en magnésium, zinc et vitamine B_6

Équivalents par portion pour les personnes diabétiques :
1 ½ Glucides
1 Matières grasses

7 ml (1 ½ c. à thé) d'huile de canola
1 à 2 piments jalapeños, épépinés et hachés
375 ml (1 ½ tasse) de poivrons rouges hachés
250 ml (1 tasse) d'oignon haché
4 gousses d'ail, hachées
15 ml (1 c. à soupe) de gingembre frais haché
1 boîte de 540 ml (19 oz) de tomates, avec leur jus
625 ml (2 ½ tasses) de pois chiches cuits (voir p. 257)
500 ml (2 tasses) de patates douces pelées en cubes de 1 cm (½ po)
5 ml (1 c. à thé) de cumin moulu
5 ml (1 c. à thé) de garam massala
2 ml (½ c. à thé) de coriandre moulue
2 ml (½ c. à thé) de sel
1 mangue, finement hachée
250 ml (1 tasse) de lait de coco léger
Poivre noir fraîchement moulu
500 ml (2 tasses) de yogourt nature faible en gras
60 ml (¼ tasse) de coriandre fraîche finement hachée

1. Dans une grande casserole, chauffer l'huile à feu moyen. Y faire sauter 1 ou 2 piments jalapeños, les poivrons rouges et l'oignon de 4 à 5 minutes ou jusqu'à ce qu'ils soient ramollis. Ajouter l'ail et le gingembre, puis les faire sauter pendant 30 secondes.
2. Incorporer les tomates avec leur jus, les pois chiches, les patates douces, le cumin, le garam massala, la coriandre et le sel. Augmenter à feu vif et porter à ébullition, en remuant de temps en temps. Réduire le feu et laisser mijoter, en remuant de temps en temps, pendant environ 20 minutes ou jusqu'à ce que les patates douces se défassent à la fourchette.
3. Incorporer délicatement la mangue et le lait de coco, puis laisser mijoter de 5 à 10 minutes ou jusqu'à ce que le mélange ait épaissi. Poivrer, au goût. Servir garni de yogourt et parsemer de coriandre.

> Les pois chiches sont populaires dans plusieurs pays, comme l'Italie, l'Espagne, l'Inde, le Maroc, la Turquie et, bien sûr, le Canada.

CONSEIL

Remplacez la mangue fraîche par 250 ml (1 tasse) de mangue surgelée décongelée égouttée et hachée.

Curry marocain aux légumes

Jennifer Miller, diététiste, Saskatchewan

Dans ce savoureux plat végétalien, les ingrédients colorés fournissent toute une variété de nutriments.

30 ml (2 c. à soupe) d'huile de canola
375 ml (1 ½ tasse) d'oignons hachés
4 gousses d'ail, hachées
30 ml (2 c. à soupe) de poudre de cari
10 ml (2 c. à thé) de cannelle moulue
5 ml (1 c. à thé) de curcuma moulu
5 ml (1 c. à thé) de cayenne
Environ 125 ml (½ tasse) de bouillon de légumes ou d'eau
1 aubergine, pelée et coupée en cubes de 2 cm (¾ po), soit de 1,5 à 2 litres
   (6 à 8 tasses)
500 ml (2 tasses) de patates douces pelées en cubes de 1 cm (½ po)
500 ml (2 tasses) de carottes hachées
375 ml (1 ½ tasse) de poivrons jaunes hachés
375 ml (1 ½ tasse) de poivrons rouges hachés
1 boîte de 540 ml (19 oz) de pois chiches, égouttés et rincés
500 ml (2 tasses) de courgette en dés
60 ml (¼ tasse) de raisins secs
250 ml (1 tasse) de jus d'orange non sucré
1 paquet de 300 g (10 oz) d'épinards surgelés hachés, décongelés et égouttés
500 ml (2 tasses) de couscous
500 ml (2 tasses) d'eau bouillante
60 ml (¼ tasse) d'amandes effilées
Le zeste râpé et le jus de ½ citron

1. Dans une grosse cocotte en métal, chauffer l'huile à feu moyen. Y faire sauter les oignons de 3 à 4 minutes ou jusqu'à ce qu'ils soient ramollis. Ajouter l'ail, la poudre de cari, la cannelle, le curcuma et le cayenne. Les faire sauter pendant 1 minute ou jusqu'à ce qu'une bonne odeur s'en dégage.

2. Ajouter le bouillon et déglacer la cocotte, en raclant le fond pour enlever tous les petits morceaux qui y ont adhéré. Ajouter l'aubergine, les patates douces, les carottes, les poivrons jaunes et les poivrons rouges, puis les faire sauter pendant 5 minutes. Si les légumes commencent à coller au fond de la cocotte, ajouter plus de bouillon.

Valeur nutritive par portion	
Calories	299
Lipides	5,3 g
saturés	0,5 g
Sodium	202 mg (8 % VQ)
Glucides	57 g
Fibres	8 g (32 % VQ)
Protéines	9 g
Calcium	102 mg (9 % VQ)
Fer	2,8 mg (20 % VQ)

Teneur très élevée en magnésium, vitamine A, vitamine C, vitamine B$_6$ et acide folique
Teneur élevée en thiamine et niacine

Équivalents par portion pour les personnes diabétiques :
3   Glucides
1   Matières grasses

3. Incorporer les pois chiches, la courgette, les raisins secs et le jus d'orange, puis porter à ébullition. Réduire à feu doux, couvrir et laisser mijoter pendant environ 20 minutes ou jusqu'à ce que les patates douces se défassent à la fourchette. Incorporer les épinards, couvrir et laisser mijoter pendant 5 minutes ou jusqu'à ce que ce soit bien chaud.
4. Entre-temps, mettre le couscous dans un grand bol peu profond. Incorporer l'eau bouillante. Couvrir et laisser reposer le couscous pendant 5 minutes ou jusqu'à ce que le liquide soit absorbé. Défaire les grains de couscous à l'aide d'une fourchette.
5. Verser le mélange de légumes sur le couscous, puis le garnir des amandes et du zeste de citron. Y verser ensuite le jus de citron.

Le couscous, un aliment qui rappelle les pâtes et qui est fait de semoule de blé tendre, ressemble à un mélange de perles jaunes de formes irrégulières. Il n'est pas nécessaire de le cuire, mais il doit être réhydraté avec la même quantité d'eau. (Le couscous israélien, qui est beaucoup plus gros que le couscous traditionnel, doit être cuit.)

Variantes

Remplacez les pois chiches par des haricots noirs ou des haricots rouges.

Remplacez les poivrons jaunes ou rouges par des poivrons verts.

Conseil

La veille, pour faciliter la préparation, hachez tous les légumes, sauf l'aubergine. Conservez les légumes hachés au réfrigérateur.

Kugel de pommes de terre sans gluten

Donna Ellah, Québec

✓ LE CHOIX DES ENFANTS

Toute la famille de Donna adore ce plat, qu'elle le serve chaud, tiède ou froid. Son mari le savoure avec de la salsa.

CONSEIL

Vous pouvez servir les restes le lendemain, au petit-déjeuner, réchauffés et garnis d'un œuf poché.

Valeur nutritive par portion	
Calories	270
Lipides	14,1 g
saturés	5,5 g
Sodium	400 mg (17 % VQ)
Glucides	27 g
Fibres	3 g (12 % VQ)
Protéines	10 g
Calcium	190 mg (17 % VQ)
Fer	1,4 mg (10 % VQ)

Teneur très élevée en vitamine A
Teneur élevée en magnésium, vitamine B_6, vitamine B_{12} et niacine

Équivalents par portion pour les personnes diabétiques :

1 ½	Glucides
1	Viandes et substituts
2	Matières grasses

- *Préchauffer le four à 190 °C (375 °F)*
- *Un plat allant au four en verre de 33 x 23 cm (13 x 9 po)*

6 grosses pommes de terre Yukon Gold, râpées, soit environ 2 litres (8 tasses)
2 grosses carottes, râpées, soit environ 500 ml (2 tasses)
1 gros oignon, râpé
2 gousses d'ail, hachées
60 ml (¼ tasse) de chapelure de riz
5 ml (1 c. à thé) de sel
5 ml (1 c. à thé) de poivre noir fraîchement moulu
2 œufs, légèrement battus
60 ml (¼ tasse) d'huile de canola
500 ml (2 tasses) de cheddar râpé

1. Mettre les pommes de terre, les carottes et l'oignon dans une passoire et les presser pour que le surplus d'eau s'égoutte. Les mettre ensuite dans un grand bol et bien mélanger.
2. Dans un petit bol, mélanger l'ail, la chapelure, le sel, le poivre, les œufs et l'huile. Verser sur les légumes et bien mélanger. Verser ensuite dans le plat allant au four sans presser le mélange.
3. Couvrir de papier d'aluminium et cuire au four préchauffé pendant 45 minutes ou jusqu'à ce que les légumes soient tendres et que la pointe d'un couteau insérée au centre en ressorte chaude. Découvrir, parsemer de cheddar et cuire au four de 3 à 4 minutes ou jusqu'à ce que le fromage soit fondu et qu'il bouillonne.

Terrine à l'orge

Danielle Lamontagne, diététiste, Québec

8 PORTIONS

Cette terrine, dont la texture rappelle celle d'un pain de viande, est faite de céréales, de noix et de graines.

SUGGESTION DE SERVICE

Vous pouvez servir ce plat nappé de votre sauce tomate préférée, accompagné de Carottes à l'estragon cuites à la vapeur (p. 299) et de pois mange-tout sautés.

Valeur nutritive par portion	
Calories	279
Lipides	16,7 g
saturés	7,2 g
Sodium	355 mg (15 % VQ)
Glucides	19 g
Fibres	5 g (20 % VQ)
Protéines	15 g
Calcium	243 mg (22 % VQ)
Fer	2,1 mg (15 % VQ)

Teneur très élevée en magnésium, zinc et thiamine
Teneur élevée en vitamine A, acide folique, vitamine B$_{12}$, riboflavine et niacine

Équivalents par portion pour les personnes diabétiques :
1   Glucides
1 ½ Viandes et substituts
2   Matières grasses

- *Préchauffer le four à 180 °C (350 °F)*
- *Un moule à pain en métal de 23 x 12,5 cm (9 x 5 po), graissé*

150 ml (⅔ tasse) d'orge mondé
3 œufs, légèrement battus
500 ml (2 tasses) de cheddar râpé
250 ml (1 tasse) d'oignon haché
150 ml (⅔ tasse) de céleri en fins dés
125 ml (½ tasse) de germe de blé
75 ml (⅓ tasse) de graines de tournesol moulues
60 ml (¼ tasse) de noix finement hachées
60 ml (¼ tasse) de persil frais haché
2 ml (½ c. à thé) de thym séché
2 ml (½ c. à thé) de sel
2 ml (½ c. à thé) de poivre noir fraîchement moulu

1. Dans une casserole moyenne, porter 425 ml (1 ¾ tasse) d'eau à ébullition à feu vif. Incorporer l'orge. Réduire à feu doux, couvrir et laisser mijoter pendant 1 heure ou jusqu'à ce que l'orge soit tendre. L'égoutter et jeter tout surplus d'eau. Mettre l'orge dans un grand bol et le laisser refroidir légèrement.

2. Ajouter à l'orge les œufs, le cheddar, l'oignon, le céleri, le germe de blé, les graines de tournesol, les noix, le persil, le thym, le sel et le poivre, puis remuer jusqu'à ce que le mélange soit homogène. Presser légèrement le mélange dans le moule à pain graissé.

3. Cuire au four préchauffé pendant 50 minutes ou jusqu'à ce que la terrine soit ferme au toucher. Retirer du four et laisser reposer pendant 10 minutes. Démouler la terrine sur une planche à découper, puis la couper en 8 tranches.

> Lors de la transformation de l'orge mondé, on n'enlève que l'enveloppe extérieure et le son, alors que dans le cas de l'orge perlé, on enlève également l'endosperme. On trouve facilement les deux produits à l'épicerie. L'orge mondé prend environ 1 heure à cuire. Pour l'orge perlé, le temps de cuisson est d'environ 35 minutes. Dans cette recette, vous pouvez utiliser de l'orge perlé si vous ajustez le temps de cuisson en conséquence à l'étape 1.

Couscous à la courge à la mijoteuse

Cheryl Fisher, diététiste, Alberta

Ce délicieux plat cuit doucement dans la mijoteuse pendant que vous vaquez à vos occupations.

CONSEIL

La courge musquée peut être difficile à peler. Pour vous faciliter la tâche, coupez d'abord la courge en 2 dans le sens de la largeur pour obtenir 2 surfaces planes. Déposez chaque demi-courge du côté coupé, puis utilisez un couteau bien aiguisé pour retirer la peau dure.

SUGGESTION DE SERVICE

Pour un repas complet, servez ce couscous avec une salade verte croquante et un verre de lait.

Valeur nutritive par portion	
Calories	230
Lipides	3,8 g
saturés	0,5 g
Sodium	346 mg (14 % VQ)
Glucides	44 g
Fibres	5 g (20 % VQ)
Protéines	8 g
Calcium	65 mg (6 % VQ)
Fer	2,4 mg (17 % VQ)

Teneur très élevée en vitamine A et acide folique
Teneur élevée en magnésium

Équivalents par portion pour les personnes diabétiques :
2 Glucides
½ Viandes et substituts
½ Matières grasses

• *Une mijoteuse d'au moins 5 litres (20 tasses)*

1 courge musquée d'environ 750 g (1 ½ lb)
750 ml (3 tasses) de pois chiches cuits ou en conserve rincés et égouttés
500 ml (2 tasses) de courge d'été jaune ou de courgette hachée
125 ml (½ tasse) d'oignon finement tranché
125 ml (½ tasse) de raisins secs
30 ml (2 c. à soupe) de sucre granulé
10 ml (2 c. à thé) de gingembre moulu
2 ml (½ c. à thé) de curcuma moulu
2 ml (½ c. à thé) de poivre noir fraîchement moulu
1 litre (4 tasses) de bouillon de légumes à teneur réduite en sodium
30 ml (2 c. à soupe) de margarine non hydrogénée
250 ml (1 tasse) de couscous
60 ml (¼ tasse) de persil frais grossièrement haché

1. Peler la courge musquée et couper la chair en cubes de 2,5 cm (1 po). Cela devrait donner de 1 à 1,25 litre (4 à 5 tasses) de cubes.
2. Dans la cocotte de la mijoteuse, mélanger la courge musquée, les pois chiches, la courge d'été, l'oignon, les raisins secs, le sucre, le gingembre, le curcuma, le poivre, le bouillon et la margarine. Couvrir et cuire à basse température de 4 à 5 heures ou jusqu'à ce que les légumes soient tendres.
3. Retirer le couvercle, augmenter la température et cuire à température élevée pendant 15 minutes ou jusqu'à ce que le liquide ait légèrement réduit. À l'aide d'une cuillère à égoutter, mettre le mélange de légumes dans un grand bol. Couvrir et garder au chaud.
4. Mettre le couscous dans un grand bol, puis y verser 250 ml (1 tasse) du bouillon chaud de la mijoteuse. Couvrir de pellicule plastique et laisser reposer de 5 à 10 minutes ou jusqu'à ce que le couscous ait gonflé. Défaire les grains à l'aide d'une fourchette.
5. Verser le mélange de légumes sur le couscous, puis verser le reste du bouillon par-dessus. Parsemer de persil.

VARIANTES

Ajoutez un bâton de cannelle de 10 cm (4 po) au mélange de courge, à l'étape 1. Jetez-le avant de servir.

Vous pouvez remplacer les raisins secs par des canneberges séchées ou des dattes hachées.

Chow mein aux légumes

Jennifer Lactin, Colombie-Britannique

6 PORTIONS

✓ LE CHOIX DES ENFANTS

Les enfants adorent le goût et la texture de ce délicieux sauté de légumes.

CONSEILS

Comme les sautés cuisent rapidement, assurez-vous de préparer tous les ingrédients avant de commencer.

Cette recette sera aussi délicieuse sans huile de sésame ni sauce Hoisin, mais ces dernières ajoutent une touche de saveur asiatique.

Valeur nutritive par portion	
Calories	150
Lipides	8,9 g
saturés	1,1 g
Sodium	301 mg (13 % VQ)
Glucides	16 g
Fibres	3 g (12 % VQ)
Protéines	4 g
Calcium	33 mg (3 % VQ)
Fer	1,6 mg (11 % VQ)

Teneur très élevée en vitamine C
Teneur élevée en acide folique

Équivalents par portion pour les personnes diabétiques :
½   Glucides
2   Matières grasses

15 ml (1 c. à soupe) d'huile de canola, au total
10 ml (2 c. à thé) d'huile de sésame, au total
500 ml (2 tasses) de petits bouquets de brocoli
500 ml (2 tasses) de petits bouquets de chou-fleur
500 ml (2 tasses) de champignons tranchés
250 ml (1 tasse) de céleri finement tranché
125 ml (½ tasse) d'oignon finement tranché
30 ml (2 c. à soupe) de gingembre frais finement tranché
15 ml (1 c. à soupe) de sauce Hoisin
15 ml (1 c. à soupe) de sauce soya à teneur réduite en sodium
500 ml (2 tasses) de nouilles à chow mein frites
125 ml (½ tasse) de bouillon de légumes à teneur réduite en sodium
2 ml (½ c. à thé) de poivre noir fraîchement moulu
2 à 3 gouttes de sauce aux piments forts ou, au goût

1. Chauffer un wok ou un grand poêlon à feu moyen-vif. Ajouter 10 ml (2 c. à thé) d'huile de canola et 5 ml (1 c. à thé) d'huile de sésame, tourner le wok pour le couvrir d'huile et chauffer jusqu'à ce que l'huile soit chaude, mais qu'elle ne fume pas. Y faire sauter le brocoli et le chou-fleur de 7 à 8 minutes ou jusqu'à ce que le chou-fleur soit partiellement caramélisé et que le brocoli soit ramolli. Mettre les légumes dans un grand bol.

2. Ajouter le reste de l'huile de canola et de l'huile de sésame au wok et tourner le wok pour le couvrir d'huile. Chauffer jusqu'à ce que l'huile soit chaude, mais qu'elle ne fume pas. Ajouter les champignons, le céleri, l'oignon et le gingembre. Les faire sauter de 3 à 4 minutes ou jusqu'à ce qu'ils soient ramollis. Remettre le brocoli et le chou-fleur dans le wok, puis incorporer la sauce Hoisin et la sauce soya.

3. Incorporer les nouilles, le bouillon, le poivre et la sauce au piment fort. Couvrir et laisser bouillir, en remuant une fois, de 2 à 3 minutes ou jusqu'à ce que le liquide doit absorbé.

VARIANTES

Vous pouvez remplacer les légumes par d'autres légumes, comme les pois mange-tout, les poivrons ou les haricots verts, en ajustant le temps de cuisson en conséquence.

Pour augmenter l'apport en protéines, ajoutez du tofu sauté ou 2 à 3 œufs battus, à l'étape 3. Si vous n'êtes pas un végétarien strict, ajoutez un reste de poulet, de dinde ou de bœuf, haché.

Sauce de base aux tomates italiennes

Eileen Campbell, Ontario

✓ LE CHOIX DES ENFANTS

Cette sauce peut être le point de départ de nombreux plats. Plusieurs recettes utilisent de la sauce tomate. Vous pouvez acheter un produit du commerce, mais n'est-il pas plus satisfaisant d'avoir de la sauce maison au congélateur?

Conseils

Pour obtenir une sauce plus épaisse, réduisez-la légèrement en purée.

Préparez la recette la fin de semaine. Versez la sauce dans des contenants hermétiques et conservez-en quelques-uns au réfrigérateur pour les utiliser pendant la semaine. Congelez le reste en portions de 500 ml (2 tasses) ou 750 ml (3 tasses) pour un usage ultérieur.

Valeur nutritive par portion	
Calories	46
Lipides	1,9 g
saturés	0,3 g
Sodium	268 mg (11 % VQ)
Glucides	7 g
Fibres	1 g (4 % VQ)
Protéines	1 g
Calcium	48 mg (4 % VQ)
Fer	1,4 mg (10 % VQ)

Teneur élevée en vitamine C

Équivalents par portion pour les personnes diabétiques:
½   Matières grasses

• *Une grande mijoteuse d'au moins 6 litres (24 tasses)*

45 ml (3 c. à soupe) d'huile d'olive
6 gousses d'ail, hachées
1 gros oignon espagnol, en fins dés
5 ml (1 c. à thé) de sel, au total
4 boîtes de 796 ml (28 oz) chacune de tomates italiennes, avec
   le jus, hachées
4 brins de basilic frais, au total
5 ml (1 c. à thé) d'origan séché
2 ml (½ c. à thé) de poivre noir fraîchement moulu
Sucre granulé (facultatif)

1. Dans un grand poêlon, chauffer l'huile à feu moyen-vif. Ajouter l'ail et l'oignon, puis saler légèrement. Les faire sauter pendant 5 minutes ou jusqu'à ce qu'ils soient légèrement dorés.
2. Mettre les légumes sautés dans la cocotte de la mijoteuse. Incorporer les tomates avec le jus, 3 brins de basilic, l'origan, le poivre et le sel qui reste. Couvrir et cuire à basse température pendant 8 heures ou jusqu'à ce que la sauce soit savoureuse. Si la sauce est liquide vers la fin de la cuisson, augmenter à température élevée et laisser le couvercle légèrement entrouvert jusqu'à ce que la sauce épaississe. Jeter les brins de basilic.
3. Retirer les feuilles du brin de basilic qui reste, puis jeter les tiges. Hacher les feuilles et les incorporer à la sauce. Saler et poivrer, si désiré. Ajouter du sucre, au goût, si la sauce est trop acidulée.

Méthode sur la cuisinière: Si vous n'avez pas de mijoteuse, vous pouvez préparer cette sauce en adaptant la méthode légèrement. Faites sauter les oignons et l'ail dans une grande casserole, puis ajoutez tous les autres ingrédients et portez à ébullition. Réduisez à feu doux, couvrez et laissez mijoter, en remuant de temps en temps, pendant 4 heures ou jusqu'à ce que la sauce soit savoureuse.

Sauce à l'aubergine

Francy Pillo-Blocka, diététiste, Ontario

Cette sauce consistante est idéale sur des coquillettes, des pennes, des rigatonis ou d'autres pâtes tubulaires. Relevez-la d'une pincée de piment rouge en flocons et de parmesan râpé.

CONSEILS

Si l'aubergine colle au plat pendant la cuisson, à l'étape 1, incorporez de 15 à 30 ml (1 à 2 c. à soupe) d'eau, de bouillon de légumes ou de vin.

Cette sauce se congèle bien. Versez-la dans des contenants hermétiques, laissez-la refroidir, couvrez-la et mettez-la au congélateur. Elle se conservera jusqu'à 3 mois. Laissez-la décongeler au réfrigérateur ou passez-la au micro-ondes avant de la réchauffer.

Valeur nutritive par portion	
Calories	125
Lipides	6,0 g
saturés	0,5 g
Sodium	269 mg (11 % VQ)
Glucides	17 g
Fibres	4 g (16 % VQ)
Protéines	3 g
Calcium	86 mg (8 % VQ)
Fer	2,5 mg (18 % VQ)

Teneur très élevée en vitamine C
Teneur élevée en magnésium et vitamine B$_6$

Équivalents par portion pour les personnes diabétiques :
½   Glucides
1   Matières grasses

45 ml (3 c. à soupe) d'huile de canola, au total
1 aubergine, pelée et coupée en cubes de 2,5 cm (1 po), soit environ 1,5 litre (6 tasses)
250 ml (1 tasse) d'oignon haché
6 gousses d'ail, hachées
250 ml (1 tasse) de vin blanc sec
2 boîtes de 796 ml (28 oz) chacune de tomates entières, avec le jus
8 tranches de tomates séchées conservées dans l'huile, égouttées, rincées, épongées et hachées
10 ml (2 c. à thé) de basilic séché
125 ml (½ tasse) de basilic frais grossièrement haché
Poivre noir fraîchement moulu

1. Dans une grande casserole, chauffer 30 ml (2 c. à soupe) d'huile à feu moyen-vif. Ajouter l'aubergine, couvrir et cuire, en remuant de temps en temps, de 5 à 7 minutes ou jusqu'à ce qu'elle soit complètement ramollie. À l'aide d'une cuillère à égoutter, mettre l'aubergine dans un bol.

2. Mettre la casserole à feu moyen et ajouter le reste de l'huile. Y faire sauter l'oignon de 3 à 4 minutes ou jusqu'à ce qu'il soit ramolli. Ajouter l'ail et le faire sauter pendant 30 secondes. Ajouter le vin et déglacer le plat, en raclant le fond pour enlever tous les petits morceaux qui y ont adhéré. Ajouter l'aubergine, les tomates entières avec le jus, les tomates séchées et le basilic séché. Porter à ébullition, en remuant de temps en temps. Réduire le feu et laisser mijoter, en remuant de temps en temps, pendant 50 minutes ou jusqu'à ce que la sauce ait légèrement épaissi. Incorporer le basilic frais et laisser mijoter pendant 10 minutes. Poivrer, au goût.

Pâtes aux légumes grillés

Heather McColl, diététiste, Colombie-Britannique

Le fait de faire griller les légumes fait ressortir la richesse et la profondeur de leur couleur et de leur saveur. Si l'on ajoute le goût de noisette des pâtes de blé entier, la douceur du basilic frais et la petite touche salée du parmesan, on obtient un plat tout à fait savoureux.

CONSEILS

Coupez tous les légumes de la même grosseur pour vous assurer qu'ils cuiront uniformément.

Pour ajouter des protéines à ce repas, servez ces pâtes avec des saucisses végétariennes grillées.

Valeur nutritive par portion	
Calories	313
Lipides	9,2 g
saturés	1,8 g
Sodium	249 mg (10 % VQ)
Glucides	52 g
Fibres	7 g (28 % VQ)
Protéines	11 g
Calcium	126 mg (11 % VQ)
Fer	2,6 mg (19 % VQ)

Teneur très élevée en magnésium, vitamine A, vitamine C et acide folique
Teneur élevée en zinc, vitamine B$_6$, thiamine et niacine

Équivalents par portion pour les personnes diabétiques :
2 ½ Glucides
2 Matières grasses

- *Préchauffer le four à 220 °C (425 °F)*
- *Une plaque à pâtisserie munie d'un bord, légèrement graissée*

6 gousses d'ail, non pelées
60 ml (4 c. à soupe) d'huile d'olive extra-vierge, au total
45 ml (3 c. à soupe) de vinaigre balsamique
2 ml (½ c. à thé) de poivre noir fraîchement moulu
Une pincée de sel
1 poivron rouge, coupé en morceaux de 1 cm (½ po)
1 poivron jaune, coupé en morceaux de 1 cm (½ po)
1 oignon, coupé en morceaux de 1 cm (½ po)
750 ml (3 tasses) de courge musquée coupée en cubes de 1 cm (½ po)
500 ml (2 tasses) d'aubergine non pelée, coupée en morceaux de 1 cm (½ po)
500 ml (2 tasses) d'asperges hachées en morceaux de 1 cm (½ po)
375 g (12 oz) de pennes de blé entier
4 tomates, épépinées et coupées en dés
175 ml (¾ tasse) de basilic frais grossièrement haché légèrement tassé
75 ml (⅓ tasse) de parmesan fraîchement râpé

1. Couper l'extrémité des gousses d'ail. Les mettre sur un petit morceau de papier d'aluminium et les arroser de 2 ml (½ c. à thé) d'huile. Enrouler le papier pour y emprisonner l'ail. Faire griller au four préchauffé pendant 20 minutes ou jusqu'à ce que l'ail soit tendre. Retirer l'ail du four, laisser le four allumé et laisser l'ail refroidir légèrement. Extraire l'ail de sa pellicule extérieure, jeter la pellicule, puis hacher l'ail grossièrement et le mettre dans un petit bol. Incorporer le vinaigre, 37 ml (2 ½ c. à soupe) d'huile, le poivre et le sel en fouettant. Réserver.

2. Dans un grand bol, mélanger le poivron rouge, le poivron jaune, l'oignon, la courge et l'aubergine avec 15 ml (1 c. à soupe) d'huile. Étendre les légumes sur la plaque à pâtisserie graissée. Les faire griller au four sur la grille du haut, en remuant de temps en temps, de 15 à 20 minutes ou jusqu'à ce que légumes soient presque tendres.

3. Dans un petit bol, mélanger les asperges avec le reste de l'huile. Mettre les asperges sur la plaque à pâtisserie et cuire au four pendant environ 10 minutes ou jusqu'à ce que les légumes soient tendres et légèrement dorés.

4. Entre-temps, dans une grande casserole d'eau bouillante salée, cuire les pâtes selon les instructions qui figurent sur l'emballage jusqu'à ce qu'elles soient al dente. Les égoutter, en réservant 60 ml (¼ tasse) du liquide de cuisson.

5. Mettre les pâtes égouttées dans un grand bol de service et mélanger avec le liquide de cuisson réservé. Ajouter les légumes grillés, les tomates, le basilic et le mélange d'ail grillé. Bien mélanger. Parsemer de parmesan. Servir les pâtes chaudes ou les couvrir et réfrigérer jusqu'à 24 heures. Les laisser reposer à la température de la pièce pendant 1 heure avant de servir.

Selon les botanistes, l'aubergine est un fruit, mais elle est plus souvent utilisée comme légume. Il y a des dizaines de variétés d'aubergine de diverses tailles, formes et couleurs. Vous pouvez laisser la peau ou l'enlever, elle devient foncée en cuisant et tombe, alors bien des cuisiniers choisissent de l'enlever. Il est également courant de saler l'aubergine et de la laisser reposer dans une passoire pour lui retirer une partie de l'amertume. Mais ce n'est plus nécessaire, grâce à des méthodes de culture améliorées. L'aubergine a une texture spongieuse, toutefois, et absorbe beaucoup de gras. Le fait de la saler avant l'usage pourrait réduire la quantité d'huile absorbée.

Variantes

Remplacez la courge musquée par des courgettes.

Si vous aimez les plats épicés, ajoutez 15 ml (1 c. à soupe) de piment jalapeño haché aux légumes grillés, à l'étape 2, ou ajoutez 5 ml (1 c. à thé) de piment rouge en flocons au mélange d'ail grillé, à l'étape 5.

Vous pouvez remplacer la moitié du basilic par de l'origan frais grossièrement haché.

Fettuccinis, sauce crémeuse aux noix de cajou

Rory Hornstein, diététiste, Alberta

4 PORTIONS

✓ **LE CHOIX DES ENFANTS**

Dans cette recette, la sauce crémeuse aux noix de cajou remplace la crème 35 %, qui est souvent utilisée dans les sauces à base de crème. Cela permet de conserver la riche texture de la sauce et d'y ajouter un goût de noisette qui se marie parfaitement aux pâtes de blé entier.

Valeur nutritive par portion	
Calories	325
Lipides	10,8 g
saturés	2,6 g
Sodium	334 mg (14 % VQ)
Glucides	48 g
Fibres	5 g (20 % VQ)
Protéines	14 g
Calcium	106 mg (10 % VQ)
Fer	2,8 mg (20 % VQ)

Teneur très élevée en magnésium et zinc
Teneur élevée en thiamine et niacine

Équivalents par portion pour les personnes diabétiques :
3   Glucides
½   Viandes et substituts
1 ½ Matières grasses

- *Un robot culinaire*

250 g (8 oz) de fettuccinis de blé entier
125 ml (½ tasse) de noix de cajou grillées non salées
Huile végétale de cuisson en atomiseur
3 gousses d'ail, hachées
60 ml (¼ tasse) de parmesan fraîchement râpé
1 ml (¼ c. à thé) de poivre noir fraîchement moulu
Une pincée de sel

1. Dans une grande casserole d'eau bouillante salée, cuire les fettuccinis selon les instructions qui figurent sur l'emballage jusqu'à ce qu'ils soient al dente. Les égoutter et réserver.
2. Entre-temps, dans un robot culinaire, pulvériser les noix de cajou pendant environ 2 minutes, en raclant le bol une fois, jusqu'à ce que les noix forment une pâte. Pendant que l'appareil est en marche, ajouter graduellement 300 ml (1 ¼ tasse) d'eau par l'orifice d'alimentation, puis faire fonctionner l'appareil, en raclant le bol une fois, jusqu'à ce que le mélange soit lisse.
3. Mettre la crème de noix de cajou dans une petite casserole et porter à ébullition à feu moyen-vif, en remuant de temps en temps. Réduire le feu et laisser mijoter, en remuant, pendant 1 minute ou jusqu'à ce que la crème soit épaisse – si elle est trop épaisse pour être remuée facilement, ajouter de 15 à 30 ml (1 à 2 c. à soupe) d'eau.
4. Entre-temps, vaporiser un grand poêlon antiadhésif d'huile et chauffer à feu moyen-vif. Y faire sauter l'ail pendant 30 secondes. Incorporer la crème de noix de cajou, les pâtes, le parmesan, le poivre et le sel. Cuire, en remuant, jusqu'à ce que le mélange soit bien chaud et que les pâtes soient couvertes de sauce.

CONSEILS

Dès que la crème commence à épaissir, à l'étape 3, elle épaissit rapidement par la suite. Remuez-la pendant qu'elle mijote pour l'empêcher de brûler.

Voici une délicieuse façon de faire découvrir aux jeunes enfants d'autres noix que les arachides. Ils adorent le son des noix qui tourbillonnent dans le robot culinaire!

VARIANTE

Vous pouvez ajouter des légumes cuits aux pâtes et au fromage.

Pasta e Fagioli

Francy Pillo-Blocka, diététiste, Ontario

✓ LE CHOIX DES ENFANTS

Pasta e Fagioli signifie «pâtes et haricots», en italien. Ce plat simple et consistant ressemble à une soupe.

CONSEILS

Les bagues (ditali) ou très gros macaronis coupés ont la taille et la forme idéales pour ce plat. Vous les trouverez dans la plupart des épiceries, sinon remplacez-les par des coquillettes ou des macaronis.

Le fait de cuire les pâtes dans le bouillon ajoute beaucoup de saveur au résultat final.

Valeur nutritive par portion	
Calories	291
Lipides	3,4 g
saturés	0,5 g
Sodium	587 mg (24 % VQ)
Glucides	53 g
Fibres	8 g (32 % VQ)
Protéines	12 g
Calcium	50 mg (5 % VQ)
Fer	2,9 mg (21 % VQ)

Teneur très élevée en acide folique
Teneur élevée en magnésium, zinc, vitamine B$_6$, thiamine et niacine

Équivalents par portion pour les personnes diabétiques:
3   Glucides
½   Viandes et substituts

15 ml (1 c. à soupe) d'huile d'olive
6 gousses d'ail, hachées
1 grosse tomate, hachée
1 boîte de 540 ml (19 oz) de haricots blancs, égouttés et rincés, au total
1 boîte de 540 ml (19 oz) de pois chiches, égouttés et rincés, au total
750 ml (3 tasses) de bouillon de légumes
250 ml (1 tasse) de vin blanc sec
750 ml (3 tasses) de pâtes en forme de bagues (ditali)
30 ml (2 c. à soupe) de persil frais haché

1. Dans une grande casserole, chauffer l'huile à feu moyen. Y faire sauter l'ail de 1 à 2 minutes ou jusqu'à ce qu'il soit ramolli sans être doré. Ajouter la tomate et la faire sauter de 1 à 2 minutes ou jusqu'à ce qu'elle commence à ramollir. Ajouter la moitié des haricots blancs et la moitié des pois chiches, puis les écraser avec un pilon et mélanger.

2. Incorporer le bouillon, le vin et le reste des haricots blancs et des pois chiches, puis porter à ébullition. Incorporer les pâtes et porter de nouveau à ébullition. Réduire le feu et laisser bouillir légèrement de 8 à 10 minutes ou jusqu'à ce que les pâtes soient al dente. Incorporer le persil.

SUGGESTION DE SERVICE

Vous pouvez servir ce plat avec une simple salade de tomates tranchées et de fines herbes hachées, arrosée d'un filet d'huile d'olive extra-vierge et de vinaigre balsamique.

Pâtes aux épinards et aux haricots noirs

Sarah Reid, Ontario

DE 8 À 10 PORTIONS

✓ **LE CHOIX DES ENFANTS**

Pendant ses études universitaires, Sarah a élaboré ce délicieux plat dans le cadre d'un projet étudiant pour créer une recette végétarienne. Elle l'a testé six fois en y apportant chaque fois de petites améliorations. Nous n'avons fait que des changements mineurs pour simplifier les étapes de cuisson. Bon travail, Sarah!

500 g (1 lb) de rotinis ou de pennes de blé entier
15 ml (1 c. à soupe) d'huile de canola
250 ml (1 tasse) d'oignon haché
1 gousse d'ail, hachée
5 ml (1 c. à thé) d'origan séché
5 ml (1 c. à thé) de cumin moulu
2 ml (½ c. à thé) de poivre noir fraîchement moulu
1 ml (¼ c. à thé) de cayenne
1 boîte de 796 ml (28 oz) de tomates en dés, avec le jus
1 boîte de 156 ml (5 ½ oz) de pâte de tomates
1 boîte de 540 ml (19 oz) de haricots noirs, égouttés et rincés
1 sac de 300 g (10 oz) d'épinards frais, parés et déchirés
   en petits morceaux
500 ml (2 tasses) de brocoli haché
300 ml (1 ¼ tasse) de bouillon de légumes
125 ml (½ tasse) de parmesan fraîchement râpé

1. Dans une grande casserole d'eau bouillante, cuire les pâtes de 6 à 8 minutes ou jusqu'à ce qu'elles soient presque al dente. Les égoutter et réserver.
2. Entre-temps, dans un grand poêlon, chauffer l'huile à feu moyen. Y faire sauter l'oignon de 3 à 4 minutes ou jusqu'à ce qu'il soit ramolli. Ajouter l'ail, l'origan, le cumin, le poivre et le cayenne, puis les faire sauter pendant 1 minute. Incorporer les tomates avec le jus, la pâte de tomates, les haricots, les épinards, le brocoli, le bouillon et 250 ml (1 tasse) d'eau. Porter à ébullition. Réduire à feu doux et laisser mijoter, en remuant de temps en temps, de 7 à 8 minutes ou jusqu'à ce que le brocoli soit tendre.
3. Incorporer délicatement les pâtes et le parmesan. Laisser mijoter pendant 5 minutes ou jusqu'à ce que les pâtes soient al dente.

CONSEILS

Les restes sont délicieux, servis dans des cocottes ou dans des ramequins individuels, garnis de fromage et passés sous le gril du four.

Cette recette peut facilement être réduite de moitié.

Les enfants adorent goûter les pâtes pour en vérifier la cuisson.

Valeur nutritive par portion	
Calories	280
Lipides	3,9 g
Saturés	1,1 g
Sodium	470 mg (20 % VQ)
Glucides	53 g
Fibres	9 g (36 % VQ)
Protéines	14 g
Calcium	176 mg (16 % VQ)
Fer	4,7 mg (34 % VQ)

Teneur très élevée en magnésium, vitamine A, vitamine C et acide folique
Teneur élevée en zinc, vitamine B$_6$, thiamine, riboflavine et niacine

Équivalents par portion pour les personnes diabétiques:
2 ½ Glucides
1 Viandes et substituts

Tourte aux spaghettis et aux épinards

Jennie Cowan, diététiste, Manitoba

6 PORTIONS

✓ LE CHOIX DES ENFANTS

Avec un reste de spaghettis, vous pouvez rapidement préparer ce plat au micro-ondes, un soir où vous êtes pressé. Servez-le accompagné de tzatziki.

CONSEIL

Pour accélérer la préparation à l'heure du souper, faites décongeler les épinards au réfrigérateur la veille.

• *Un moule à tarte allant au micro-ondes de 23 cm (9 po)*

500 ml (2 tasses) de spaghettis de blé entier cuits froids
6 œufs
1 paquet de 300 g (10 oz) d'épinards surgelés hachés, décongelés, égouttés et pressés pour en retirer le surplus d'eau
250 ml (1 tasse) de fromage asiago râpé
125 ml (½ tasse) de parmesan fraîchement râpé
5 ml (1 c. à thé) de basilic séché
5 ml (1 c. à thé) d'origan séché
2 ml (½ c. à thé) de poivre noir fraîchement moulu

1. Étendre les spaghettis cuits uniformément au fond du moule à tarte.
2. Dans un grand bol, battre les œufs jusqu'à ce qu'ils soient bien mélangés. Incorporer les épinards, le fromage asiago, le parmesan, le basilic, l'origan et le poivre. Verser uniformément sur les spaghettis.
3. Passer au micro-ondes à puissance élevée de 12 à 14 minutes ou jusqu'à ce que les œufs soient pris.

Pour conserver et réchauffer les pâtes cuites

Ajoutez de 5 à 15 ml (1 à 3 c. à thé) d'huile végétale aux pâtes encore chaudes et mélangez. (Cela empêche les pâtes de coller ensemble en refroidissant.) Mettez les pâtes dans un sac en plastique refermable, laissez-les refroidir à la température de la pièce pendant 15 minutes, puis mettez-le au réfrigérateur sans le sceller. Lorsque les pâtes sont froides, scellez le sac et remuez-le pour vous assurer que les pâtes ne collent pas ensemble. Elles se conserveront au réfrigérateur jusqu'à 3 jours.

Utilisez les pâtes froides dans les recettes où elles figurent dans les ingrédients (comme dans cette recette). Sinon, réchauffez-les en les plongeant dans une casserole d'eau en ébullition, de 30 à 60 secondes juste pour les réchauffer. Ne les laissez pas dans l'eau plus d'une minute pour éviter qu'elles ne deviennent spongieuses.

Valeur nutritive par portion	
Calories	239
Lipides	12,8 g
saturés	5,8 g
Sodium	412 mg (17 % VQ)
Glucides	15 g
Fibres	3 g (12 % VQ)
Protéines	17 g
Calcium	302 mg (27 % VQ)
Fer	1,9 mg (14 % VQ)

Teneur très élevée en vitamine A, acide folique et vitamine B_{12}
Teneur élevée en magnésium, riboflavine et niacine

Équivalents par portion pour les personnes diabétiques :
1 Glucides
2 Viandes et substituts
1 Matières grasses

VARIANTE

Ajoutez 2 ml (½ c. à thé) de piment rouge en flocons au mélange d'épinards.

Casserole de pâtes aux légumes et au fromage

Sylvie Leblanc, étudiante en nutrition, Nouveau-Brunswick

5 PORTIONS

5 PORTIONS

✓ LE CHOIX DES ENFANTS

Vos enfants vont réclamer ces pâtes au fromage. La carotte donne à ce plat la couleur orange caractéristique du macaroni au fromage traditionnel.

CONSEIL

Ajoutez seulement du bouillon chaud ou tiède à un roux (mélange de matières grasses et de farine). Si vous ajoutez du bouillon froid, le gras pourrait se solidifier, et cela formerait des grumeaux qu'il serait difficile de dissoudre.

Valeur nutritive par portion	
Calories	341
Lipides	16,8 g
saturés	6,5 g
Sodium	256 mg (11 % VQ)
Glucides	36 g
Fibres	4 g (16 % VQ)
Protéines	15 g
Calcium	313 mg (28 % VQ)
Fer	1,5 mg (11 % VQ)

Teneur très élevée en vitamine A
Teneur élevée en magnésium, zinc, vitamine D, acide folique, riboflavine et niacine

Équivalents par portion pour les personnes diabétiques :
2 Glucides
1 Viandes et substituts
2 Matières grasses

- *Préchauffer le four à 180 °C (350 °F)*
- *Un plat en verre carré allant au four de 20 cm (8 po), légèrement graissé*

500 ml (2 tasses) de rotinis ou de pennes de blé entier
37 ml (2 ½ c. à soupe) d'huile de canola, au total
250 ml (1 tasse) d'oignon haché
3 gousses d'ail, hachées
250 ml (1 tasse) de carotte râpée
30 ml (2 c. à soupe) de farine tout usage
500 ml (2 tasses) de lait 2 %
250 ml (1 tasse) de cheddar râpé, au total
250 ml (1 tasse) de brocoli haché

1. Dans une grande casserole d'eau bouillante salée, cuire les pâtes selon les instructions qui figurent sur l'emballage jusqu'à ce qu'elles soient al dente. Les égoutter et réserver.
2. Entre-temps, dans une grande casserole, chauffer 10 ml (2 c. à thé) d'huile à feu moyen. Y faire sauter l'oignon de 3 à 4 minutes ou jusqu'à ce qu'il soit ramolli. Ajouter l'ail et le faire sauter pendant 30 secondes. Ajouter la carotte et la faire sauter de 3 à 4 minutes ou jusqu'à ce qu'elle soit tendre. Mettre le mélange de légumes dans une assiette.
3. Dans la même casserole, chauffer l'huile qui reste à feu moyen. Saupoudrer de farine et cuire, en remuant, pendant 30 secondes. Incorporer graduellement le lait, en fouettant pour s'assurer que la farine se répartisse également et ne forme pas de grumeaux. Porter à ébullition, en fouettant, puis retirer immédiatement du feu. Ajouter 175 ml (¾ tasse) du cheddar et mélanger jusqu'à ce qu'il soit fondu. Incorporer le brocoli, le mélange de carottes et les pâtes, en mélangeant pour les couvrir du mélange.
4. Mettre le mélange dans le plat allant au four graissé et parsemer du fromage qui reste. Couvrir de papier aluminium et cuire au four préchauffé pendant 30 minutes ou jusqu'à ce que le plat soit chaud et bouillonne.

VARIANTES
Remplacez le brocoli par des petits pois ou des haricots verts.
   Assaisonnez la sauce au fromage de fines herbes de votre choix, comme l'estragon, le basilic, l'origan et le thym, séchés.

Lasagne à l'aubergine

Lorna Salgado, Ontario

Ce plat végétarien renferme une étonnante garniture qui ravira votre famille.

CONSEILS

Si vous n'arrivez pas à obtenir 9 minces tranches d'aubergine, coupez les tranches les plus larges en 2 pour obtenir le nombre requis.

Pour convaincre les plus difficiles de manger plus de légumes, utilisez moitié pâtes à lasagne, moitié tranches d'aubergine, puis ajoutez plus de tranches d'aubergine avec le temps.

Le mélange de hoummos est délicieux en trempette.

Valeur nutritive par portion	
Calories	210
Lipides	9,3 g
saturés	2,4 g
Sodium	695 mg (29 % VQ)
Glucides	21 g
Fibres	5 g (20 % VQ)
Protéines	13 g
Calcium	140 mg (13 % VQ)
Fer	2,2 mg (16 % VQ)

Teneur très élevée en vitamine A et acide folique
Teneur élevée en magnésium et niacine

Équivalents par portion pour les personnes diabétiques :
½ Glucides
1 ½ Viandes et substituts
1 Matières grasses

- *Préchauffer le four à 200 °C (400 °F)*
- *Une plaque à pâtisserie, légèrement graissée*
- *Un plat en verre carré allant au four de 23 cm (9 po), légèrement graissé*

1 aubergine d'environ 500 g (1 lb)
1 ml (¼ c. à thé) de sel
2 ml (½ c. à thé) de poivre noir fraîchement moulu
250 ml (1 tasse) d'épinards surgelés hachés décongelés et égouttés
250 ml (1 tasse) de sauce tomate
250 ml (1 tasse) de fromage cottage 2 %
125 ml (½ tasse) de hoummos épicé au piment rouge (maison ou du commerce)
30 ml (2 c. à soupe) de parmesan fraîchement râpé

1. Peler l'aubergine et la couper dans le sens de la longueur en 9 tranches minces. Saler et poivrer les 2 côtés des tranches d'aubergine. Les disposer sur une plaque à pâtisserie graissée et les rôtir au four préchauffé, en les retournant une fois, pendant 15 minutes ou jusqu'à ce qu'elles soient légèrement dorées. Réserver.
2. Entre-temps, dans un petit bol, mélanger les épinards et la sauce tomate.
3. Dans un autre petit bol, mélanger le fromage cottage et le hoummos.
4. Étendre 60 ml (¼ tasse) du mélange de sauce tomate au fond du plat allant au four graissé. Disposer 3 tranches d'aubergine par-dessus. Étendre un tiers du mélange de fromage cottage par-dessus. Ajouter 2 autres couches de sauce, d'aubergine et de fromage. Verser la sauce qui reste par-dessus et parsemer de parmesan.
5. Cuire au four préchauffé pendant 20 minutes ou jusqu'à ce que le fromage soit doré et que la lasagne soit bien chaude. Laisser reposer pendant 10 minutes avant de couper.

VARIANTE

Vous pouvez remplacer l'aubergine par 3 pâtes à lasagne de blé entier cuites.

Lasagne au tofu et aux épinards

Caroline Dubeau, diététiste, Ontario

✓ LE CHOIX DES ENFANTS

Les aliments prêts à utiliser, comme la sauce pour les pâtes du commerce et les pâtes à lasagne prêtes à cuire, simplifient la préparation de cette recette. C'est une bonne façon d'introduire le tofu dans votre menu.

- *Préchauffer le four à 180 °C (350 °F)*
- *Un plat allant au four de 33 x 23 cm (13 x 9 po)*

15 ml (1 c. à soupe) d'huile de canola
1 petit oignon, finement haché
1 carotte, en dés fins
1 paquet de 540 g (18 oz) de tofu mou, égoutté
1 paquet de 300 g (10 oz) d'épinards surgelés hachés, décongelés et égouttés
1 œuf, légèrement battu
75 ml (⅓ tasse) de chapelure fine
1 pot de 650 ml (22 oz) de sauce pour les pâtes tomate et basilic
12 pâtes à lasagne prêtes à cuire
250 ml (1 tasse) de cheddar râpé

1. Dans un grand poêlon antiadhésif, chauffer l'huile à feu moyen-vif. Y faire sauter l'oignon et la carotte de 4 à 5 minutes ou jusqu'à ce qu'ils soient ramollis.
2. Entre-temps, dans un grand bol, écraser le tofu à l'aide d'une fourchette. Incorporer le mélange d'oignon et les épinards. Ajouter l'œuf et la chapelure. Bien mélanger.
3. Verser 75 ml (⅓ tasse) d'eau dans le plat allant au four, avec le tiers de la sauce. Mélanger, puis étendre le liquide au fond du plat. Ajouter encore 75 ml (⅓ tasse) d'eau à la sauce qui reste dans le pot et bien mélanger.

Valeur nutritive par portion	
Calories	381
Lipides	13,7 g
saturés	5,1 g
Sodium	491 mg (20 % VQ)
Glucides	46 g
Fibres	5 g (20 % VQ)
Protéines	18 g
Calcium	291 mg (26 % VQ)
Fer	4,3 mg (31 % VQ)

Teneur très élevée en magnésium, vitamine A, acide folique, thiamine et niacine
Teneur élevée en zinc et riboflavine

Équivalents par portion pour les personnes diabétiques :
2 ½ Glucides
1 ½ Viandes et substituts
1   Matières grasses

4. Déposer 3 pâtes à lasagne sur la sauce, dans le plat allant au four. Étendre la moitié du mélange de tofu sur les pâtes. Mettre encore 3 pâtes à lasagne sur le dessus et verser la moitié du reste de sauce pour les pâtes uniformément sur les pâtes. Mettre encore 3 pâtes à lasagne, puis y étendre le reste du mélange de tofu. Mettre enfin les 3 dernières pâtes à lasagne et verser le reste de la sauce par-dessus. Parsemer de cheddar et couvrir de papier d'aluminium.

5. Cuire au four préchauffé de 45 à 50 minutes ou jusqu'à ce que la sauce bouillonne. Retirer le papier d'aluminium et cuire pendant 10 minutes ou jusqu'à ce que les pâtes soient tendres et que le dessus soit doré. Laisser reposer la lasagne pendant 10 minutes avant de la couper.

De nombreuses sauces pour les pâtes du commerce ont une teneur élevée en sodium. Recherchez celles qui sont «à teneur réduite en sel», «à teneur réduite en sodium» ou «sans sel» et choisissez-en une qui contient la moins grande quantité de sodium par portion. Ou essayez la Sauce de base aux tomates italiennes (p. 278).

VARIANTES

Pendant la saison des poivrons, vous pouvez remplacer la carotte par un poivron rouge ou orange, finement haché.

Essayez le tofu herbes et ail.

Remplacez les pâtes à lasagne blanches par des pâtes à lasagne de blé entier, prêtes à cuire.

SUGGESTION DE SERVICE

Vous pouvez servir ce plat avec des asperges cuites à la vapeur.

CONSEILS

Pour décongeler les épinards rapidement, chauffez un poêlon à feu moyen, puis ajoutez-y tous les épinards du paquet. Chauffez, en retournant les épinards souvent, jusqu'à ce qu'ils soient décongelés. Mettez-les ensuite dans une passoire, puis égouttez le surplus d'eau.

Les restes de cette lasagne se congèlent bien. Enveloppez la lasagne froide de pellicule plastique et mettez-la dans un contenant hermétique ou dans un sac de congélation.

Lasagne végétarienne épicée

Anne Holtzman, diététiste, Colombie-Britannique

Cette lasagne utilise du sans-viande hachée italien (substitut de viande végétarien) qui lui donne une texture et un goût délicieux. C'est une excellente façon d'introduire les substituts de viande au menu familial.

Conseil

Vérifiez le tableau de la valeur nutritive quand vous achetez de la sauce pour les pâtes et choisissez un produit à teneur réduite en sodium. Ou préparez une recette de Sauce de base aux tomates italiennes (p. 278).

Valeur nutritive par portion	
Calories	418
Lipides	14,6 g
saturés	5,7 g
Sodium	538 mg (22 % VQ)
Glucides	47 g
Fibres	7 g (28 % VQ)
Protéines	28 g
Calcium	392 mg (36 % VQ)
Fer	3,9 mg (28 % VQ)

Teneur très élevée en zinc, vitamine B_6, vitamine B_{12}, thiamine, riboflavine et niacine
Teneur élevée en magnésium

Équivalents par portion pour les personnes diabétiques :
2   Glucides
2 ½ Viandes et substituts

• *Un plat en verre allant au four de 33 x 23 cm (13 x 9 po)*

12 pâtes à lasagne de blé entier
30 ml (2 c. à soupe) d'huile de canola ou d'huile d'olive
250 ml (1 tasse) d'oignon finement haché
1 gousse d'ail, hachée
375 ml (1 ½ tasse) de sauce tomate pour les pâtes à teneur réduite en sodium
1 paquet de 340 g (12 oz) de sans-viande hachée italien (substitut de viande végétarien)
1 œuf
250 ml (1 tasse) de crème sure légère
250 ml (1 tasse) de fromage ricotta léger
500 ml (2 tasses) de mozzarella partiellement écrémée râpée

1. Dans une grande casserole d'eau bouillante salée, cuire les pâtes à lasagne selon les instructions qui figurent sur l'emballage jusqu'à ce qu'elles soient presque tendres, mais encore fermes (elles finiront de cuire au four). Les égoutter et les rincer à l'eau froide. Les égoutter encore et les disposer à plat dans une assiette. Réserver.

2. Dans une grande casserole, chauffer l'huile à feu moyen. Y faire sauter l'oignon de 3 à 4 minutes ou jusqu'à ce qu'il soit ramolli. Ajouter l'ail et le faire sauter pendant 30 secondes. Incorporer la sauce tomate et porter à ébullition. Réduire le feu et laisser mijoter, en remuant de temps en temps, pendant 10 minutes. Retirer du feu et incorporer le sans-viande hachée. Réserver.

3. Dans un petit bol, fouetter l'œuf jusqu'à ce qu'il soit bien battu. Incorporer la crème sure, la ricotta et 125 ml (½ tasse) de mozzarella.

4. Étendre environ 30 ml (2 c. à soupe) de sauce au fond du plat allant au four. Y déposer 3 pâtes à lasagne, puis étendre la moitié de la sauce qui reste. Mettre 3 pâtes par-dessus, puis étendre le mélange de crème sure. Mettre 3 pâtes par-dessus, puis étendre la sauce qui reste. Mettre les 3 dernières pâtes par-dessus et parsemer du reste de mozzarella.

5. Cuire au four préchauffé pendant 30 minutes ou jusqu'à ce que la lasagne bouillonne et que le dessus soit doré. Laisser reposer pendant 15 minutes avant de servir.

Variante

La première fois que nous avons testé cette recette, nous avons utilisé du sans-viande hachée asiatique, et ce fut délicieux. Essayez-le !

Pilaf au tofu et aux légumes

Shefali Raja, diététiste, Colombie-Britannique

✓ LE CHOIX DES ENFANTS

Le riz basmati est à la base de ce pilaf d'inspiration indienne, l'un des plats préférés dans la famille de Shefali.

CONSEILS

Retirez les bâtons de cannelle et les gousses de cardamome avant de servir. Les gousses de cardamome se confondent avec les pois si on n'y prête pas attention.

La teneur en glucides peut sembler élevée, mais n'oubliez pas que ce plat contient à la fois des légumes et un produit céréalier.

Valeur nutritive par portion	
Calories	426
Lipides	12,2 g
saturés	1,2 g
Sodium	323 mg (13 % VQ)
Glucides	64 g
Fibres	6 g (24 % VQ)
Protéines	16 g
Calcium	154 mg (14 % VQ)
Fer	2,6 mg (19 % VQ)

Teneur très élevée en magnésium, vitamine A, vitamine B$_6$, acide folique et niacine
Teneur élevée en zinc et thiamine

Équivalents par portion pour les personnes diabétiques :
3 ½ Glucides
1 Viandes et substituts
1 ½ Matières grasses

30 ml (2 c. à soupe) d'huile de canola
2 bâtons de cannelle de 10 cm (4 po)
4 gousses de cardamome
5 ml (1 c. à thé) de graines de cumin
375 ml (1 ½ tasse) d'oignons finement hachés
375 ml (1 ½ tasse) de pommes de terre en dés
250 ml (1 tasse) de petits pois frais ou surgelés (décongelés et
    égouttés, si surgelés)
250 ml (1 tasse) de carottes en dés
250 ml (1 tasse) de tofu ferme en cubes
45 ml (3 c. à soupe) de gingembre frais haché
2 ml (½ c. à thé) de curcuma moulu
250 ml (1 tasse) de riz basmati
2 ml (½ c. à thé) de sel

1. Dans une grande casserole, chauffer l'huile à feu moyen. Y faire sauter les bâtons de cannelle, les gousses de cardamome et les graines de cumin pendant 1 minute ou jusqu'à ce qu'une bonne odeur s'en dégage. Ajouter les oignons, les pommes de terre, les pois, les carottes, le tofu, le gingembre et le curcuma. Les faire sauter de 3 à 4 minutes ou jusqu'à ce que les oignons soient ramollis.

2. Ajouter le riz, le sel et 750 ml (3 tasses) d'eau, puis porter à ébullition. Réduire à feu doux, couvrir et laisser mijoter, en remuant de temps en temps, pendant 15 minutes ou jusqu'à ce que le riz soit tendre et gonflé. Si le riz commence à coller, incorporer de 15 à 30 ml (1 à 2 c. à soupe) d'eau supplémentaire. Jeter les bâtons de cannelle et les gousses de cardamome. Défaire les grains de riz à l'aide d'une fourchette.

La cardamome, une épice tropicale de la famille du gingembre, est très utilisée dans la cuisine indienne et scandinave. Dans ce dernier cas, elle est particulièrement appréciée dans les biscuits épicés à la cardamome.

SUGGESTION DE SERVICE

Vous pouvez servir ce plat garni de coriandre fraîche hachée et d'arachides grillées hachées, avec du yogourt nature pour l'accompagner.

Les plats d'accompagnement

Des asperges aux zucchinis en passant par le panais, la plupart des légumes poussent bien chez nous. Ils nous fournissent une foule de vitamines, de minéraux, de fibres alimentaires, d'antioxydants et de phytonutriments. Il y a plusieurs façons d'intégrer les légumes dans votre alimentation. Voilà pourquoi ils occupent une place importante dans ce livre. Dans ce chapitre en particulier, ils sont en vedette dans une variété de plats d'accompagnement colorés et savoureux. Vous y trouverez également de délicieuses recettes à base de produits céréaliers, comme l'orge mondé et le quinoa, qui regorgent d'éléments nutritifs et créent des plats uniques.

Asperges au citron rôties 297

Chou rouge braisé 298

Carottes à l'estragon cuites à la vapeur 299

Chou-fleur, pommes de terre et pois chiches
    à l'indienne. 300

Maïs en crème maison 302

Les épinards de Popeye le vrai marin. 303

Purée de courge 304

Courge à l'érable délicieuse et vite préparée 305

Fleurs de patates douces 306

Frites de patates douces au four, mayonnaise
    au cari 307

Gratin dauphinois 308

Salade de haricots verts et de pommes de terre grelots . 309

Farfalles aux légumes 310

Risotto aux champignons et au fromage 311

Orge aux champignons et aux oignons caramélisés. 312

Quinoa à la méditerranéenne. 313

Couscous Primavera 314

Farce pour volaille 315

Les antioxydants

Les vitamines C et E et le bêta-carotène (la forme végétale de la vitamine A) constituent des exemples de nutriments qui agissent entre autres comme antioxydants. Les antioxydants contribuent à contrer les effets des radicaux libres, formés lorsqu'il y a oxydation des cellules. Les radicaux libres peuvent endommager les cellules et l'on croit qu'ils jouent un rôle dans le développement des maladies du cœur, du cancer et des cataractes, et dans la détérioration associée au vieillissement. C'est un domaine de recherche très prometteur.

Phyto quoi ?

Les phytonutriments (nutriments de source végétale) regroupent des centaines d'éléments bénéfiques que l'on trouve naturellement dans les aliments végétaux. Puisque de nouveaux phytonutriments sont découverts tous les jours, il est préférable de manger une grande variété de fruits, de légumes et de céréales au quotidien.

Des légumes tout simplement fabuleux

Vous êtes en panne d'idées pour préparer vos légumes préférés? Essayez ces recettes, elles sont nutritives, délicieuses et faciles à préparer.

Légume	Méthode de cuisson	Assaisonnements
Asperges	*Sautées :* Couper les extrémités dures de 500 g (1 lb) d'asperges. Dans un poêlon, faire fondre 10 ml (2 c. à thé) de margarine non hydrogénée ou de beurre à feu moyen-vif. Faire sauter les asperges pendant 5 minutes, en remuant le poêlon souvent. Ajouter 1 gousse d'ail émincée et la faire sauter pendant 30 secondes.	Parsemer les asperges cuites de 15 ml (1 c. à soupe) de parmesan fraîchement râpé et de poivre noir fraîchement râpé ou de 15 ml (1 c. à soupe) de zeste d'orange râpé.
Betteraves	*Rôties :* Laver 1 kg (2 lb) de betteraves, puis couper les tiges et les racines. Envelopper les betteraves dans du papier d'aluminium, les mettre sur une plaque à pâtisserie et les rôtir au four à 190 °C (375 °F) pendant 45 minutes ou jusqu'à ce qu'elles soient tendres. Ouvrir le paquet et rincer les betteraves à l'eau froide pour les refroidir. Les peler et les couper en morceaux.	Parsemer les betteraves rôties de 60 ml (¼ tasse) de noix grillées hachées, verser de 15 à 30 ml (1 à 2 c. à soupe) de vinaigre balsamique et ajouter du poivre noir fraîchement moulu.
Brocoli	*Cuit à la vapeur :* Cuire 500 ml (2 tasses) de bouquets de brocoli à la vapeur (voir p. 295) de 4 à 5 minutes ou jusqu'à ce qu'ils soient tendres. Égoutter.	Garnir le brocoli cuit de 125 ml (½ tasse) de cheddar râpé et le passer sous le gril du four pendant 1 minute ou jusqu'à ce qu'il bouillonne.
Carottes	*Cuites à la vapeur :* Cuire 500 ml (2 tasses) de rondelles de carotte à la vapeur (voir p. 295) de 4 à 5 minutes ou jusqu'à ce qu'elles soient tendres quand on les pique avec une fourchette. Égoutter.	Entre-temps, faire sauter 15 ml (1 c. à soupe) d'échalote dans 5 ml (1 c. à thé) d'huile d'olive. Incorporer 10 ml (2 c. à thé) de miel liquide, 5 ml (1 c. à thé) d'aneth frais haché et 5 ml (1 c. à thé) d'estragon frais haché. Verser sur les carottes cuites.
Céleri-rave	*Rôti :* Peler 1 gros céleri-rave et le couper en bâtonnets de 1 cm (½ po). Dans un petit bol, mélanger 5 ml (1 c. à thé) de cumin moulu, 15 ml (1 c. à soupe) de jus d'orange et 10 ml (2 c. à thé) d'huile de canola. Verser sur le céleri-rave et mélanger le tout. Cuire au four à 220 °C (425 °F), en remuant de temps en temps, pendant 30 minutes ou jusqu'à ce que les bâtonnets soient tendres et dorés.	Parsemer le céleri-rave cuit de 60 ml (¼ tasse) de persil frais haché.
Champignons	*Rôtis :* Disposer 500 ml (2 tasses) de champignons de Paris et 250 ml (1 tasse) de shiitake sur une plaque à pâtisserie légèrement graissée. Arroser de 15 ml (1 c. à soupe) d'huile de canola. Cuire au four à 200 °C (400 °F) de 15 à 18 minutes ou jusqu'à ce qu'ils soient dorés sans être ratatinés.	Verser 15 ml (1 c. à soupe) de vinaigre balsamique sur les champignons rôtis, les parsemer de 10 ml (2 c. à thé) de thym frais haché et de 2 ml (½ c. à thé) de poivre noir fraîchement moulu, puis mélanger.
Chou frisé	*Sauté :* Dans un wok ou un grand poêlon, chauffer 10 ml (2 c. à thé) d'huile de canola et 5 ml (1 c. à thé) d'huile de sésame à feu vif. Ajouter 1 litre (4 tasses) de chou frisé haché et 125 ml (½ tasse) d'oignons tranchés. Faire sauter de 3 à 5 minutes ou jusqu'à ce qu'il soit mou.	Mélanger 15 ml (1 c. à soupe) de tahini, 10 ml (2 c. à thé) de sauce aux piments forts et 10 ml (2 c. à thé) de sauce soya à teneur réduite en sodium. Verser sur le chou frisé cuit.
Choux de Bruxelles	*Cuits à la vapeur :* Cuire à la vapeur 500 ml (2 tasses) de choux de Bruxelles parés et coupés en 2 (voir p. 295) de 4 à 5 minutes ou jusqu'à ce qu'ils soient tendres. Égoutter.	Râper de la muscade sur les choux de Bruxelles cuits.

Légume	Méthode de cuisson	Assaisonnements
Chou-fleur	*Cuit à la vapeur :* Cuire à la vapeur 500 ml (2 tasses) de bouquets de chou-fleur (voir p. 295) de 4 à 5 minutes ou jusqu'à ce qu'ils soient tendres. Les égoutter.	Mettre le chou-fleur cuit en purée et y incorporer 30 ml (2 c. à soupe) de poivrons rouges grillés hachés et 5 ml (1 c. à thé) de persil séché. Saler et ajouter du poivre noir fraîchement moulu.
Courge poivrée	*Rôtie :* Couper 2 courges poivrées en 2 dans le sens de la longueur. Retirer les graines et les jeter. Déposer la courge, côté chair vers le bas, sur une plaque à pâtisserie munie d'un bord. Cuire au four à 180 °C (350 °F) de 30 à 35 minutes ou jusqu'à ce que la chair soit tendre quand on la pique avec une fourchette.	Retirer la chair et la mettre dans un grand bol. Dans un petit bol, mélanger 2 ml (½ c. à thé) de piment de la Jamaïque moulu, 1 ml (¼ c. à thé) de clou de girofle moulu, 15 ml (1 c. à soupe) de jus d'orange concentré surgelé et 15 ml (1 c. à soupe) de sirop d'érable pur à 100 %. Cuire au micro-ondes à température élevée pendant 30 secondes ou jusqu'à ce que ce soit chaud. Incorporer à la courge cuite.
Courgettes	*Sautées :* À l'aide d'un couteau économe, couper 2 grosses courgettes non pelées en rubans. Dans un grand poêlon, chauffer 10 ml (2 c. à thé) d'huile de canola à feu moyen. Y faire sauter 30 ml (2 c. à soupe) d'échalotes émincées et 3 gousses d'ail émincées de 1 à 2 minutes ou jusqu'à ce qu'ils soient ramollis. Ajouter les courgettes et les faire sauter de 3 à 4 minutes ou jusqu'à ce qu'elles soient tendres.	Parsemer les rubans de courgette cuits de 60 ml (¼ tasse) de parmesan fraîchement râpé et de 2 ml (½ c. à thé) de poivre noir fraîchement moulu.
Haricots verts	*Cuits à la vapeur :* Cuire à la vapeur 500 ml (2 tasses) de haricots verts parés (voir p. 295) de 5 à 6 minutes ou jusqu'à ce qu'ils soient tendres quand on les pique avec une fourchette. Égoutter.	Verser 10 ml (2 c. à thé) d'huile de noix sur les haricots et les parsemer de 60 ml (¼ tasse) de noix grillées hachées.
Maïs en épi	*Bouilli :* Éplucher les épis et retirer toute la barbe. Couper les épis en 2. Les cuire dans une grande marmite d'eau bouillante pendant 5 minutes ou jusqu'à ce qu'ils soient tendres.	Servir chaque épi avec 5 ml (1 c. à thé) de beurre composé basilic-citron vert : Faire ramollir 60 ml (¼ tasse) de beurre. Incorporer 15 ml (1 c. à soupe) de basilic finement haché et 5 ml (1 c. à thé) de zeste de citron vert râpé. Mettre le beurre dans un petit bol, puis le mettre au réfrigérateur jusqu'à ce qu'il soit ferme.
Pak-choï et autres légumes asiatiques	*Sautés :* Dans un wok ou un grand poêlon, chauffer 15 ml (1 c. à soupe) d'huile de canola à feu moyen. Y faire sauter 1 litre (4 tasses) de pak-choï haché pendant 2 minutes. Ajouter 2 gousses d'ail émincées et les faire sauter pendant 30 secondes.	Arroser le pak-choï cuit de 5 ml (1 c. à thé) d'huile de sésame et le parsemer de 15 ml (1 c. à soupe) de graines de sésame blanches ou noires.
Panais	*Rôtis :* Couper 1 kg (2 lb) de panais en tranches de 2,5 cm (1 po) d'épaisseur, en diagonale. Les mettre sur une plaque à pâtisserie munie d'un bord, y verser 10 ml (2 c. à thé) d'huile de canola, puis les saupoudrer de 2 ml (½ c. à thé) de cannelle moulue et de 1 ml (¼ c. à thé) de muscade moulue. Cuire au four à 220 °C (425 °F) pendant 30 minutes ou jusqu'à ce qu'ils soient tendres.	Pendant les dix dernières minutes de cuisson, incorporer 15 ml (1 c. à soupe) de sirop d'érable pur à 100 % au panais.

Petit cours de cuisine familiale

Les légumes cuits à la vapeur

La cuisson à la vapeur est l'une des meilleures façons de cuire les légumes afin d'en conserver les éléments nutritifs, la couleur et la saveur. La méthode est simple.

Ce qu'il vous faut

Une marguerite et une casserole avec un couvercle ou un bain-marie muni d'un couvercle et d'une partie supérieure perforée

    Les légumes de votre choix

    De l'eau (ordinaire ou aromatisée de fines herbes ou de légumes aromatiques), du bouillon ou du vin

Comment cuire les légumes à la vapeur

1. Laver les légumes et les éplucher, au besoin. Couper les légumes de la même grosseur et de la même forme pour que les morceaux cuisent également. Les déposer dans la marguerite en une seule couche (ou dans le haut du bain-marie).
2. Verser environ 2,5 cm (1 po) du liquide de votre choix (voir les possibilités ci-dessus) dans la casserole (ou dans la partie inférieure du bain-marie), puis porter à ébullition à feu vif.
3. Déposer la marguerite (ou la partie supérieure du bain-marie) par-dessus le liquide en ébullition et réduire à feu moyen-vif. Couvrir et cuire selon la cuisson désirée – dans la plupart des cas, les légumes seront al dente.

Savoureuses céréales

Il y a tout un monde de céréales à découvrir! En voici quelques-unes de nos préférées, elles offrent une saveur et une texture caractéristiques, ainsi qu'un très bon apport nutritif.

- **Les feuilles d'amarante,** qui ont une saveur légèrement sucrée, sont largement utilisées dans la cuisine asiatique. Les graines d'amarante, lorsqu'elles sont moulues, produisent une farine utilisée dans les produits de boulangerie.
- **L'épeautre** est une céréale ancienne que l'on a d'abord récoltée en Asie et dans le sud de l'Europe, il y a plus de 9000 ans. Dans les produits de boulangerie, il peut remplacer la farine tout usage.
- **Le kamut,** une céréale ancienne qui remonte à 4000 av. J.-C., est l'ancêtre des souches modernes de blé. Ses grains sont deux à trois fois plus gros que ceux du blé que l'on connaît maintenant et ils ont un délicieux goût de noisette. La farine de kamut est souvent utilisée pour faire des pâtes, des céréales et des craquelins. Nous l'avons utilisée pour faire les Biscuits au kamut et à l'épeautre aux grains de chocolat (p. 336).
- **Le millet.** On associe parfois le millet à la nourriture pour oiseaux, mais dans certaines régions du monde, c'est un aliment de base pour les humains que l'on utilise dans la préparation de plats, comme les céréales chaudes et les pilafs. Lorsqu'on le moud, on obtient une farine qui peut servir à faire des poudings, des pains et des gâteaux.
- **L'orge** est célèbre en raison de son utilisation dans les soupes. Elle est également délicieuse en pilaf.
- **Le quinoa,** cette petite céréale en forme de bille qui possède une douce saveur, remonte à l'époque des anciens Incas et est souvent appelée «mère céréale». C'est une source de protéines complètes de haute qualité et l'on en vante souvent les mérites en tant que céréale très protéinée et substitut de la viande. Toutefois, il faut noter qu'il ne fournit que 2,5 g de protéines par 125 ml (½ tasse) de quinoa cuit – une quantité nettement inférieure aux 6 à 7 g de protéines contenues dans 1 œuf ou dans 30 g (1 oz) de viande.

Petit cours de cuisine familiale
Comment cuire les céréales

Le temps et la quantité de liquide requis pour cuire les céréales varient selon le type et la grosseur du grain, et cela vaut aussi pour le rendement. Le tableau ci-dessous sert de guide seulement. En cas de doute, vérifiez les indications qui figurent sur l'emballage.

Céréale /250 ml (1 tasse)	Eau ou bouillon	Temps de cuisson	Rendement
Riz brun	500 ml (2 tasses)	45 minutes	750 ml (3 tasses)
Riz sauvage	750 ml (3 tasses)	60 minutes	1 litre (4 tasses)
Millet	750 ml (3 tasses)	25 minutes	875 ml (3 ½ tasses)
Orge perlé	750 ml (3 tasses)	35 minutes	875 ml (3 ½ tasses)
Orge mondé	750 ml (3 tasses)	60 minutes et plus	875 ml (3 ½ tasses)
Quinoa	500 ml (2 tasses)	15 minutes	625 ml (2 ½ tasses)
Kamut ou grains de blé	500 ml (2 tasses)	60 minutes	750 ml (3 tasses)

Pour cuire, mélanger les céréales et le liquide dans une grande casserole au couvercle hermétique, puis porter à ébullition. Réduire le feu et laisser mijoter, à couvert, pendant le temps de cuisson suggéré ou jusqu'à ce que le liquide soit absorbé. Défaire les grains à l'aide d'une fourchette.

Asperges au citron rôties

Honey Bloomberg, diététiste, Ontario

4 PORTIONS

Voici le premier plat que Honey a préparé dans sa nouvelle cuisine, après son mariage. Le jus et le zeste du citron aromatisent délicieusement les asperges.

CONSEILS

Le temps de cuisson varie selon le diamètre des tiges. Vérifiez la cuisson de temps en temps.

Pour une saveur différente, parsemez les asperges cuites de 30 ml (2 c. à soupe) de parmesan fraîchement râpé.

Grillez les asperges sur une plaque à pâtisserie ou sur le barbecue préchauffé à température moyenne-élevée, dans un panier à grillades.

- *Préchauffer le four à 180 °C (350 °F)*
- *Une plaque à pâtisserie munie d'un bord, couverte de papier d'aluminium*

1 botte d'asperges d'environ 500 g (1 lb), dont on a coupé la base
1 citron
2 gousses d'ail, hachées
30 ml (2 c. à soupe) d'huile d'olive
1 ml (¼ c. à thé) de sel
1 ml (¼ c. à thé) de poivre noir fraîchement moulu

1. Étendre les asperges sur la plaque à pâtisserie préparée. Râper le zeste de ½ citron et presser le jus dans un petit bol. Incorporer l'ail, l'huile, le sel et le poivre. Verser le mélange sur les asperges et secouer la plaque pour s'assurer que chaque asperge soit couverte du mélange.
2. Couper l'autre moitié du citron en tranches, puis les déposer parmi les asperges.
3. Cuire les asperges au four préchauffé, en les retournant une fois, de 10 à 12 minutes ou jusqu'à ce qu'elles soient dorées et al dente.

Les premiers écrits sur les asperges sont des hiéroglyphes égyptiens. Il existe plusieurs variétés d'asperges, dont l'asperge sauvage, l'asperge violette, l'asperge panachée, l'asperge verte et l'asperge blanche. Pour produire les asperges blanches, on les recouvre de terre, elles ne voient donc jamais la lumière du jour, ce qui les empêche de produire de la chlorophylle. Ne tardez pas à cuire les asperges après les avoir achetées, sinon les sucres naturels se transforment rapidement en amidon et elles deviennent ligneuses.

Valeur nutritive par portion	
Calories	83
Lipides	6,9 g
saturés	1,0 g
Sodium	155 mg (6 % VQ)
Glucides	5 g
Fibres	2 g (8 % VQ)
Protéines	2 g
Calcium	23 mg (2 % VQ)
Fer	0,8 mg (6 % VQ)

Teneur très élevée en acide folique

Équivalents par portion pour les personnes diabétiques :
1 ½ Matières grasses

Chou rouge braisé

Corinne Eisenbraun, diététiste, Manitoba

✓ LE CHOIX DES ENFANTS

Une dame allemande a dit que le chou rouge braisé ne devait comporter que 7 ingrédients : du beurre, une pomme, un oignon, du chou, de la cassonade, du vinaigre de cidre et des épices. Quand Corinne prépare cette recette, c'est exactement ce qu'elle utilise. Mais elle ajoute habituellement du sel : « J'imagine que je triche, car ça fait 8 ingrédients ! » Cette saveur et cet arôme sont si évocateurs qu'ils transportent Corinne dans la maison de son enfance.

CONSEIL

Corinne préfère laisser le chou cuit au réfrigérateur pendant 24 heures, puis le réchauffer dans une casserole à feu moyen-doux, en le remuant souvent jusqu'à ce qu'il soit bien chaud. Cette technique donne un plat très savoureux.

Valeur nutritive par portion	
Calories	125
Lipides	1,1 g
saturés	0,7 g
Sodium	165 mg (7 % VQ)
Glucides	30 g
Fibres	2 g (8 % VQ)
Protéines	1 g
Calcium	55 mg (5 % VQ)
Fer	1,0 mg (7 % VQ)

Équivalents par portion pour les personnes diabétiques :
1 ½ Glucides

10 ml (2 c. à thé) de beurre ou d'huile de canola
250 ml (1 tasse) d'oignon haché
1 pomme, pelée et hachée
2 litres (8 tasses) de chou rouge râpé, soit 1 chou petit à moyen
175 ml (¾ tasse) de cassonade bien tassée
5 ml (1 c. à thé) de clou de girofle moulu
2 ml (½ c. à thé) de sel
2 ml (½ c. à thé) de poivre noir fraîchement moulu
125 ml (½ tasse) de vinaigre de cidre

1. Dans une grosse cocotte en métal au couvercle hermétique, faire fondre le beurre à feu moyen. Y faire sauter l'oignon de 3 à 4 minutes ou jusqu'à ce qu'il soit ramolli. Ajouter la pomme et la faire sauter pendant 1 minute ou jusqu'à ce qu'elle soit ramollie.

2. Incorporer le chou, la cassonade, le clou de girofle, le sel, le poivre et le vinaigre. Augmenter à feu moyen-vif et porter à ébullition. Réduire à feu doux, couvrir et laisser mijoter, en remuant de temps en temps, pendant environ 30 minutes ou jusqu'à ce que le chou soit tendre. Servir chaud ou mettre le chou dans un bol et le mettre au réfrigérateur jusqu'à ce qu'il soit froid.

VARIANTE

Remplacez le clou de girofle moulu par du piment de la Jamaïque moulu.

Carottes à l'estragon cuites à la vapeur

Shelley Wilcox, Nouvelle-Écosse

4 PORTIONS

✓ **LE CHOIX DES ENFANTS**

Une cuisson toute simple et une combinaison de saveurs parfaite, voilà un plat d'accompagnement gagnant!

CONSEILS

Rangez les carottes loin des légumes et des fruits qui produisent de l'éthylène (un dérivé naturel pendant le mûrissement), comme les pommes, les poires et les bananes, car elles deviendraient amères.

Vous pouvez remplacer le beurre par de l'huile de canola ou de l'huile d'olive.

- *Un plat allant au micro-ondes de 23 cm (9 po) muni d'un couvercle*

3 grosses carottes, en julienne, soit environ 500 ml (2 tasses) de bâtonnets
5 ml (1 c. à thé) de beurre ou de margarine non hydrogénée
2 ml (½ c. à thé) d'estragon séché

1. Mettre les carottes dans le plat allant au four. Laisser tomber de petits morceaux de beurre sur les carottes, puis les parsemer d'estragon. Couvrir sans fermer le couvercle hermétiquement.
2. Cuire au micro-ondes à température élevée pendant 2 minutes. Remuer les carottes, les couvrir et les cuire encore au micro-ondes à température élevée pendant 1 minute ou jusqu'à ce qu'elles soient tendres quand on les pique avec une fourchette.

Les légumes cuisent uniformément lorsqu'ils sont coupés en morceaux de même grosseur et de même forme. Un couteau bien aiguisé est indispensable pour couper les légumes en julienne, en morceaux qui ont généralement 5 cm x 3 mm x 3 mm (2 x ⅛ x ⅛ po). Si vous ne pouvez les couper aussi fin, assurez-vous de couper tous les morceaux de la même grosseur et de la même forme, puis ajuster le temps de cuisson en conséquence.

Valeur nutritive par portion	
Calories	33
Lipides	1,1 g
saturés	0,6 g
Sodium	47 mg (2 % VQ)
Glucides	6 g
Fibres	2 g (8 % VQ)
Protéines	1 g
Calcium	22 mg (2 % VQ)
Fer	0,3 mg (2 % VQ)

Teneur très élevée en vitamine A

Équivalents par portion pour les personnes diabétiques:
1   Extra

Chou-fleur, pommes de terre et pois chiches à l'indienne

Judy Coveney, diététiste, Ontario

✓ **LE CHOIX DES ENFANTS**

8 PORTIONS

Le fait de rôtir les légumes et les pois chiches donne à ce plat exotique une saveur délicieusement riche.

- *Préchauffer le four à 240 °C (475 °F)*
- *2 grandes plaques à pâtisserie munies d'un bord*

1 boîte de 540 ml (19 oz) de pois chiches, égouttés et rincés
500 g (1 lb) de pommes de terre Yukon Gold, pelées et coupées en cubes
   de 1 cm (½ po)
1 litre (4 tasses) de chou-fleur en bouquets, soit environ un chou-fleur moyen
60 ml (¼ tasse) d'huile de canola ou d'huile d'olive, au total
2 ml (½ c. à thé) de graines de cumin
0,5 ml (⅛ c. à thé) de sel
3 gousses d'ail, hachées
250 ml (1 tasse) d'oignon finement haché
10 ml (2 c. à thé) de piment jalapeño frais haché, avec les graines
10 ml (2 c. à thé) de gingembre frais haché
5 ml (1 c. à thé) de cumin moulu
5 ml (1 c. à thé) de coriandre moulue
1 ml (¼ c. à thé) de curcuma moulu
1 ml (¼ c. à thé) de cayenne
60 ml (¼ tasse) de coriandre fraîche ou de persil haché (facultatif)

1. Mettre les plaques à pâtisserie au four préchauffé pendant 5 minutes pour les réchauffer.
2. Dans un grand bol, mélanger les pois chiches, les pommes de terre, le chou-fleur, 30 ml (2 c. à soupe) d'huile, les graines de cumin et le sel. Retirer les plaques à pâtisserie du four. Répartir le mélange également entre les plaques et l'étendre en une seule couche. Faire rôtir, en remuant de temps en temps, pendant 25 minutes ou jusqu'à ce que les pommes de terre soient tendres.

Valeur nutritive par portion	
Calories	190
Lipides	7,9 g
saturés	0,7 g
Sodium	192 mg (8 % VQ)
Glucides	26 g
Fibres	5 g (20 % VQ)
Protéines	5 g
Calcium	39 mg (4 % VQ)
Fer	1,4 mg (10 % VQ)

Teneur très élevée en vitamine B$_6$ et acide folique
Teneur élevée en vitamine C

Équivalents par portion pour les personnes diabétiques :
1   Glucides
1 ½ Matières grasses

3. Entre-temps, dans une grosse cocotte en métal, chauffer le reste de l'huile à feu moyen. Y faire sauter l'ail, l'oignon, le piment jalapeño et le gingembre de 5 à 6 minutes ou jusqu'à ce que l'oignon soit ramolli et commence à dorer. Ajouter le cumin, la coriandre, le curcuma et le cayenne. Ajouter 60 ml (¼ tasse) d'eau, en raclant le fond pour enlever tous les petits morceaux qui y ont adhéré.

4. Incorporer les légumes rôtis. Couvrir et laisser bouillir, en remuant de temps en temps, pendant 5 minutes ou jusqu'à ce que les saveurs se marient et que la plus grande partie de l'eau soit absorbée. Garnir de coriandre fraîche, au goût, et servir.

Chou-fleur signifie « fleur de chou », et ce nom est approprié, car le chou-fleur est une variété de chou – d'où la forte odeur qui ressemble à celle du chou quand on le cuit.

SUGGESTION DE SERVICE
Vous pouvez servir ce plat avec le Tendre poulet rôti au citron (p. 170).

Pour obtenir un plat moins piquant, retirez les graines du piment jalapeño.

Cette recette est idéale pour un repas collectif. Servez alors les légumes chauds dans une mijoteuse à température moyenne.

Maïs en crème maison

Leslie Gareau, diététiste, Alberta

✓ **LE CHOIX DES ENFANTS**

Voici une façon rapide, facile, astucieuse et tellement délicieuse d'utiliser du maïs frais ! La plupart des recettes de maïs en crème utilisent de la crème à fouetter, mais Leslie a créé une version allégée.

CONSEIL

La façon la plus simple de retirer les grains de maïs de l'épi est de casser l'épi en 2 pour obtenir un côté plat. Déposez le demi-épi sur le côté plat puis, à l'aide d'un couteau bien aiguisé, coupez les grains de chaque demi-épi.

3 ou 4 épis de maïs
250 ml (1 tasse) de lait entier
15 ml (1 c. à soupe) de beurre ou de margarine non hydrogénée
1 ml (¼ c. à thé) de sel
2 ml (½ c. à thé) de poivre noir fraîchement moulu
Une pincée de cayenne (facultatif)

1. À l'aide d'un couteau, couper les grains des épis, ce qui devrait donner de 875 ml à 1 litre (3 ½ à 4 tasses) de grains.
2. Dans une casserole moyenne, porter à ébullition les grains de maïs et le lait à feu moyen-vif. Réduire à feu moyen et laisser bouillir doucement, en remuant de temps en temps, pendant 10 minutes ou jusqu'à ce que presque tout le liquide soit absorbé. Incorporer le beurre, le sel, le poivre et le cayenne, si désiré.

VARIANTE
Remplacez le cayenne par une pincée de muscade moulue.

Valeur nutritive par portion	
Calories	218
Lipides	6,7 g
saturés	3,2 g
Sodium	213 mg (9 % VQ)
Glucides	39 g
Fibres	4 g (16 % VQ)
Protéines	7 g
Calcium	74 mg (7 % VQ)
Fer	1,0 mg (7 % VQ)

Teneur très élevée en acide folique et thiamine
Teneur élevée en magnésium et niacine

Équivalents par portion pour les personnes diabétiques :
2 Glucides
1 ½ Matières grasses

Les épinards de Popeye le vrai marin

Danielle Aldous, diététiste, Ontario

✓ **LE CHOIX DES ENFANTS**

Pour les enfants de Danielle, les épinards, le chou frisé et la bette à carde sont tous des « épinards ». Ils adorent les rincer et les passer à l'essoreuse à salade en chantant la chanson de Popeye : «Je suis le plus fort parce que je mange mes épinards, c'est moi Popeye le vrai marin!»

15 ml (1 c. à soupe) d'huile de canola ou d'huile d'olive
2 gousses d'ail, hachées
1 sac de 300 g (10 oz) d'épinards, parés
Une pincée de poivre noir fraîchement moulu
¼ citron

1. Dans un grand poêlon, chauffer l'huile à feu moyen. Y faire sauter l'ail pendant environ 30 secondes ou jusqu'à ce qu'une bonne odeur s'en dégage. Ajouter les épinards et les faire sauter, en ajoutant de 15 à 30 ml (1 à 2 c. à soupe) d'eau, au besoin, pour les mouiller légèrement jusqu'à ce que les feuilles commencent à devenir tendres. Couvrir et cuire à la vapeur de 2 à 3 minutes ou jusqu'à ce que les épinards soient tendres et d'un beau vert vif. Retirer du feu, poivrer et presser le citron sur les épinards.

VARIANTE

Vous pouvez remplacer les épinards par une botte de chou frisé ou de bettes à carde, de grosseur moyenne. Pliez les feuilles en 2 et enlevez la tige centrale dure. Hachez ensuite les feuilles en petits morceaux. Le chou frisé prend un peu plus de temps à cuire à la vapeur que les épinards.

Valeur nutritive par portion	
Calories	48
Lipides	3,6 g
saturés	0,3 g
Sodium	48 mg (2 % VQ)
Glucides	3 g
Fibres	2 g (8 % VQ)
Protéines	2 g
Calcium	96 mg (9 % VQ)
Fer	2,5 mg (18 % VQ)

Teneur très élevée en vitamine A et acide folique
Teneur élevée en magnésium

Équivalents par portion pour les personnes diabétiques :
½   Matières grasses

Purée de courge

Lindsay Manley, diététiste, Ontario

✓ **LE CHOIX DES ENFANTS**

Les noix et les canneberges ajoutent de la couleur et de la texture à la purée de courge.

CONSEIL

Râpez le pain grillé avec la râpe la plus grossière.

* Préchauffer le four à 180 °C (350 °F)
* Un bol allant au micro-ondes
* Un plat en verre carré allant au four de 20 cm (8 po), graissé

1 grosse courge musquée, pelée, épépinée et hachée
125 ml (½ tasse) de canneberges surgelées, décongelées et coupées en 2
5 ml (1 c. à thé) de muscade moulue
2 ml (½ c. à thé) de cannelle moulue
1 œuf, légèrement battu
30 ml (2 c. à soupe) de crème sure légère
3 tranches de pain de grains entiers grillées, sans la croûte, réduites
   en chapelure grossière
60 ml (¼ tasse) de noix hachées
250 ml (1 tasse) de cheddar râpé

1. Mettre la courge dans un bol, puis la couvrir de pellicule plastique, en laissant un coin ouvert pour la circulation d'air. Cuire la courge au micro-ondes à température élevée de 4 à 5 minutes ou jusqu'à ce qu'elle soit tendre. Égoutter et jeter le surplus de liquide. À l'aide d'un pilon, écraser la courge pour la mettre en purée jusqu'à ce qu'elle soit homogène, cela devrait donner environ 1 litre (4 tasses) de purée de courge. Incorporer les canneberges, la muscade, la cannelle, l'œuf et la crème sure.
2. Dans un petit bol, mélanger la chapelure, les noix et le cheddar.
3. Étendre la courge dans le plat allant au four, graissé, puis la parsemer du mélange de noix.
4. Couvrir de papier d'aluminium et cuire au four préchauffé pendant 30 minutes ou jusqu'à ce que le centre soit chaud. Retirer le papier et poursuivre la cuisson pendant 5 minutes ou jusqu'à ce que le dessus soit doré.

VARIANTE
Remplacez les noix par des pacanes et le cheddar par du fromage Oka.

Valeur nutritive par portion	
Calories	168
Lipides	8,6 g
saturés	3,7 g
Sodium	164 mg (7 % VQ)
Glucides	18 g
Fibres	3 g (12 % VQ)
Protéines	7 g
Calcium	159 mg (14 % VQ)
Fer	1,4 mg (10 % VQ)

Teneur élevée en magnésium et acide folique

**Équivalents par portion pour
les personnes diabétiques :**
½   Glucides
½   Viandes et substituts
1   Matières grasses

Courge à l'érable délicieuse et vite préparée

Erin Nelson, Nouveau-Brunswick

6 PORTIONS

✓ LE CHOIX DES ENFANTS

Erin n'aime pas peler ni hacher la courge, elle a donc mis au point une méthode qui ne requiert ni l'un ni l'autre !

CONSEIL

La capacité et la puissance des fours à micro-ondes sont très variables. Utilisez un plat assez petit pour la taille de votre four. Coupez la courge en plus petits morceaux, au besoin, ou faites cuire seulement une demi-courge à la fois. Vérifiez la cuisson de la courge de temps en temps.

Valeur nutritive par portion	
Calories	97
Lipides	1,4 g
saturés	0,2 g
Sodium	120 mg (5 % VQ)
Glucides	22 g
Fibres	3 g (12 % VQ)
Protéines	2 g
Calcium	76 mg (7 % VQ)
Fer	1,2 mg (9 % VQ)

Teneur très élevée en vitamine A
Teneur élevée en magnésium, vitamine C et acide folique

Équivalents par portion pour les personnes diabétiques :
1 ½ Glucides

- Un grand plat allant au micro-ondes

1 courge musquée
30 ml (2 c. à soupe) de sirop d'érable pur à 100 %
10 ml (2 c. à thé) de margarine non hydrogénée
1 ml (¼ c. à thé) de sel
2 ml (½ c. à thé) de poivre noir fraîchement moulu

1. Couper la courge en 2 dans le sens de la longueur. Retirer les graines et la chair fibreuse, puis les jeter. Placer la courge, la peau vers le bas, dans le plat allant au micro-ondes. Verser 15 ml (1 c. à soupe) de sirop d'érable et ajouter 5 ml (1 c. à thé) de margarine dans le fond de chacune des demi-courges.
2. Couvrir le plat de pellicule plastique, en laissant un coin ouvert pour la circulation d'air. Cuire la courge au micro-ondes à température élevée de 8 à 10 minutes ou jusqu'à ce qu'elle soit tendre quand on la pique avec une fourchette. Retirer la chair de la peau, puis la déposer sur un plat de service. Saler et poivrer.

> La courge musquée fait partie des courges d'hiver (la courge poivrée et la courge Hubbard en sont d'autres variétés). On récolte les courges d'hiver à la fin de l'automne et elles peuvent prendre jusqu'à 3 mois pour mûrir. Leur peau est dure, ce qui fait qu'elles se conservent bien pendant la saison froide.

VARIANTE

Vous pouvez utiliser une grosse courge musquée ou 2 courges poivrées de grosseur moyenne.

Fleurs de patates douces

Hilary Gnus, diététiste, Ontario

✓ LE CHOIX DES ENFANTS

Les fleurs de patates douces sont faciles à préparer, jolies et amusantes ! Une fois que vous avez découpé les « pétales », les enfants peuvent étendre la margarine et saupoudrer les patates douces de cassonade. À table, laissez-les retirer la peau de la patate douce pour manger la chair avec leurs doigts.

CONSEILS

Les petites patates douces font les plus jolies fleurs.

Si vous faites cuire une seule patate douce, faites-la cuire pendant 3 minutes, puis retournez-la et faites cuire l'autre côté pendant 3 minutes de plus. Ajoutez 2 minutes de plus par patate douce additionnelle.

- *Un plat ou une assiette allant au micro-ondes*

2 patates douces
15 ml (1 c. à soupe) de margarine non hydrogénée
5 à 10 ml (1 à 2 c. à thé) de cassonade bien tassée

1. Piquer chaque patate douce plusieurs fois avec une fourchette. Mettre les patates douces dans le plat allant au micro-ondes et les cuire à température élevée pendant 4 minutes. Tourner les patates douces et poursuivre la cuisson à température élevée pendant 4 minutes ou jusqu'à ce qu'elles soient tendres. Les laisser refroidir de 2 à 3 minutes.

2. Couper les patates douces en 2 dans le sens de la largeur. Les déposer debout, le côté coupé vers le haut. Découper chaque moitié en quartiers, sans les couper complètement, de manière qu'ils s'étalent comme une corolle de fleur. Étendre une petite quantité de margarine sur chaque « pétale », puis les parsemer de cassonade, au goût.

VARIANTES

Remplacez la cassonade par de la cannelle ou de la muscade moulue.

Pour former le stigmate de la fleur, placez une mini-guimauve au centre de chaque patate douce.

Valeur nutritive par portion	
Calories	109
Lipides	3,0 g
saturés	0,4 g
Sodium	70 mg (3 % VQ)
Glucides	20 g
Fibres	3 g (12 % VQ)
Protéines	2 g
Calcium	35 mg (3 % VQ)
Fer	0,5 mg (4 % VQ)

Teneur très élevée en vitamine A

Équivalents par portion pour les personnes diabétiques :
1 Glucides
½ Matières grasses

Frites de patates douces au four, mayonnaise au cari

Jessica Kelly, diététiste, Ontario

✓ LE CHOIX DES ENFANTS

La méthode de cuisson au four permet de limiter la teneur en gras et en calories, tout en conservant la saveur des patates douces. La mayonnaise au cari a connu beaucoup de succès auprès de nos goûteurs.

CONSEILS

Pour que les patates douces cuisent uniformément, coupez-les en morceaux de même forme et de même grosseur.

Les enfants peuvent participer en préparant la mayonnaise.

Si vous servez ces frites sans mayonnaise au cari, vous réduirez du tiers la teneur en gras de chaque portion.

Valeur nutritive par portion	
Calories	146
Lipides	9,5 g
saturés	0,9 g
Sodium	71 mg (3 % VQ)
Glucides	15 g
Fibres	2 g (8 % VQ)
Protéines	1 g
Calcium	25 mg (2 % VQ)
Fer	0,8 mg (6 % VQ)

Teneur très élevée en vitamine A

Équivalents par portion pour les personnes diabétiques :
1 Glucides
2 Matières grasses

- *Préchauffer le four à 220 °C (425 °F)*
- *Une plaque à pâtisserie, couverte de papier d'aluminium*

Les frites de patates douces
750 g (1 ½ lb) de patates douces, pelées et coupées en bâtonnets de 1 cm (½ po) d'épaisseur
60 ml (¼ tasse) d'huile de canola ou d'huile d'olive
5 ml (1 c. à thé) de cumin moulu
2 ml (½ c. à thé) de sel de mer (facultatif)

La mayonnaise au cari
60 ml (¼ tasse) de mayonnaise légère
5 ml (1 c. à thé) de poudre de cari
5 ml (1 c. à thé) de miel liquide

1. *Les frites de patates douces :* Dans un grand bol, mélanger les patates douces, l'huile et le cumin, jusqu'à ce que les frites soient bien couvertes d'huile. Les étendre en une seule couche sur la plaque à pâtisserie préparée. Cuire au four préchauffé pendant 15 minutes. Retourner les patates douces et les cuire 15 minutes de plus ou jusqu'à ce qu'elles soient dorées et tendres. Mettre les patates douces dans une assiette couverte de papier essuie-tout, puis les saupoudrer de sel de mer, si désiré.
2. *La mayonnaise au cari :* Entre-temps, dans un petit bol, mélanger la mayonnaise, la poudre de cari et le miel. Couvrir et mettre au réfrigérateur jusqu'au moment de servir.
3. Servir les frites avec la mayonnaise au cari comme trempette.

VARIANTE
Vous pouvez remplacer le cumin par 5 ml (1 c. à thé) de paprika et 5 ml (1 c. à thé) de chili en poudre. Ou utilisez 5 ml (1 c. à thé) de cannelle moulue et 30 ml (2 c. à soupe) de romarin frais haché.

Gratin dauphinois

Anne Wall, Alberta

✓ LE CHOIX DES ENFANTS

L'utilisation du bouillon pour remplacer le lait ou la crème contribue à réduire la teneur en gras de ce plat d'accompagnement traditionnellement assez riche.

CONSEIL

Les restes, auxquels on peut ajouter du jambon haché, sont délicieux quand il sont réchauffés.

SUGGESTION DE SERVICE

Servez ce plat pour accompagner le Contre-filet, sauce forestière (p. 197).

Valeur nutritive par portion	
Calories	172
Lipides	5,7 g
saturés	0,8 g
Sodium	289 mg (12 % VQ)
Glucides	28 g
Fibres	2 g (8 % VQ)
Protéines	3 g
Calcium	18 mg (2 % VQ)
Fer	0,5 mg (4 % VQ)

Teneur élevée en vitamine B_6

Équivalents par portion pour les personnes diabétiques :
1 ½ Glucides
1   Matières grasses

- *Préchauffer le four à 160 °C (325 °F)*
- *Une casserole allant au four de 2,5 litres (10 tasses), graissée*

5 grosses pommes de terre Yukon Gold d'environ 875 g (1 ¾ lb), pelées et coupées dans le sens de la largeur en tranches de 0,5 cm (¼ po)
175 ml (¾ tasse) d'oignon haché
45 ml (3 c. à soupe) de margarine non hydrogénée
60 ml (¼ tasse) de farine tout usage
425 ml (1 ¾ tasse) de bouillon de poulet à teneur réduite en sodium
30 ml (2 c. à soupe) de mayonnaise légère
2 ml (½ c. à thé) de poivre noir fraîchement moulu
1 ml (¼ c. à thé) de sel
Une pincée de paprika

1. Déposer des couches d'oignon et de pommes de terre en alternance dans la casserole graissée. Réserver.
2. Dans une casserole moyenne, faire fondre la margarine à feu moyen. Incorporer la farine jusqu'à l'obtention d'une pâte homogène. Cuire, en remuant, pendant 30 secondes. Incorporer graduellement le bouillon au fouet jusqu'à l'obtention d'une sauce homogène. Incorporer la mayonnaise, le poivre et le sel. Cuire, en remuant, pendant 2 minutes ou jusqu'à ce que la sauce épaississe et bouillonne. La verser uniformément sur les pommes de terre. Saupoudrer de paprika.
3. Couvrir et cuire au four préchauffé pendant 1 heure ou jusqu'à ce que les pommes de terre soient tendres quand on les pique avec une fourchette. Laisser reposer pendant 10 minutes avant de servir.

Il existe deux principaux types de pommes de terre : les pommes de terre à cuire et les pommes de terre à bouillir. Les pommes de terre à cuire ont une peau épaisse et une chair riche en amidon. Elles sont idéales pour la cuisson au four, la purée et la friture. Les pommes de terre Russet (aussi connues sous le nom de Idaho) sont une variété bien connue de pommes de terre à cuire. Les pommes de terre à bouillir, parfois appelées cireuses, ont une peau mince. Leur teneur en eau est plus élevée, mais leur contenu en amidon est plus faible. Elles conviennent particulièrement aux soupes, aux plats mijotés et à la salade de pommes de terre, car elles gardent leur forme. Il y a aussi des pommes de terre tout usage, comme les Yukon Gold, qui se situent entre les deux.

Salade de haricots verts et de pommes de terre grelots

Gillian Kelly, diététiste, Colombie-Britannique

4 PORTIONS

✓ LE CHOIX DES ENFANTS

Gillian adore la salade de pommes de terre, mais pas la version à la mayonnaise, trop lourde à son goût. Elle raffole également des haricots verts. Elle a donc combiné ces deux ingrédients en une salade toute simple. Un excellent moyen d'habituer les enfants à manger des légumes verts!

CONSEILS

Gagnez du temps en lavant et en parant les haricots, puis en faisant sauter l'oignon et l'ail pendant que les pommes de terre cuisent à la vapeur.

Vous pouvez facilement doubler les quantités de cette recette.

Valeur nutritive par portion	
Calories	160
Lipides	7,0 g
saturés	1,0 g
Sodium	151 mg (6 % VQ)
Glucides	22 g
Fibres	3 g (12 % VQ)
Protéines	3 g
Calcium	29 mg (3 % VQ)
Fer	1,1 mg (8 % VQ)

Teneur élevée en vitamine C

Équivalents par portion pour les personnes diabétiques :
1   Glucides
1 ½ Matières grasses

* Une marguerite

500 g (1 lb) de petites pommes de terre rouges (grelots)
150 g (5 oz) de haricots verts, parés et coupés en 2
30 ml (2 c. à soupe) d'huile d'olive, au total
½ petit oignon, haché
1 gousse d'ail, hachée
1 ml (¼ c. à thé) de sel
1 ml (¼ c. à thé) de poivre noir fraîchement moulu

1. Mettre les pommes de terre dans une marguerite, placée dans une marmite d'eau bouillante à feu moyen-vif. Couvrir et cuire à la vapeur pendant 15 minutes ou jusqu'à ce qu'elles soient tendres quand on les pique avec une fourchette. Mettre les pommes de terre dans une assiette et les laisser refroidir. Couper les pommes de terre en 4, puis les mettre dans un grand bol.
2. Entre-temps, remettre la marguerite dans la casserole en s'assurant qu'il reste environ 2,5 cm (1 po) d'eau au fond. Ajouter les haricots verts, couvrir et cuire à la vapeur pendant 6 minutes ou jusqu'à ce qu'ils soient tendres quand on les pique avec une fourchette. Retirer la marguerite et rincer les haricots à l'eau froide pour en stopper la cuisson. Bien les égoutter et les ajouter aux pommes de terre.
3. Dans un petit poêlon, chauffer 15 ml (1 c. à soupe) d'huile à feu moyen. Y faire sauter l'oignon de 3 à 4 minutes ou jusqu'à ce qu'il soit ramolli. Ajouter l'ail et le faire sauter pendant 30 secondes.
4. Ajouter le mélange d'oignon aux pommes de terre, ainsi que le reste de l'huile, le sel et le poivre, puis remuer délicatement. Servir chaud ou laisser refroidir, couvrir et mettre au réfrigérateur jusqu'au moment de servir, jusqu'à 24 heures.

VARIANTE

Ajoutez 2 ou 3 tranches de bacon bien cuit émietté.

Farfalles aux légumes

Carolyn Petrie, Nouvelle-Écosse

✓ LE CHOIX DES ENFANTS

Pour préparer ce joli plat, utilisez des pâtes aux légumes multicolores.

CONSEIL

Vous pouvez couper tous les légumes avant de commencer la cuisson, de manière à pouvoir les ajouter au bon moment.

500 ml (2 tasses) de farfalles
22 ml (1 ½ c. à soupe) d'huile d'olive
250 ml (1 tasse) d'oignon haché
1 ml (¼ c. à thé) de sel
2 ml (½ c. à thé) de poivre noir fraîchement moulu
4 gousses d'ail, hachées
½ gros poivron rouge, finement tranché
500 ml (2 tasses) de champignons coupés en 4
250 ml (1 tasse) de courgette hachée
30 ml (2 c. à soupe) de vin rouge sec
1 grosse tomate italienne, hachée
500 ml (2 tasses) de feuilles de jeunes épinards légèrement tassées
75 ml (⅓ tasse) de parmesan fraîchement râpé

1. Dans une grande casserole d'eau bouillante salée, cuire les pâtes selon les instructions qui figurent sur l'emballage, jusqu'à ce qu'elles soient al dente. Égoutter les pâtes et les mettre dans un grand bol.
2. Entre-temps, dans un grand poêlon antiadhésif, chauffer l'huile à feu moyen. Y faire sauter l'oignon de 3 à 4 minutes ou jusqu'à ce qu'il soit ramolli. Saler et poivrer. Ajouter l'ail et le faire sauter pendant 30 secondes. Ajouter le poivron rouge, les champignons et la courgette. Réduire à feu moyen-doux et les faire sauter de 6 à 8 minutes ou jusqu'à ce qu'ils soient ramollis.
3. Augmenter à feu moyen-vif. Ajouter le vin et déglacer le poêlon en raclant le fond pour enlever tous les petits morceaux qui y ont adhéré. Porter à ébullition en remuant jusqu'à ce que le vin soit presque complètement évaporé. Incorporer la tomate et les épinards. Couvrir et cuire à la vapeur de 2 à 3 minutes ou jusqu'à ce que les épinards soient tendres.
4. Verser le mélange de légumes sur les pâtes. Parsemer de parmesan.

Valeur nutritive par portion	
Calories	185
Lipides	5,1 g
saturés	1,4 g
Sodium	258 mg (11 % VQ)
Glucides	23 g
Fibres	1 g (4 % VQ)
Protéines	7 g
Calcium	104 mg (9 % VQ)
Fer	1,4 mg (10 % VQ)

Teneur élevée en magnésium, vitamine A, vitamine C et niacine

Équivalents par portion pour les personnes diabétiques :
1 ½ Glucides
1 Matières grasses

Risotto aux champignons et au fromage

Recette adaptée des Producteurs laitiers du Canada (www.plaisirslaitiers.ca)

DONNE 8 PLATS D'ACCOMPAGNEMENT OU 4 PLATS PRINCIPAUX

✓ **LE CHOIX DES ENFANTS**

Ce plat d'accompagnement se prépare en un rien de temps et cuit entièrement au micro-ondes. Sa simplicité et sa ressemblance avec le vrai risotto vous étonneront.

CONSEIL

Pour obtenir un vrai risotto, assurez-vous d'utiliser un riz à grain court à teneur élevée en amidon, comme le riz arborio ou carnaroli. L'amidon contribue à rendre le risotto crémeux.

Valeur nutritive par portion	
Calories	191
Lipides	7,8 g
saturés	4,9 g
Sodium	258 mg (11 % VQ)
Glucides	23 g
Fibres	1 g (4 % VQ)
Protéines	7 g
Calcium	114 mg (10 % VQ)
Fer	0,7 mg (5 % VQ)

Teneur élevée en zinc, vitamine D, vitamine B_6, thiamine et riboflavine

Équivalents par portion pour les personnes diabétiques :

1 ½ Glucides
½ Viandes et substituts
1 Matières grasses

- *Un plat carré allant au micro-ondes de 23 cm (9 po)*

30 ml (2 c. à soupe) de beurre
750 ml (3 tasses) de champignons en tranches
150 ml (⅔ tasse) d'oignon haché
1 grosse gousse d'ail, hachée
250 ml (1 tasse) de riz arborio ou d'un autre riz de type italien
500 ml (2 tasses) de bouillon de poulet à teneur réduite en sodium
125 ml (½ tasse) de vin blanc sec ou de bouillon supplémentaire
250 ml (1 tasse) de cheddar râpé
30 ml (2 c. à soupe) de persil frais finement haché

1. Mettre le beurre dans le plat allant au micro-ondes, puis le mettre au micro-ondes à température élevée pendant environ 30 secondes ou jusqu'à ce qu'il soit fondu. Incorporer les champignons, l'oignon et l'ail, puis remuer jusqu'à ce qu'ils soient bien couverts de beurre. Cuire au micro-ondes à température élevée pendant 5 minutes.

2. Incorporer le riz, le bouillon et le vin. Cuire au micro-ondes à température élevée de 20 à 30 minutes, en remuant à mi-cuisson, jusqu'à ce que le riz soit tendre. Si le riz n'est pas suffisamment humide, ajouter du bouillon vers la fin de la cuisson. Incorporer le cheddar et laisser reposer pendant 5 minutes. Parsemer de persil.

VARIANTE

Mélangez 60 ml (¼ tasse) de parmesan fraîchement râpé au cheddar.

Orge aux champignons et aux oignons caramélisés

Le Groupe Compass Canada

6 PORTIONS

✓ LE CHOIX DES ENFANTS

Les oignons caramélisés et les deux variétés de champignons donnent à ce plat une saveur riche et complexe.

CONSEILS

L'orge perlé est plus transformé que l'orge mondé et requiert un temps de cuisson plus court que ce dernier. Si vous voulez utiliser de l'orge mondé, employez la même quantité d'eau et augmentez le temps de cuisson à près de 1 heure.

À l'étape 2, ne laissez pas brûler l'oignon. S'il commence à noircir, ajoutez un peu d'eau.

150 ml (⅔ tasse) d'orge perlé, rincé
5 ml (1 c. à thé) d'huile de canola ou d'huile d'olive
250 ml (1 tasse) d'oignon haché
5 ml (1 c. à thé) de beurre ou de margarine non hydrogénée
500 ml (2 tasses) de champignons en tranches
375 ml (1 ½ tasse) de chapeaux de champignons shiitake, soit environ 90 g (3 oz)
10 ml (2 c. à thé) d'ail haché
7 ml (1 ½ c. à thé) de sauce soya à teneur réduite en sodium
1 ml (¼ c. à thé) de poivre noir fraîchement moulu
7 ml (1 ½ c. à thé) de thym frais haché

1. Dans une casserole moyenne au couvercle hermétique, porter 375 ml (1 ½ tasse) d'eau à ébullition à feu vif. Incorporer l'orge. Couvrir et porter de nouveau à ébullition. Réduire à feu doux et laisser mijoter, en remuant de temps en temps, de 30 à 35 minutes ou jusqu'à ce que l'orge soit tendre. Retirer du feu et égoutter le surplus de liquide.
2. Dans un grand poêlon, chauffer l'huile à feu moyen. Ajouter l'oignon et remuer pour bien le couvrir d'huile. Cuire, en remuant souvent, pendant 10 minutes ou jusqu'à ce que l'oignon soit bien doré. Mettre l'oignon dans un bol et réserver.
3. Remettre le poêlon à feu moyen et faire fondre le beurre. Y faire sauter les champignons, les champignons shiitake et l'ail de 4 à 5 minutes ou jusqu'à ce qu'ils soient tendres. Remettre l'oignon dans le poêlon. Incorporer l'orge cuit, la sauce soya, le poivre et le thym.

Les champignons shiitake sont couramment utilisés dans les cuisines asiatiques, et ils sont offerts dans presque toutes les épiceries.

Valeur nutritive par portion	
Calories	115
Lipides	1,8 g
saturés	0,5 g
Sodium	55 mg (2 % VQ)
Glucides	23 g
Fibres	3 g (12 % VQ)
Protéines	3 g
Calcium	17 mg (2 % VQ)
Fer	1,1 mg (8 % VQ)

Teneur élevée en niacine

Équivalents par portion pour les personnes diabétiques :
1   Glucides
½   Matières grasses

Quinoa à la méditerranéenne

Lisa Diamond, diététiste, Colombie-Britannique

Le quinoa à la méditerranéenne égayera tout repas estival.

CONSEIL

Gardez une quantité de cette vinaigrette tout usage au réfrigérateur. Elle se conservera jusqu'à 5 jours. Ainsi, vous en aurez toujours sous la main.

250 ml (1 tasse) de quinoa, rincé
500 ml (2 tasses) de petits bouquets de brocoli, blanchis et égouttés
250 ml (1 tasse) de tomates en cubes
150 ml (⅔ tasse) de cœurs d'artichaut marinés dans l'huile égouttés et coupés en cubes, asséchés
150 ml (⅔ tasse) de poivrons rouges grillés en cubes (voir l'encadré, p. 124)
60 ml (¼ tasse) d'olives Kalamata finement hachées
250 ml (1 tasse) de pois chiches en conserve égouttés et rincés

La vinaigrette
30 ml (2 c. à soupe) de moutarde de Dijon
30 ml (2 c. à soupe) de vinaigre de vin rouge
15 ml (1 c. à soupe) de jus de citron fraîchement pressé
30 ml (2 c. à soupe) d'huile de canola
3 ml (¾ c. à thé) de poivre noir fraîchement moulu
1 ml (¼ c. à thé) de sel

1. Dans une casserole moyenne, mélanger le quinoa et 500 ml (2 tasses) d'eau, puis porter à ébullition à feu vif. Réduire à feu doux, couvrir et laisser mijoter de 15 à 20 minutes ou jusqu'à ce que le liquide soit absorbé et que le quinoa soit tendre. Laisser reposer pendant 5 minutes. Mettre le quinoa dans un grand bol et défaire les grains à l'aide d'une fourchette. Laisser refroidir.

2. Incorporer délicatement au quinoa le brocoli, les tomates, les artichauts, les poivrons grillés, les olives et les pois chiches.

3. *La vinaigrette:* Dans un petit bol, fouetter la moutarde avec le vinaigre. Incorporer en fouettant le jus de citron, l'huile, 30 ml (2 c. à soupe) d'eau, le poivre et le sel. Verser sur la salade et remuer.

VARIANTE

Ajoutez des champignons hachés rôtis à la salade.

Valeur nutritive par portion	
Calories	238
Lipides	9,4 g
saturés	0,9 g
Sodium	375 mg (16 % VQ)
Glucides	33 g
Fibres	6 g (24 % VQ)
Protéines	7 g
Calcium	59 mg (5 % VQ)
Fer	3,8 mg (27 % VQ)

Teneur très élevée en magnésium, vitamine C et acide folique
Teneur élevée en zinc, vitamine A et vitamine B_6

Équivalents par portion pour les personnes diabétiques:
1 ½ Glucides
2 Matières grasses

Couscous Primavera

Sue Mah, diététiste, Ontario

DE 6 À 8 PORTIONS

✓ LE CHOIX DES ENFANTS

Dans ce plat d'accompagnement, utilisez du couscous de blé entier et vos légumes de saison préférés. La fille de Sue, Abbey, participe à la préparation en coupant les carottes miniatures.

CONSEIL

Vous pouvez manger les restes chauds ou froids au dîner du lendemain.

15 ml (1 c. à soupe) d'huile de canola
1 oignon, haché
2 gousses d'ail, hachées
3 carottes, hachées
250 ml (1 tasse) de petits pois surgelés, décongelés
375 ml (1 ½ tasse) de bouillon de poulet à teneur réduite en sodium
250 ml (1 tasse) de couscous de blé entier

1. Dans un grand poêlon, chauffer l'huile à feu moyen. Y faire sauter l'oignon de 3 à 4 minutes ou jusqu'à ce qu'il soit ramolli. Ajouter l'ail et le faire sauter pendant 30 secondes. Ajouter les carottes et les pois, puis les faire sauter de 3 à 4 minutes ou jusqu'à ce que les carottes soient tendres quand on les pique avec une fourchette.

2. Ajouter le bouillon, augmenter à feu vif et porter à ébullition. Dès que l'eau bout, éteindre le feu et incorporer le couscous. Retirer du feu. Couvrir et laisser reposer pendant 5 minutes ou jusqu'à ce que le liquide soit absorbé. Défaire les grains à l'aide d'une fourchette.

VARIANTE

Pour en faire un repas végétarien, ajoutez une demi-boîte de 540 ml (19 oz) de pois chiches rincés et égouttés.

SUGGESTION DE SERVICE

Graissez légèrement un petit ramequin. Déposez-y du couscous et tassez-le un peu. Retournez le ramequin sur une assiette de service et tapez doucement pour que le couscous tombe dans l'assiette. Simple et impressionnant!

Valeur nutritive par portion	
Calories	134
Lipides	2,2 g
saturés	0,1 g
Sodium	139 mg (6 % VQ)
Glucides	25 g
Fibres	5 g (20 % VQ)
Protéines	5 g
Calcium	27 mg (2 % VQ)
Fer	1,1 mg (8 % VQ)

Teneur très élevée en vitamine A

Équivalents par portion pour les personnes diabétiques :
1 Glucides
½ Matières grasses

Farce pour volaille

Lorraine Petryk, Manitoba

8 PORTIONS

Lorraine est originaire de Cranberry Portage, au Manitoba, situé, sans grande surprise, entre deux lacs où poussent des canneberges. Chaque année, elle en cueille plusieurs seaux qu'elle congèle. Elle a découvert des façons originales de les utiliser, dont cette délicieuse farce pour accompagner la dinde de l'Action de grâce !

30 ml (2 c. à soupe) de beurre
125 ml (½ tasse) d'oignon haché
60 ml (¼ tasse) de céleri haché
1 gousse d'ail, hachée
125 ml (½ tasse) de champignons hachés
15 ml (1 c. à soupe) de persil frais haché
7 ml (1 ½ c. à thé) de romarin frais haché
5 ml (1 c. à thé) d'assaisonnement pour volaille
5 ml (1 c. à thé) de poivre noir fraîchement moulu
2 ml (½ c. à thé) de sel
500 ml (2 tasses) de riz sauvage cuit
125 ml (½ tasse) de canneberges surgelées ou séchées, décongelées si surgelées
125 ml (½ tasse) d'amandes effilées

1. Dans une casserole moyenne, faire fondre le beurre à feu moyen. Y faire sauter l'oignon et le céleri de 3 à 4 minutes ou jusqu'à ce qu'ils soient tendres. Ajouter l'ail, les champignons, le persil, le romarin, l'assaisonnement pour volaille, le poivre et le sel. Les faire sauter pendant 1 minute.
2. Incorporer le riz sauvage, les canneberges et les amandes. Cuire, en remuant, jusqu'à ce que ce soit bien chaud.

CONSEILS

Pour préparer 500 ml (2 tasses) de riz sauvage cuit, mélangez 125 ml (½ tasse) de riz sauvage et 375 ml (1 ½ tasse) d'eau dans une casserole moyenne au couvercle hermétique. Portez à ébullition à feu vif. Réduisez à feu doux, couvrez et laissez mijoter pendant 1 heure ou jusqu'à ce que le liquide soit absorbé. Défaites les grains à l'aide d'une fourchette.

Remplacez les champignons frais par des champignons en conserve rincés et égouttés.

Valeur nutritive par portion	
Calories	112
Lipides	6,1 g
saturés	2,1 g
Sodium	171 mg (7 % VQ)
Glucides	12 g
Fibres	2 g (8 % VQ)
Protéines	3 g
Calcium	24 mg (2 % VQ)
Fer	0,7 mg (5 % VQ)

Équivalents par portion pour les personnes diabétiques :
½ Glucides
1 Matières grasses

Les muffins et les pains à préparation rapide

De nos jours, les muffins sont souvent aussi gros qu'une balle de baseball, alors qu'un muffin santé ne devrait avoir que de 5 à 7,5 cm (2 à 3 po) de diamètre. Les muffins de ce chapitre respectent ce format. Ils sont faits de grains entiers et tout aussi délicieux que nutritifs. Les pains à préparation rapide sont des pains vite faits qui, habituellement, ne nécessitent pas de levure. Les œufs, le bicarbonate de soude et la poudre à pâte jouent le rôle d'agents de levage. Savourez un muffin ou une tranche de pain à préparation rapide de temps en temps, au petit-déjeuner, en collation le matin ou l'après-midi ou même dans le cadre d'un repas léger.

Muffins à la citrouille, aux noix et au son. 319

Muffins au son et aux bleuets 320

Muffins au son de blé, à l'avoine et aux abricots . . . 321

Muffins à l'avoine et aux petits fruits. 322

Muffins streusel à l'avoine et à l'érable 323

Muffins à l'avoine, aux dattes et aux noix 324

Muffins orange-canneberges aux graines de lin. . . . 325

Muffins au sarrasin et aux pêches, garniture croquante aux noisettes 326

Muffins du jardin 327

Muffins à la semoule de maïs et aux fines herbes . . 328

Pain aux bananes super moelleux de maman 329

Pain canneberges-bananes aux amandes 330

Pain à l'orange et aux noix 331

Les prodigieuses fibres !

Les muffins et les pains à préparation rapide contribuent à ajouter des fibres à votre alimentation. Les fibres non solubles proviennent de la partie du fruit, du légume, de la céréale, de la noix ou de la graine que votre organisme ne peut pas digérer. Elles sont donc utiles au bon fonctionnement de votre système digestif. Les viandes et les produits laitiers contiennent peu ou pas de fibres (à moins qu'ils ne soient enrichis de fibres).

Si vous achetez des muffins, soyez vigilants. Bon nombre sont énormes, pleins de gras et de sucre, sans grains entiers et pauvres en fibres. S'ils sont emballés, assurez-vous de lire le tableau de la valeur nutritive pour connaître le nombre de calories, de nutriments et de fibres qu'ils contiennent. Préparer vous-même les muffins demeure la meilleure façon de contrôler le contenu en calories, en gras et en fibres.

Un mot au sujet de la poudre à pâte et du bicarbonate de soude

De nombreuses recettes de produits de boulangerie nécessitent l'utilisation de poudre à pâte et de bicarbonate de soude. Ces deux agents de levage ne sont pas interchangeables, il faut donc s'assurer d'utiliser celui qui est demandé. Et tous les deux renferment une grande quantité de sodium. En fait, le bicarbonate de soude se nomme aussi «bicarbonate de sodium». Et comme le bicarbonate de soude est l'un des ingrédients de la poudre à pâte, celle-ci contient aussi beaucoup de sodium. Seulement 5 ml (1 c. à thé) de poudre à pâte à double action (le produit le plus souvent utilisé dans les recettes) contient presque 400 mg de sodium, alors que 5 ml (1 c. à thé) de bicarbonate de soude en contient près de 1300 mg! Dans les recettes de ce chapitre, nous avons utilisé la quantité minimale de ces 2 ingrédients.

Petit cours de cuisine familiale

La préparation des muffins

Pour faire des muffins maison santé aussi beaux que savoureux, suivez ces conseils simples.

Comment mélanger la pâte à muffins

Pour que vos muffins aient une texture tendre et moelleuse et soient de grosseur uniforme, il y a trois étapes à respecter pour mélanger la pâte:

1. Dans un grand bol, mélanger les ingrédients secs préalablement mesurés.
2. Dans un autre bol, fouetter les ingrédients liquides (dans les recettes de muffins, le sucre s'ajoute aux liquides, même si c'est un ingrédient sec mesuré), jusqu'à ce que ce soit bien mélangé.
3. Incorporer les ingrédients liquides aux ingrédients secs et remuer jusqu'à ce que la pâte soit tout juste homogène (éviter de trop mélanger la pâte, car les muffins pourraient être caoutchouteux et durs ou contenir des bulles d'air).

Ajouter des fibres

Il y a plusieurs façons d'ajouter des fibres à vos recettes de muffins:

- Remplacer la moitié de la farine blanche de la recette par de la farine de blé entier.
- Choisir des recettes contenant du son de blé, de la farine de blé entier, de la farine de seigle et des graines de lin moulues ou entières.
- Ajouter 125 ml (½ tasse) de fruits séchés hachés, comme les raisins secs, les abricots, les canneberges ou les bleuets; 125 ml (½ tasse) de noix hachées, comme les noix de cajou ou les pacanes; ou 30 ml (2 c. à soupe) de graines, comme les graines de tournesol, les graines de sésame ou les graines de lin.

Réduire le gras

Il faut s'assurer que la quantité de gras (beurre, margarine ou huile) ne dépasse pas 60 à 75 ml (¼ à ⅓ tasse) pour une douzaine de muffins. Les meilleurs choix de matières grasses pour la santé du cœur sont l'huile de canola, l'huile de carthame, l'huile de tournesol et la margarine non hydrogénée. Attention aux ingrédients à haute teneur en gras, comme le fromage, la crème sure ordinaire et le chocolat.

Voici quelques façons de réduire le gras dans une recette de muffins :

- Remplacer la moitié du gras par une quantité égale de purée de fruits ou de légumes, comme les pommes, les bananes, les pruneaux, les carottes, les patates douces ou la citrouille.
- Remplacer le lait entier par du lait 2 %, 1 % ou écrémé.
- Réduire la quantité de fromage ordinaire de moitié.
- Utiliser de la crème sure ou du yogourt nature faibles en gras pour remplacer la crème sure ordinaire.

Limiter le sucre

La quantité de sucre ne doit pas dépasser 175 ml (¾ tasse) pour une douzaine de muffins. Pour réduire le sucre dans une recette de muffins, en utiliser le tiers de moins et ajouter de 2 à 5 ml (½ à 1 c. à thé) de cannelle moulue ou 2 ml (½ c. à thé) d'extrait de vanille ou d'amande.

Muffins à la citrouille, aux noix et au son

Marla McKerracher, diététiste, Ontario

✓ Le choix des enfants

Le goût sucré de la cannelle, le côté croquant des noix et le moelleux de la citrouille font de ces muffins une combinaison gagnante auprès des enfants comme des adultes.

Conseils

Vous pouvez cuire vos propres citrouilles à tarte pour faire la purée ou vous pouvez utiliser de la purée de citrouille en conserve, mais assurez-vous de ne pas utiliser de garniture pour tarte, car elle est plus sucrée.

Ces muffins se congèlent bien. Enveloppez chaque muffin refroidi de pellicule plastique, puis mettez-les dans un contenant hermétique ou dans un sac de congélation. Ils se conserveront jusqu'à 1 mois.

Valeur nutritive par portion	
Calories	191
Lipides	8,8 g
saturés	0,9 g
Sodium	143 mg (6 % VQ)
Glucides	28 g
Fibres	5 g (20 % VQ)
Protéines	4 g
Calcium	45 mg (4 % VQ)
Fer	1,9 mg (14 % VQ)

Teneur très élevée en magnésium
Teneur élevée en vitamine A

Équivalents par portion pour les personnes diabétiques :
1 ½ Glucides
2 Matières grasses

- *Préchauffer le four à 200 °C (400 °F)*
- *Un moule à muffins pour 12 muffins, légèrement graissé ou couvert de moules en papier*

250 ml (1 tasse) de farine de blé entier
250 ml (1 tasse) de son de blé
60 ml (¼ tasse) de germe de blé
5 ml (1 c. à thé) de bicarbonate de soude
5 ml (1 c. à thé) de poudre à pâte
5 ml (1 c. à thé) de cannelle moulue
175 ml (¾ tasse) de cassonade légèrement tassée
1 œuf
60 ml (¼ tasse) d'huile de canola
5 ml (1 c. à thé) d'extrait de vanille
250 ml (1 tasse) de purée de citrouille (voir Conseils)
125 ml (½ tasse) de noix hachées

1. Dans un grand bol, mélanger la farine, le son de blé, le germe de blé, le bicarbonate de soude, la poudre à pâte et la cannelle.
2. Dans un petit bol, fouetter la cassonade avec l'œuf, l'huile et la vanille jusqu'à ce que ce soit bien mélangé. Incorporer la purée de citrouille. Verser sur le mélange de farine et mélanger jusqu'à ce que la pâte soit tout juste homogène. Incorporer les noix.
3. Diviser la pâte également entre les moules à muffins graissés. Cuire au four préchauffé de 16 à 18 minutes ou jusqu'à ce que le dessus des muffins soit bien doré et que la pointe d'un couteau insérée au centre d'un muffin en ressorte propre. Laisser refroidir les muffins dans le moule, sur une grille métallique, pendant 10 minutes, puis les mettre directement sur la grille pour qu'ils refroidissent complètement.

Variante

Remplacez la purée de citrouille par 250 ml (1 tasse) de bananes écrasées, de compote de pommes non sucrée, d'ananas broyé égoutté ou de courge musquée en purée.

Donne 12 muffins
Portion de 1 muffin

Nancy a conçu cette recette, il y a presque 20 ans, à partir d'une recette à base de céréales enrichies pour bébés. Ses enfants étaient jeunes à l'époque, mais ils apprécient ces muffins depuis. Ces muffins ont connu un immense succès auprès de nos dégustateurs aussi!

Conseil

Ces muffins se congèlent bien. Enveloppez chaque muffin refroidi de pellicule plastique, puis mettez-les dans un contenant hermétique ou dans un sac de congélation. Ils se conserveront jusqu'à 1 mois.

Valeur nutritive par portion	
Calories	175
Lipides	6,4 g
saturés	0,8 g
Sodium	104 mg (4 % VQ)
Glucides	28 g
Fibres	4 g (16 % VQ)
Protéines	5 g
Calcium	70 mg (6 % VQ)
Fer	1,9 mg (14 % VQ)

Teneur très élevée en magnésium
Teneur élevée en zinc

Équivalents par portion pour les personnes diabétiques:
1 ½ Glucides
1 ½ Matières grasses

Muffins au son et aux bleuets

Nancy Morgan, Ontario

- *Préchauffer le four à 200 °C (400 °F)*
- *Un moule à muffins pour 12 muffins, légèrement graissé ou couvert de moules en papier*

375 ml (1 ½ tasse) de son de blé
125 ml (½ tasse) de farine tout usage
125 ml (½ tasse) de germe de blé
5 ml (1 c. à thé) de poudre à pâte
2 ml (½ c. à thé) de bicarbonate de soude
125 ml (½ tasse) de cassonade légèrement tassée
2 œufs, battus
250 ml (1 tasse) de lait 1 %
60 ml (¼ tasse) d'huile de canola
60 ml (¼ tasse) de mélasse de fantaisie
250 ml (1 tasse) de bleuets frais ou surgelés

1. Dans un grand bol, mélanger le son de blé, la farine, le germe de blé, la poudre à pâte et le bicarbonate de soude.
2. Dans un bol moyen, fouetter la cassonade avec les œufs, le lait, l'huile et la mélasse jusqu'à ce que ce soit bien mélangé. Verser sur le mélange de farine et mélanger jusqu'à ce que la pâte soit tout juste homogène. Incorporer les bleuets.
3. Diviser la pâte également entre les moules à muffins graissés. Cuire au four préchauffé de 15 à 17 minutes ou jusqu'à ce que le dessus des muffins soit ferme au toucher et que la pointe d'un couteau insérée au centre d'un muffin en ressorte propre. Laisser refroidir les muffins dans le moule, sur une grille métallique, pendant 10 minutes, puis les mettre directement sur la grille pour qu'ils refroidissent complètement.

Variante

Remplacez les bleuets par vos fruits favoris, comme les framboises ou les pêches hachées.

Muffins au son de blé, à l'avoine et aux abricots

Jennifer House, diététiste, Alberta

DONNE 18 MUFFINS

PORTION DE 1 MUFFIN

✓ **LE CHOIX DES ENFANTS**

Cette recette a été créée par la grand-tante de Jennifer et c'est maintenant au tour de Jennifer de la faire avec son jeune fils. Il adore cuisiner, Jennifer mesure pendant qu'il verse et mélange !

CONSEIL

Si vous n'avez pas de babeurre, ajoutez 15 ml (1 c. à soupe) de vinaigre ou de jus de citron à 250 ml (1 tasse) de lait et laissez reposer pendant quelques minutes.

Valeur nutritive par portion	
Calories	154
Lipides	5,4 g
saturés	0,7 g
Sodium	122 mg (5 % VQ)
Glucides	24 g
Fibres	3 g (12 % VQ)
Protéines	4 g
Calcium	38 mg (3 % VQ)
Fer	1,2 mg (9 % VQ)

Teneur élevée en magnésium

Équivalents par portion pour les personnes diabétiques :
1 ½ Glucides
1   Matières grasses

- *Préchauffer le four à 190 °C (375 °F)*
- *2 moules à muffins pour 12 muffins, 18 moules légèrement graissés ou couverts de moules en papier*

125 ml (½ tasse) de son de blé
125 ml (½ tasse) d'eau bouillante
375 ml (1 ½ tasse) de farine de blé entier
250 ml (1 tasse) de flocons d'avoine à cuisson rapide
75 ml (⅓ tasse) de germe de blé
5 ml (1 c. à thé) de bicarbonate de soude
1 ml (¼ c. à thé) de sel
125 ml (½ tasse) de cassonade légèrement tassée
1 œuf
250 ml (1 tasse) de babeurre
75 ml (⅓ tasse) d'huile de canola
250 ml (1 tasse) d'abricots séchés hachés

1. Dans un petit bol, mélanger le son de blé et l'eau bouillante. Réserver.
2. Dans un grand bol, mélanger la farine de blé entier, les flocons d'avoine, le germe de blé, le bicarbonate de soude et le sel.
3. Dans un bol moyen, fouetter la cassonade avec l'œuf, le babeurre et l'huile jusqu'à ce que ce soit bien mélangé. Verser sur le mélange de farine en y ajoutant le mélange de son, puis mélanger jusqu'à ce que la pâte soit tout juste homogène. Incorporer les abricots.
4. Diviser la pâte également entre les moules à muffins graissés. Cuire au four préchauffé de 16 à 18 minutes ou jusqu'à ce que la pointe d'un couteau insérée au centre d'un muffin en ressorte propre. Laisser refroidir les muffins dans le moule, sur une grille métallique, pendant 10 minutes, puis les mettre directement sur la grille pour qu'ils refroidissent complètement.

Muffins à l'avoine et aux petits fruits

Mayonnaise Hellmann's (www.hellmanns.ca)

Tout comme la mayonnaise, ces muffins sont faits d'ingrédients simples et vrais. Savourez-les comme dessert ou même au petit-déjeuner!

- *Préchauffer le four à 200 °C (400 °F)*
- *Un moule à muffins pour 12 muffins, légèrement graissé ou couvert de moules en papier*

375 ml (1 ½ tasse) de farine tout usage

175 ml (¾ tasse) de flocons d'avoine à cuisson rapide

10 ml (2 c. à thé) de poudre à pâte

2 ml (½ c. à thé) de sel

2 ml (½ c. à thé) de cannelle moulue

125 ml (½ tasse) de cassonade bien tassée

1 œuf

250 ml (1 tasse) de lait 2 %

125 ml (½ tasse) de mayonnaise légère

250 ml (1 tasse) de framboises ou de bleuets (ou un mélange des deux) frais ou surgelés

1. Dans un grand bol, mélanger la farine, les flocons d'avoine, la poudre à pâte, le sel et la cannelle.
2. Dans un bol moyen, fouetter la cassonade avec l'œuf, le lait et la mayonnaise jusqu'à ce que ce soit bien mélangé. Verser sur le mélange de farine et mélanger jusqu'à ce que la pâte soit tout juste homogène. Incorporer les petits fruits.
3. Diviser la pâte également entre les moules à muffins graissés. Cuire au four préchauffé de 20 à 25 minutes ou jusqu'à ce que le dessus reprenne sa forme lorsqu'on le presse légèrement. Laisser refroidir les muffins dans le moule, sur une grille métallique, pendant 10 minutes, puis les mettre directement sur la grille pour qu'ils refroidissent complètement.

Valeur nutritive par portion	
Calories	170
Lipides	4,5 g
saturés	1,0 g
Sodium	230 mg (10 % VQ)
Glucides	29 g
Fibres	2 g (8 % VQ)
Protéines	4 g
Calcium	65 mg (6 % VQ)
Fer	1,1 mg (8 % VQ)

Teneur élevée en acide folique

Équivalents par portion pour les personnes diabétiques :

2   Glucides

1   Matières grasses

DONNE 12 MUFFINS

PORTION DE 1 MUFFIN

Cette recette met en vedette quelques ingrédients bien de chez nous, réunis pour faire de délicieux muffins.

CONSEIL

Le fait de chauffer le mélange d'avoine et de sirop d'érable humecte l'avoine et l'imprègne de la saveur d'érable.

Valeur nutritive par portion	
Calories	225
Lipides	8,8 g
saturés	1,0 g
Sodium	100 mg (4 % VQ)
Glucides	33 g
Fibres	1 g (4 % VQ)
Protéines	4 g
Calcium	55 mg (5 % VQ)
Fer	1,4 mg (10 % VQ)

Teneur élevée en acide folique

Équivalents par portion pour les personnes diabétiques :
2 Glucides
2 Matières grasses

Muffins streusel à l'avoine et à l'érable

Caroline Dubeau, diététiste, Ontario

- *Préchauffer le four à 190 °C (375 °F)*
- *Un moule à muffins pour 12 muffins, légèrement graissé ou couvert de moules en papier*

175 ml (¾ tasse) de flocons d'avoine à cuisson rapide
125 ml (½ tasse) de sirop d'érable pur à 100 %
60 ml (¼ tasse) de cassonade bien tassée
2 œufs
75 ml (⅓ tasse) d'huile de canola
5 ml (1 c. à thé) d'extrait de vanille
375 ml (1 ¼ tasse) de farine tout usage
5 ml (1 c. à thé) de poudre à pâte
2 ml (½ c. à thé) de bicarbonate de soude
125 ml (½ tasse) de yogourt nature faible en gras

Le streusel
60 ml (¼ tasse) de flocons d'avoine à cuisson rapide
30 ml (2 c. à soupe) de cassonade bien tassée
15 ml (1 c. à soupe) de sirop d'érable pur à 100 %
15 ml (1 c. à soupe) d'huile de canola

1. Dans un bol, mélanger l'avoine et le sirop d'érable. Mettre au micro-ondes à puissance élevée pendant 1 minute. Réserver.
2. Dans un grand bol, à l'aide d'un batteur électrique, battre la cassonade avec les œufs, l'huile et la vanille pendant 2 minutes à vitesse élevée. Incorporer la moitié de la farine avec la poudre à pâte et le bicarbonate de soude jusqu'à ce que la pâte soit tout juste homogène. Incorporer le yogourt jusqu'à ce que ce soit bien mélangé. Incorporer le mélange d'avoine et le reste de la farine jusqu'à ce que la pâte soit tout juste homogène.
3. Diviser la pâte également entre les moules à muffins graissés.
4. *Le streusel :* Dans un petit bol, mélanger les flocons d'avoine, la cassonade, le sirop d'érable et l'huile. Parsemer également les muffins de ce mélange.
5. Cuire au four préchauffé de 15 à 20 minutes ou jusqu'à ce que le dessus reprenne sa forme lorsqu'on le presse légèrement. Laisser refroidir les muffins dans le moule, sur une grille métallique, pendant 10 minutes, puis les mettre directement sur la grille pour qu'ils refroidissent complètement.

Muffins à l'avoine, aux dattes et aux noix

Karen Kuzik, diététiste, Nouveau-Brunswick

Karen raffole des dattes. Elle a créé ce muffin pour se faire plaisir !

CONSEIL

Ces muffins se congèlent bien. Enveloppez chaque muffin refroidi de pellicule plastique, puis mettez-les dans un contenant hermétique ou dans un sac de congélation. Ils se conserveront jusqu'à 1 mois.

SUGGESTION DE SERVICE

Vous pouvez ajouter une poire fraîche et une portion de 45 g (1 ½ oz) de cheddar pour obtenir une délicieuse collation. N'oubliez pas de boire un peu d'eau !

- *Préchauffer le four à 200 °C (400 °F)*
- *Un moule à muffins pour 12 muffins, légèrement graissé ou couvert de moules en papier*

125 ml (½ tasse) de flocons d'avoine à cuisson rapide
125 ml (½ tasse) de babeurre
375 ml (1 ½ tasse) de farine de blé entier
60 ml (¼ tasse) de graines de lin moulues
5 ml (1 c. à thé) de poudre à pâte
5 ml (1 c. à thé) de bicarbonate de soude
5 ml (1 c. à thé) de cannelle moulue
2 ml (½ c. à thé) de muscade moulue
60 ml (¼ tasse) de cassonade légèrement tassée
1 œuf
60 ml (¼ tasse) d'huile végétale
60 ml (¼ tasse) de mélasse de fantaisie
250 ml (1 tasse) de compote de pommes non sucrée
250 ml (1 tasse) de dattes hachées
125 ml (½ tasse) de noix hachées

1. Dans un petit bol, mélanger les flocons d'avoine et le babeurre. Laisser reposer pendant 5 minutes.
2. Dans un grand bol, mélanger la farine, les graines de lin, la poudre à pâte, le bicarbonate de soude, la cannelle et la muscade.
3. Dans un bol moyen, fouetter la cassonade avec l'œuf, l'huile et la mélasse jusqu'à ce que ce soit bien mélangé. Incorporer la compote de pommes et le mélange d'avoine. Verser sur le mélange de farine et mélanger jusqu'à ce que la pâte soit tout juste homogène. Incorporer les dattes et les noix.
4. Diviser la pâte également entre les moules à muffins graissés. Cuire au four préchauffé de 16 à 18 minutes ou jusqu'à ce que le dessus reprenne sa forme lorsqu'on le presse légèrement et que la pointe d'un couteau insérée au centre d'un muffin en ressorte propre. Laisser refroidir les muffins dans le moule, sur une grille métallique, pendant 10 minutes, puis les mettre directement sur la grille pour qu'ils refroidissent complètement.

VARIANTE

Remplacez la compote de pommes par un pot de 213 ml (7 ½ oz) de purée de courge pour bébés.

Valeur nutritive par portion	
Calories	252
Lipides	10,0 g
saturés	1,1 g
Sodium	151 mg (6 % VQ)
Glucides	39 g
Fibres	5 g (20 % VQ)
Protéines	5 g
Calcium	74 mg (7 % VQ)
Fer	1,8 mg (13 % VQ)

Teneur très élevée en magnésium

Équivalents par portion pour les personnes diabétiques :
2 ½ Glucides
2 Matières grasses

Muffins orange-canneberges aux graines de lin

Joan Rew, diététiste, Manitoba

Chez Joan, servir ces muffins frais le samedi matin est une tradition. Ceux-ci sauront vous plaire, à coup sûr.

CONSEILS

Le vendredi soir, Joan aime bien préparer les mélanges d'ingrédients secs et d'ingrédients liquides dans des bols séparés. Le lendemain, il lui faut moins d'une minute pour terminer la préparation. Assurez-vous de réfrigérer les ingrédients liquides.

Ces muffins se congèlent bien. Enveloppez chaque muffin refroidi de pellicule plastique, puis mettez-les dans un contenant hermétique ou dans un sac de congélation. Ils se conserveront jusqu'à 1 mois.

Valeur nutritive par portion	
Calories	162
Lipides	4,9 g
saturés	0,5 g
Sodium	109 mg (5 % VQ)
Glucides	27 g
Fibres	2 g (8 % VQ)
Protéines	3 g
Calcium	34 mg (3 % VQ)
Fer	1,1 mg (8 % VQ)

Teneur élevée en acide folique

Équivalents par portion pour les personnes diabétiques :
1 ½ Glucides
1 Matières grasses

- *Préchauffer le four à 190 °C (375 °F)*
- *2 moules à muffins pour 12 muffins, 18 moules légèrement graissés ou couverts de moules en papier*

175 ml (¾ tasse) de canneberges séchées, grossièrement hachées
375 ml (1 ½ tasse) de jus d'orange, au total
500 ml (2 tasses) de farine tout usage
175 ml (¾ tasse) de farine de blé entier
125 ml (½ tasse) de graines de lin moulues
125 ml (½ tasse) de sucre granulé
10 ml (2 c. à thé) de zeste d'orange râpé
10 ml (2 c. à thé) de poudre à pâte
5 ml (1 c. à thé) de bicarbonate de soude
1 œuf, battu
60 ml (¼ tasse) d'huile de canola

1. Dans un petit bol, mélanger les canneberges et 60 ml (¼ tasse) du jus d'orange. Réserver.
2. Dans un grand bol, mélanger la farine tout usage, la farine de blé entier, les graines de lin, le sucre, le zeste d'orange, la poudre à pâte et le bicarbonate de soude.
3. Dans un bol moyen, fouetter l'œuf avec l'huile et le reste du jus d'orange jusqu'à ce que ce soit bien mélangé. Verser sur le mélange de farine et mélanger jusqu'à ce que la pâte soit tout juste homogène. Incorporer le mélange de canneberges.
4. Diviser la pâte également entre les moules à muffins graissés. Cuire au four préchauffé de 16 à 18 minutes ou jusqu'à ce que le dessus soit ferme au toucher et que la pointe d'un couteau insérée au centre d'un muffin en ressorte propre. Laisser refroidir les muffins dans le moule, sur une grille métallique, pendant 10 minutes, puis les mettre directement sur la grille pour qu'ils refroidissent complètement.

VARIANTE
Remplacez les canneberges par des cerises ou des bleuets, séchés.

Muffins au sarrasin et aux pêches, garniture croquante aux noisettes

Mary Sue Waisman, diététiste, Nouvelle-Écosse

La garniture croquante aux noisettes se marie bien avec les pêches tendres.

CONSEIL

Il y a 2 types de farine de sarrasin, la foncée et la pâle. La farine plus foncée donnera une pâte très brune.

Valeur nutritive par portion	
Calories	197
Lipides	7,6 g
saturés	0,8 g
Sodium	129 mg (5 % VQ)
Glucides	29 g
Fibres	2 g (8 % VQ)
Protéines	4 g
Calcium	35 mg (3 % VQ)
Fer	1,5 mg (11 % VQ)

Teneur élevée en magnésium et acide folique

Équivalents par portion pour les personnes diabétiques :
2   Glucides
1 ½ Matières grasses

- *Préchauffer le four à 190 °C (375 °F)*
- *Un moule à muffins pour 12 muffins, légèrement graissé ou couvert de moules en papier*

La garniture croquante aux noisettes
125 ml (½ tasse) de noisettes finement hachées
30 ml (2 c. à soupe) de cassonade légèrement tassée
1 ml (¼ c. à thé) de cannelle moulue

Les muffins
250 ml (1 tasse) de farine de sarrasin
250 ml (1 tasse) de farine tout usage
5 ml (1 c. à thé) de cannelle moulue
2 ml (½ c. à thé) de poudre à pâte
2 ml (½ c. à thé) de bicarbonate de soude
2 ml (½ c. à thé) de muscade moulue
1 ml (¼ c. à thé) de sel
125 ml (½ tasse) de cassonade bien tassée
2 œufs
45 ml (3 c. à soupe) d'huile de canola
5 ml (1 c. à thé) d'extrait de vanille
375 ml (1 ½ tasse) de pêches fraîches coupées en dés

1. *La garniture croquante aux noisettes :* Dans un petit bol, mélanger les noisettes, la cassonade et la cannelle. Réserver.
2. *Les muffins :* Dans un grand bol, mélanger la farine de sarrasin, la farine tout usage, la cannelle, la poudre à pâte, le bicarbonate de soude, la muscade et le sel.
3. Dans un bol moyen, fouetter la cassonade avec les œufs, l'huile et la vanille jusqu'à ce que ce soit bien mélangé. Verser sur le mélange de farine et mélanger jusqu'à ce que la pâte soit tout juste homogène. Incorporer les pêches.
4. Diviser la pâte également entre les moules à muffins graissés. Parsemer uniformément les muffins de la garniture croquante.
5. Cuire au four préchauffé de 15 à 17 minutes ou jusqu'à ce que le dessus soit ferme au toucher et que la pointe d'un couteau insérée au centre d'un muffin en ressorte propre. Laisser refroidir les muffins dans le moule, sur une grille métallique, pendant 10 minutes, puis les mettre directement sur la grille pour qu'ils refroidissent complètement.

Muffins du jardin

Vincci Tsui, diététiste, Alberta

DONNE 12 MUFFINS
PORTION DE 1 MUFFIN

✓ LE CHOIX DES ENFANTS

Vincci adore les légumes dans les pains et les muffins, et cette recette en regorge! Voilà une collation parfaite après l'école. Elle attribue à Desiree Nielsen, amie et collègue diététiste, le mérite d'avoir trouvé un nom pour ces muffins.

CONSEIL

Ces muffins se congèlent bien. Enveloppez chaque muffin refroidi de pellicule plastique, puis mettez-les dans un contenant hermétique ou dans un sac de congélation. Ils se conserveront jusqu'à 1 mois.

Valeur nutritive par portion	
Calories	126
Lipides	4,9 g
saturés	0,6 g
Sodium	116 mg (5 % VQ)
Glucides	20 g
Fibres	3 g (12 % VQ)
Protéines	3 g
Calcium	22 mg (2 % VQ)
Fer	0,7 mg (5 % VQ)

Teneur élevée en vitamine A

Équivalents par portion pour les personnes diabétiques:
1 Glucides
1 Matières grasses

- *Préchauffer le four à 180 °C (350 °F)*
- *Un moule à muffins pour 12 muffins, légèrement graissé ou couvert de moules en papier*

175 ml (¾ tasse) de farine de blé entier
60 ml (¼ tasse) de graines de lin moulues
5 ml (1 c. à thé) de bicarbonate de soude
5 ml (1 c. à thé) de cannelle moulue
2 ml (½ c. à thé) de muscade moulue
150 ml (⅔ tasse) de sucre granulé
1 œuf
60 ml (¼ tasse) de compote de pommes non sucrée
250 ml (1 tasse) de carottes râpées
250 ml (1 tasse) de courgette râpée, pressée
   pour retirer l'excédent d'eau
125 ml (½ tasse) de pacanes hachées

1. Dans un grand bol, mélanger la farine, les graines de lin, le bicarbonate de soude, la cannelle et la muscade.
2. Dans un petit bol, fouetter le sucre avec l'œuf jusqu'à ce qu'ils soient bien mélangés. Incorporer la compote de pommes. Verser sur le mélange de farine et mélanger jusqu'à ce que la pâte soit tout juste homogène. Incorporer les carottes, la courgette et les pacanes.
3. Diviser la pâte également entre les moules à muffins graissés. Cuire au four préchauffé de 20 à 25 minutes ou jusqu'à ce que la pointe d'un couteau insérée au centre d'un muffin en ressorte propre. Laisser refroidir les muffins dans le moule, sur une grille métallique, pendant 10 minutes, puis les mettre directement sur la grille pour qu'ils refroidissent complètement.

VARIANTES

Vous pouvez remplacer la compote de pommes par du yogourt nature faible en gras.

Remplacez les pacanes par des noix hachées.

Muffins à la semoule de maïs et aux fines herbes

Mary Sue Waisman, diététiste, Nouvelle-Écosse

DONNE 12 MUFFINS
PORTION DE 1 MUFFIN

Voici la façon idéale d'utiliser des fines herbes et des restes de maïs en épi.

CONSEIL

Assurez-vous que le maïs est sec et que les grains sont séparés avant de le griller.

SUGGESTION DE SERVICE

Servez les muffins chauds, accompagnés d'un bol de Chili au poulet léger et facile à préparer (p. 181).

- *Préchauffer le four à 180 °C (350 °F)*
- *Un moule à muffins pour 12 muffins, légèrement graissé ou couvert de moules en papier*

250 ml (1 tasse) de grains de maïs cuits, soit environ 1 gros épi
300 ml (1 ¼ tasse) de semoule de maïs
175 ml (¾ tasse) de farine tout usage
60 ml (¼ tasse) de ciboulette fraîche finement hachée
30 ml (2 c. à soupe) de basilic frais haché
30 ml (2 c. à soupe) de coriandre fraîche hachée
5 ml (1 c. à thé) de poudre à pâte
2 ml (½ c. à thé) de bicarbonate de soude
2 ml (½ c. à thé) de chili en poudre
2 ml (½ c. à thé) de poivre noir fraîchement moulu
60 ml (¼ tasse) de sucre granulé
2 œufs
250 ml (1 tasse) de yogourt nature faible en gras
45 ml (3 c. à soupe) d'huile de canola

1. Chauffer un poêlon moyen à feu moyen-vif. Faire griller le maïs, en remuant à l'occasion, de 2 à 3 minutes ou jusqu'à ce qu'il soit légèrement noirci par endroits. Le mettre dans un grand bol et le laisser refroidir pendant quelques minutes.
2. Ajouter la semoule de maïs, la farine, la ciboulette, le basilic, la coriandre, la poudre à pâte, le bicarbonate de soude, le chili en poudre et le poivre au maïs et bien mélanger.
3. Dans un bol moyen, fouetter le sucre avec les œufs, le yogourt et l'huile jusqu'à ce que ce soit bien mélangé. Verser sur le mélange de semoule et mélanger jusqu'à ce que la pâte soit tout juste homogène.
4. Diviser la pâte également entre les moules à muffins graissés. Cuire au four préchauffé de 17 à 19 minutes ou jusqu'à ce que le dessus soit ferme au toucher et que la pointe d'un couteau insérée au centre d'un muffin en ressorte propre. Laisser refroidir les muffins dans le moule, sur une grille métallique, pendant 10 minutes, puis les mettre directement sur la grille pour qu'ils refroidissent complètement.

VARIANTE

Si vous préférez un goût plus relevé, ajoutez 15 ml (1 c. à soupe) de piment jalapeño finement haché au mélange de farine ou ajoutez 2 ml (½ c. à thé) de sauce aux piments forts au mélange d'œufs.

Valeur nutritive par portion	
Calories	168
Lipides	5,0 g
saturés	0,7 g
Sodium	106 mg (4 % VQ)
Glucides	27 g
Fibres	2 g (8 % VQ)
Protéines	5 g
Calcium	56 mg (5 % VQ)
Fer	0,8 mg (6 % VQ)

Teneur élevée en acide folique

Équivalents par portion pour les personnes diabétiques :
1 ½ Glucides
1 Matières grasses

✓ LE CHOIX DES ENFANTS

Les enfants de Melissa adorent écraser les bananes pendant qu'elle prépare le reste de la recette.

Valeur nutritive par portion	
Calories	95
Lipides	2,0 g
saturés	0,4 g
Sodium	141 mg (6 % VQ)
Glucides	18 g
Fibres	2 g (8 % VQ)
Protéines	3 g
Calcium	26 mg (2 % VQ)
Fer	0,7 mg (5 % VQ)

Équivalents par portion pour les personnes diabétiques :
1   Glucides
½   Matières grasses

Pain aux bananes super moelleux de maman

Melissa Fuerst, diététiste, Manitoba

- *Préchauffer le four à 180 °C (350 °F)*
- *2 moules à pain en métal de 23 x 12,5 cm (9 x 5 po), graissés*

625 ml (2 ½ tasses) de farine de blé entier
7 ml (1 ½ c. à thé) de cannelle moulue
6 ml (1 ¼ c. à thé) de poudre à pâte
6 ml (1 ¼ c. à thé) de bicarbonate de soude
5 ml (1 c. à thé) de muscade moulue
2 ml (½ c. à thé) de sel
1 ml (¼ c. à thé) de clous de girofle moulus
125 ml (½ tasse) de sucre granulé
2 œufs
150 ml (⅔ tasse) de babeurre
30 ml (2 c. à soupe) d'huile végétale
375 ml (1 ½ tasse) de bananes mûres écrasées
150 ml (⅔ tasse) de compote de pommes non sucrée

1. Dans un grand bol, mélanger la farine, la cannelle, la poudre à pâte, le bicarbonate de soude, la muscade, le sel et les clous de girofle.
2. Dans un bol moyen, fouetter le sucre avec les œufs, le babeurre et l'huile jusqu'à ce que ce soit bien mélangé. Incorporer les bananes et la compote de pommes. Verser sur le mélange de farine et mélanger jusqu'à ce que la pâte soit tout juste homogène.
3. Diviser la pâte également entre les moules à pain graissés. Cuire au four de 40 à 45 minutes ou jusqu'à ce que la pointe d'un couteau insérée au centre du pain en ressorte propre. Laisser refroidir les pains dans les moules, sur une grille métallique, 10 minutes, puis les mettre sur la grille pour qu'ils refroidissent complètement.

CONSEILS
Ces pains contiennent moins de gras et de calories par portion que les deux autres pains de ce livre, en raison de la petite quantité d'huile et d'œufs utilisée. Ils sont super moelleux, car les bananes, la compote de pommes et le babeurre remplacent une bonne partie du gras.

Les pains à préparation rapide et les gâteaux faibles en gras sèchent généralement plus vite que ceux qui contiennent plus de gras. Toutefois, ils se congèlent bien. Mettez le pain dans un sac de congélation refermable en retirant tout l'air avant de le sceller. Étiquetez-le, puis congelez-le. Il se congèle jusqu'à 1 mois.

Cette combinaison unique de canneberges et de bananes fonctionne à merveille! Ce pain est délicieux frais sorti du four ou servi le lendemain avec un peu de yogourt à la vanille.

Conseil

Pour éviter la formation de grumeaux, assurez-vous que les bananes sont très mûres et bien écrasées.

Valeur nutritive par portion	
Calories	255
Lipides	10,5 g
saturés	1,4 g
Sodium	294 mg (12 % VQ)
Glucides	38 g
Fibres	2 g (8 % VQ)
Protéines	4 g
Calcium	48 mg (4 % VQ)
Fer	1,1 mg (8 % VQ)

Teneur très élevée en vitamine D

Équivalents par portion pour les personnes diabétiques :
2 ½ Glucides
2 Matières grasses

Pain canneberges-bananes aux amandes

Esther Archibald, diététiste, Nouveau-Brunswick

- *Préchauffer le four à 180 °C (350 °F)*
- *Un moule à pain en métal de 23 x 12,5 cm (9 x 5 po), légèrement graissé et fariné*

250 ml (1 tasse) de farine tout usage
175 ml (¾ tasse) de farine de blé entier
5 ml (1 c. à thé) de poudre à pâte
5 ml (1 c. à thé) de bicarbonate de soude
1 ml (¼ c. à thé) de sel
175 ml (¾ tasse) de sucre granulé
125 ml (½ tasse) de margarine non hydrogénée
1 œuf
5 ml (1 c. à thé) d'extrait de vanille
250 ml (1 tasse) de bananes mûres écrasées
125 ml (½ tasse) de yogourt nature faible en gras
175 ml (¾ tasse) de canneberges séchées
125 ml (½ tasse) d'amandes effilées hachées

1. Dans un bol, mélanger la farine tout usage, la farine de blé entier, la poudre à pâte, le bicarbonate de soude et le sel.
2. Dans un grand bol, à l'aide d'un batteur électrique, battre le sucre avec la margarine, à haute vitesse, jusqu'à ce que le mélange soit crémeux. Incorporer l'œuf et la vanille en battant. Incorporer les bananes et le yogourt jusqu'à ce que le mélange soit homogène. Ajouter le mélange de farine en battant à basse vitesse jusqu'à ce que la pâte soit tout juste homogène. Incorporer les canneberges séchées et les amandes.
3. Verser la pâte dans le moule graissé. Cuire au four préchauffé de 45 à 55 minutes ou jusqu'à ce que la pointe d'un couteau insérée au centre du pain en ressorte propre. Laisser refroidir le pain dans le moule, sur une grille métallique, pendant 10 minutes, puis le mettre directement sur la grille jusqu'à ce qu'il soit tiède ou le laisser refroidir complètement.

Suggestion de service

Parmi les trois pains à préparation rapide de ce livre, celui-ci a la plus haute teneur en gras. Une demi-tranche est suffisante pour la collation du matin, accompagnée de quelques tranches de pomme et d'une tasse de tisane.

DONNE 1 PAIN DE 12 TRANCHES
PORTION DE 1 TRANCHE

Pain à l'orange et aux noix

Jennifer House, diététiste, Alberta

Jennifer a hérité cette recette de sa grand-mère, qui l'a sans doute créée pendant la Crise de 1929, quand le gras se faisait rare et que rien n'était gaspillé, pas même les écorces d'orange !

CONSEIL

Ce pain est très dense. Il est savoureux et encore meilleur chaud. Le lendemain, servez-le grillé pour le petit-déjeuner avec vos confitures préférées.

- *Préchauffer le four à 180 °C (350 °F)*
- *Un moule à pain en métal de 23 x 12,5 cm (9 x 5 po), légèrement graissé*
- *Un mélangeur ou un robot de cuisine*

500 ml (2 tasses) de farine tout usage
250 ml (1 tasse) de raisins de Corinthe séchés
125 ml (½ tasse) de noix hachées
125 ml (½ tasse) de sucre granulé
1 ml (¼ c. à thé) de sel
10 ml (2 c. à thé) de poudre à pâte
5 ml (1 c. à thé) de bicarbonate de soude
1 grosse orange non pelée, coupée en quartiers et épépinée
175 ml (¾ tasse) d'eau bouillante
30 ml (2 c. à soupe) d'huile de canola
5 ml (1 c. à thé) d'extrait de vanille

1. Dans un grand bol, mélanger la farine, les raisins, les noix, le sucre, le sel, la poudre à pâte et le bicarbonate de soude.
2. Mettre les quartiers d'orange dans le robot culinaire. Y verser l'eau bouillante et faire fonctionner l'appareil pendant environ 15 secondes ou jusqu'à ce qu'ils soient finement hachés. Ajouter l'huile et la vanille. Faire fonctionner l'appareil encore pendant 5 secondes ou jusqu'à ce que ce soit mélangé. Verser sur le mélange de farine et mélanger jusqu'à ce que la pâte soit tout juste homogène.
3. Verser dans le moule graissé et laisser reposer pendant 15 minutes.
4. Cuire au four préchauffé pendant 1 heure ou jusqu'à ce que la pointe d'un couteau insérée au centre du pain en ressorte propre. Laisser refroidir le pain dans le moule, sur une grille métallique, pendant 10 minutes, puis le mettre directement sur la grille pour qu'il refroidisse légèrement.

VARIANTE

Vous pouvez remplacer les raisins de Corinthe par des raisins secs ou des canneberges séchées.

Valeur nutritive par portion	
Calories	206
Lipides	5,7 g
saturés	0,5 g
Sodium	205 mg (9 % VQ)
Glucides	37 g
Fibres	3 g (12 % VQ)
Protéines	4 g
Calcium	53 mg (5 % VQ)
Fer	1,7 mg (12 % VQ)

Teneur élevée en acide folique

Équivalents par portion pour les personnes diabétiques :
2 Glucides
1 Matières grasses

Les desserts

Un repas raffiné ne serait pas complet sans un succulent dessert. Ce chapitre vous propose des dizaines de desserts nutritifs et incroyablement savoureux, préparés avec des ingrédients sains, comme les fruits frais et séchés, les noix et les grains entiers. Vous y trouverez même des recettes à base de haricots noirs, de carottes et d'orge – des ingrédients peu traditionnels pour les desserts, mais pourtant très savoureux! Évidemment, il y a des occasions où vous aurez plutôt envie de servir un dessert plus riche. Par contre, le dessert peut augmenter considérablement la teneur en calories du repas et contient souvent peu d'éléments nutritifs. Prenez quelques bouchées en gardant les restes pour une autre occasion ou partagez votre dessert avec un ami ou un membre de la famille.

Biscuits au kamut et à l'épeautre aux grains
de chocolat 336

Biscuits au citron et à la lavande 337

Petites meringues aux cerises séchées et
aux pistaches grillées 338

Biscuits aux pommes et à l'avoine grillée 339

Biscuits à la mélasse. 340

Roues aux dattes et aux noix 341

Biscuits aux canneberges et à la citrouille. 342

Brownies aux haricots noirs 343

Carrés aux amandes et aux abricots 344

Mini-gâteaux au fromage aux pacanes 345

Gâteau au fromage comme en Allemagne 346

Gâteau aux bleuets et au yogourt. 347

Gâteau aux carottes et aux amandes. 348

Tour de cupcakes au chocolat 350

Pouding chômeur à ma façon. 352

Tarte au chocolat, à l'orange et aux amandes 353

Tartelettes à la citrouille, croûte d'amandes 354

Bagatelle aux petits fruits frais 355

Meringue en forme de couronnes, crème de
citron à la ricotta, et bleuets. 356

Crêpes à la mousse au chocolat blanc et
à la mangue, garnies de mûres 358

Pêches et framboises rôties aux biscuits amaretti. . 359

Poires rôties à l'érable, garnies de copeaux
de chocolat et de noisettes grillées. 360

Poires pochées au vin, farcies avec du bleu
et des noix grillées 361

Fraises grillées au yogourt à la vanille. 362

Compote de pommes, crème anglaise à l'érable . . . 363

Gajrela 364

Douceur à l'orge. 365

Pouding à l'orge et à l'érable 366

Mousse à la mangue 367

Sorbet aux litchis 368

Granité à la grenade, au gingembre et
au clou de girofle 369

Sucettes glacées aux saveurs tropicales 370

Banane royale fouettée. 371

Des fruits savoureux comme dessert

Souvent associés au petit-déjeuner ou aux collations, les fruits sont rarement servis en guise de dessert, sauf peut-être dans le cas des tartes et des croustades. Pourtant, puisqu'ils sont naturellement sucrés, les fruits remplacent à merveille les desserts riches en gras et en sucre. Vous pouvez pocher des poires, faire rôtir des pêches, cuire des pommes au four, servir des fruits séchés dans un plateau de fromages ou préparer des parfaits aux fruits frais et au fromage de yogourt. Enfin, si vous voulez servir un dessert simple et élégant, une salade de fruits colorée est tout indiquée. Les recettes de ce chapitre utilisent les fruits de multiples façons créatives. Pour découvrir celles que vous préférez, faites vos propres expériences.

Les gras trans dans les produits de boulangerie

Les gras trans de fabrication industrielle sont créés par un procédé chimique qui permet d'ajouter de l'hydrogène à des gras insaturés pour les rendre solides. Les recherches ont non seulement démontré que ces gras augmentent votre taux de mauvais cholestérol, mais qu'ils pourraient également réduire le bon cholestérol.

De tous les gras, ce sont ceux qui accroissent le plus le risque de maladies du cœur. Les gras trans industriels n'offrent aucun avantage connu pour la santé.

Les produits de boulangerie du commerce, comme les biscuits, les pâtisseries et les tartes, sont traditionnellement préparés avec des gras trans. Toutefois, depuis quelques années, bon nombre de fabricants canadiens de produits alimentaires s'emploient à éliminer les gras trans de leurs produits. Vous pouvez déterminer si un produit en contient en regardant le tableau de la valeur nutritive, sous lipides. La quantité de gras trans doit être nulle ou le moins élevé possible.

En préparant des desserts maison, vous savez exactement quels ingrédients vous utilisez et vous pouvez éviter les gras trans. Par exemple, choisissez une margarine non hydrogénée pour les gâteaux et les pâtisseries et utilisez des huiles végétales comme l'huile de canola, de tournesol, de pépins de raisin, d'olive ou d'arachide pour la cuisson. Évitez les margarines hydrogénées fermes et les gras de type shortening.

Notez qu'il est faux d'affirmer que vous pouvez produire des gras trans à la maison en chauffant de l'huile d'olive à feu vif. L'huile d'olive a un point de fumée peu élevé et peut se décomposer ou brûler si elle est chauffée à feu vif, mais aucun gras trans n'est produit de cette façon.

Petit cours de cuisine familiale

Comment rôtir et griller les fruits

Bon nombre de fruits, dont les pêches, les nectarines, les poires et les pommes se prêtent bien au rôtissage. La température élevée permet de caraméliser les sucres naturels, ce qui produit une saveur riche et intense. Consultez, par exemple, les recettes de pêches rôties (p. 359) et de poires rôties (p. 360).

Les fruits grillés sont un dessert simple et parfait pour une soirée barbecue. Après avoir cuit le plat principal, nettoyez la grille pour enlever les résidus de cuisson, puis coupez les fruits en morceaux et embrochez-les. Faites-les griller quelques minutes de chaque côté, juste pour les chauffer. Servez-les arrosés de miel ou de votre sauce dessert préférée. Parmi les fruits grillés qui plaisent à tous, il y a les ananas, les mangues, les pommes et les poires.

Petit cours de cuisine familiale

La préparation d'un plateau de fromages

Préparer un plateau de fromages est une tâche simple qui fait appel à votre imagination et à votre créativité. Et c'est amusant à faire! Le défi consiste à mettre le fromage en valeur.

Ce qu'il vous faut

2 ou 3 variétés de fromage

Des noix, des fruits frais, des fruits séchés, des fruits confits, des chutneys ou des confitures

Un assortiment de pains et de craquelins non salés

Un plateau de service

Des couteaux à fromage

Conseils pour le plateau à fromages

- Lorsque vous choisissez vos fromages, assurez-vous de choisir différentes textures : un fromage à pâte ferme, comme le cheddar ou le gouda; un fromage à pâte molle, comme le brie ou le camembert; un fromage à pâte semi-ferme, comme le havarti, le Oka ou le St-Paulin; un fromage bleu, comme le gorgonzola ou le Bleu Bénédictin.
- Choisissez un fromage doux, comme le brie, et un fromage plus fort, comme le bleu ou le cheddar vieilli.
- Si vous servez le plateau de fromages après le repas, comptez de 45 à 60 g (1 ½ à 2 oz) de fromage par personne. Si vous prévoyez le servir comme entrée, achetez de 90 à 105 g (3 à 3 ½ oz) par personne.
- Sortez le fromage du réfrigérateur au moins 45 minutes avant de le servir pour qu'il revienne à la température de la pièce.
- Choisissez votre plateau de service : un plateau, un plateau à fromages, une assiette de porcelaine blanche, une planche à découper en bois – vous avez l'embarras du choix.
- Disposez les fromages de manière harmonieuse sur le plateau et déposez un couteau près de chaque fromage. Ajoutez des noix, des fruits frais, des fruits séchés et des fruits confits entre les fromages. Si vous servez un chutney ou une confiture, placez-les près du fromage auquel ils sont le mieux assortis. Par exemple, la confiture de figues accompagne merveilleusement bien le fromage bleu.
- Servez un assortiment de pains : une baguette, un pain aux noix, un pain de seigle noir et des craquelins. Assurez-vous d'utiliser des craquelins non salés pour mettre en valeur le goût du fromage.

Source: Adapté de «Quels fromages sur votre plateau?» www.plaisirslaitiers.ca, avec la permission des Producteurs laitiers du Canada.

Le sucre

Les sucres sont utilisés depuis des siècles pour rehausser la saveur des aliments. Même si la carie dentaire est le seul problème de santé dont le lien avec la consommation de sucre est clairement établi, *Bien manger avec le Guide alimentaire canadien* conseille de consommer le sucre avec modération, dans le cadre d'une alimentation équilibrée. Car, sauf les calories, le sucre procure peu d'autres éléments nutritifs, c'est pourquoi il est important d'en surveiller la consommation.

Les édulcorants permettent de sucrer les aliments, mais ils ne renferment aucune calorie. Leur composition chimique est différente de celle des sucres, donc pour obtenir le même goût sucré on doit souvent en utiliser moins. De plus, ils n'ont généralement pas d'incidence sur le taux de glycémie. Cependant, ne soyez pas dupes, un produit sucré artificiellement qui fournit peu de calories n'est pas pour autant un choix santé. Par exemple, les boissons gazeuses hypocaloriques ne contiennent ni sucre ni calories, mais elles ne fournissent aucun élément nutritif. On peut en dire autant des biscuits et bonbons sucrés artificiellement.

Position de la grille du four

La position de la grille du four est une chose très importante lorsqu'on fait cuire des gâteaux et des pâtisseries : ils seront trop cuits sur le dessus, si la grille est trop haute, ou trop cuits en dessous, si la grille est trop basse. Le milieu du four est habituellement le meilleur endroit pour placer la grille. Si vous devez cuire plusieurs plats à la fois, vous pouvez les changer de place à mi-cuisson pour assurer une cuisson uniforme.

Le chocolat est-il bon pour la santé ?

La recherche est utile. Elle a démontré que les grains de cacao contiennent des flavonoïdes, des phytonutriments qui pourraient avoir des effets bénéfiques sur la santé. Plus le pourcentage de cacao est élevé, plus le chocolat contient de flavonoïdes. Le hic, c'est que nous ne savons pas si les produits à base de chocolat apportent des avantages santé, et précisément quelle quantité de chocolat il faut pour récolter ces bienfaits. Pendant que les amateurs de chocolat attendent ces réponses essentielles, reconnaissons que la plupart des aliments contenant du chocolat renferment beaucoup de calories, de gras et de sucre. Il faut donc s'en tenir à des portions raisonnables. Comblez vos fringales de chocolat de manière saine : ajoutez quelques grains de chocolat semi-sucré dans un mélange de muffins santé ou faites fondre un petit carré de chocolat noir que vous utiliserez comme trempette avec des petits fruits frais. Le cacao en poudre non sucré ne contient ni gras ni sucre, vous pouvez donc en ajouter un peu dans un verre de lait faible en gras.

Biscuits au kamut et à l'épeautre aux grains de chocolat

Shauna Lindzon, diététiste, Ontario

✓ LE CHOIX DES ENFANTS

Shauna a créé cette recette pour utiliser deux merveilleuses céréales anciennes moulues sur pierre et pour éviter d'acheter des biscuits du commerce. Les enfants de Shauna adorent mesurer les ingrédients et les verser dans le bol à mélanger.

- *Préchauffer le four à 180 °C (350 °F)*
- *Des plaques à pâtisserie, graissées ou couvertes de papier sulfurisé*

125 ml (½ tasse) de cassonade légèrement tassée
75 ml (⅓ tasse) de margarine non hydrogénée
60 ml (¼ tasse) de graines de lin moulues
60 ml (¼ tasse) de sucre granulé
1 œuf
5 ml (1 c. à thé) d'extrait de vanille
175 ml (¾ tasse) de farine de kamut moulue sur pierre
175 ml (¾ tasse) de farine d'épeautre moulue sur pierre
2 ml (½ c. à thé) de bicarbonate de soude
1 ml (¼ c. à thé) de sel
250 ml (1 tasse) de grains de chocolat semi-sucrés

1. Dans un grand bol, à l'aide d'un batteur électrique à vitesse élevée, battre en crème la cassonade, la margarine, les graines de lin et le sucre granulé pendant 1 minute. Incorporer l'œuf et la vanille jusqu'à ce que ce soit bien mélangé. Ajouter la farine de kamut, la farine d'épeautre, le bicarbonate de soude et le sel. Battre jusqu'à ce que le mélange soit homogène. Incorporer les grains de chocolat.

2. Verser sur les plaques à pâtisserie préparées des cuillerées de 15 ml (1 c. à soupe) de pâte en laissant environ 5 cm (2 po) entre chacune. Cuire au four préchauffé de 12 à 15 minutes ou jusqu'à ce que le dessous des biscuits soit doré. Laisser refroidir les biscuits sur les plaques à pâtisserie, sur une grille métallique, pendant 5 minutes, puis les mettre directement sur la grille pour qu'ils refroidissent complètement.

CONSEILS

Les farines moulues sur pierre donnent aux biscuits une texture plus granuleuse que les farines raffinées. Vous en trouverez dans les magasins d'aliments naturels ou dans certains supermarchés.

Pour obtenir la cuisson la plus uniforme possible, cuisez une seule plaque à la fois. Si vous cuisez les 2 plaques à la fois, mettez-en une dans le tiers supérieur du four et l'autre dans le tiers inférieur. Changez-les de place à mi-cuisson.

Valeur nutritive par portion	
Calories	112
Lipides	5,5 g
saturés	1,7 g
Sodium	89 mg (4 % VQ)
Glucides	16 g
Fibres	1 g (4 % VQ)
Protéines	2 g
Calcium	13 mg (1 % VQ)
Fer	0,5 mg (4 % VQ)

Équivalents par portion pour les personnes diabétiques :
1 Glucides
1 Matières grasses

Pâtes aux légumes grillés, p. 280

Chou-fleur, pommes de terre et pois chiches à l'indienne, p. 300

Frites de patates douces au four, mayonnaise au cari, p. 307

Muffins au sarrasin et aux pêches, garniture croquante aux noisettes, p. 326

Pain canneberges-bananes aux amandes, p. 330

Biscuits au citron et à la lavande, p. 337

Mini-gâteaux au fromage aux pacanes, p. 345

Gâteau aux carottes et aux amandes, p. 348

Aussi jolis que savoureux, ces biscuits accompagnent le thé. Ils sont aussi parfaits pour un *shower* de bébé ou de mariage.

CONSEILS

Sucre de lavande: mélangez 250 ml (1 tasse) de sucre granulé et 30 ml (2 c. à soupe) de lavande alimentaire séchée qui n'a pas été traitée. Mettez le mélange dans un contenant hermétique et conservez-le à la température de la pièce, au moins 2 semaines (agitez le contenant de temps en temps pour répartir la lavande et laisser infuser). Avant d'utiliser le sucre, tamisez-le pour en retirer la lavande.

Pour une cuisson uniforme, cuisez une plaque à pâtisserie à la fois. Si vous en cuisez 2, mettez-en une dans le tiers supérieur du four et l'autre dans le tiers inférieur. Changez-les de place à mi-cuisson.

Valeur nutritive par portion	
Calories	78
Lipides	2,6 g
saturés	0,4 g
Sodium	65 mg (3 % VQ)
Glucides	13 g
Fibres	0 g (0 % VQ)
Protéines	1 g
Calcium	22 mg (2 % VQ)
Fer	0,4 mg (3 % VQ)

Équivalents par portion pour les personnes diabétiques:
1   Glucides
½   Matières grasses

Biscuits au citron et à la lavande

Mary Sue Waisman, diététiste, Nouvelle-Écosse

- *Préchauffer le four à 160 °C (325 °F)*
- *2 plaques à pâtisserie, graissées*

500 ml (2 tasses) de farine tout usage
60 ml (¼ tasse) de sucre de lavande (voir Conseils)
15 ml (1 c. à soupe) de poudre à pâte
75 ml (⅓ tasse) de margarine non hydrogénée
1 œuf, battu
125 ml (½ tasse) de lait 2 %
10 ml (2 c. à thé) d'extrait de citron
15 ml (1 c. à soupe) de bourgeons de lavande séchés (facultatif)

Le glaçage
250 ml (1 tasse) de sucre à glacer
37 à 45 ml (2 ½ à 3 c. à soupe) de lait 2 %
10 ml (2 c. à thé) de margarine non hydrogénée
5 ml (1 c. à thé) d'extrait de citron

1. Dans un grand bol, mélanger la farine, le sucre à la lavande et la poudre à pâte. À l'aide d'un mélangeur à pâtisserie ou de 2 couteaux, couper la margarine dans le mélange jusqu'à ce qu'il ressemble à de la chapelure grossière.
2. Dans un petit bol, fouetter l'œuf avec le lait et l'extrait de citron. Verser sur le mélange de farine et incorporer seulement jusqu'à la formation d'une pâte ferme (ne pas trop mélanger).
3. Verser sur les plaques à pâtisserie des cuillerées de 15 ml (1 c. à soupe) de pâte en laissant environ 5 cm (2 po) entre chacune. Cuire au four préchauffé de 8 à 10 minutes ou jusqu'à ce que le dessous des biscuits soit doré. Mettre les biscuits sur une grille métallique pour qu'ils refroidissent complètement.
4. *Le glaçage:* Dans un petit bol, mélanger le sucre à glacer, le lait, la margarine et l'extrait de citron pour former un glaçage lisse et clair.
5. Verser le glaçage sur les biscuits refroidis et les parsemer de bourgeons de lavande, si désiré.

La lavande est mieux connue pour son utilisation dans les parfums et les produits pour le bain. En petites quantités, elle est aussi savoureuse dans les aliments. C'est l'une des herbes souvent utilisées dans le mélange d'herbes de Provence.

Petites meringues aux cerises séchées et aux pistaches grillées

Mary Sue Waisman, diététiste, Nouvelle-Écosse

Dans ces meringues, le côté moelleux des fruits et le croquant des noix constituent une agréable surprise.

CONSEILS

Si vous utilisez un batteur sur socle, fouettez les blancs d'œufs avec les fouets.

La crème de tartre est utile pour stabiliser les blancs d'œufs fouettés.

Le secret pour que la meringue soit lisse est d'ajouter le sucre lentement, en raclant le bol de temps en temps pour que tout le sucre soit incorporé.

Vous pouvez faire seulement la moitié de la recette.

- *Préchauffer le four à 120 °C (250 °F)*
- *2 plaques à pâtisserie, couvertes de papier sulfurisé*

4 blancs d'œufs, à la température de la pièce
2 ml (½ c. à thé) de crème de tartre
1 ml (¼ c. à thé) de sel
300 ml (1 ¼ tasse) de sucre granulé
5 ml (1 c. à thé) d'extrait de vanille
125 ml (½ tasse) de cerises séchées finement hachées
125 ml (½ tasse) de pistaches légèrement grillées finement hachées (voir p. 139)

1. Dans un grand bol, à l'aide d'un batteur électrique à vitesse élevée, battre les blancs d'œufs, la crème de tartre et le sel jusqu'à la formation de pics mous. Ajouter le sucre, 30 ml (2 c. à soupe) à la fois, en battant de 30 secondes à 1 minute après chaque ajout pour s'assurer que le sucre est complètement incorporé, et en raclant les côtés du bol de temps en temps. Battre jusqu'à ce que des pics durs et luisants se forment. Incorporer la vanille. Incorporer délicatement les cerises et les pistaches.

2. Verser sur les plaques à pâtisserie des cuillerées de 15 ml (1 c. à soupe) du mélange de blancs d'œufs en laissant environ 5 cm (2 po) entre chacune. Cuire une plaque dans le tiers supérieur du four et l'autre dans le tiers inférieur, en les changeant de place à mi-cuisson, de 25 à 30 minutes ou jusqu'à ce que les meringues soient sèches au toucher. Fermer le four et y laisser les meringues de 3 à 4 heures ou toute la nuit pour qu'elles sèchent complètement.

VARIANTE

Remplacez les cerises par 125 ml (½ tasse) de grains de chocolat et les pistaches par 125 ml (½ tasse) d'abricots séchés finement hachés.

Valeur nutritive par portion	
Calories	34
Lipides	0,6 g
saturés	0,1 g
Sodium	17 mg (1 % VQ)
Glucides	7 g
Fibres	0 g (0 % VQ)
Protéines	1 g
Calcium	5 mg (0 % VQ)
Fer	0,1 mg (1 % VQ)

Équivalents par portion pour les personnes diabétiques :
½ Glucides

Biscuits aux pommes et à l'avoine grillée

Kori Kostka, diététiste, Ontario

DONNE 1 DOUZAINE DE BISCUITS
PORTION DE 1 BISCUIT

✓ LE CHOIX DES ENFANTS

Kori a créé cette recette pour satisfaire les amateurs de pommes de sa famille. Le jeune cousin de Kori mesure les ingrédients et verse la pâte sur la plaque à pâtisserie. C'est la tâche idéale pour les enfants, car les biscuits n'ont pas à être tous parfaitement égaux.

CONSEIL

Ces biscuits se congèlent bien. Mettez-les dans du papier ciré ou dans du papier sulfurisé, puis déposez plusieurs couches de biscuits dans un contenant hermétique. Ils se conserveront jusqu'à 3 mois.

Valeur nutritive par portion	
Calories	140
Lipides	6,1 g
saturés	1,5 g
Sodium	85 mg (4 % VQ)
Glucides	19 g
Fibres	2 g (8 % VQ)
Protéines	3 g
Calcium	15 mg (1 % VQ)
Fer	1,0 mg (7 % VQ)

Équivalents par portion pour les personnes diabétiques :
1   Glucides
1   Matières grasses

- *Préchauffer le four à 180 °C (350 °F)*
- *Une plaque à pâtisserie, graissée*

375 ml (1 ½ tasse) de flocons d'avoine à cuisson rapide grillés (voir l'encadré, ci-dessous)
125 ml (½ tasse) de farine tout usage
2 ml (½ c. à thé) de cannelle moulue
1 ml (¼ c. à thé) de muscade moulue
1 ml (¼ c. à thé) de bicarbonate de soude
60 ml (¼ tasse) de cassonade légèrement tassée
60 ml (¼ tasse) de margarine non hydrogénée
1 œuf
1 ml (¼ c. à thé) d'extrait de vanille
1 pomme, pelée et finement hachée
60 ml (¼ tasse) de grains de chocolat semi-sucrés

1. Dans un grand bol, mélanger les flocons d'avoine, la farine, la cannelle, la muscade et le bicarbonate de soude.
2. Dans un bol moyen, à l'aide d'un batteur électrique à vitesse élevée, battre la cassonade et la margarine pendant 1 minute ou jusqu'à ce que le mélange soit mousseux. Incorporer l'œuf et la vanille jusqu'à ce que ce soit bien mélangé. Incorporer le mélange de flocons d'avoine, la pomme et les grains de chocolat.
3. Verser sur la plaque à pâtisserie des cuillerées de 15 ml (1 c. à soupe) de pâte en laissant environ 5 cm (2 po) entre chacune. Si désiré, utiliser une fourchette farinée pour aplatir légèrement la pâte. Cuire au four préchauffé de 12 à 15 minutes ou jusqu'à ce que le centre des biscuits reprenne sa forme quand on le presse légèrement. Mettre les biscuits sur une grille métallique pour qu'ils refroidissent complètement.

> Pour griller les flocons d'avoine, préchauffez le four à 180 °C (350 °F) et étendez les flocons d'avoine sur une plaque à pâtisserie. Cuisez-les au four préchauffé pendant 3 minutes, retournez-les avec une spatule et cuisez-les pendant 3 minutes de plus. Surveillez-les pour vous assurer qu'ils ne brûlent pas.

VARIANTE

Remplacez la pomme par 175 ml (¾ tasse) de raisins secs et omettez les grains de chocolat.

Biscuits à la mélasse

Irene Doyle, diététiste, Île-du-Prince-Édouard

✓ **LE CHOIX DES ENFANTS**

Cette recette a été créée par la famille d'Irene, dans les années 1900, quand l'argent se faisait rare. Depuis, elle s'est transmise de génération en génération. Irene et sa famille ont toujours savouré ces biscuits avec du lait écrémé, non pas pour manger santé, mais parce qu'ils retiraient la crème du lait et qu'ils la vendaient pour la fabrication du beurre.

- *Préchauffer le four à 180 °C (350 °F)*
- *Des plaques à pâtisserie, graissées*

875 ml (3 ½ tasses) de farine tout usage
5 ml (1 c. à thé) de gingembre moulu
5 ml (1 c. à thé) de cannelle moulue
2 ml (½ c. à thé) de clou de girofle moulu
2 ml (½ c. à thé) de sel
10 ml (2 c. à thé) de bicarbonate de soude
250 ml (1 tasse) de mélasse de fantaisie
60 ml (¼ tasse) d'eau chaude
15 ml (1 c. à soupe) de vinaigre blanc
250 ml (1 tasse) de cassonade légèrement tassée
2 œufs

1. Dans un bol moyen, mélanger la farine, le gingembre, la cannelle, le clou de girofle et le sel.
2. Dans un petit bol, mélanger le bicarbonate de soude, la mélasse et l'eau chaude. Incorporer le vinaigre.
3. Dans un grand bol, à l'aide d'un batteur électrique à vitesse élevée, battre la cassonade et les œufs pendant 1 minute ou jusqu'à ce que ce soit bien mélangé. Incorporer, en battant, le mélange de farine en alternant avec le mélange de mélasse, en faisant 3 ajouts de farine et 2 de mélasse, jusqu'à ce que ce soit bien mélangé.
4. Verser sur les plaques à pâtisserie des cuillerées de 15 ml (1 c. à soupe) de pâte en laissant environ 5 cm (2 po) entre chacune. Cuire au four préchauffé de 10 à 12 minutes ou jusqu'à ce que le centre des biscuits revienne à sa position de départ quand on le presse légèrement. Mettre les biscuits sur une grille métallique pour qu'ils refroidissent complètement

CONSEILS

Ces biscuits sont plus durs que bien d'autres, mais ils ont une texture agréable. En fait, ils accompagnent à merveille un verre de lait ou une tasse de thé.

Pour obtenir la cuisson la plus uniforme possible, cuisez une seule plaque à pâtisserie à la fois. Si vous cuisez les 2 plaques à la fois, mettez-en une dans le tiers supérieur du four et l'autre dans le tiers inférieur. Changez-les de place à mi-cuisson.

Valeur nutritive par portion	
Calories	71
Lipides	0,3 g
saturés	0,1 g
Sodium	83 mg (3 % VQ)
Glucides	16 g
Fibres	0 g (0 % VQ)
Protéines	1 g
Calcium	21 mg (2 % VQ)
Fer	0,8 mg (6 % VQ)

Équivalents par portion pour les personnes diabétiques :
1   Glucides

Shefali raffole des noix et des fruits séchés. Cette recette est un délicieux mariage des deux et d'un mélange d'épices unique.

CONSEIL

Les noix contiennent une grande quantité d'huile et elles peuvent brûler facilement. Quand vous les grillez, surveillez-les bien.

SUGGESTION DE SERVICE

Ce dessert est savoureux servi seul, mais il est aussi délicieux servi sur un plateau de fromages, près d'un fromage à pâte molle, comme le brie.

Valeur nutritive par portion	
Calories	80
Lipides	3,8 g
saturés	0,6 g
Sodium	2 mg (0 % VQ)
Glucides	12 g
Fibres	2 g (8 % VQ)
Protéines	2 g
Calcium	15 mg (1 % VQ)
Fer	0,5 mg (4 % VQ)

Équivalents par portion pour les personnes diabétiques :

½   Glucides
1   Matières grasses

Roues aux dattes et aux noix

Shefali Raja, diététiste, Colombie-Britannique

- *Préchauffer le four à 160 °C (325 °F)*
- *Une plaque à pâtisserie*

75 ml (⅓ tasse) d'amandes entières
75 ml (⅓ tasse) de pistaches écalées
75 ml (⅓ tasse) de noix de cajou non salées
250 g (8 oz) de dattes dénoyautées, grossièrement hachées, soit environ 375 ml (1 ½ tasse)
5 ml (1 c. à thé) de cardamome moulue
8 à 10 brins de safran, émiettés (facultatif)
15 ml (1 c. à soupe) de noix de coco râpée non sucrée

1. Mettre les amandes, les pistaches et les noix de cajou sur une plaque à pâtisserie et les griller au four préchauffé pendant environ 15 minutes ou jusqu'à ce qu'elles soient dorées. Les laisser refroidir, puis les hacher finement.
2. Dans une petite casserole, mettre les dattes et 30 ml (2 c. à soupe) d'eau. Chauffer à feu doux, en remuant souvent, de 6 à 8 minutes ou jusqu'à la formation d'une pâte tendre.
3. Incorporer dans la pâte de dattes les noix, la cardamome et le safran, si désiré, jusqu'à ce que le tout soit bien mélangé. Réserver jusqu'à ce que ce soit assez froid pour être manipulé.
4. Verser le mélange de noix sur une feuille de papier ciré, puis former un rouleau de 20 à 23 cm (8 à 9 po) de longueur et de 4 cm (1 ½ po) d'épaisseur. Parsemer tout le rouleau de noix de coco. Envelopper le rouleau de papier ciré et le mettre au réfrigérateur pendant au moins 4 heures, jusqu'à ce qu'il soit ferme, ou toute la nuit. Le couper en tranches de 1 cm (½ po).

> Les dattes sont les fruits du dattier, un type de palmier originaire du Moyen-Orient et des régions méditerranéennes. Certains poussent aussi en Californie. Il y a plusieurs variétés de dattes, et l'une des plus populaires est la Medjool. Ces dattes sont originaires du Maroc et elles sont appréciées pour leur chair tendre et sucrée.

VARIANTES

À l'étape 3, ajoutez 125 ml (½ tasse) de céréales croustillantes de grains de riz ou 125 ml (½ tasse) de grains de chocolat avec les noix.

Utilisez votre mélange de noix préféré. Essayez les noisettes, les pacanes, les arachides ou les noix de macadam.

Biscuits aux canneberges et à la citrouille

Noelle Tourney, Saskatchewan

Donne 2 douzaines de biscuits
Portion de 1 biscuit

✓ **Le choix des enfants**

Ces biscuits font une merveilleuse gâterie pour une fête d'Halloween, particulièrement si vous laissez les enfants participer à la préparation : ils peuvent mesurer, ajouter et mélanger les ingrédients.

Valeur nutritive par portion	
Calories	89
Lipides	2,9 g
saturés	0,4 g
Sodium	89 mg (4 % VQ)
Glucides	15 g
Fibres	1 g (4 % VQ)
Protéines	1 g
Calcium	12 mg (1 % VQ)
Fer	0,5 mg (4 % VQ)

Équivalents par portion pour les personnes diabétiques :
1 Glucides
½ Matières grasses

- Préchauffer le four à 190 °C (375 °F)
- Des plaques à pâtisserie, graissées

375 ml (1 ½ tasse) de farine tout usage
5 ml (1 c. à thé) de poudre à pâte
5 ml (1 c. à thé) de cannelle moulue
3 ml (¾ c. à thé) de bicarbonate de soude
1 ml (¼ c. à thé) de sel
150 ml (⅔ tasse) de sucre granulé
75 ml (⅓ tasse) de margarine non hydrogénée
1 œuf
5 ml (1 c. à thé) d'extrait de vanille
150 ml (⅔ tasse) de purée de citrouille en conserve et non
   de garniture pour tarte
150 ml (⅔ tasse) de canneberges séchées

1. Dans un grand bol, tamiser la farine avec la poudre à pâte, la cannelle, le bicarbonate de soude et le sel.
2. Dans un autre grand bol, à l'aide d'un batteur électrique à vitesse élevée, battre le sucre et la margarine en crème jusqu'à ce que le mélange soit mousseux. Incorporer l'œuf et la vanille en battant, jusqu'à ce que ce soit bien mélangé. Incorporer la citrouille. Incorporer le mélange de farine jusqu'à ce que le mélange soit homogène. Incorporer les canneberges.
3. Verser sur les plaques à pâtisserie des cuillerées de 15 ml (1 c. à soupe) de pâte en laissant environ 5 cm (2 po) entre chacune. Cuire au four préchauffé de 10 à 12 minutes ou jusqu'à ce que le centre des biscuits reprenne sa forme quand on le presse légèrement. Mettre les biscuits sur une grille métallique pour qu'ils refroidissent complètement.

Variantes

Vous pouvez remplacer les canneberges par 75 ml (⅓ tasse) de mini-grains de chocolat semi-sucrés et 75 ml (⅓ tasse) de pacanes hachées.

Remplacez la purée de citrouille par de la compote de pommes et les canneberges par des raisins secs. Ajoutez 2 ml (½ c. à thé) de clou de girofle et 2 ml (½ c. à thé) de muscade au mélange de farine.

✓ Le choix des enfants

Voici une façon créative et savoureuse d'ajouter des légumineuses à votre menu.

Conseil

Avant de servir, saupoudrez chaque brownie d'un peu de sucre à glacer.

Brownies aux haricots noirs

Adrienne Penner, Ontario

- *Préchauffer le four à 180 °C (350 °F)*
- *Un robot culinaire ou un mélangeur*
- *Un moule en métal carré de 23 cm (9 po), graissé*

1 boîte de 540 ml (19 oz) de haricots noirs, égouttés et rincés
3 œufs
75 ml (⅓ tasse) d'huile de canola
30 ml (2 c. à soupe) d'extrait de vanille
300 ml (1 ¼ tasse) de sucre granulé
125 ml (½ tasse) de cacao en poudre non sucré
7 ml (1 ½ c. à thé) de poudre à pâte

1. Dans un robot culinaire, mettre en purée les haricots, les œufs, l'huile et la vanille de 1 à 2 minutes ou jusqu'à ce que la purée soit homogène.
2. Dans un grand bol, mélanger le sucre, le cacao et la poudre à pâte. Y verser le mélange de haricots et mélanger jusqu'à ce que ce soit homogène.
3. Verser la pâte dans le moule graissé. Cuire au four préchauffé pendant 30 minutes ou jusqu'à ce que la pointe d'un couteau insérée au centre des brownies en ressorte propre. Laisser refroidir complètement dans le moule, sur une grille métallique.

> La plus grande partie de la vanille utilisée dans le monde provient de deux îles qui sont au large de la côte est de l'Afrique, l'île de Madagascar et l'île de la Réunion. La longue gousse brune caractéristique provient d'une plante grimpante de la famille des orchidées. L'extrait de vanille pur coûte habituellement assez cher, surtout parce que la pollinisation manuelle des orchidées demande beaucoup de main-d'œuvre.

Variantes

Vous pouvez remplacer les haricots noirs par des haricots rouges.

Pour obtenir une délicieuse saveur d'amande, utilisez 15 ml (1 c. à soupe) d'extrait de vanille et 5 ml (1 c. à thé) d'extrait d'amande.

Valeur nutritive par portion	
Calories	195
Lipides	7,9 g
saturés	1,1 g
Sodium	172 mg (7 % VQ)
Glucides	29 g
Fibres	4 g (16 % VQ)
Protéines	4 g
Calcium	38 mg (3 % VQ)
Fer	1,2 mg (9 % VQ)

Équivalents par portion pour les personnes diabétiques :
2 Glucides
1 ½ Matières grasses

DONNE **32** CARRÉS
PORTION DE **1** CARRÉ

✓ LE CHOIX DES ENFANTS

Ces carrés moelleux aux noix et aux fruits font une gâterie santé. Ils sont parfaits pour une vente de pâtisseries maison.

CONSEILS

Enveloppez les carrés individuellement dans de la pellicule plastique et conservez-les à la température de la pièce jusqu'à 5 jours ou congelez-les. Ils se conserveront jusqu'à 1 mois.

Quand vous manquez de temps, mangez ces carrés au petit-déjeuner. Emportez un carré, un contenant de 175 g (¾ tasse) de yogourt et une banane pour un petit-déjeuner sur le pouce.

Les enfants adorent faire des desserts, et c'est une merveilleuse recette pour les initier.

Valeur nutritive par portion	
Calories	144
Lipides	5,4 g
saturés	0,5 g
Sodium	50 mg (2 % VQ)
Glucides	22 g
Fibres	2 g (8 % VQ)
Protéines	3 g
Calcium	19 mg (2 % VQ)
Fer	1,0 mg (7 % VQ)

Équivalents par portion pour les personnes diabétiques :
1 ½ Glucides
1 Matières grasses

Carrés aux amandes et aux abricots

Heather McColl, diététiste, Colombie-Britannique

- *Préchauffer le four à 190 °C (375 °F)*
- *Un robot culinaire ou un mélangeur*
- *Une plaque à pâtisserie de 43 x 30 cm (17 x 12 po) munie d'un bord, couverte de papier sulfurisé*

750 ml (3 tasses) de flocons d'avoine à l'ancienne
175 ml (¾ tasse) d'amandes effilées
750 ml (3 tasses) de céréales de grains entiers soufflées non sucrées, comme le blé entier soufflé
500 ml (2 tasses) d'abricots séchés hachés
60 ml (¼ tasse) de farine tout usage
2 ml (½ c. à thé) de sel
1 paquet de 340 g (12 oz) de tofu soyeux mou, égoutté
1 œuf
250 ml (1 tasse) de miel liquide
125 ml (½ tasse) d'huile de canola
15 ml (1 c. à soupe) d'extrait de vanille
Le zeste râpé d'un citron

1. Étendre les flocons d'avoine et les amandes sur une plaque à pâtisserie. Les cuire au four préchauffé de 8 à 10 minutes ou jusqu'à ce qu'une bonne odeur se dégage du mélange et qu'il soit doré. Le mettre ensuite dans un grand bol. Incorporer les céréales soufflées, les abricots, la farine et le sel. Réduire la température du four à 180 °C (350 °F).
2. Dans un robot culinaire, réduire en purée le tofu. Y ajouter l'œuf, le miel, l'huile, la vanille et le zeste de citron jusqu'à ce que le mélange soit lisse. Faire un puits au milieu du mélange d'avoine, puis y verser le mélange de tofu. Incorporer le tofu jusqu'à ce que ce soit tout juste mélangé.
3. À l'aide d'une spatule, étendre le mélange de céréales uniformément sur la plaque à pâtisserie préparée. Cuire de 35 à 40 minutes ou jusqu'à ce que le mélange soit ferme au centre et bien doré. Le laisser refroidir complètement dans le moule, sur une grille métallique, avant de couper les carrés.

VARIANTES

Remplacez les amandes par des pacanes, des arachides ou des noix de cajou.

Vous pouvez remplacer les abricots par un mélange de canneberges séchées, de raisins secs et de pommes séchées.

Mini-gâteaux au fromage aux pacanes

Melanie Ksienski, diététiste, Alberta

DONNE 24 MINI-GÂTEAUX AU FROMAGE
PORTION DE 2 MINI-GÂTEAUX AU FROMAGE

Pour faire ces savoureux mini-gâteaux au fromage, utilisez un moule à mini-muffins. De cette façon, le service sera plus facile et vous contrôlerez la grosseur des portions.

CONSEIL

Vous pouvez facilement doubler la recette. Cuisez 2 moules à muffins en même temps, un dans le tiers supérieur du four et l'autre, dans le tiers inférieur, puis changez-les de place à mi-cuisson.

- *Préchauffer le four à 180 °C (350 °F)*
- *Un moule à muffins pour 24 mini-muffins, couverts de moules en papier*
- *Un robot culinaire*

75 ml (⅓ tasse) de pacanes hachées
250 g (8 oz) de fromage à la crème léger
150 ml (⅔ tasse) de cassonade légèrement tassée
1 œuf
10 ml (2 c. à thé) d'extrait de vanille
12 pacanes, coupées en 2

1. Répartir les pacanes hachées également entre les petits moules à muffin. Réserver.
2. Dans un robot culinaire, mélanger le fromage à la crème et la cassonade pendant environ 15 secondes ou jusqu'à ce que ce soit bien mélangé. Racler les côtés intérieurs du contenant. Ajouter l'œuf et la vanille, puis mélanger encore jusqu'à ce que ce soit bien mélangé.
3. Répartir le mélange de fromage également entre les moules à muffin. Cuire au four préchauffé pendant 10 minutes ou jusqu'à ce que les gâteaux soient cuits et que de petites fissures se forment sur le dessus des gâteaux. Garnir chaque gâteau d'un morceau de pacane. Laisser refroidir dans le moule, sur une grille métallique. Couvrir et mettre au réfrigérateur pendant au moins 3 heures, jusqu'à ce que les gâteaux soient froids ou jusqu'à 12 heures.

VARIANTES

Faites des mini-gâteaux au fromage aux fraises. Ne mettez pas de pacanes, remplacez la cassonade par du sucre granulé, la vanille par du jus de citron et garnissez les gâteaux d'une fraise équeutée.

Si vous n'avez pas de moule à mini-muffins, vous pouvez utiliser un moule pour 12 muffins et faire 12 gâteaux au fromage plus gros. Augmentez le temps de cuisson à 15 à 18 minutes.

Valeur nutritive par portion	
Calories	123
Lipides	7,3 g
saturés	2,7 g
Sodium	71 mg (3 % VQ)
Glucides	12 g
Fibres	0 g (0 % VQ)
Protéines	3 g
Calcium	37 mg (3 % VQ)
Fer	0,7 mg (5 % VQ)

Équivalents par portion pour les personnes diabétiques :
½ Glucides
1 ½ Matières grasses

Gâteau au fromage comme en Allemagne

Julia Besner, diététiste, Nouveau-Brunswick

Julia Besner, diététiste, Nouveau-Brunswick

9 PORTIONS

✓ LE CHOIX DES ENFANTS

Pour faire ce dessert d'origine allemande de la façon traditionnelle, vous aurez besoin d'un bon bras et d'une cuillère en bois! En Allemagne, ce gâteau au fromage n'a pas de croûte, mais Julia en a ajouté une pour plaire aux gens d'ici.

CONSEIL

Pour que le gâteau soit plus facile à couper, couvrez le moule de papier d'aluminium, en laissant dépasser 2,5 cm (1 po) de papier de chaque côté. Quand le gâteau aura complètement refroidi, utilisez le papier d'aluminium pour sortir le gâteau du moule, puis mettez-le sur une surface plane pour le trancher.

Valeur nutritive par portion	
Calories	292
Lipides	13,2 g
saturés	4,6 g
Sodium	286 mg (12 % VQ)
Glucides	32 g
Fibres	0 g (0 % VQ)
Protéines	12 g
Calcium	106 mg (10 % VQ)
Fer	1,2 mg (9 % VQ)

Teneur élevée en vitamine D et vitamine B_{12}

Équivalents par portion pour les personnes diabétiques :

2 Glucides
1 Viandes et substituts
2 Matières grasses

- *Préchauffer le four à 160 °C (325 °F)*
- *Un moule en métal carré de 23 cm (9 po), graissé*

375 ml (1 ½ tasse) de chapelure de biscuits Graham
60 ml (¼ tasse) de margarine non hydrogénée, fondue
175 ml (¾ tasse) de sucre granulé
3 œufs
250 g (8 oz) de fromage à la crème léger, à la température de la pièce, coupé en morceaux de 2,5 cm (1 po)
500 g (1 lb) de fromage blanc (Quark)
45 ml (3 c. à soupe) de jus de citron fraîchement pressé
15 ml (1 c. à soupe) d'extrait de vanille

1. Dans un bol moyen, mélanger la chapelure de biscuits Graham et la margarine. Mettre le mélange dans le moule graissé et presser le mélange.
2. Dans un grand bol, battre le sucre avec les œufs jusqu'à ce que le mélange soit lisse. Ajouter le fromage à la crème et battre de 1 à 2 minutes ou jusqu'à ce que le mélange soit homogène. Incorporer le fromage blanc, le jus de citron et la vanille jusqu'à ce que ce soit bien mélangé. Verser uniformément sur la croûte.
3. Cuire au four préchauffé pendant 50 minutes ou jusqu'à ce que les bords soient légèrement dorés et que le centre soit presque cuit. Laisser refroidir complètement dans le moule, sur une grille métallique. Couvrir le gâteau et le mettre au réfrigérateur pendant au moins 4 heures, jusqu'à ce qu'il soit froid, ou pendant toute la nuit, pour de meilleurs résultats. Couper le gâteau en carrés.

Le fromage blanc (Quark) est un fromage frais à pâte molle fait de lait de vache. Sa saveur et sa texture ressemblent à celles de la crème sure. En Europe, il est beaucoup utilisé. Ici, on le trouve assez facilement dans la majorité des épiceries. Certains marchands de fromages d'ici en fabriquent. Il donne une merveilleuse texture au gâteau au fromage.

Gâteau aux bleuets et au yogourt

Tamara Cohen, diététiste, Québec

✓ LE CHOIX DES ENFANTS

Ce gâteau moelleux n'est pas seulement un dessert, vous pouvez le servir avec le thé, le matin. Il sera aussi très populaire lors d'une vente de pâtisseries maison, à l'école.

CONSEIL

Si vous mélangez de 15 à 30 ml (1 à 2 c. à soupe) de la farine avec les bleuets avant de les ajouter à la pâte, ils devraient avoir moins tendance à tomber au fond du gâteau. Ce truc fonctionne aussi pour les muffins.

Valeur nutritive par portion	
Calories	283
Lipides	15,0 g
saturés	2,0 g
Sodium	227 mg (9 % VQ)
Glucides	33 g
Fibres	2 g (8 % VQ)
Protéines	6 g
Calcium	72 mg (7 % VQ)
Fer	1,5 mg (11 % VQ)

Teneur très élevée en acide folique
Teneur élevée en vitamine D

Équivalents par portion pour les personnes diabétiques :
2 Glucides
3 Matières grasses

- *Préchauffer le four à 180 °C (350 °F)*
- *Un moule en métal carré de 20 cm (8 po), graissé*

250 ml (1 tasse) de noix hachées
75 ml (⅓ tasse) de cassonade légèrement tassée
5 ml (1 c. à thé) de cannelle moulue
2 ml (½ c. à thé) de muscade moulue
300 ml (1 ¼ tasse) de farine tout usage
5 ml (1 c. à thé) de poudre à pâte
1 ml (¼ c. à thé) de bicarbonate de soude
1 ml (¼ c. à thé) de sel
75 ml (⅓ tasse) de sucre granulé
60 ml (¼ tasse) de margarine non hydrogénée
2 œufs
5 ml (1 c. à thé) d'extrait de vanille
125 ml (½ tasse) de yogourt nature ou à la vanille, faible en gras
250 ml (1 tasse) de bleuets

1. Dans un petit bol, incorporer les noix, la cassonade, la cannelle et la muscade. Réserver.
2. Dans un bol moyen, mélanger la farine, la poudre à pâte, le bicarbonate de soude et le sel.
3. Dans un grand bol, à l'aide d'un batteur électrique à vitesse élevée, battre le sucre granulé et la margarine en crème jusqu'à ce que le mélange soit mousseux. Dans ce mélange, battre les œufs et la vanille jusqu'à ce que ce soit bien mélangé. Incorporer le yogourt. Incorporer le mélange de farine jusqu'à ce que le mélange soit homogène. Incorporer délicatement les bleuets.
4. Étendre la moitié de la pâte dans le moule graissé. Parsemer de la moitié du mélange de noix. Étendre le reste de la pâte sur le dessus. Parsemer uniformément le dessus du reste du mélange de noix.
5. Cuire au four préchauffé pendant environ 40 minutes ou jusqu'à ce que la pointe d'un couteau insérée au centre du gâteau en ressorte propre. Laisser refroidir le gâteau complètement dans le moule, sur une grille métallique.

VARIANTE
Vous pouvez remplacer les bleuets par des framboises ou des mûres.

Gâteau aux carottes et aux amandes

Susan Eredics, Colombie-Britannique

18 PORTIONS

Les amandes moulues donnent une texture agréable à ce gâteau aux carottes exceptionnel.

- *Préchauffer le four à 180 °C (350 °F)*
- *Un moule en métal de 33 x 23 cm (13 x 9 po), graissé, dont le fond est couvert de papier sulfurisé*

675 ml (2 ¾ tasses) d'amandes moulues
425 ml (1 ¾ tasse) de carottes finement râpées
175 ml (¾ tasse) de chapelure fine sèche
6 ml (1 ¼ c. à thé) de poudre à pâte
5 ml (1 c. à thé) de gingembre moulu
2 ml (½ c. à thé) de muscade moulue
2 ml (½ c. à thé) de cannelle moulue
6 œufs, séparés
300 ml (1 ¼ tasse) de sucre granulé
10 ml (2 c. à thé) de zeste de citron râpé
45 ml (3 c. à soupe) de jus de citron fraîchement pressé

Le glaçage au fromage à la crème
60 ml (¼ tasse) de fromage à la crème léger, ramolli
60 ml (¼ tasse) de beurre, ramolli
2 ml (½ c. à thé) d'extrait de vanille
375 ml (1 ½ tasse) de sucre à glacer, tamisé
Eau ou lait, au besoin

1. Dans un bol moyen, mélanger les amandes et les carottes. Incorporer la chapelure, la poudre à pâte, le gingembre, la muscade et la cannelle. Réserver.
2. Dans un grand bol, à l'aide d'un batteur électrique à vitesse élevée, battre les blancs d'œufs en neige ferme (ne pas trop les battre). Réserver.
3. Dans un autre grand bol, à l'aide d'un batteur électrique à vitesse élevée, battre les jaunes d'œufs et le sucre pendant 2 minutes ou jusqu'à ce que le mélange soit épais et qu'un ruban se forme quand on soulève un batteur. Incorporer le zeste et le jus de citron. Incorporer le mélange de carottes jusqu'à ce que ce soit homogène. Incorporer délicatement les blancs d'œufs jusqu'à ce qu'ils soient complètement incorporés.

Valeur nutritive par portion	
Calories	254
Lipides	12,4 g
saturés	3,2 g
Sodium	108 mg (5 % VQ)
Glucides	32 g
Fibres	2 g (8 % VQ)
Protéines	6 g
Calcium	71 mg (6 % VQ)
Fer	1,2 mg (9 % VQ)

Teneur élevée en magnésium et vitamine A

Équivalents par portion pour les personnes diabétiques :
2 Glucides
2 ½ Matières grasses

4. Verser la pâte dans le moule préparé. Cuire au four préchauffé de 30 à 35 minutes ou jusqu'à ce que la pointe d'un couteau insérée au centre du gâteau en ressorte propre. Laisser refroidir le gâteau complètement dans le moule, sur une grille métallique. Retourner le gâteau sur une grande assiette, puis retirer le papier sulfurisé.

5. Le glaçage au fromage à la crème : Dans un bol moyen, à l'aide d'un batteur électrique à vitesse élevée, battre le fromage à la crème et le beurre jusqu'à ce que le mélange soit lisse. Battre la vanille dans le mélange précédent. Ajouter graduellement le sucre à glacer, en battant jusqu'à ce que le mélange soit lisse et qu'il ait la consistance d'un glaçage. S'il est trop épais, ajouter de 2 à 5 ml (½ à 1 c. à thé) d'eau ou de lait. Verser le liquide sur le gâteau refroidi.

Sous le zeste des agrumes, se trouve une partie blanche spongieuse, qui est très amère. Alors, quand vous retirez le zeste, assurez-vous de ne pas prélever cette partie blanche.

CONSEILS

N'oubliez pas le jus de citron. Cette pointe d'acidité équilibre bien la douceur de ce gâteau.

Contrairement à plusieurs gâteaux aux carottes traditionnels, celui-ci ne gonfle pas au milieu pour retomber par la suite. Il cuit plutôt également, alors étendez la pâte uniformément dans le moule.

✓ LE CHOIX DES ENFANTS

Qui ne raffole pas du chocolat ?
Servez cette impressionnante
tour lors de votre prochaine
fête d'anniversaire.

CONSEIL
Si vous utilisez des moules en
papier dans le moule à muffins,
enlevez-les avant d'assembler
la tour.

Tour de cupcakes au chocolat

Caroline Dubeau, diététiste, Ontario

- *Préchauffer le four à 180 °C (350 °F)*
- *Un moule à muffins pour 12 muffins, légèrement graissé ou couvert de moules en papier*

250 ml (1 tasse) de farine tout usage
5 ml (1 c. à thé) de poudre à pâte
1 ml (¼ c. à thé) de bicarbonate de soude
125 ml (½ tasse) de cassonade bien tassée
2 œufs
125 ml (½ tasse) d'huile de canola
60 ml (¼ tasse) de cacao en poudre non sucré
5 ml (1 c. à thé) de grains de café instantané ou
    15 ml (1 c. à soupe) de café infusé
5 ml (1 c. à thé) d'extrait de vanille
175 ml (¾ tasse) de yogourt nature faible en gras

Le glaçage
75 ml (⅓ tasse) de cassonade bien tassée
125 ml (½ tasse) de noix de coco râpée sucrée
30 ml (2 c. à soupe) de cacao en poudre non sucré
30 ml (2 c. à soupe) de beurre ou d'huile de canola
30 ml (2 c. à soupe) de lait 2 %

1. Dans un petit bol, mélanger la farine, la poudre à pâte et le bicarbonate de soude.
2. Dans un grand bol, à l'aide d'un batteur électrique à vitesse élevée, battre la cassonade avec les œufs et l'huile pendant 3 minutes. Ajouter le cacao, le café et la vanille et battre pendant 1 minute. Incorporer le mélange de farine en alternance avec le yogourt, en faisant 2 ajouts de farine et un de yogourt.
3. Répartir la pâte également entre les moules à muffins préparés. Cuire au four préchauffé de 18 à 20 minutes ou jusqu'à ce que le dessus d'un cupcake reprenne sa forme lorsqu'on le presse légèrement. Laisser refroidir les cupcakes dans le moule sur une grille métallique pendant 10 minutes, puis les mettre directement sur la grille pour qu'ils refroidissent complètement.

Valeur nutritive par portion	
Calories	237
Lipides	13,5 g
saturés	3,3 g
Sodium	102 mg (4 % VQ)
Glucides	27 g
Fibres	1 g (4 % VQ)
Protéines	4 g
Calcium	64 mg (6 % VQ)
Fer	1,4 mg (10 % VQ)

Équivalents par portion pour
les personnes diabétiques :
2   Glucides
2 ½ Matières grasses

4. *Le glaçage :* Entre-temps, dans une petite casserole, mélanger la cassonade, la noix de coco, le cacao, le beurre et le lait. Porter à ébullition à feu moyen-vif, en remuant sans arrêt. Laisser bouillir pendant 2 minutes. Retirer du feu et laisser refroidir complètement.

5. Dans une grande assiette de service, former une tour avec les cupcakes, 4 cupcakes à la base, 4 au deuxième étage, 3 au troisième et un par-dessus. Verser le glaçage sur la tour. Servir aussitôt.

Après l'extraction du beurre de cacao du cacao en grains rôtis et broyés, il reste une pâte brun foncé appelée pâte de cacao. Cette pâte est séchée, puis broyée pour former le cacao en poudre non sucré. Le cacao solubilisé a été traité pour contrebalancer l'acidité naturelle du cacao en poudre. Les 2 types de cacao en poudre ne sont pas interchangeables, alors assurez-vous d'utiliser celui qui est mentionné dans la recette. Assurez-vous aussi de ne pas utiliser un mélange de cacao sucré (employé pour faire des boissons au chocolat froides ou chaudes) quand une recette mentionne du cacao en poudre non sucré.

Variantes

On ajoute souvent du café au chocolat, car il en intensifie la saveur. Mais si vous préférez, omettez les grains de café instantané.

Pour obtenir une saveur plus soutenue, remplacez l'extrait de vanille par de l'extrait d'amande.

Suggestion de service

Servez cette tour de cupcakes avec un plateau de fruits frais à la prochaine fête d'anniversaire. De cette façon, les invités pourront choisir leur dessert préféré.

Pouding chômeur à ma façon

Caroline Dubeau, diététiste, Ontario

DE 9 À 12 PORTIONS

✓ **LE CHOIX DES ENFANTS**

Le pouding chômeur, un dessert traditionnel au Québec, est l'une des premières recettes que Caroline a préparées toute seule, lorsqu'elle était enfant. Pour trouver la recette, elle avait emprunté le livre de recettes de sa mère. Traditionnellement, il s'agit d'une pâte cuite dans une sauce au sirop d'érable ou à la cassonade pour créer un gâteau délicieux et moelleux. Cette version contient moins de sucre et elle contient de la farine de blé entier et des pommes, ce qui lui donne une touche santé.

- *Préchauffer le four à 190 °C (375 °F)*
- *Un moule en verre carré de 20 cm (8 po)*

250 ml (1 tasse) de sirop d'érable pur à 100 %
3 pommes, pelées et finement tranchées
250 ml (1 tasse) de farine tout usage
125 ml (½ tasse) de farine de blé entier
10 ml (2 c. à thé) de poudre à pâte
60 ml (¼ tasse) de sucre granulé
75 ml (⅓ tasse) d'huile de canola
1 œuf
5 ml (1 c. à thé) d'extrait de vanille
250 ml (1 tasse) de lait 2 %

1. Verser le sirop d'érable et 125 ml (½ tasse) d'eau dans le moule et bien mélanger. Étendre les tranches de pomme uniformément sur le dessus (ne pas mélanger).
2. Dans un bol, mélanger la farine tout usage, la farine de blé entier et la poudre à pâte.
3. Dans un autre bol, fouetter le sucre avec l'huile. Y fouetter l'œuf avec la vanille jusqu'à ce que le mélange soit lisse. Incorporer le mélange de farine en alternance avec le lait, en faisant 3 ajouts de farine et 2 de lait. Verser ce mélange uniformément sur le sirop et les pommes (ne pas mélanger).
4. Cuire au four préchauffé pendant 40 minutes ou jusqu'à ce que la pointe d'un couteau insérée au centre du pouding en ressorte propre. Servir chaud ou froid.

CONSEILS

Coupez les tranches de pomme aussi fin que possible pour vous assurer qu'elles cuisent bien.

Si vous n'avez pas de sirop d'érable, utilisez de la cassonade diluée dans 250 ml (1 tasse) d'eau et ajoutez 5 ml (1 c. à thé) d'extrait d'érable.

Valeur nutritive par portion	
Calories	227
Lipides	7,1 g
saturés	0,8 g
Sodium	68 mg (3 % VQ)
Glucides	38 g
Fibres	1 g (4 % VQ)
Protéines	3 g
Calcium	72 mg (7 % VQ)
Fer	1,1 mg (8 % VQ)

Teneur élevée en riboflavine

Équivalents par portion pour les personnes diabétiques :
2 ½ Glucides
1 ½ Matières grasses

Tarte au chocolat, à l'orange et aux amandes

Tanya Lorimer-Charles, Nouvelle-Écosse

16 PORTIONS

Parfois, une petite gourmandise est juste ce qu'il vous faut. Une petite pointe de cette tarte suffira à satisfaire votre fringale de chocolat. Quelle saveur intense! Servez-la à vos invités pour un dessert raffiné.

CONSEILS

Ne laissez pas bouillir la crème, portez-la à ébullition très lentement jusqu'à ce qu'elle bouillonne légèrement sur les parois.

Assurez-vous que la garniture est froide et prise avant de couper la tarte.

Valeur nutritive par portion	
Calories	258
Lipides	17,0 g
saturés	9,4 g
Sodium	100 mg (4 % VQ)
Glucides	25 g
Fibres	3 g (12 % VQ)
Protéines	3 g
Calcium	33 mg (3 % VQ)
Fer	1,2 mg (9 % VQ)

Équivalents par portion pour les personnes diabétiques :
1 ½ Glucides
3 ½ Matières grasses

• *Un moule à charnière de 23 cm (9 po)*

La croûte
375 ml (1 ½ tasse) de chapelure de biscuits au chocolat
75 ml (⅓ tasse) de beurre fondu
60 ml (¼ tasse) d'amandes effilées, grillées (voir p. 139) et hachées
2 ml (½ c. à thé) de cannelle moulue
2 ml (½ c. à thé) de zeste d'orange râpé
125 ml (½ tasse) de confiture d'oranges

La garniture
250 g (8 oz) de chocolat noir semi-sucré, haché
250 ml (1 tasse) de crème à fouetter 35 %
30 ml (2 c. à soupe) de liqueur à l'orange

500 ml (2 tasses) de petits fruits mélangés

1. *La croûte :* Dans un bol moyen, mélanger la chapelure de biscuits et le beurre. Incorporer les amandes, la cannelle et le zeste d'orange. Presser dans le fond du moule. Étendre la confiture d'oranges sur la croûte. Réserver.
2. *La garniture :* Mettre le chocolat dans un bol moyen à l'épreuve de la chaleur. Dans une casserole moyenne, porter la crème à ébullition lentement à feu moyen. La retirer du feu et la verser sur le chocolat. Laisser reposer pendant 2 minutes. Remuer pour mélanger, puis laisser reposer jusqu'à ce que le chocolat soit fondu. Remuer jusqu'à ce que le mélange soit lisse. Incorporer la liqueur.
3. Verser la garniture dans la croûte. Mettre au réfrigérateur pendant au moins 4 heures, jusqu'à ce que le chocolat soit ferme ou jusqu'à 12 heures. Couper et servir avec les petits fruits.

VARIANTES
Remplacez la confiture d'oranges et la liqueur à l'orange par de la confiture de framboises et une liqueur de framboise.

Vous pouvez remplacer la crème à fouetter par de la crème de table (18%) pour réduire les lipides d'environ 2,5 g et les lipides saturés d'environ 1,5 g par portion.

Tartelettes à la citrouille, croûte d'amandes

Judy Campbell-Gordon, diététiste, Québec

Ces tartelettes mignonnes vous offrent toute la saveur d'une tarte à la citrouille sans la lourde croûte de pâte. De plus, les portions sont déjà divisées.

CONSEIL

Vous pouvez préparer ces tartelettes jusqu'à 2 jours à l'avance. Couvrez chaque ramequin d'une pellicule plastique et réfrigérez-les. Sortez-les du réfrigérateur 30 minutes avant de servir.

- *Préchauffer le four à 200 °C (400 °F)*
- *8 ramequins de 125 ml (½ tasse) allant au four, graissés*
- *2 plaques à pâtisserie*

125 ml (½ tasse) d'amandes moulues
2 œufs, battus
300 ml (1 ¼ tasse) de purée de citrouille en conserve (et non de garniture pour tarte)
125 ml (½ tasse) de lait condensé sucré
5 ml (1 c. à thé) de cannelle moulue
2 ml (½ c. à thé) de gingembre moulu
1 ml (¼ c. à thé) de clou de girofle moulu
1 ml (¼ c. à thé) de muscade moulue

1. Déposer 4 ramequins sur une plaque à pâtisserie. Répartir les amandes moulues entre les ramequins graissés.
2. Dans un bol moyen, fouetter les œufs avec la citrouille, le lait condensé, la cannelle, le gingembre, le clou de girofle et la muscade jusqu'à ce que ce soit bien mélangé. Répartir le mélange également entre les ramequins.
3. Cuire au four préchauffé pendant 10 minutes. Réduire la température à 180 °C (350 °F) et cuire de 12 à 15 minutes ou jusqu'à ce que ce soit presque pris (le milieu des tartelettes doit remuer légèrement). Laisser refroidir complètement le mélange dans les ramequins sur une grille métallique.

VARIANTE

Remplacez les amandes par des pacanes moulues.

Valeur nutritive par portion	
Calories	129
Lipides	6,1 g
saturés	1,7 g
Sodium	42 mg (2 % VQ)
Glucides	15 g
Fibres	2 g (8 % VQ)
Protéines	5 g
Calcium	90 mg (8 % VQ)
Fer	1,1 mg (8 % VQ)

Teneur très élevée en vitamine A

Équivalents par portion pour les personnes diabétiques :
1   Glucides
1   Matières grasses

Bagatelle aux petits fruits frais

Brigitte Lamoureux, diététiste, Manitoba

12 PORTIONS

Le gâteau des anges donne une texture légère à cette bagatelle sans rien enlever à la saveur.

• *Un bol à bagatelle*

1 paquet de 4 portions de pouding instantané au chocolat blanc
1 gâteau des anges de 25 cm (10 po), déchiré en cubes de 2,5 à 5 cm (1 à 2 po)
125 ml (½ tasse) de jus d'orange non sucré
1,25 litre (5 tasses) d'un mélange de petits fruits (bleuets, framboises, mûres, fraises)
250 ml (1 tasse) de garniture de crème fouettée légère

1. Préparer le pouding selon les instructions qui figurent sur l'emballage.
2. Mettre la moitié des cubes de gâteau au fond d'un bol à bagatelle. Arroser de la moitié du jus d'orange. Étendre la moitié du pouding sur le gâteau et disposer un tiers des petits fruits par-dessus. Répéter l'opération pour ajouter des couches de gâteau, du jus, des couches de pouding et de petits fruits. Garnir le tout de garniture de crème fouettée et terminer par les petits fruits qui restent.
3. Couvrir et mettre au réfrigérateur pendant au moins 4 heures, jusqu'à ce que la bagatelle soit refroidie, ou jusqu'à 12 heures.

VARIANTES

Remplacez le pouding au chocolat blanc par un pouding instantané à la vanille ou aux bananes.

Remplacez la moitié du jus d'orange par 60 ml (¼ tasse) de liqueur à l'orange.

Fouettez 125 ml (½ tasse) de crème à fouetter pour remplacer la garniture de crème fouettée légère. Sachez toutefois que la teneur en gras sera plus élevée.

Valeur nutritive par portion	
Calories	151
Lipides	2,2 g
saturés	1,4 g
Sodium	287 mg (12 % VQ)
Glucides	30 g
Fibres	3 g (12 % VQ)
Protéines	4 g
Calcium	100 mg (9 % VQ)
Fer	0,5 mg (4 % VQ)

Teneur très élevée en vitamine C
Teneur élevée en acide folique

Équivalents par portion pour les personnes diabétiques :
2 Glucides
½ Matières grasses

Meringue en forme de couronnes, crème de citron à la ricotta, et bleuets

Mary Sue Waisman, diététiste, Nouvelle-Écosse

8 PORTIONS

La crème de citron et les petits fruits sucrés se cachent dans ces couronnes de meringue croustillantes.

CONSEILS

Des blancs d'œufs à la température de la pièce moussent mieux que des blancs d'œufs froids.

Vous pouvez cuire les meringues jusqu'à 3 jours à l'avance. Conservez-les dans un contenant hermétique à la température de la pièce jusqu'à l'utilisation.

Valeur nutritive par portion	
Calories	199
Lipides	7,2 g
saturés	2,2 g
Sodium	129 mg (5 % VQ)
Glucides	29 g
Fibres	1 g (4 % VQ)
Protéines	6 g
Calcium	102 mg (9 % VQ)
Fer	0,5 mg (4 % VQ)

Teneur élevée en vitamine D et vitamine B$_{12}$

Équivalents par portion pour les personnes diabétiques :

2	Glucides
½	Viandes et substituts
1	Matières grasses

- *Préchauffer le four à 200 °C (400 °F)*
- *2 plaques à pâtisserie, couvertes de papier sulfurisé*
- *Un bain-marie*

Les couronnes de meringue

2 gros blancs d'œufs, à la température de la pièce
1 ml (¼ c. à thé) de crème de tartre
Une pincée de sel
125 ml (½ tasse) de sucre granulé
2 ml (½ c. à thé) d'extrait de citron

La crème de citron à la ricotta

4 jaunes d'œufs
75 ml (⅓ tasse) de sucre granulé
30 ml (2 c. à soupe) de zeste de citron râpé
75 ml (⅓ tasse) de jus de citron fraîchement pressé
30 ml (2 c. à soupe) de margarine non hydrogénée
250 ml (1 tasse) de ricotta légère

500 ml (2 tasses) de bleuets
8 brins de menthe fraîche

1. *Les couronnes de meringue :* Sur chaque plaque à pâtisserie préparée, tracer 4 cercles de 7,5 cm (3 po) avec un stylo ou un crayon. Retourner le papier sulfurisé pour que les marques apparaissent à travers le papier. Réserver les plaques.

2. Dans un grand bol, à l'aide d'un batteur électrique à vitesse élevée, battre les blancs d'œufs avec la crème de tartre et le sel jusqu'à ce que des pics mous se forment. Ajouter le sucre, 30 ml (2 c. à soupe) à la fois, en battant de 30 secondes à 1 minute après chaque ajout et en raclant les parois du bol de temps en temps, pour s'assurer que le sucre est bien mélangé aux blancs d'œufs. Battre jusqu'à ce que les blancs d'œufs soient en neige ferme. Incorporer l'extrait de citron dans la meringue.

3. Répartir la meringue également entre les cercles, sur les plaques à pâtisserie, en l'étendant pour couvrir toute la surface du cercle. Avec le dos d'une cuillère, faire un léger creux au centre de chacun (pour y mettre la garniture), puis dresser la meringue tout autour du bord pour former les pointes des couronnes.

4. Mettre les plaques à pâtisserie au four préchauffé et réduire aussitôt la température à 120 °C (250 °F). Cuire au four pendant 30 minutes. Éteindre le four et y laisser les meringues pendant au moins 3 à 4 heures ou jusqu'au lendemain pour qu'elles sèchent complètement.

5. *La crème de citron à la ricotta:* Dans un bain-marie, fouetter les jaunes d'œufs avec le sucre pendant 1 minute. Incorporer le zeste et jus de citron en fouettant. Cuire, en fouettant sans arrêt, de 3 à 4 minutes ou jusqu'à ce que le mélange soit épais et nappe le dos d'une cuillère. Retirer du feu et incorporer la margarine, 15 ml (1 c. à soupe) à la fois, en attendant que la première cuillère soit bien mélangée avant d'ajouter la deuxième. Laisser refroidir pendant 10 minutes.

6. Incorporer la ricotta dans le mélange. Verser le mélange dans un bol, déposer une pellicule plastique à même la surface du mélange et mettre au réfrigérateur pendant au moins 4 heures, jusqu'à ce que le mélange soit froid, ou jusqu'à 24 heures.

7. Mettre une meringue sur chaque assiette de service. Répartir la crème de citron entre les meringues, puis garnir chacune de bleuets et d'un brin de menthe.

Il y a plusieurs façons de préparer une meringue. Celle-ci est la méthode classique française dans laquelle la meringue est cuite au four. La crème de tartre permet de stabiliser la meringue.

VARIANTE

Remplissez les meringues de fromage de yogourt (voir l'étape 1, p. 96), avant de les garnir de fruits.

Crêpes à la mousse au chocolat blanc et à la mangue, garnies de mûres

Mary Sue Waisman, diététiste, Nouvelle-Écosse

6 PORTIONS

Le tofu dessert sert de base à cette délicieuse mousse.

- *Un robot culinaire*

90 g (3 oz) de chocolat blanc, haché
1 paquet de 300 g (10 oz) de tofu soyeux aromatisé à
   l'orange et à la mangue
30 ml (2 c. à soupe) de liqueur à l'orange
6 crêpes (voir recette, p. 53)
375 ml (1 ½ tasse) de mûres
15 ml (1 c. à soupe) de sucre à glacer

1. Dans un bol allant au micro-ondes, faire fondre le chocolat blanc à puissance moyenne (50 %) pendant 1 ½ minute, en remuant une fois à mi-cuisson. Si le chocolat n'est pas fondu, le passer de nouveau au micro-ondes à puissance moyenne (50 %) pendant 30 secondes ou jusqu'à ce qu'il soit fondu. Laisser refroidir à la température de la pièce.

2. Dans un robot culinaire, réduire le tofu en purée jusqu'à ce qu'il soit lisse. Ajouter le chocolat refroidi et la liqueur, puis faire fonctionner l'appareil de 30 à 40 secondes pour obtenir une purée lisse. Mettre le mélange dans un bol moyen et mettre au réfrigérateur pendant environ 2 heures ou jusqu'à ce que la mousse soit ferme.

3. Déposer une crêpe à plat sur un plan de travail. Étendre 60 ml (¼ tasse) de mousse le long du centre de la crêpe. Replier le bord inférieur de la crêpe par-dessus la mousse, puis replier le bord supérieur par-dessus le bord inférieur. Mettre dans une assiette de service, le côté fermé vers le bas. Répéter l'opération pour les autres crêpes. Garnir de mûres et saupoudrer de sucre à glacer. Servir aussitôt.

VARIANTE

Remplacez les mûres par 2 boîtes de 284 ml (10 oz) de mandarines non sucrées, égouttées.

Valeur nutritive par portion	
Calories	231
Lipides	7,1 g
saturés	3,4 g
Sodium	73 mg (3 % VQ)
Glucides	35 g
Fibres	3 g (12 % VQ)
Protéines	7 g
Calcium	118 mg (11 % VQ)
Fer	1,1 mg (8 % VQ)

Teneur élevée en acide folique

Équivalents par portion pour les personnes diabétiques :
2   Glucides
1 ½ Matières grasses

Pêches et framboises rôties aux biscuits amaretti

Mary Sue Waisman, diététiste, Nouvelle-Écosse

8 PORTIONS

L'été n'a jamais eu aussi bon goût! Des pêches et des framboises aromatisées d'un soupçon d'amande font un mariage divin.

CONSEILS

Vérifiez la saveur des pêches. Si elles sont très sucrées, réduisez la quantité de cassonade à 60 à 75 ml (¼ à ⅓ tasse).

Les biscuits amaretti sont de petits biscuits croustillants aromatisés à l'amande, servis avec le café ou le digestif après le repas du soir, en Italie. Vous en trouverez dans les épiceries fines et certains supermarchés.

- *Préchauffer le four à 230 °C (450 °F), après avoir placé la grille en position supérieure*
- *Un plat en verre allant au four de 33 x 23 cm (13 x 9 po), graissé*

125 ml (½ tasse) de cassonade légèrement tassée
5 ml (1 c. à thé) de cannelle moulue
2 ml (½ c. à thé) de muscade moulue
1 kg (2 lb) de pêches, en tranches
500 ml (2 tasses) de framboises
30 ml (2 c. à soupe) de liqueur d'amande (facultatif)
125 ml (½ tasse) de biscuits amaretti émiettés

1. Dans un petit bol, mélanger la cassonade, la cannelle et la muscade.
2. Étendre les pêches en une seule couche dans le plat graissé. Parsemer du mélange de cassonade, puis des framboises. Rôtir au four préchauffé pendant 20 minutes ou jusqu'à ce que le jus s'écoule des fruits.
3. Répartir le mélange de fruits entre 8 assiettes à dessert. Arroser chacune d'un filet de liqueur d'amande, si désiré, puis parsemer de biscuits.

VARIANTE

Remplacez la liqueur d'amande par un vin de glace refroidi ou un jus de pomme non sucré.

Valeur nutritive par portion	
Calories	126
Lipides	1,3 g
saturés	0,7 g
Sodium	19 mg (1 % VQ)
Glucides	30 g
Fibres	4 g (16 % VQ)
Protéines	2 g
Calcium	28 mg (3 % VQ)
Fer	0,8 mg (6 % VQ)

Équivalents par portion pour les personnes diabétiques:
1 ½ Glucides

Poires rôties à l'érable, garnies de copeaux de chocolat et de noisettes grillées

Mary Sue Waisman, diététiste, Nouvelle-Écosse

6 PORTIONS

Dans cette recette, le chocolat et le croquant des noisettes complètent agréablement bien les poires sucrées à l'érable.

CONSEIL

Pour de meilleurs résultats, choisissez des poires mûres mais fermes et non des poires trop mûres.

- *Préchauffer le four à 230 °C (450 °F)*
- *Un plat en verre allant au four de 33 x 23 cm (13 x 9 po), graissé*

4 poires Bartlett rouges, pelées et tranchées
30 ml (2 c. à soupe) de sirop d'érable pur à 100 %
30 g (1 oz) de chocolat semi-sucré
125 ml (½ tasse) de noisettes grillées hachées (voir p. 139)

1. Parsemer le plat graissé des tranches de poire, puis les arroser de sirop d'érable. Cuire au four préchauffé pendant 10 à 15 minutes ou jusqu'à ce que les poires soient tendres lorsqu'on les pique avec un couteau.
2. Répartir les poires et le jus entre 6 assiettes à dessert. Râper un sixième du chocolat au-dessus de chaque assiette, puis parsemer de noisettes.

VARIANTE

Remplacez le chocolat semi-sucré par 30 g (1 oz) de chocolat noir.

Valeur nutritive par portion	
Calories	155
Lipides	7,4 g
saturés	1,3 g
Sodium	2 mg (0 % VQ)
Glucides	24 g
Fibres	4 g (16 % VQ)
Protéines	2 g
Calcium	26 mg (2 % VQ)
Fer	0,8 mg (6 % VQ)

Équivalents par portion pour les personnes diabétiques :
1   Glucides
1 ½ Matières grasses

Poires pochées au vin, farcies avec du bleu et des noix grillées

Mary Sue Waisman, diététiste, Nouvelle-Écosse

4 PORTIONS

Voici le dessert idéal par une soirée d'automne, après un repas de porc ou de poulet. Les poires, le bleu et les noix sont une combinaison classique.

500 ml (2 tasses) de riesling
2 poires Bartlett rouges mûres et fermes
60 ml (4 c. à soupe) de fromage bleu émietté
60 ml (4 c. à soupe) de noix grillées finement hachées (voir p. 139)

1. Dans une casserole moyenne, porter le vin à ébullition à feu vif. Entre-temps, peler les poires, les couper en 2 dans le sens de la longueur, puis les évider. Ajouter les demi-poires à la casserole. Réduire à feu doux, couvrir et laisser mijoter de 20 à 30 minutes ou jusqu'à ce que les poires soient tendres quand on les pique avec un couteau. À l'aide d'une cuillère à égoutter, mettre les poires dans une assiette.
2. Remettre le vin sur le feu, à feu moyen-vif et porter à ébullition. Laisser bouillir doucement jusqu'à ce qu'il réduise d'environ les trois quarts.
3. Utiliser 4 bols à dessert peu profonds et mettre 30 ml (2 c. à soupe) de vin réduit dans chacun. Déposer une demi-poire au centre, côté évidé vers le haut. Parsemer de bleu et de noix.

Le riesling est un vin blanc réputé pour son arôme et son goût fruités. La plupart des vignes de riesling du monde sont cultivées en Allemagne et en Alsace, mais on en cultive aussi maintenant en Australie, aux États-Unis et au Canada.

Valeur nutritive par portion	
Calories	150
Lipides	7,3 g
saturés	2,0 g
Sodium	124 mg (5 % VQ)
Glucides	13 g
Fibres	3 g (12 % VQ)
Protéines	3 g
Calcium	69 mg (6 % VQ)
Fer	0,7 mg (5 % VQ)

Équivalents par portion pour les personnes diabétiques :
1   Glucides
2   Matières grasses

Fraises grillées au yogourt à la vanille

Mary Sue Waisman, diététiste, Nouvelle-Écosse

6 PORTIONS

Qui a dit que le dessert doit être compliqué? On peut terminer un riche repas d'agréable façon en passant des petits fruits frais de saison rapidement sous le gril, en les parfumant de cannelle et en les servant garnis de yogourt et de noix croquantes.

CONSEIL

Ne surchargez pas le plat de petits fruits pour vous assurer qu'ils cuisent également.

- *Préchauffer le gril du four, après avoir placé la grille à 10 cm (4 po) de la source de chaleur*
- *Un plat en verre carré allant au four de 20 ou 23 cm (8 ou 9 po)*

1 litre (4 tasses) de fraises entières, équeutées
60 ml (¼ tasse) de cassonade légèrement tassée
2 ml (½ c. à thé) de cannelle moulue
500 ml (2 tasses) de yogourt à la vanille faible en gras
75 ml (⅓ tasse) de noisettes grillées hachées (voir p. 139)

1. Étendre les fraises en une seule couche, dans le plat allant au four, le bout pointu vers le haut. Saupoudrer de cassonade et de cannelle. Passer sous le gril de 5 à 6 minutes ou jusqu'à ce que les fruits commencent à rendre leur jus et que le sucre commence à caraméliser.

2. Répartir les fruits et le jus entre 6 assiettes à dessert. Garnir de yogourt et parsemer de noisettes.

VARIANTE

Vous pouvez utiliser un yogourt à saveur de fruits, comme le yogourt aux fraises ou aux bleuets.

Valeur nutritive par portion	
Calories	175
Lipides	5,7 g
saturés	1,3 g
Sodium	51 mg (2 % VQ)
Glucides	29 g
Fibres	3 g (12 % VQ)
Protéines	5 g
Calcium	138 mg (13 % VQ)
Fer	1,0 mg (7 % VQ)

Teneur très élevée en vitamine C et riboflavine
Teneur élevée en magnésium et vitamine B$_{12}$

Équivalents par portion pour les personnes diabétiques :
1 ½ Glucides
1 Matières grasses

Compote de pommes, crème anglaise à l'érable

Caroline Dubeau, diététiste, Ontario

8 PORTIONS

Cette compote de pommes toute simple est garnie d'une délicate crème anglaise à l'érable.

CONSEILS

Utilisez un extrait de vanille incolore si vous voulez conserver la couleur des pommes.

La crème anglaise est également délicieuse sur des framboises fraîches.

Une fois que la crème anglaise est refroidie, n'essayez pas de la réchauffer.

Valeur nutritive par portion	
Calories	137
Lipides	4,2 g
saturés	1,9 g
Sodium	27 mg (1 % VQ)
Glucides	24 g
Fibres	1 g (4 % VQ)
Protéines	2 g
Calcium	57 mg (5 % VQ)
Fer	0,4 mg (3 % VQ)

Équivalents par portion pour
les personnes diabétiques :
1 ½   Glucides
1   Matières grasses

• *Un bain-marie*

15 ml (1 c. à soupe) de beurre
6 pommes à cuire (comme la Cortland), pelées et coupées dans
   le sens de la largeur en 8 tranches épaisses
30 ml (2 c. à soupe) de sucre granulé
30 ml (2 c. à soupe) de jus de citron fraîchement pressé
15 ml (1 c. à soupe) d'extrait de vanille

La crème anglaise à l'érable
3 jaunes d'œufs
60 ml (¼ tasse) de sirop d'érable pur à 100 %
250 ml (1 tasse) de lait 2 %, tiède

1. Dans un grand poêlon antiadhésif, faire fondre le beurre à feu moyen. Y faire sauter les pommes, le sucre, le jus de citron et la vanille pendant 2 minutes. Réduire à feu moyen-doux, couvrir avec un couvercle hermétique et laisser mijoter, en remuant une fois, de 15 à 20 minutes ou jusqu'à ce que les pommes soient ramollies.
2. *La crème anglaise à l'érable:* Entre-temps, dans un bol moyen à l'épreuve de la chaleur, à l'aide d'un batteur électrique à vitesse élevée, battre les jaunes d'œufs avec le sirop d'érable pendant 3 minutes ou jusqu'à ce que le mélange soit jaune pâle. À l'aide d'un fouet en métal, incorporer délicatement le lait tiède. Déposer le bol au-dessus d'une casserole d'eau frémissante ou verser le mélange dans un bain-marie et cuire, en fouettant sans arrêt, de 6 à 8 minutes ou jusqu'à ce que la crème anglaise soit assez épaisse pour napper le dos d'une cuillère. La verser dans un bol froid et la laisser refroidir. Servir la crème chaude ou la couvrir, la mettre au réfrigérateur jusqu'à une journée et la servir froide.
3. Répartir les pommes entre 8 petites coupes à dessert et les napper de la crème anglaise.

VARIANTE

Étendez des pommes sautées dans une crêpe (voir recette, p. 53), roulez la crêpe, puis garnissez-la de crème anglaise.

Gajrela

Bimaljit Dhatt, Ontario

DE **4** À **6** PORTIONS

✓ LE CHOIX DES ENFANTS

Qui aurait cru qu'on pouvait servir des légumes pour dessert? Le gajrela (prononcé *guj-RÉ-la*) est un mets indien classique qui est traditionnellement à base de lait ou de crème et de ghee (beurre clarifié). Cette version santé moins grasse cuit plus rapidement.

1 litre (4 tasses) de carottes râpées, soit environ 375 g (12 oz)
250 ml (1 tasse) de lait 1 %
125 ml (½ tasse) de cassonade légèrement tassée
2 ml (½ c. à thé) de cardamome moulue
175 ml (¾ tasse) de ricotta légère
30 ml (2 c. à soupe) de raisins secs (facultatif)
30 ml (2 c. à soupe) d'amandes effilées légèrement grillées (facultatif)

1. Dans une casserole moyenne, porter 125 ml (½ tasse) d'eau à ébullition à feu vif. Ajouter les carottes, réduire à feu moyen-vif et laisser bouillir, en remuant souvent, pendant 2 minutes. Ajouter le lait et laisser bouillir doucement, en remuant souvent, de 15 à 20 minutes ou jusqu'à ce que le mélange soit presque sec (le lait peut sembler caillé).

2. Réduire à feu moyen-doux et incorporer la cassonade, la cardamome et la ricotta. Cuire, en remuant sans arrêt, pendant 5 minutes. Incorporer les raisins secs, si désiré. Servir chaud, parsemé d'amandes, si désiré.

CONSEILS

Assurez-vous de remuer tel qu'indiqué pour ne pas que le mélange brûle.

C'est une bonne recette pour faire participer les enfants. Ils peuvent tout faire (si on les surveille), sauf râper les carottes. Ils aiment particulièrement remuer le gajrela pendant qu'il cuit pour observer la transformation de liquide à solide.

Le gajrela peut être servi tiède ou froid, avec une boule de yogourt glacé à la vanille.

Valeur nutritive par portion	
Calories	133
Lipides	2,1 g
saturés	1,2 g
Sodium	102 mg (4 % VQ)
Glucides	24 g
Fibres	2 g (8 % VQ)
Protéines	5 g
Calcium	166 mg (15 % VQ)
Fer	0,7 mg (5 % VQ)

Teneur très élevée en vitamine A

Équivalents par portion pour les personnes diabétiques :
1 ½ Glucides

Douceur à l'orge

Anya Myers, diététiste, Nunavut

Dans les desserts, l'orge est sous-utilisé. Par une journée froide, cette recette nutritive vous réchauffera.

Conseils

Même si la quantité utilisée est infime, les graines d'anis rehaussent considérablement la saveur et ne doivent pas être omises. Si vous aimez le goût, augmentez la quantité.

Si vous préférez, vous pouvez remplacer la cassonade par 30 ml (2 c. à soupe) de cassonade au sucralose.

250 ml (1 tasse) d'orge perlé
Une pincée de graines d'anis moulues
30 ml (2 c. à soupe) de cassonade légèrement tassée
30 ml (2 c. à soupe) d'amandes hachées
15 ml (1 c. à soupe) de raisins secs dorés
500 ml (2 tasses) de lait 2 %

1. Dans une grande casserole au couvercle hermétique, mélanger l'orge, les graines d'anis et 750 ml (3 tasses) d'eau. Porter à ébullition à feu vif. Réduire à feu doux, couvrir et laisser mijoter pendant 35 minutes ou jusqu'à ce que le liquide soit absorbé. Défaire les grains d'orge avec une fourchette.
2. Incorporer la cassonade, les amandes, les raisins secs et le lait. Répartir entre 8 assiettes à dessert. Servir tiède.

Variante

Essayez d'autres combinaisons de noix et de fruits séchés. Remplacez les amandes par des pistaches, des noix de cajou ou des pacanes et les raisins secs par des canneberges, des bleuets ou des cerises, séchés.

Suggestion de service

Servez les restes au petit-déjeuner avec des pêches en conserve non sucrées.

Valeur nutritive par portion	
Calories	153
Lipides	2,4 g
saturés	0,9 g
Sodium	30 mg (1 % VQ)
Glucides	30 g
Fibres	2 g (8 % VQ)
Protéines	4 g
Calcium	89 mg (8 % VQ)
Fer	1,2 mg (9 % VQ)

Équivalents par portion pour les personnes diabétiques :
2 Glucides
½ Matières grasses

Pouding à l'orge et à l'érable

Edie Shaw-Ewald, diététiste, Nouvelle-Écosse

L'orge n'est pas souvent utilisée dans les desserts, mais quand on y ajoute un peu de sirop d'érable, elle fait un délicieux pouding. Servez les restes au petit-déjeuner!

CONSEIL

Pour préparer 500 ml (2 tasses) d'orge perlé cuit, mélangez 150 ml (⅔ tasse) d'orge et 500 ml (2 tasses) d'eau dans une casserole moyenne munie d'un couvercle hermétique. Portez à ébullition à feu vif. Réduisez à feu doux, couvrez et laissez mijoter pendant 35 minutes ou jusqu'à ce que le liquide soit absorbé. Défaites les grains d'orge avec une fourchette.

- *Préchauffer le four à 180 °C (350 °F)*
- *Un moule en verre carré de 20 cm (8 po), graissé*

2 œufs, battus
5 ml (1 c. à thé) de cannelle moulue
5 ml (1 c. à thé) de cardamome moulue
Une pincée de sel
375 ml (1 ½ tasse) de lait 2 %
125 ml (½ tasse) de sirop d'érable pur à 100 %
5 ml (1 c. à thé) d'extrait de vanille
500 ml (2 tasses) d'orge perlé cuit, refroidi (voir Conseil)
125 ml (½ tasse) de cerises séchées

1. Dans un grand bol, fouetter les œufs avec la cannelle, la cardamome, le sel, le lait, le sirop d'érable et la vanille. Incorporer l'orge et les cerises. Verser dans le plat préparé.
2. Cuire au four préchauffé pendant 55 minutes ou jusqu'à ce que le pouding soit pris. Servir chaud ou froid.

VARIANTES

Vous pouvez remplacer le lait par de la boisson de soya.

Remplacez les cerises par vos fruits séchés préférés, comme les raisins, les canneberges et les bleuets.

Valeur nutritive par portion	
Calories	174
Lipides	2,5 g
saturés	1,0 g
Sodium	76 mg (3 % VQ)
Glucides	34 g
Fibres	2 g (8 % VQ)
Protéines	4 g
Calcium	103 mg (9 % VQ)
Fer	1,1 mg (8 % VQ)

Teneur élevée en riboflavine

Équivalents par portion pour les personnes diabétiques :
2   Glucides
½   Matières grasses

Mousse à la mangue

Claude Gamache, diététiste, Québec

Jusqu'où peut-on aller pour simplifier la préparation d'un dessert pratique et rafraîchissant ? Il s'agit simplement de mélanger 2 ingrédients dans le robot culinaire, puis de garnir le mélange de petits fruits frais.

CONSEIL

Pour faire des parfaits aux fruits, utilisez de grands verres à parfait. Déposez une demi-portion de mousse, puis une demi-portion de petits fruits. Répétez l'opération.

- *Un robot culinaire*

1 sac de 600 g (20 oz) de morceaux de mangue surgelés, décongelés et égouttés
125 ml (½ tasse) de yogourt à la vanille faible en gras
250 ml (1 tasse) de fraises en tranches
250 ml (1 tasse) de bleuets

1. Dans un robot culinaire, mélanger la mangue et le yogourt pendant 1 minute ou jusqu'à ce que le mélange soit lisse.
2. Répartir la mousse entre les bols de service. Garnir de fraises et de bleuets, puis servir aussitôt ou couvrir, mettre au réfrigérateur jusqu'à 12 heures, puis garnir de petits fruits avant de servir.

SUGGESTION DE SERVICE

Pour présenter la mousse sur la table d'un buffet, servez-la dans des verres à pied.

Valeur nutritive par portion	
Calories	80
Lipides	0,6 g
saturés	0,2 g
Sodium	11 mg (0 % VQ)
Glucides	19 g
Fibres	2 g (8 % VQ)
Protéines	1 g
Calcium	32 mg (3 % VQ)
Fer	0,1 mg (1 % VQ)

Teneur très élevée en vitamine C

Équivalents par portion pour les personnes diabétiques :
1   Glucides

Sorbet aux litchis

Christina Blais, diététiste, Québec

Les litchis en conserve ont un goût qui rappelle celui des raisins sucrés et leur texture change complètement quand on les mélange à cet onctueux sorbet.

CONSEIL
Cette recette contient un blanc d'œuf cru. Si vous préférez, utilisez des blancs d'œufs liquides pasteurisés.

- *Un moule carré de 20 cm (8 po)*
- *Un robot culinaire*

1 boîte de 540 ml (19 oz) de litchis
30 ml (2 c. à soupe) de sirop de maïs blanc
2 ml (½ c. à thé) de zeste de citron vert râpé
15 ml (1 c. à soupe) de jus de citron vert fraîchement pressé
1 blanc d'œuf ou 30 ml (2 c. à soupe) de blancs d'œufs liquides pasteurisés
15 ml (1 c. à soupe) de vodka, de Triple Sec ou de Cointreau (facultatif)
Feuilles de menthe fraîche

1. Égoutter les litchis et réserver la moitié du jus. Dans un bol, mélanger le jus réservé, le sirop de maïs, le zeste et le jus de citron vert. Verser dans le moule, puis incorporer les litchis. Congeler de 3 à 4 heures ou jusqu'à ce le mélange soit gelé et dur.

2. Retirer le plat du congélateur. À l'aide d'un couteau bien aiguisé, découper le mélange en carrés, puis les mettre dans un robot culinaire. Actionner la touche Pulse de 10 à 15 fois ou jusqu'à ce que le mélange soit émietté. Pendant que l'appareil fonctionne, ajouter le blanc d'œuf et la vodka, si désiré, par l'orifice d'alimentation et mélanger jusqu'à ce que ce soit très lisse.

3. Si le mélange n'est pas suffisamment solide pour être servi immédiatement, le mettre dans un contenant en plastique, le couvrir et le congeler jusqu'à ce qu'il soit ferme. Verser dans des plats de service et garnir d'une feuille de menthe.

VARIANTE
Remplacez les litchis par des mandarines, des mangues, des pêches ou des poires, en conserve. Remplacez le zeste et le jus de citron vert par le zeste et le jus d'un citron, si désiré.

Valeur nutritive par portion	
Calories	68
Lipides	0,0 g
saturés	0,0 g
Sodium	35 mg (1 % VQ)
Glucides	17 g
Fibres	0 g (0 % VQ)
Protéines	1 g
Calcium	11 mg (1 % VQ)
Fer	0,1 mg (1 % VQ)

Équivalents par portion pour les personnes diabétiques :
1   Glucides

Granité à la grenade, au gingembre et au clou de girofle

Mary Sue Waisman, diététiste, Nouvelle-Écosse

8 PORTIONS

Cette glace est à la fois fruitée, sucrée, épicée et acidulée. Elle peut faire office de trou normand ou de dessert léger.

CONSEIL

Si désiré, pendant la congélation, grattez le mélange avec une fourchette toutes les heures, pendant 3 à 5 heures, pour favoriser la formation de cristaux de glace.

- *Un moule en métal de 33 x 23 cm (13 x 9 po)*

125 ml (½ tasse) de sucre granulé
15 ml (1 c. à soupe) de gingembre frais haché
5 ml (1 c. à thé) de clou de girofle moulu
1 litre (4 tasses) de jus de grenade non sucré
60 ml (¼ tasse) de graines de grenade
8 brins de menthe fraîche

1. Dans une grande casserole, mélanger le sucre, le gingembre, le clou de girofle et le jus de grenade. Porter à ébullition à feu vif, en remuant pour dissoudre le sucre. Réduire à feu moyen-doux et laisser mijoter pendant 5 minutes pour laisser infuser les saveurs. Filtrer, si désiré.
2. Verser le jus dans le moule. Congeler pendant au moins 6 heures, jusqu'à ce que le mélange soit solide, ou jusqu'au lendemain.
3. Gratter le mélange avec une fourchette pour obtenir une texture de glace pilée. Répartir en portions dans des bols de service et garnir de graines de grenade et d'un brin de menthe.

Valeur nutritive par portion	
Calories	121
Lipides	0,4 g
saturés	0,1 g
Sodium	12 mg (1 % VQ)
Glucides	30 g
Fibres	0 g (0 % VQ)
Protéines	0 g
Calcium	16 mg (1 % VQ)
Fer	0,1 mg (1 % VQ)

Équivalents par portion pour les personnes diabétiques:
2   Glucides

Sucettes glacées aux saveurs tropicales

Kelly Hajnik, Ontario

✓ LE CHOIX DES ENFANTS

Les sucettes glacées maison sont faciles et amusantes à préparer, mais surtout délicieuses! Les membres de la famille de Kelly ont toujours tellement hâte de les manger qu'ils les démoulent trop tôt et n'ont que des bâtons à sucer!

CONSEILS

Il n'est pas nécessaire d'utiliser un mélangeur. En fait, il est préférable de préparer les sucettes à la main, car les morceaux de banane améliorent la texture.

Assurez-vous de toujours choisir du jus 100 % pur non sucré, dans toutes les recettes.

- Un moule à sucettes glacées ou des moules en papier et des bâtonnets en bois

2 bananes mûres, écrasées
250 ml (1 tasse) de yogourt à la noix de coco faible en gras
250 ml (1 tasse) de jus d'orange non sucré

1. Dans un bol, bien mélanger les bananes, le yogourt et le jus.
2. Verser ce mélange dans les moules et y insérer les bâtonnets. Congeler les sucettes pendant au moins 4 heures, jusqu'à ce qu'elles soient congelées ou jusqu'à 5 jours.

VARIANTE

Vous pouvez remplacer le jus et le yogourt selon vos préférences, mais pour obtenir une meilleure texture, utilisez toujours des bananes.

Valeur nutritive par portion	
Calories	49
Lipides	0,6 g
saturés	0,3 g
Sodium	12 mg (1 % VQ)
Glucides	10 g
Fibres	0 g (0 % VQ)
Protéines	1 g
Calcium	32 mg (3 % VQ)
Fer	0,1 mg (1 % VQ)

Équivalents par portion pour les personnes diabétiques :
½ Glucides

Banane royale fouettée

Recette adaptée des Producteurs laitiers du Canada
(www.plaisirslaitiers.ca)

5 PORTIONS

✓ LE CHOIX DES ENFANTS

Les saveurs traditionnelles de la banane royale se marient pour produire une boisson onctueuse et rafraîchissante.

CONSEIL

Quand vous utilisez des fruits surgelés, il n'est pas nécessaire d'ajouter de glaçons à la boisson fouettée.

• *Un mélangeur ou un robot culinaire*

500 ml (2 tasses) de lait au chocolat 1 %
500 ml (2 tasses) de yogourt aux fraises faible en gras
250 ml (1 tasse) de fraises surgelées non sucrées
1 banane

1. Au mélangeur, mettre le lait au chocolat, le yogourt, les fraises et la banane. Mélanger jusqu'à l'obtention d'une purée lisse. Verser le mélange dans des verres et servir aussitôt.

VARIANTE
Vous pouvez remplacer le lait au chocolat par du lait, le yogourt aux fraises par du yogourt aux framboises et les fraises par des framboises surgelées non sucrées.

SUGGESTION DE SERVICE
Garnissez les verres de fruits frais, coupés.

Valeur nutritive par portion	
Calories	211
Lipides	3,1 g
saturés	1,8 g
Sodium	120 mg (5 % VQ)
Glucides	39 g
Fibres	1 g (4 % VQ)
Protéines	8 g
Calcium	250 mg (23 % VQ)
Fer	0,5 mg (4 % VQ)

Teneur élevée en vitamine D et vitamine B$_{12}$

Équivalents par portion pour les personnes diabétiques :
2 ½ Glucides

L'analyse des éléments nutritifs

L'analyse des éléments nutritifs des recettes a été effectuée par Info Access (1988) Inc., Toronto, Ontario, à l'aide de l'outil de comptabilisation nutritionnelle du système de gestion de menu du CBORD Group, Inc. C'est le Fichier canadien sur les éléments nutritifs 2007b qui a été utilisé comme base de données des nutriments et il a été mis à jour, au besoin, avec des données documentées provenant de sources fiables.

L'analyse a été faite en se basant sur :

- les mesures et les poids du système impérial (sauf pour les aliments empaquetés et utilisés selon le système métrique) ;
- le plus grand nombre de portions (c.-à-d. la plus petite portion) quand un intervalle était proposé ;
- la plus petite quantité d'ingrédients quand un intervalle était proposé ;
- le premier ingrédient de la liste quand il y avait un choix d'ingrédients.

À moins d'indications contraires, les recettes ont été testées avec de l'huile de canola, de la margarine non hydrogénée, du lait 2 %, du yogourt 1 % et du riz à grain long. Une pincée de sel et du sel au goût ont été calculés à 0,5 ml (⅛ c. à thé). On suppose qu'on a enlevé de la viande le gras visible et que la peau a été retirée de la volaille, avant la consommation. Les garnitures et les ingrédients facultatifs, dont les quantités ne sont pas précisées, n'ont pas été calculés.

Les éléments nutritifs des recettes

- À l'exception des lipides, des lipides saturés et du fer, les données nutritionnelles ont été arrondies au nombre entier le plus près.
- Le pourcentage de la valeur quotidienne (% VQ) pour le sodium, les fibres, le calcium et le fer a été attribué selon les critères établis pour l'étiquetage des aliments (*Guide d'étiquetage et de la publicité sur les aliments 2003* de l'Agence canadienne d'inspection des aliments). Pour tous les nutriments, 5 % VQ ou moins, c'est une petite quantité et 15 % VQ ou plus, c'est une grande quantité.

- Toutes les recettes ont été classées comme ayant une « teneur très élevée en » ou une « teneur élevée en » vitamines (vitamine A, thiamine, riboflavine, niacine, vitamine B_6, acide folique, vitamine B_{12}, vitamine C et vitamine D) et en minéraux (magnésium et zinc) selon les critères établis pour l'étiquetage des aliments (*Guide d'étiquetage et de la publicité sur les aliments 2003* de l'Agence canadienne d'inspection des aliments). Pour toutes les vitamines et tous les minéraux, sauf la vitamine C, une portion qui fournit 25 % de la valeur quotidienne (VQ) a une « teneur très élevée en » ces nutriments et une portion qui fournit 15 % de la valeur quotidienne (VQ) a une « teneur élevée en » ces nutriments. Pour la vitamine C, une portion qui fournit 50 % de la valeur quotidienne (VQ) a une « teneur très élevée en » vitamine C et une portion qui fournit 30 % de la valeur quotidienne (VQ) a une « teneur élevée en » vitamine C.

Équivalents par portion pour les personnes diabétiques

Les valeurs des équivalents pour les personnes diabétiques ont été attribuées selon la méthode décrite dans le *Guide pratique: la planification de repas sains en vue de prévenir ou de traiter le diabète* de l'Association canadienne du diabète. Les équivalents de Glucides supposaient que 15 g de glucides étaient utilisés pour chacun des équivalents. Les recettes contenant des légumes supposaient généralement une seule portion de légumes par recette. Les glucides supplémentaires étaient compris dans l'attribution des équivalents de glucides. Les équivalents de Viandes et substituts supposaient généralement 7 g de protéines et de 3 à 5 g de Matières grasses par équivalent, même si la grosseur des portions et les valeurs nutritives particulières des ingrédients ont aussi été considérées. Les équivalents des Matières grasses étaient basés sur 5 g de matières grasses par attribution. Comme il y a une part de jugement dans l'attribution des équivalents, il pourrait y avoir plus d'une possibilité d'attribution pour une même recette.

Index

A

Abricot. *Voir aussi* Fruits séchés
  Bifteck à l'abricot et au romarin, 198
  Bouchées d'abricots, 114
  Carrés aux amandes et aux abricots, 344
  Cinq hors-d'œuvre de pâte phyllo sans beurre, 115
  Curry au poulet (variante), 183
  Muffins au son de blé, à l'avoine et aux abricots, 321
  Pain de viande aux fruits farci au fromage bleu, 207
  Petites meringues aux cerises séchées et aux pistaches grillées (variante), 338
  Salade de poulet au cari à l'indienne, 85
  Salade de quinoa aux amandes et aux fruits, vinaigrette à l'érable, 166
Agneau, côtelettes grillées à la moutarde de Dijon, 219
Agriculture soutenue par la communauté (ASC), L', 14
Ail, 189
  Boulettes de dinde extra moelleuses, 189
  Poitrines de poulet grillées au citron et à l'ail, 178
  Poulet à la grecque, 182
Alcool. *Voir* Vin et bière
Aliments. *Voir aussi* Cuisine; Aliments canadiens; Repas
  Additifs alimentaires, 31
  Assaisonnements, 28, 118-119
  Biologiques, 29-30
  Conserver les, 18-19
  Cultiver, 14
  Étiquetage nutritionnel, 21
  Éviter le gaspillage, 22
  Faire les courses, 15, 19-21, 31
  Importations, 6, 7-8, 9, 10, 11
  Mise en conserve, 16
  Prêts-à-servir, 20-21
  Saisonniers, 15-16, 29
  Transformés, 58, 117, 333
Aliments canadiens, 6-8, 31
  Légumes et fruits, 6-7
  Produits céréaliers, 8
  Produits laitiers, 8-9, 31
  Produits locaux, 14, 29-31
  Viandes et substituts, 9-10
Amandes. *Voir aussi* Noix
  Amandes épicées, 90
  Carrés aux amandes et aux abricots, 344
  Douceur à l'orge, 365
  Farce pour volaille, 315
  Gâteau aux carottes et aux amandes, 348
  Pain canneberges-bananes aux amandes, 330
  Salade de quinoa aux amandes et aux fruits, vinaigrette à l'érable, 166
  Salade de radicchio, 156
  Tarte au chocolat, à l'orange et aux amandes, 353
  Tartelettes à la citrouille, croûte d'amandes, 354
Amarante, 295
Ananas, 20
  Muffins à la citrouille, aux noix et au son (variante), 319
  Porc aigre-doux, 218
Anis étoilé, 122
Antioxydants, 292
Appareils électriques, petits, 61
Arachides et beurre d'arachide
  Bœuf sichuanais, 200
  Hummos aux poivrons rouges grillés et au fromage feta (variante), 99
Salade de laitue à feuilles rouges, vinaigrette à la mangue, 149
Sauce aux arachides, 202
Asperges, 293, 297
  Asperges au citron rôties, 297
  Linguines aux asperges, au citron et à l'aneth, 251
  Œufs brouillés aux légumes à ma façon, 40
  Pâtes aux légumes grillés, 280
  Salade niçoise, 157
Assaisonnements, 118-119, 183. *Voir aussi* les noms des assaisonnements
Aubergine, 281
  Curry marocain aux légumes, 272
  Lasagne à l'aubergine, 287
  Pâtes aux légumes grillés, 280
  Rôti de bœuf et légumes à la méditerranéenne, 196
  Sauce à l'aubergine, 279
Avocat
  Crêpes à la semoule de maïs, garniture à l'avocat, 50
  Guacamole aux petits pois, 95
  Soupe aux haricots Pinto garnie de lanières de tortilla, 130
  Sushis au crabe et aux patates douces faciles à préparer, 111
  Wrap à la manière d'un sushi, 67
Avoine, 33, 339
  Biscuits aux pommes et à l'avoine grillée, 339
  Carrés aux amandes et aux abricots, 344
  Céréales à déjeuner chaudes, 35
  Céréales de grains entiers aux fruits et aux noix, beurre d'amande et miel, 36
  Hamburgers végétariens aux légumineuses, 260

Mini-pains de viande au cheddar, 221

Muffins à l'avoine, aux dattes et aux noix, 324

Muffins à l'avoine et aux petits fruits, 322

Muffins au son de blé, à l'avoine et aux abricots, 321

Muffins streusel à l'avoine et à l'érable, 323

B

Babeurre

Muffins au son de blé, à l'avoine et aux abricots, 321

Pain aux bananes super moelleux de maman, 329

Sauce à salade crémeuse aux herbes faible en gras, 141

Sauce à salade Ranch poivrée, 155

Bananes

Banane royale fouettée, 371

Boisson fouettée aux petits fruits, 57

Muffins à la citrouille, aux noix et au son (variante), 319

Pain aux bananes super moelleux de maman, 329

Pain canneberges-bananes aux amandes, 330

Salade de fruits froide pour nos beaux jours d'hiver, 144

Sucettes glacées aux saveurs tropicales, 370

Basilic. Voir Pesto

Betteraves, 293

Gelée de betteraves, 101

Salade de betteraves jaunes, 158

Bien manger avec le Guide alimentaire canadien, 6, 13

Bifteck à l'asiatique, 199

Biscuits, 336-342

Biscuits à la mélasse, 340

Blé, 8, 104, 296. *Voir aussi* Son de blé; Boulgour; Germe de blé

Salade de seigle aux tomates (variante), 164

Bleuets. *Voir aussi* Petits fruits

Crêpes en forme de petits cochons, 46

Filets de porc, chutney aux bleuets, 215

Gâteau aux bleuets et au yogourt, 347

Meringue en forme de couronnes, crème de citron à la ricotta, et bleuets, 356

Muffins au son et aux bleuets, 320

Muffins orange-canneberges aux graines de lin (variante), 325

Vinaigrette aux bleuets, 140

Bœuf. *Voir aussi* Bœuf cuit

Bifteck à l'abricot et au romarin, 198

Bifteck à l'asiatique, 199

Bœuf à l'orange et au gingembre, 201

Bœuf sichuanais, 200

Boulettes de dinde extra moelleuses (variante), 189

Boulettes de viande du jeune Eben, 63

Brioches façon pizzas, 64

Cannellonis au veau à la florentine (variante), 210

Contre-filet, sauce forestière, 197

Kébabs de bœuf, sauce aux arachides, 202

Pain de viande aux fruits farci au fromage bleu, 207

Pâté chinois des jours ensoleillés, 206

Poivrons farcis au quinoa, 208

Rôti de bœuf et légumes à la méditerranéenne, 196

Soupe aux mini-boulettes de viande, 136

Wraps arc-en-ciel à la laitue (variante), 103

Bœuf cuit

Canapé de rôti de bœuf et d'oignons caramélisés sur portobello, 81

Chow mein aux légumes (variante), 277

Cinq hors-d'œuvre de pâte phyllo sans beurre, 115

Pâté au bœuf, 204

Poivrons farcis au quinoa (variante), 208

Bœuf sichuanais, 200

Boissons de soya, 8, 34

Boulettes de viande, 63, 136

Boulettes de viande du jeune Eben, 63

Boulgour, 104

Salade de boulgour au brocoli, aux radis et au céleri, 165

Wraps à la laitue, au boulgour et aux légumes, 104

Braisage, 195

Brioches façon pizzas, 64

Brochettes de tortellinis, 114

Brocoli, 293

Casserole de pâtes aux légumes et au fromage, 286

Chow mein aux légumes, 277

Linguines aux asperges, au citron et à l'aneth (variante), 251

Mini-quiches personnalisées sans croûte, 42

Pâtes à la saucisse de dinde et au brocoli, 188

Pâtes aux épinards et aux haricots noirs, 284

Pâtes, sauce au poulet et aux légumes, 184

Potage au brocoli et au fromage, 123

Quinoa à la méditerranéenne, 313

Salade de boulgour au brocoli, aux radis et au céleri, 165

Soupe au chou-fleur et au poivron rouge, grillés (variante), 124

Burgers aux portobellos garnis de fromage, 263

C

Cacao en poudre, 351. *Voir aussi* Chocolat

Canard, 9, 191

Canard à l'orange, 190

Poitrines de canard grillées, sauce à la grenade, 192

Canard à l'orange, 190

Canneberges, 7

Biscuits aux canneberges et à la citrouille, 342

Bouchées d'abricots, 114

Couscous à la courge à la mijoteuse (variante), 276

Escalopes de dinde aux canneberges, 185

Farce pour volaille, 315

Filets de porc à l'érable et à la moutarde accompagnés de pommes sautées (variante), 214

Muffins orange-canneberges aux graines de lin, 325

Pain à l'orange et aux noix (variante), 331

Pain canneberges-bananes aux amandes, 330

Pain de viande aux fruits farci au fromage bleu, 207

Petit pain au poulet, 71

Poulet sauté, sauce fruitée (variante), 175

Purée de courge, 304

Salade de quinoa aux amandes et aux fruits, vinaigrette à l'érable, 166

Salade de seigle aux tomates, 164

Salade fraîcheur aux lentilles, 82

Carottes, 293

Carottes à l'estragon cuites à la vapeur, 299

Casserole de pâtes aux légumes et au fromage, 286

Couscous Primavera, 314

Curry de crevettes et carottes en rubans, 249

Curry marocain aux légumes, 272

Gajrela, 364

Gâteau aux carottes et aux amandes, 348

Hamburgers végétariens aux légumineuses, 260

Kugel de pommes de terre sans gluten, 274

Muffins du jardin, 327

Pâtes à la saucisse de dinde et au brocoli (variante), 188

Pilaf au tofu et aux légumes, 291

Potage au brocoli et au fromage, 123

Quiche aux courgettes, aux carottes et au cheddar fumé en croûte de pommes de terre, 259

Salade du jardin au goût des enfants, 155

Soupe au chou-fleur et au poivron rouge, grillés, 124

Soupe d'hiver aux légumes-racines, 127

Wrap à la manière d'un sushi, 67

Carvi, 11

Céleri et céleri-rave, 293

Chili au poulet léger et facile à préparer, 181

Chow mein aux légumes, 277

Porc aigre-doux, 218

Poulet, sauce à l'aneth, 179

Salade de boulgour au brocoli, aux radis et au céleri, 165

Salade de chou fraîche, 152

Salade de poulet au cari à l'indienne, 85

Cerises

Curry au poulet, 183

Muffins orange-canneberges aux graines de lin (variante), 325

Petites meringues aux cerises séchées et aux pistaches grillées, 338

Pouding à l'orge et à l'érable, 366

Champignons, 205, 265, 294

Bœuf à l'orange et au gingembre, 201

Burgers aux portobellos garnis de fromage, 263

Canapé au brie et aux noix sur portobello, 81

Chow mein aux légumes, 277

Contre-filet, sauce forestière, 197

Farce pour volaille, 315

Farfalles aux légumes, 310

Hamburgers végétariens aux légumineuses, 260

Orge aux champignons et aux oignons caramélisés, 312

Pâtes aux rapinis et aux crevettes, 250

Pirojkis aux pommes de terre et au fromage (variante), 108

Portobellos farcis au fromage à la crème, 264

Risotto aux champignons et au fromage, 311

Rôti de bœuf et légumes à la méditerranéenne, 196

Soupe au poulet et aux tortellinis, 133

Soupe aux oignons caramélisés et aux champignons grillés, 125

Soupe d'hiver aux légumes-racines, 127

Strata au tofu à la méditerranéenne, 110

Chapelure, 137

Châtaignes d'eau

Poivrons farcis au quinoa, 208

Wraps arc-en-ciel à la laitue, 103

Cheddar
   Boulettes de viande du jeune
      Eben, 63
   Brioches façon pizzas, 64
   Casserole de pâtes aux légumes
      et au fromage, 286
   Galettes aux pacanes, 262
   Kugel de pommes de terre sans
      gluten, 274
   Lasagne au tofu et aux épinards,
      288
   Mini-pains de viande au cheddar,
      221
   Purée de courge, 304
   Quiche aux courgettes, aux
      carottes et au cheddar fumé
      en croûte de pommes de
      terre, 259
   Risotto aux champignons et au
      fromage, 311
   Sandwich au fromage fondu à ma
      façon, 78
   Tacos aux lentilles vite faits, 268
   Terrine à l'orge, 275
   Tranches de pomme relevées,
      114
Chocolat, 177, 335
   Biscuits au kamut et à l'épeautre
      aux grains de chocolat, 336
   Biscuits aux canneberges et à la
      citrouille (variante), 342
   Biscuits aux pommes et à
      l'avoine grillée, 339
   Brownies aux haricots noirs, 343
   Crêpes à la mousse au chocolat
      blanc et à la mangue, garnies
      de mûres, 358
   Crêpes en forme de petits
      cochons, 46
   Petites meringues aux cerises
      séchées et aux pistaches
      grillées (variante), 338
   Poires rôties à l'érable, garnies
      de copeaux de chocolat et de
      noisettes grillées, 360

Poulet, sauce au piment et au
   chocolat, à la mexicaine, 176
Roues aux dattes et aux noix
   (variante), 341
Tarte au chocolat, à l'orange et
   aux amandes, 353
Tour de cupcakes au chocolat,
   350
Chou
   Chou rouge braisé, 298
   Salade de chou fraîche, 152
Chou frisé, 293. *Voir aussi*
   Légumes verts
Chou-fleur, 294
   Chou-fleur, pommes de terre
      et pois chiches à l'indienne,
      300
   Chow mein aux légumes, 277
   Soupe au chou-fleur et au
      poivron rouge, grillés, 124
Chou-fleur, pommes de terre et pois
   chiches à l'indienne, 300
Choux de Bruxelles, 293
Chow Mein aux légumes, 277
Chutney à la mangue
   Curry au poulet, 183
   Puri aux pois chiches à
      l'indienne, 94
   Salade de poulet au cari à
      l'indienne, 85
   Vinaigrette à la mangue, 149
Ciboulette, 70
Citron
   Asperges au citron rôties, 297
   Biscuits au citron et à la lavande,
      337
   Crème de citron à la ricotta, 356
   Linguines aux asperges, au citron
      et à l'aneth, 251
   Poitrines de poulet grillées au
      citron et à l'ail, 178
   Salade aux agrumes et au
      fenouil, 153
   Sorbet aux litchis (variante), 368
   Tendre poulet rôti au citron, 170

Citron vert
   Poisson en papillote à la
      thaïlandaise, 231
   Sauce à salade crémeuse au
      piment et au citron vert, 141
   Sorbet aux litchis, 368
Cœurs d'artichaut
   Quinoa à la méditerranéenne,
      313
   Trempette chaude aux épinards
      et aux artichauts, 97
Collations, 90-94
Colza, 10
Compostage, 22
Concombre
   Guedille de mon enfance, 69
   Salade de concombre et de
      melon d'eau, 145
   Salade de seigle aux tomates,
      164
   Salade de son propre jardin
      d'herbes, 154
   Salade du jardin au goût des
      enfants, 155
   Wrap à la manière d'un sushi, 67
Coriandre, 11, 93, 94
Courge, 294, 305. *Voir aussi* Purée
   de citrouille
   Courge à l'érable délicieuse et
      vite préparée, 305
   Courge spaghetti, sauce rouge
      aux palourdes, 252
   Couscous à la courge à la
      mijoteuse, 276
   Frittata à la courge musquée,
      aux épinards et à la feta, 258
   Muffins à l'avoine, aux dattes et
      aux noix (variante), 324
   Pâtes aux légumes grillés, 280
   Potage à la courge musquée et
      aux haricots blancs au cari,
      129
   Purée de courge, 304
   Succotash à la courge, au maïs et
      aux haricots, 270

Courgettes, 294
 Couscous à la courge à la
  mijoteuse, 276
 Crêpes au maïs et aux
  courgettes, 49
 Curry marocain aux légumes,
  272
 Farfalles aux légumes, 310
 Muffins du jardin, 327
 Pâtes aux légumes grillés
  (variante), 280
 Quiche aux courgettes, aux
  carottes et au cheddar fumé
  en croûte de pommes de
  terre, 259
 Rôti de bœuf et légumes à la
  méditerranéenne, 196
 Strata au tofu à la
  méditerranéenne, 110
Couscous, 273
 Couscous à la courge à la
  mijoteuse, 276
 Couscous Primavera, 314
 Curry marocain aux légumes,
  272
Couteaux, 60
Crabe, 223. *Voir aussi* Fruits de
 mer
Crème sure, 87
 Lasagne végétarienne épicée,
  290
 Sauce yogourt vanille et érable,
  142
 Trempette chaude aux épinards
  et aux artichauts, 97
Crêpes à la mousse au chocolat
 blanc et à la mangue, garnies de
 mûres, 358
Crêpes au saumon fumé, 53
Crêpes en forme de petits cochons,
 46
Crêpes et gaufres, 44-53, 358
Crevettes, 223, 248, 249. *Voir aussi*
 Fruits de mer
 Bouillabaisse aux crevettes, 248

Croquettes de poisson
 savoureuses (variante), 227
 Curry de crevettes et carottes en
  rubans, 249
 Linguines aux asperges, au
  citron et à l'aneth, 251
 Pâtes aux rapinis et aux crevettes,
  250
 Risotto aux pétoncles (variante),
  246
 Soupe au poulet à l'asiatique
  (variante), 134
Croquettes de poisson savoureuses,
 227
Croustilles de pita assaisonnées, 92
Cuisine, mettre de l'ordre dans la,
 18-19, 22
Cuisiner, 11, 13-14, 16-17, 27-28.
 Voir aussi Petit cours de cuisine
 familiale; Recettes
 Termes culinaires courants, 89
 Ustensiles et appareils de
  cuisine, 60-61, 335
Cuisson au four, 169
Cuisson sous le gril, 169
Cumin, 181
Curry de crevettes et carottes en
 rubans, 249
Curry marocain aux légumes, 272

D

Dattes, 341
 Couscous à la courge à la
  mijoteuse (variante), 276
 Curry au poulet (variante), 183
 Muffins à l'avoine, aux dattes et
  aux noix, 324
 Roues aux dattes et aux noix,
  341
 Salade de poulet au cari à
  l'indienne, 85
Déglacer, 175
Diététistes du Canada, Les, 5,
 23
Dinde, 9, 168. *Voir aussi* Poulet

Boulettes de dinde extra
 moelleuses, 189
Dinde barbecue à la moutarde à
 l'estragon, 186
Escalopes de dinde áux
 canneberges, 185
Jambalaya épicé au riz brun, 187
Pâtes à la saucisse de dinde et au
 brocoli, 188
Soupe à la dinde et au riz sauvage,
 135

E

Édulcorants, 335
Endive
 Salade d'endive en hors-d'œuvre,
  102
 Trempette au yogourt et à
  l'aneth, 96
Enfants. *Voir aussi* Petit cours de
 cuisine familiale
 Faire la cuisine avec les, 13, 17
 Lunchs pour les, 58-59
Épeautre, 295
 Biscuits au kamut et à l'épeautre
  aux grains de chocolat, 336
Épices, 11, 173, 183
Épinards. *Voir aussi* Feuilles de
 laitue
 Burgers aux portobellos garnis
  de fromage, 263
 Cannellonis au veau à la
  florentine, 210
 Crêpes au saumon fumé, 53
 Curry marocain aux légumes,
  272
 Farfalles aux légumes, 310
 Frittata à la courge musquée,
  aux épinards et à la feta,
  258
 Lasagne à l'aubergine, 287
 Lasagne au tofu et aux épinards,
  288
 Les épinards de Popeye le vrai
  marin, 303

Mini-quiches personnalisées sans croûte, 42

Pâtes aux épinards et aux haricots noirs, 284

Quiche sans croûte aux épinards et au pesto, 41

Roulés de sole au fromage à la crème, 240

Salade aux poires et au fromage haloumi, 150

Salade d'épinards au saumon grillé, à la mangue et aux framboises, 234

Salade d'épinards et de fromage de chèvre, 147

Soupe au poulet et aux tortellinis, 133

Soupe aux épinards, 121

Soupe aux mini-boulettes de viande, 136

Tourte aux spaghettis et aux épinards, 285

Trempette chaude aux épinards et aux artichauts, 97

Truite aux épinards à la grecque, 243

Étiquetage nutritionnel, 21

F

Farce pour volaille, 315

Fenouil

Bouillabaisse aux crevettes, 248

Poisson en papillote à la toscane, 230

Rôti de longe de porc, farce au fenouil et aux pommes, 211

Salade aux agrumes et au fenouil, 153

Feuilles de laitue, Salades. *Voir aussi* Roquette; Laitue

Salade aux agrumes et au fenouil, 153

Salade de radicchio, 156

Salade du printemps au poulet et aux fruits, 151

Salade verte, vinaigrette aux pommes et au vinaigre balsamique, 146

Fibres, 29, 316, 317

Fines herbes, 182. *Voir aussi* les noms des fines herbes

Fleurs de patates douces, 306

Fondation canadienne de la recherche en diététique (FCRD), 5

Fraises. *Voir aussi* Petits fruits

Banane royale fouettée, 371

Cinq hors-d'œuvre de pâte phyllo sans beurre, 115

Filets de porc, chutney à la rhubarbe (variante), 216

Fraises grillées au yogourt à la vanille, 362

Salade verte, vinaigrette aux pommes et au vinaigre balsamique, 146

Sauce aux fraises et au sirop d'érable, 55

Framboises. *Voir aussi* Petits fruits

Banane royale fouettée (variante), 371

Gâteau aux bleuets et au yogourt (variante), 347

Muffins au son et aux bleuets (variante), 320

Pêches et framboises rôties aux biscuits amaretti, 359

Salade d'épinards au saumon grillé, à la mangue et aux framboises, 234

Salade d'épinards et de fromage de chèvre, 147

Vinaigrette aux framboises et à l'orange, 140

Fromage, 8-9, 34, 88, 228. *Voir aussi* Cheddar; Fromage à la crème; Quiches

Bouchées d'abricots, 114

Brochettes de fromage de chèvre et de raisins, 114

Burgers aux portobellos garnis de fromage, 263

Canapé au brie et aux noix sur portobello, 81

Cinq hors-d'œuvre de pâte phyllo sans beurre, 115

Crème de citron à la ricotta, 356

Enchiladas aux haricots noirs et au maïs, 269

Flétan, sauce aux tomates séchées et au fromage de chèvre, 228

Frittata à la courge musquée, aux épinards et à la feta, 258

Gajrela, 364

Hoummos aux poivrons rouges grillés et au fromage feta, 99

Lasagne à l'aubergine, 287

Lasagne végétarienne épicée, 290

Pain de viande aux fruits farci au fromage bleu, 207

Panini au poulet au pesto et au Monterey Jack, 76

Pâtes à la saucisse de dinde et au brocoli, 188

Pirojkis aux pommes de terre et au fromage, 108

Pizza aux légumes verts de l'été, 266

Plateau de fromages, La préparation d'un, 334

Poire caramélisée au brie, 114

Poires pochées au vin, farcies avec du bleu et des noix grillées, 361

Poisson blanc aux saveurs méditerranéennes, 229

Poivrons farcis au quinoa, 208

Potage au brocoli et au fromage, 123

Poulet à la grecque, 182

Risotto aux pétoncles, 246

Salade aux poires et au fromage haloumi, 150

Salade d'épinards et de fromage de chèvre, 147

Salade de roquette, de pomme et de bleu, 148

Salade de tomate, de fromage et de pois chiches, 83

Tourte aux spaghettis et aux épinards, 285

Trempette chaude aux épinards et aux artichauts, 97

Fromage à la crème, 88. *Voir aussi* Fromage

Crêpes au saumon fumé, 53

Gâteau au fromage comme en Allemagne, 346

Gâteau aux carottes et aux amandes, 348

Mini-gâteaux au fromage aux pacanes, 345

Piments jalapeños grillés, farcis (variante), 106

Portobellos farcis au fromage à la crème, 264

Roulés de sole au fromage à la crème, 240

Tartinade à panini polyvalente, 74

Fruits, 6-7, 30-31, 333

Congelés et surgelés, 16, 20

Fruits (comme ingrédient). *Voir aussi* Petits fruits; Fruits séchés; Jus de fruits; *Voir* les noms des fruits

Pirojkis aux fruits, 107

Plateau de fruits de saison, trempette au yogourt et au miel, 56

Poulet sauté, sauce fruitée, 175

Salade de concombre et de melon d'eau, 145

Salade de fruits froide pour nos beaux jours d'hiver, 144

Fruits de mer, 10, 222. *Voir aussi* Poisson; Crevettes

Courge spaghetti, sauce rouge aux palourdes, 252

Croquettes de poisson savoureuses (variante), 227

Guedilles au homard, 253

Moules au cari, 245

Moules, sauce tomate épicée, 244

Pétoncles aux agrumes, 113

Risotto aux pétoncles, 246

Sushis au crabe et aux patates douces faciles à préparer, 111

Tomates cerises farcies au crabe, 112

Fruits séchés. *Voir aussi* les noms des fruits

Céréales à déjeuner chaudes (variante), 35

Céréales de grains entiers aux fruits et aux noix, beurre d'amande et miel, 36

Douceur à l'orge (variante), 365

Pouding à l'orge et à l'érable (variante), 366

Salade de fruits chaude pour nos beaux jours d'hiver, 143

Salade du printemps au poulet et aux fruits, 151

G

Gajrela, 364

Gâteau au fromage comme en Allemagne, 346

Gâteaux, 347-351

Germe de blé

Céréales de grains entiers aux fruits et aux noix, beurre d'amande et miel, 36

Terrine à l'orge, 275

Gingembre, 80

Bœuf à l'orange et au gingembre, 201

Granité à la grenade, au gingembre et au clou de girofle, 369

Moules au cari, 245

Poisson en papillote à la thaïlandaise, 231

Sandwich ouvert à la salade de saumon, aux pommes et au gingembre, 80

Soupe aux patates douces, à l'orange et au gingembre, 128

Thé au gingembre, 35

Graines, 139. *Voir aussi* Graines de lin; Graines de tournesol

Pirojkis aux fruits (variante), 107

Puri cuits au garam massala, 93

Tomates farcies au pesto, 105

Vinaigrette au pamplemousse et aux graines de pavot, 141

Graines de lin moulues, 47

Biscuits au kamut et à l'épeautre aux grains de chocolat, 336

Boulettes de dinde extra moelleuses, 189

Céréales de grains entiers aux fruits et aux noix, beurre d'amande et miel, 36

Crêpes en forme de petits cochons, 46

Muffins à l'avoine, aux dattes et aux noix, 324

Muffins du jardin, 327

Muffins orange-canneberges aux graines de lin, 325

Graines de tournesol

Aiglefin en croûte de graines de tournesol, 225

Chaudrée de poulet et de maïs, 132

Curry de patates douces et de pois chiches, 271

Curry marocain aux légumes, 272

Fleurs de patates douces, 306

Frites de patates douces au four, mayonnaise au cari, 307

Grenade, 193

Granité à la grenade, au gingembre et au clou de girofle, 369

Poitrines de canard grillées, sauce à la grenade, 192

Salade d'endive en hors-d'œuvre, 102

Grillades, 195. *Voir aussi* Recettes au barbecue

Gros gibier
Gros gibier à la mijoteuse, 220
Mini-pains de viande au cheddar, 221

Guedille de mon enfance, 69

H

Hamburgers, 260-263

Haricots, 255. *Voir aussi* Haricots verts et jaunes; Pois chiches
Brownies aux haricots noirs, 343
Chili au poulet léger et facile à préparer, 181
Curry marocain aux légumes (variante), 272
Enchiladas aux haricots noirs et au maïs, 269
Hamburgers végétariens aux légumineuses, 260
Jambalaya épicé au riz brun, 187
Merveilleuse salade de haricots, 162
Œufs épicés pour le brunch, 38
Pasta e Fagioli, 283
Pâtes aux épinards et aux haricots noirs, 284
Pizza aux œufs brouillés et aux légumes, 66
Potage à la courge musquée et aux haricots blancs au cari, 129
Salade de boulgour au brocoli, aux radis et au céleri (variante), 165
Soupe aux haricots Pinto garnie de lanières de tortilla, 130
Succotash à la courge, au maïs et aux haricots, 270
Trempette piquante aux haricots blancs et au persil, 98
Wraps à la laitue, au boulgour et aux légumes (variante), 104

Haricots verts et jaunes, 294
Casserole de pâtes aux légumes et au fromage (variante), 286
Poulet, sauce à l'aneth (variante), 179
Salade de haricots verts et de pommes de terre grelots, 309
Salade niçoise, 157

Homard, 223. *Voir aussi* Fruits de mer

Hors-d'œuvre, 102-115

Hoummos. *Voir aussi* Pois chiches
Lasagne à l'aubergine, 287
Panini au poulet et au hoummos à la cajun, 77
Piments jalapeños grillés, farcis, 106

Huile de canola, 10

Huiles, 10, 139

Huîtres, 223. *Voir aussi* Fruits de mer

I

Ignames, 111. *Voir aussi* Patates douces

J

Jus d'orange
Bagatelle aux petits fruits frais, 355
Curry marocain aux légumes, 272
Escalopes de dinde aux canneberges, 185
Poulet sauté, sauce fruitée, 175
Saumon au four à l'orange et aux noix, 233
Sucettes glacées aux saveurs tropicales, 370
Vinaigrette à la ciboulette et aux agrumes, 140
Vinaigrette aux framboises et à l'orange, 140

Jus de fruits. *Voir aussi* les noms des fruits

Boisson fouettée aux petits fruits, 57
Pétoncles aux agrumes, 113
Soupe froide aux quatre petits fruits, 120

Jus de pomme
Vinaigrette asiatique, 140
Vinaigrette aux pommes et au vinaigre balsamique, 146

K

Kamut, 295, 296
Biscuits au kamut et à l'épeautre aux grains de chocolat, 336
Kugel de pommes de terre sans gluten, 274

L

Lait, 8, 9, 31, 34
Banane royale fouettée, 371
Casserole de pâtes aux légumes et au fromage, 286
Chaudrée de poulet et de maïs, 132
Douceur à l'orge, 365
Flétan, sauce aux tomates séchées et au fromage de chèvre, 228
Gajrela, 364
Maïs en crème maison, 302
Potage au brocoli et au fromage, 123
Pouding à l'orge et à l'érable, 366

Lait de coco
Curry de crevettes et carottes en rubans, 249
Curry de patates douces et de pois chiches, 271
Moules au cari, 245
Poisson en papillote à la thaïlandaise, 231
Sauce aux arachides, 202

Laitue. *Voir aussi* Feuilles de laitue, Salades
Guedille de mon enfance, 69

Salade de laitue à feuilles rouges, vinaigrette à la mangue, 149

Salade du jardin au goût des enfants, 155

Salade niçoise, 157

Tacos aux lentilles vite faits, 268

Wraps à la laitue, au boulgour et aux légumes, 104

Wraps arc-en-ciel à la laitue, 103

Lavande, 337

Légumes, 6, 7, 30-31, 299

Congélation, 16

Cuisson, 119, 293-295

Surgelés, 20

Légumes (comme ingrédient). *Voir aussi* les noms des légumes

Bouillon de légumes, 256

Chow mein aux légumes, 277

Farfalles aux légumes, 310

Fettuccinis, sauce crémeuse aux noix de cajou (variante), 282

Guedille de mon enfance, 69

Hamburgers végétariens aux légumineuses, 260

Légumes cuits à la vapeur, 295

Mini-quiches personnalisées sans croûte, 42

Pizza aux œufs brouillés et aux légumes, 66

Salade de boulgour au brocoli, aux radis et au céleri, 165

Soupe au poulet à l'asiatique, 134

Soupe d'hiver aux légumes-racines, 127

Légumes verts. *Voir aussi* Feuilles de laitue, Salades; Épinards

Pâtes aux rapinis et aux crevettes, 250

Pizza aux légumes verts de l'été, 266

Légumineuses, 9, 10, 255, 257. *Voir aussi* Haricots; Pois chiches; Lentilles

Lentilles, 255

Salade aux tomates et aux lentilles vite faite, 163

Salade de boulgour au brocoli, aux radis et au céleri (variante), 165

Salade fraîcheur aux lentilles, 82

Tacos aux lentilles vite faits, 268

Locavore, 29

Lunchs, 58, 59

M

Maïs, 8, 294. *Voir aussi* Semoule de maïs et polenta

Chaudrée de poulet et de maïs, 132

Crêpes au maïs et aux courgettes, 49

Enchiladas aux haricots noirs et au maïs, 269

Maïs en crème maison, 302

Muffins à la semoule de maïs et aux fines herbes, 328

Œufs épicés pour le brunch, 38

Pâté au bœuf (variante), 204

Pâté chinois des jours ensoleillés, 206

Poulet, sauce à l'aneth (variante), 179

Sandwich au fromage fondu à ma façon, 78

Soupe aux haricots Pinto garnie de lanières de tortilla, 130

Succotash à la courge, au maïs et aux haricots, 270

Maïs en crème maison, 302

Mangue, 235. *Voir aussi* Chutney à la mangue

Curry de patates douces et de pois chiches, 271

Mousse à la mangue, 367

Poisson en papillote à la thaïlandaise, 231

Salade d'épinards au saumon grillé, à la mangue et aux framboises, 234

Sorbet aux litchis (variante), 368

Marchés publics, 13, 14-15, 30

Marinade cajun, 73

Marinade méditerranéenne, 72

Marinades, 72-73

Matières grasses. *Voir aussi* Huiles

Acide gras essentiel, 222-223

Dans la viande hachée, 195

Gras trans, 333-334

Réduire les, 28-29, 87-88, 318

Mayonnaise, 87

Mayonnaise au cari, 307

Muffins à l'avoine et aux petits fruits, 322

Salade de chou fraîche, 152

Salade du printemps au poulet et aux fruits, 151

Saumon à la façon de la Côte Ouest, 236

Meringue en forme de couronnes, crème de citron à la ricotta, et bleuets, 356

Miel, 180

Carrés aux amandes et aux abricots, 344

Céréales de grains entiers aux fruits et aux noix, beurre d'amande et miel, 36

Filets de porc au miel et à l'aneth, 213

Trempette au yogourt et au miel, 56

Vinaigrette aux bleuets, 140

Mijotés, 195

Millet, 295, 296

Mini-quiches personnalisées sans croûte, 42

Mise en place, 27-28

Mois de la nutrition, 5

Moules, 223. *Voir aussi* Fruits de mer

Moutarde, 10, 213

Muffins, 317-328

Muffins à la citrouille, aux noix et au son, 319

N

Noisettes

Fraises grillées au yogourt à la vanille, 362

Muffins au sarrasin et aux pêches, garniture croquante aux noisettes, 326

Poires rôties à l'érable, garnies de copeaux de chocolat et de noisettes grillées, 360

Noix, 10, 37, 139. *Voir aussi*

Graines; *Voir* les noms des noix

Brochettes de fromage de chèvre et de raisins, 114

Canapé au brie et aux noix sur portobello, 81

Céréales à déjeuner chaudes (variante), 35

Céréales de grains entiers aux fruits et aux noix, beurre d'amande et miel, 36

Fettuccinis, sauce crémeuse aux noix de cajou, 282

Gâteau aux bleuets et au yogourt, 347

Muffins à l'avoine, aux dattes et aux noix, 324

Muffins à la citrouille, aux noix et au son, 319

Muffins du jardin (variante), 327

Pain à l'orange et aux noix, 331

Poires pochées au vin, farcies avec du bleu et des noix grillées, 361

Purée de courge, 304

Roues aux dattes et aux noix, 341

Salade d'endive en hors-d'œuvre, 102

Salade de betteraves jaunes, 158

Salade de chou fraîche, 152

Salade de fruits chaude pour nos beaux jours d'hiver (variante), 143

Salade de fruits froide pour nos beaux jours d'hiver (variante), 144

Salade de roquette, de pomme et de bleu (variante), 148

Saumon au four à l'orange et aux noix, 233

Terrine à l'orge, 275

Noix de coco, 231. *Voir aussi* Lait de coco

Glaçage, Tour de cupcakes au chocolat, 350

O

Œufs, 9

Chow mein aux légumes (variante), 277

Crème anglaise à l'érable, 363

Frittata à la courge musquée, aux épinards et à la feta, 258

Galettes aux pacanes, 262

Meringue en forme de couronnes, crème de citron à la ricotta, et bleuets, 356

Mini-quiches personnalisées sans croûte, 42

Œufs brouillés aux légumes à ma façon, 40

Œufs cuits dur, 34

Œufs épicés pour le brunch, 38

Petites meringues aux cerises séchées et aux pistaches grillées, 338

Petits pains aux poivrons et aux œufs, 62

Pizza aux œufs brouillés et aux légumes, 66

Quiche aux courgettes, aux carottes et au cheddar fumé en croûte de pommes de terre, 259

Quiche sans croûte aux épinards et au pesto, 41

Salade niçoise, 157

Sandwich roulé à la salade aux œufs, 70

Terrine à l'orge, 275

Tourte aux spaghettis et aux épinards, 285

Œufs épicés pour le brunch, 38

Oie, 191

Oignons

Canapé de rôti de bœuf et d'oignons caramélisés sur portobello, 81

Chili au poulet léger et facile à préparer, 181

Cinq hors-d'œuvre de pâte phyllo sans beurre, 115

Kébabs de bœuf, sauce aux arachides, 202

Oignons caramélisés, 74

Orge aux champignons et aux oignons caramélisés, 312

Pilaf au tofu et aux légumes, 291

Pirojkis aux pommes de terre et au fromage (variante), 108

Soupe aux oignons caramélisés et aux champignons grillés, 125

Soupe d'hiver aux légumes-racines, 127

Trempette chaude aux épinards et aux artichauts, 97

Olives

Poisson blanc aux saveurs méditerranéennes, 229

Poisson en papillote à la toscane, 230

Poulet à la grecque, 182

Quinoa à la méditerranéenne, 313

Salade aux tomates et aux lentilles vite faite (variante), 163

Salade de radicchio, 156

Orange. *Voir aussi* Jus d'orange

Bœuf à l'orange et au gingembre, 201

Bouillabaisse aux crevettes, 248
Canard à l'orange, 190
Crêpes à la mousse au chocolat blanc et à la mangue, garnies de mûres, 358
Muffins orange-canneberges aux graines de lin, 325
Pain à l'orange et aux noix, 331
Poulet rôti, farci aux pommes et aux oranges, 172
Poulet, sauce au piment et au chocolat, à la mexicaine, 176
Salade aux agrumes et au fenouil, 153
Salade d'épinards et de fromage de chèvre, 147
Salade de chou fraîche, 152
Salade fraîcheur aux lentilles, 82
Sorbet aux litchis (variante), 368
Soupe aux patates douces, à l'orange et au gingembre, 128
Tarte au chocolat, à l'orange et aux amandes, 353
Orge, 275, 295, 296
Céréales de grains entiers aux fruits et aux noix, beurre d'amande et miel, 36
Douceur à l'orge, 365
Orge aux champignons et aux oignons caramélisés, 312
Piments jalapeños grillés, farcis, 106
Poitrines de poulet grillées au citron et à l'ail, 178
Pouding à l'orge et à l'érable, 366
Quatre paninis exquis au poulet, 72-77
Salade d'épinards au saumon grillé, à la mangue et aux framboises, 234
Saumon à la façon de la Côte Ouest, 236
Terrine à l'orge, 275

P
Pacanes. *Voir aussi* Noix
Biscuits aux canneberges et à la citrouille (variante), 342
Galettes aux pacanes, 262
Mini-gâteaux au fromage aux pacanes, 345
Muffins du jardin, 327
Purée de courge (variante), 304
Tartelettes à la citrouille, croûte d'amandes (variante), 354
Pain, 20, 60
Pain aux bananes super moelleux de maman, 329
Pain de viande, 207, 221
Pains et petits pains (comme ingrédient). *Voir aussi* Pitas; Tortillas
Guedille de mon enfance, 69
Guedilles au homard, 253
Hamburgers végétariens aux légumineuses, 260
Muffins anglais au saumon crémeux, 68
Petit pain au poulet, 71
Petits pains aux poivrons et aux œufs, 62
Poire caramélisée au brie, 114
Quatre paninis exquis au poulet, 72-77
Sandwich au fromage fondu à ma façon, 78
Sandwich ouvert à la salade de saumon, aux pommes et au gingembre, 80
Sandwich ouvert au thon et au pesto, 79
Pak-choï, 294
Palourdes, 223. *Voir aussi* Fruits de mer
Chaudrée de poulet et de maïs (variante), 132
Panais, 294
Crème aux poires et aux panais grillés, 126

Soupe d'hiver aux légumes-racines, 127
Panini au poulet et au hommos à la cajun, 77
Panini au poulet et au poivron grillé à la cajun, 76
Paprika, 160
Patates douces. *Voir aussi* Pommes de terre
Pâté chinois des jours ensoleillés, 206
Salade de chou fraîche (variante), 152
Salade de fruits froide pour nos beaux jours d'hiver (variante), 144
Salade de quinoa aux amandes et aux fruits, vinaigrette à l'érable, 166
Salade de roquette, de pomme et de bleu, 148
Soupe aux patates douces, à l'orange et au gingembre, 128
Soupe d'hiver aux légumes-racines, 127
Succotash à la courge, au maïs et aux haricots, 270
Sushis au crabe et aux patates douces faciles à préparer, 111
Terrine à l'orge, 275
Pâte à pizza de blé entier, 267
Pâté chinois des jours ensoleillés, 206
Pâte phyllo
Cinq hors-d'œuvre de pâte phyllo sans beurre, 115
Truite aux épinards à la grecque, 243
Pâtes à la saucisse de dinde et au brocoli, 188
Pâtes aux rapinis et aux crevettes, 250
Pâtes et nouilles, 188, 285
Bœuf sichuanais, 200
Brochettes de tortellinis, 114

Cannellonis au veau à la florentine, 210

Casserole de pâtes aux légumes et au fromage, 286

Chow mein aux légumes, 277

Farfalles aux légumes, 310

Fettuccinis, sauce crémeuse aux noix de cajou, 282

Lasagne à l'aubergine (variante), 287

Lasagne au tofu et aux épinards, 288

Lasagne végétarienne épicée, 290

Linguines aux asperges, au citron et à l'aneth, 251

Pasta e Fagioli, 283

Pâtes à la saucisse de dinde et au brocoli, 188

Pâtes aux épinards et aux haricots noirs, 284

Pâtes aux légumes grillés, 280

Pâtes aux rapinis et aux crevettes, 250

Pâtes, sauce au poulet et aux légumes, 184

Salade de thon et de pâtes de blé entier, 84

Soupe au poulet et aux tortellinis, 133

Soupe aux épinards, 121

Soupe aux mini-boulettes de viande, 136

Tourte aux spaghettis et aux épinards, 285

Pêches, 242. *Voir aussi* Fruits (comme ingrédient)

Muffins au sarrasin et aux pêches, garniture croquante aux noisettes, 326

Muffins au son et aux bleuets (variante), 320

Pêches et framboises rôties aux biscuits amaretti, 359

Sorbet aux litchis (variante), 368

Truite glacée aux pêches, 242

Pesto

Panini au poulet au pesto et au Monterey Jack, 76

Pâtes, sauce au poulet et aux légumes, 184

Pizza aux légumes verts de l'été, 266

Quiche sans croûte aux épinards et au pesto, 41

Sandwich ouvert au thon et au pesto, 79

Tartinade à la sardine et au pesto, 100

Tomates farcies au pesto, 105

Petit cours de cuisine familiale

Ajoutez du goût, pas du sel, 118-119

Braisage et cuisson en ragoût, 195

Comment cuire les céréales, 296

Comment mesurer les ingrédients, 59

Comment préparer le bouillon de légumes, 256

Comment rôtir et griller les fruits, 333

Cuisson des haricots secs, 257

Légumes cuits à la vapeur, 295

Œufs cuits dur, 34

Poisson en papillote, 224

Préparation d'un plateau de fromages, 334

Préparation des muffins, 317-318

Réussir la cuisson du poisson!, 223

Rôtissage ou cuisson sous le gril?, 169

Termes culinaires courants, 89

Ustensiles et appareils de cuisine, 60-61

Vinaigrettes et sauces à salade, 140-141

Petit-déjeuner, 32-33

Petites meringues aux cerises séchées et aux pistaches grillées, 338

Petits fruits. *Voir aussi* les noms des petits fruits

Bagatelle aux petits fruits frais, 355

Boisson fouettée aux petits fruits, 57

Crêpes à la mousse au chocolat blanc et à la mangue, garnies de mûres, 358

Mousse à la mangue, 367

Muffins à l'avoine et aux petits fruits, 322

Plateau de fruits de saison, trempette au yogourt et au miel, 56

Salade de fruits d'été, sauce yogourt vanille et érable, 142

Soupe froide aux quatre petits fruits, 120

Petits pois

Bœuf sichuanais, 200

Casserole de pâtes aux légumes et au fromage (variante), 286

Chow mein aux légumes, 277

Couscous Primavera, 314

Guacamole aux petits pois, 95

Muffins anglais au saumon crémeux, 68

Pâté au bœuf, 204

Pâtes à la saucisse de dinde et au brocoli (variante), 188

Pilaf au tofu et aux légumes, 291

Pizza aux légumes verts de l'été, 266

Poulet, sauce à l'aneth, 179

Salade de pommes de terre aux fines herbes, 159

Salade de thon et de pâtes de blé entier, 84

Velouté aux petits pois et à l'estragon, 122

Pétoncles, 223. *Voir aussi* Fruits de mer

Phytonutriments, 292

Piments
- Chou-fleur, pommes de terre et pois chiches à l'indienne, 300
- Curry de patates douces et de pois chiches, 271
- Enchiladas aux haricots noirs et au maïs, 269
- Guacamole aux petits pois, 95
- Jambalaya épicé au riz brun, 187
- Muffins à la semoule de maïs et aux fines herbes, 328
- Pâtes aux légumes grillés (variante), 280
- Piments jalapeños grillés, farcis, 106
- Poulet, sauce au piment et au chocolat, à la mexicaine, 176
- Soupe aux haricots Pinto garnie de lanières de tortilla, 130
- Trempette piquante aux haricots blancs et au persil, 98

Piments jalapeños. *Voir* Piments, Poivrons

Pirojkis, 107-109

Pistaches. *Voir aussi* Noix
- Brochettes de fromage de chèvre et de raisins, 114
- Cinq hors-d'œuvre de pâte phyllo sans beurre, 115
- Petites meringues aux cerises séchées et aux pistaches grillées, 338

Pitas
- Burgers aux portobellos garnis de fromage, 263
- Croustilles de pita assaisonnées, 92

Pizza, 266
- Pâte à pizza de blé entier, 267
- Pâte à pizza surgelée, 20

Pizza aux légumes verts de l'été, 266

Poire caramélisée au brie, 114

Poires. *Voir aussi* Fruits (comme ingrédient)
- Crème aux poires et aux panais grillés, 126

Poire caramélisée au brie, 114

Poires pochées au vin, farcies avec du bleu et des noix grillées, 361

Poires rôties à l'érable, garnies de copeaux de chocolat et de noisettes grillées, 360

Salade aux poires et au fromage haloumi, 150

Salade d'endive en hors-d'œuvre, 102

Salade de fruits chaude pour nos beaux jours d'hiver, 143

Salade de roquette, de pomme et de bleu (variante), 148

Sorbet aux litchis (variante), 368

Pois chiches, 255. *Voir aussi* Hommos
- Chili au poulet léger et facile à préparer, 181
- Chou-fleur, pommes de terre et pois chiches à l'indienne, 300
- Couscous à la courge à la mijoteuse, 276
- Couscous Primavera (variante), 314
- Curry de patates douces et de pois chiches, 271
- Curry marocain aux légumes, 272
- Hommos aux poivrons rouges grillés et au fromage feta, 99
- Pasta e Fagioli, 283
- Pois chiches grillés, 91
- Puri aux pois chiches à l'indienne, 94
- Quinoa à la méditerranéenne, 313
- Salade de boulgour au brocoli, aux radis et au céleri (variante), 165
- Salade de tomate, de fromage et de pois chiches, 83
- Wraps à la laitue, au boulgour et aux légumes, 104

Poisson, 9, 10, 223, 224. *Voir aussi* Saumon et omble; Fruits de mer
- Aiglefin en croûte de graines de tournesol, 225
- Bouillabaisse aux crevettes, 248
- Flétan, sauce aux tomates séchées et au fromage de chèvre, 228
- Poisson « frit » au four, 226
- Poisson blanc aux saveurs méditerranéennes, 229
- Poisson en papillote à la thaïlandaise, 231
- Poisson en papillote à la toscane, 230
- Roulés de sole au fromage à la crème, 240
- Salade de thon et de pâtes de blé entier, 84
- Sandwich ouvert au thon et au pesto, 79
- Soupe au poulet à l'asiatique (variante), 134
- Tartinade à la sardine et au pesto, 100
- Truite arc-en-ciel en croûte de poivre, 241
- Truite aux épinards à la grecque, 243
- Truite glacée aux pêches, 242

Poisson « frit » au four, 226

Poisson en papillote à la thaïlandaise, 231

Poisson en papillote à la toscane, 230

Poivrons, 124. *Voir aussi* Poivrons rouges, grillés
- Bœuf sichuanais, 200
- Chili au poulet léger et facile à préparer, 181
- Curry de patates douces et de pois chiches, 271
- Curry marocain aux légumes, 272
- Enchiladas aux haricots noirs et au maïs, 269

Hamburgers végétariens aux légumineuses, 260

Hoummos aux poivrons rouges grillés et au fromage feta, 99

Jambalaya épicé au riz brun, 187

Kébabs de bœuf, sauce aux arachides, 202

Pâtes aux légumes grillés, 280

Petits pains aux poivrons et aux œufs, 62

Poisson en papillote à la thaïlandaise, 231

Poivrons farcis au quinoa, 208

Poulet à la grecque, 182

Rôti de bœuf et légumes à la méditerranéenne, 196

Salade de thon et de pâtes de blé entier, 84

Salade de tomate, de fromage et de pois chiches, 83

Wraps arc-en-ciel à la laitue, 103

Poivrons rouges, grillés

Œufs brouillés aux légumes à ma façon, 40

Panini au poulet et au poivron grillé à la cajun, 76

Quinoa à la méditerranéenne, 313

Salade de poivrons grillés, de tomates et de pommes de terre, 161

Soupe au chou-fleur et au poivron rouge, grillés, 124

Pomme. *Voir aussi* Jus de pomme

Biscuits aux canneberges et à la citrouille (variante), 342

Biscuits aux pommes et à l'avoine grillée, 339

Canard à l'orange, 190

Chou rouge braisé, 298

Compote de pommes, crème anglaise à l'érable, 363

Curry au poulet, 183

Filets de porc à l'érable et à la moutarde accompagnés de pommes sautées, 214

Fricadelles de porc aux pommes et à la sauge, 54

Muffins à l'avoine, aux dattes et aux noix, 324

Muffins à la citrouille, aux noix et au son (variante), 319

Pain aux bananes super moelleux de maman, 329

Petit pain au poulet, 71

Pouding chômeur à ma façon, 352

Poulet rôti, farci aux pommes et aux oranges, 172

Poulet sauté, sauce fruitée, 175

Puri aux pois chiches à l'indienne, 94

Rôti de longe de porc, farce au fenouil et aux pommes, 211

Salade aux poires et au fromage haloumi (variante), 150

Salade de chou fraîche (variante), 152

Salade de fruits chaude pour nos beaux jours d'hiver, 143

Salade de laitue à feuilles rouges, vinaigrette à la mangue, 149

Salade de quinoa aux amandes et aux fruits, vinaigrette à l'érable, 166

Salade de roquette, de pomme et de bleu, 148

Sandwich au fromage fondu à ma façon, 78

Sandwich ouvert à la salade de saumon, aux pommes et au gingembre, 80

Sauce aux fraises et au sirop d'érable, 55

Tranches de pomme relevées, 114

Pommes de terre, 6-7, 308. *Voir aussi* Patates douces

Chou-fleur, pommes de terre et pois chiches à l'indienne, 300

Croquettes de poisson savoureuses, 227

Frittata à la courge musquée, aux épinards et à la feta, 258

Gratin dauphinois, 308

Gros gibier à la mijoteuse, 220

Kugel de pommes de terre sans gluten, 274

Œufs brouillés aux légumes à ma façon, 40

Pâté au bœuf, 204

Pilaf au tofu et aux légumes, 291

Pirojkis aux pommes de terre et au fromage, 108

Puri aux pois chiches à l'indienne, 94

Quiche aux courgettes, aux carottes et au cheddar fumé en croûte de pommes de terre, 259

Salade de haricots verts et de pommes de terre grelots, 309

Salade de poivrons grillés, de tomates et de pommes de terre, 161

Salade de pommes de terre aux fines herbes, 159

Salade de pommes de terre rouges très épicée, 160

Salade niçoise, 157

Soupe d'hiver aux légumes-racines, 127

Porc. *Voir aussi* Saucisse

Boulettes de dinde extra moelleuses (variante), 189

Cannellonis au veau à la florentine (variante), 210

Côtelettes d'agneau grillées à la moutarde de Dijon (variante), 219

Côtelettes de porc grillées, garniture à la moutarde et au parmesan, 217

Filets de porc à l'érable et à la moutarde accompagnés de pommes sautées, 214

Filets de porc au miel et à
l'aneth, 213

Filets de porc glacés à l'érable,
212

Filets de porc, chutney à la
rhubarbe, 216

Filets de porc, chutney aux
bleuets, 215

Fricadelles de porc aux pommes
et à la sauge, 54

Pain de viande aux fruits farci
au fromage bleu (variante),
207

Poitrines de poulet grillées au
citron et à l'ail (variante), 178

Poivrons farcis au quinoa
(variante), 208

Porc aigre-doux, 218

Rôti de longe de porc, farce au
fenouil et aux pommes, 211

Soupe aux mini-boulettes de
viande, 136

Wraps arc-en-ciel à la laitue
(variante), 103

Porc aigre-doux, 218

Portobellos farcis au fromage à la
crème, 264

Potage à la courge musquée et aux
haricots blancs au cari, 129

Pouding chômeur à ma façon, 352

Poudre à pâte et bicarbonate de
soude, 317

Poulet, 9, 20, 72. *Voir aussi* Poulet
cuit; Dinde

Cannellonis au veau à la
florentine (variante), 210

Chaudrée de poulet et de maïs,
132

Chili au poulet léger et facile à
préparer, 181

Curry au poulet, 183

Panini au poulet à la
méditerranéenne, 75

Panini au poulet au pesto et au
Monterey Jack, 76

Panini au poulet et au hoummos
à la cajun, 77

Panini au poulet et au poivron
grillé à la cajun, 76

Poitrines de poulet grillées au
citron et à l'ail, 178

Poivrons farcis au quinoa
(variante), 208

Poulet « frit » au four, 174

Poulet à la grecque, 182

Poulet épicé à l'indienne, 173

Poulet rôti, farci aux pommes et
aux oranges, 172

Poulet sauté, sauce fruitée, 175

Poulet, sauce à l'aneth, 179

Poulet, sauce au piment et au
chocolat, à la mexicaine, 176

Poulet, sauce douce et épicée,
180

Salade du printemps au poulet et
aux fruits, 151

Soupe au poulet à l'asiatique,
134

Soupe aux mini-boulettes de
viande, 136

Tendre poulet rôti au citron, 170

Wraps arc-en-ciel à la laitue, 103

Poulet à la grecque, 182

Poulet cuit, 172

Chow mein aux légumes
(variante), 277

Guedille de mon enfance
(variante), 69

Pâtes, sauce au poulet et aux
légumes, 184

Petit pain au poulet, 71

Poivrons farcis au quinoa
(variante), 208

Salade de poulet au cari à
l'indienne, 85

Soupe au poulet et aux
tortellinis, 133

Soupe aux épinards (variante),
121

Poulet épicé à l'indienne, 173

Produits céréaliers, céréales, 8,
295-296. *Voir aussi* les noms des
céréales

Biscuits au kamut et à l'épeautre
aux grains de chocolat, 336

Produits laitiers, 8-9, 34. *Voir aussi*
Fromage; Lait

Purée de citrouille. *Voir aussi*
Courge

Biscuits aux canneberges et à la
citrouille, 342

Crêpes à la citrouille, 48

Muffins à la citrouille, aux noix et
au son, 319

Tartelettes à la citrouille, croûte
d'amandes, 354

Puri, 93-94

Puri aux pois chiches à l'indienne, 94

Q

Quiches, 41-43, 259

Quinoa, 295, 296

Poivrons farcis au quinoa, 208

Quinoa à la méditerranéenne,
313

Salade de quinoa aux amandes
et aux fruits, vinaigrette à
l'érable, 166

R

Raisins. *Voir aussi* Fruits (comme
ingrédient)

Brochettes de fromage de chèvre
et de raisins, 114

Salade de laitue à feuilles rouges,
vinaigrette à la mangue, 149

Salade de poulet au cari à
l'indienne, 85

Salade du printemps au poulet et
aux fruits, 151

Raisins secs et raisins de Corinthe

Biscuits aux canneberges et à la
citrouille (variante), 342

Biscuits aux pommes et à
l'avoine grillée (variante), 339

Couscous à la courge à la mijoteuse, 276
Curry au poulet, 183
Douceur à l'orge, 365
Filets de porc, chutney à la rhubarbe, 216
Pain à l'orange et aux noix, 331
Salade de quinoa aux amandes et aux fruits, vinaigrette à l'érable, 166
Rapinis, 250. *Voir aussi* Légumes verts
Recettes, 27-29, 59. *Voir aussi* Cuisine
Essayer de nouvelles recettes, 16-17
Lire et suivre une recette, 22-26
Recettes à la mijoteuse
Couscous à la courge à la mijoteuse, 276
Gros gibier à la mijoteuse, 220
Sauce de base aux tomates italiennes, 278
Soupe à la dinde et au riz sauvage, 135
Recettes au barbecue. *Voir aussi* Hamburgers; Grillades
Bœuf sichuanais, 200
Contre-filet, sauce forestière, 197
Côtelettes d'agneau grillées à la moutarde de Dijon, 219
Dinde barbecue à la moutarde à l'estragon, 186
Filets de porc au miel et à l'aneth, 213
Repas, 11-12. *Voir aussi* Cuisine
Participation des membres de la famille, 12-17
Portions, grosseur des, 195
Rhubarbe, Filets de porc, chutney à la, 216
Ricotta. *Voir* Fromage
Riz, 8, 247, 296. *Voir aussi* Riz sauvage
Jambalaya épicé au riz brun, 187

Muffins anglais au saumon crémeux (Conseil), 68
Pilaf au tofu et aux légumes, 291
Risotto aux champignons et au fromage, 311
Risotto aux pétoncles, 246
Soupe à la dinde et au riz sauvage (variante), 135
Sushis au crabe et aux patates douces faciles à préparer, 111
Riz sauvage, 8, 296
Farce pour volaille, 315
Soupe à la dinde et au riz sauvage, 135
Roquette. *Voir aussi* Feuilles de laitue, Salades
Panini au poulet à la méditerranéenne, 75
Pizza aux légumes verts de l'été, 266
Salade de roquette, de pomme et de bleu, 148
Salade de son propre jardin d'herbes, 154
Salade de thon et de pâtes de blé entier, 84
Tranches de pommes relevées, 114
Rôti de bœuf et légumes à la méditerranéenne, 196
Rôtissage, 169

S

Salade aux agrumes et au fenouil, 153
Salade aux tomates et aux lentilles vite faite, 163
Salade de fruits chaude pour nos beaux jours d'hiver, 143
Salade de poulet au cari à l'indienne, 85
Salade de seigle aux tomates, 164
Salade de son propre jardin d'herbes, 154
Salade du jardin au goût des enfants, 155

Salade niçoise, 157
Salades, 82-85, 102, 138-167, 309
Ajouter des protéines, 139
Vinaigrettes et sauces à salade, 140-141
Salmonelle, 169
Sandwich au fromage fondu à ma façon, 78
Sandwich ouvert à la salade de saumon, aux pommes et au gingembre, 80
Sandwich ouvert au thon et au pesto, 79
Sandwichs et wraps, 67-81, 103-104
Sarrasin, 8, 52
Crêpes de sarrasin, 52
Muffins au sarrasin et aux pêches, garniture croquante aux noisettes, 326
Sauce à salade Ranch poivrée, 155
Sauce de base aux tomates italiennes, 278
Sauce tomate, 20
Brioches façon pizzas, 64
Lasagne à l'aubergine, 287
Lasagne au tofu et aux épinards, 288
Lasagne végétarienne épicée, 290
Poivrons farcis au quinoa, 208
Poulet, sauce douce et épicée, 180
Sauces et crème anglaise 55, 278, 279, 363
Saucisse
Jambalaya épicé au riz brun, 187
Pâtes à la saucisse de dinde et au brocoli, 188
Saumon à l'asiatique, 239
Saumon au scotch, 237
Saumon et omble. *Voir aussi* Poisson
Crêpes au saumon fumé, 53
Croquettes de poisson savoureuses, 227

Muffins anglais au saumon crémeux, 68

Salade d'épinards au saumon grillé, à la mangue et aux framboises, 234

Salade niçoise, 157

Sandwich ouvert à la salade de saumon, aux pommes et au gingembre, 80

Saumon à l'asiatique, 239

Saumon à la façon de la Côte Ouest, 236

Saumon au four à l'orange et aux noix, 233

Saumon au four au sirop d'érable, 238

Saumon au scotch, 237

Sushis au crabe et aux patates douces faciles à préparer (variante), 111

Wraps au saumon, 232

Saumure, 171

SeaChoice, 224

Sel, 31, 116-19, 171

Semoule de maïs et polenta

Crêpes à la semoule de maïs, garniture à l'avocat, 50

Muffins à la semoule de maïs et aux fines herbes, 328

Strata au tofu à la méditerranéenne, 110

Sirop d'érable, 10

Courge à l'érable délicieuse et vite préparée, 305

Crème anglaise à l'érable, 363

Filets de porc à l'érable et à la moutarde accompagnés de pommes sautées, 214

Filets de porc glacés à l'érable, 212

Muffins streusel à l'avoine et à l'érable, 323

Poire caramélisée au brie, 114

Poires rôties à l'érable, garnies de copeaux de chocolat et de noisettes grillées, 360

Pouding à l'orge et à l'érable, 366

Pouding chômeur à ma façon, 352

Salade de fruits chaude pour nos beaux jours d'hiver, 143

Sauce aux fraises et au sirop d'érable, 55

Sauce yogourt vanille et érable, 142

Saumon au four au sirop d'érable, 238

Saumon au scotch, 237

Vinaigrette à l'érable, 167

Sodium, 31, 60, 117

Son de blé

Muffins à la citrouille, aux noix et au son, 319

Muffins au son de blé, à l'avoine et aux abricots, 321

Muffins au son et aux bleuets, 320

Pain de viande aux fruits farci au fromage bleu, 207

Sorbet aux litchis, 368

Soupe au poulet à l'asiatique, 134

Soupe aux oignons caramélisés et aux champignons grillés, 125

Soupes, 21, 116-137

Soya, 10

Strata au tofu à la méditerranéenne, 110

Succotash à la courge, au maïs et aux haricots, 270

Sucettes glacées aux saveurs tropicales, 370

Sucre, 29, 318, 335

Sushis au crabe et aux patates douces faciles à préparer, 111

T

Tartinade à la sardine et au pesto, 100

Tofu

Carrés aux amandes et aux abricots, 344

Chow mein aux légumes (variante), 277

Crêpes à la mousse au chocolat blanc et à la mangue, garnies de mûres, 358

Lasagne au tofu et aux épinards, 288

Pilaf au tofu et aux légumes, 291

Soupe au poulet à l'asiatique (variante), 134

Strata au tofu à la méditerranéenne, 110

Tomates. *Voir aussi* Sauce tomate

Brochettes de tortellinis, 114

Cannellonis au veau à la florentine, 210

Chili au poulet léger et facile à préparer, 181

Courge spaghetti, sauce rouge aux palourdes, 252

Guacamole aux petits pois, 95

Guedille de mon enfance, 69

Moules, sauce tomate épicée, 244

Œufs épicés pour le brunch, 38

Pâtes aux épinards et aux haricots noirs, 284

Portobellos farcis au fromage à la crème, 264

Poulet à la grecque, 182

Quinoa à la méditerranéenne, 313

Salade aux tomates et aux lentilles vite faite, 163

Salade de poivrons grillés, de tomates et de pommes de terre, 161

Salade de seigle aux tomates, 164

Salade de son propre jardin d'herbes, 154

Salade de tomate, de fromage et de pois chiches, 83

Salade du jardin au goût des enfants, 155

Sauce à l'aubergine, 279

Sauce de base aux tomates italiennes, 278

Soupe au poulet et aux tortellinis, 133

Soupe aux haricots Pinto garnie de lanières de tortilla, 130

Soupe aux mini-boulettes de viande, 136

Strata au tofu à la méditerranéenne, 110

Tomates cerises farcies au crabe, 112

Tomates farcies au pesto, 105

Wraps à la laitue, au boulgour et aux légumes, 104

Tomates séchées, 230

Tortillas

Enchiladas aux haricots noirs et au maïs, 269

Œufs épicés pour le brunch, 38

Pizza aux œufs brouillés et aux légumes, 66

Sandwich roulé à la salade aux œufs, 70

Soupe aux haricots Pinto garnie de lanières de tortilla, 130

Wrap à la manière d'un sushi, 67

Trempette chaude aux épinards et aux artichauts, 97

Trempettes et tartinades 56, 74, 95-100

Trousser, 211

Truite, 241. *Voir aussi* Poisson

Truite arc-en-ciel en croûte de poivre, 241

Tzatziki maison, 40

U

Umami, 13

V

Vanille, 343

Veau

Boulettes de dinde extra moelleuses (variante), 189

Cannellonis au veau à la florentine, 210

Végétariens, 255

Les mets végétariens, 254-291

Viande, 9-10, 58, 118, 195. *Voir aussi* les noms des viandes

Viande de gibier, 221. *Voir aussi* Gros gibier

Vin et bière

Bifteck à l'abricot et au romarin, 198

Bouillabaisse aux crevettes, 248

Gros gibier à la mijoteuse, 220

Linguines aux asperges, au citron et à l'aneth, 251

Moules, sauce tomate épicée, 244

Pasta e Fagioli, 283

Poires pochées au vin, farcies avec du bleu et des noix grillées, 361

Poisson blanc aux saveurs méditerranéennes, 229

Risotto aux champignons et au fromage, 311

Risotto aux pétoncles, 246

Sauce à l'aubergine, 279

Soupe d'hiver aux légumes-racines, 127

Soupe froide aux quatre petits fruits, 120

Truite arc-en-ciel en croûte de poivre, 241

Vinaigre, 139, 203

Vinaigre balsamique, 139

Vinaigrette à la ciboulette et aux agrumes, 140

Vinaigrette asiatique, 140

Vinaigrette au pamplemousse et aux graines de pavot, 141

Vinaigrette César 141

Vitamine C, sources, 7

Volaille, 168, 169. *Voir aussi* Poulet; Canard; Dinde

W

Wrap à la manière d'un sushi, 67

Wraps arc-en-ciel à la laitue, 103

Y

Yogourt, 33, 57

Banane royale fouettée, 371

Boisson fouettée aux petits fruits, 57

Crêpes à la semoule de maïs, garniture à l'avocat, 50

Curry de patates douces et de pois chiches, 271

Fraises grillées au yogourt à la vanille, 362

Gâteau aux bleuets et au yogourt, 347

Mousse à la mangue, 367

Muffins à la semoule de maïs et aux fines herbes, 328

Muffins du jardin (variante), 327

Salade de chou fraîche, 152

Salade de thon et de pâtes de blé entier, 84

Sauce à salade crémeuse au piment et au citron vert, 141

Sauce à salade crémeuse aux herbes faible en gras, 141

Sauce à salade crémeuse relevée, 141

Sauce yogourt vanille et érable, 142

Soupe froide aux quatre petits fruits, 120

Sucettes glacées aux saveurs tropicales, 370

Tour de cupcakes au chocolat, 350

Trempette au yogourt et à l'aneth, 96

Trempette au yogourt et au miel, 56

Tzatziki maison, 40

Z

Zeste, retirer le, 349

Ressources

Les auteurs de ce livre veulent remercier tout particulièrement les organismes suivants de leur avoir permis d'utiliser des données qui ont contribué à mettre en vedette les produits et l'alimentation d'ici :

Statistique Canada

Santé Canada

Agriculture et Agroalimentaire Canada

Les diététistes du Canada

ainsi que les agences de commercialisation qui soutiennent et font la promotion des aliments produits chez nous.

Suivez les Éditions de l'Homme sur le Web

Consultez notre site Internet et inscrivez-vous à l'infolettre pour rester informé
en tout temps de nos publications et de nos concours en ligne. Et croisez aussi
vos auteurs préférés et l'équipe des Éditions de l'Homme sur nos blogues!

www.editions-homme.com

Marquis imprimeur inc.

Québec, Canada
2011

Achevé d'imprimer au Canada
sur papier Enviro 100% recyclé